D0353175

Dolende geesten

Vertaald door Maaike Post en Arjen Mulder

Charles Palliser

DOLENDE GEESTEN

1999 Prometheus Amsterdam

NOOT BIJ DE ANGLICAANSE KERK

In de periode waarin deze roman speelt was de anglicaanse kerk – dus de Engelse staatskerk, de Kerk van Engeland – verdeeld in twee zuilen. Enerzijds was er de High Church, die de katholieke traditie en eredienst volgde (ook bekend als de ritualistische, of traditionalistische stroming). Anderzijds was er de Low Church, die zich liet inspireren door het evangelie en de calvinistische leer over persoonlijke redding (ook bekend als de evangelische, of protestantse stroming). Het in de roman genoemde tractarianisme en arminianisme waren stromingen binnen de High Church.

Voor E.R.

Oorspronkelijke titel *The Unburied*
© 1999 Charles Palliser
© 1999 Nederlandse vertaling Uitgeverij Prometheus en Maaike Post en Arjen Mulder
Omslagontwerp Erik Prinsen, Zaandam
ISBN (geb.) 90 5333 752 0
ISBN (pap.) 90 5333 717 2

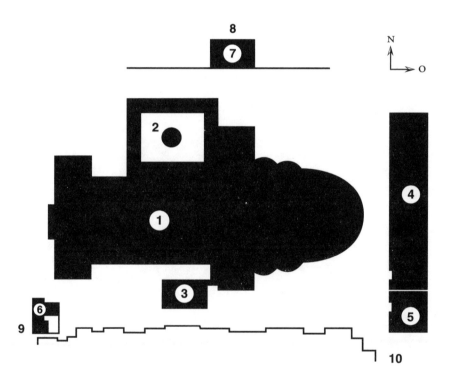

1   De kathedraal
2   De kruisgang en de put van Sint-Wulflac
3   Het kapittelhuis
4   De oude bibliotheek
5   De nieuwe bibliotheek
    (voorheen de thesaurie)

6   De Nieuwe Proosdij
7   Het poorthuis aan de noordzijde
    (nu de koorschool)
8   High Street
9   Chancery Street
10 De lage kant van de immuniteit

VOORWOORD VAN DE UITGEVER

Slechts weinig boeken hebben de afgelopen tijd zo veel stof doen opwaaien als *Het mysterie van Thurchester* bij publicatie drie jaar geleden. Ik heb vele malen in de stad bij vrienden thuis gezeten en meegemaakt dat er in het gezin bittere verdeeldheid ontstond over strijdige theorieën omtrent de kwestie, leidend tot hevige ruzies. Onvermijdelijk werd er dan naar mijn mening gevraagd, maar ik heb altijd geweigerd mij uit te spreken. Weliswaar leek de zaak indertijd te zijn opgelost, maar de geruchten bleven aanhouden en met het verstrijken van de jaren namen de beschuldigingen tegen zelfs de meest respectabele betrokkenen steeds groteskere vormen aan. Met de publicatie van het onderhavige werk zou er echter een eind moeten komen aan alle verdere discussie, want het verslag dat het grootste deel beslaat van het boek dat u thans in handen hebt, werpt een geheel nieuw licht op de ontdekkingen van miss Napier.

De omstandigheden waaronder het verslag van Courtine beschikbaar is gekomen, staan beschreven in mijn nawoord, waarin ik eveneens uitleg om welke redenen ik, voordat het zegel op het document kon worden verbroken, een reis naar Genua moest ondernemen. Dat was acht maanden geleden – het vroegste moment waarop de toestand op het vasteland reizen weer mogelijk maakte, zij het onder uiterst moeilijke omstandigheden. De tocht was lang en oncomfortabel en pas twee dagen na het verlaten van mijn huis bereikte ik mijn bestemming.

Het koetsje bracht me vanaf het station naar een groot huis aan de oever van het meer, omgeven door een park waarin her en der mistroostige coniferen stonden – extra dreigend omdat de lucht duisterder werd vanwege de storm die op komst was. In mijn stroeve Frans gaf ik de koetsier opdracht te blijven wachten.

Hoewel de dienstbode die de deur opendeed duidelijk blijk gaf mijn naam te herkennen, wist ik niet zeker of ik zou worden binnengelaten. Ik had een paar dagen eerder uit Engeland geschreven dat ik exact op dit tijdstip zou arriveren, en ik had de hoop uitgesproken dat het zou schikken, maar had geen tijd gelaten voor een antwoord. Ik was echter optimistisch gestemd, want mijn brief was in bewoordingen gesteld die er zorgvuldig op berekend waren mij toegang te verschaffen.

De dienstbode liet mij binnen in de hal, vroeg mij te gaan zitten en verdween. Het huis was koud en ik bedacht dat brandstof hier even schaars moest zijn als in Engeland. Ik realiseerde me dat dit vermoedelijk de reden was dat er bomen waren gekapt in het park. Terwijl ik naar het desolate landschap buiten staarde, trok het licht langzaam weg uit de hemel boven de grijze watervlakte. Ik wachtte veertig minuten en had de hoop al bijna opgegeven, toen de vrouw terugkwam en me door een deur leidde, een indrukwekkende trap op. Ze bracht me naar een reusachtige kamer met helemaal achterin een onmetelijk groot venster, waarvan de gordijnen open waren gelaten en dat zicht bood op de dreigende lucht en het donkere oppervlak van het meer. Aan één kant van het raam stond een zwarte vleugel – met neergelaten klep. Aan de andere kant – de plaatsing was bedoeld om een zo groot mogelijk dramatisch effect te sorteren – zat een gedaante in een zetel met hoge rugleuning. Ik kwam naar voren als een publiek dat zijn stoel zoekt, en als op een teken flitste er een bliksemschicht door de hemel.

De dienstbode stak een lamp aan naast haar mevrouw en pakte een dienblad op met het gebruikte theegerei. De oude dame gebaarde me naar een stoel, en heel even was het mij vergund haar gelaatstrekken te bestuderen terwijl zij haar drukdoende dienstbode gadesloeg: een hoge neus en heldere ogen in een intelligent en achterdochtig gelaat. Nadat de dienstbode zich had teruggetrokken, opende ik het gesprek met de opmerking dat het vriendelijk van haar was om mij, een vreemde, te willen ontvangen.

Ze onderbrak me alsof ik niet had gesproken: 'Hebben u en ik elkaar ooit ontmoet?'

Haar stem was verrassend resoluut voor een vrouw van in de negentig, en ook opmerkelijk laag – al had ik dat verwacht. Haar vraag stelde me voor het blok. Ik had gehoopt haar met gevlei en overredingskracht zover te kunnen krijgen dat ze zei wat ik wilde horen, maar ik zag nu dat ik een andere strategie moest volgen.

'Nee, dat niet precies. Maar ik heb u eenmaal gezien, jaren geleden.'

'Onder welke omstandigheden?'

'In Thurchester.'

Ze keek me zeer nauwlettend aan en ik zag niets wat op enig onbehagen wees. 'U vergist zich. Dat is praktisch uitgesloten.'

'Ik zag u op de dag dat u de acteerprestatie van uw leven ten beste gaf.'

Ze glimlachte dunnetjes. 'Ik ken dat treurige theatertje in High Street wel. Er was een tijd dat ik het zelfs heel goed kende. Maar ik heb er zelf nooit opgetreden.'

'Ik zei ook niet dat ik u daar heb gezien.'

Ze staarde me aandachtig aan: 'U moet zo'n twintig jaar na mijn afscheid van het toneel zijn geboren.'

'Van het toneel wel, ja.' Ik zag de verraste uitdrukking op haar gezicht en vervolgde: 'U zult het begrijpen als u ziet wat ik voor u heb meegebracht.'

Mijn hart bonkte toen ik die woorden uitsprak. Ik wilde zo graag een bewijs. Ze moest iets zeggen wat mij ervan zou overtuigen dat zij de vrouw was naar wie ik had gezocht. Ik bedoel geen rechtsgeldig bewijs, want dat bezat ik al. De reeks onroerendgoedtransacties en de steeds veranderende adressen in land na land die ik door de jaren heen had kunnen traceren, voldeden aan de relevante vereisten. Maar daarmee was nog niet voldaan aan mijn behoefte zekerheid te hebben dat zij het ook werkelijk was. Uit haar eigen mond moest ik iets vernemen wat de vrouw vóór mij zou verbinden met de gestalte die ik weliswaar slechts kort had gezien, maar die voorgoed in mijn hoofd was blijven rondspoken.

Het was duidelijk dat mijn laatste opmerking haar niet beviel en ze zei, als om onze ontmoeting snel tot een einde te brengen: 'U vermeldde in uw brief dat u iets in uw bezit hebt wat van mij is.'

'En dat ik persoonlijk wilde overhandigen aan de rechtmatige eigenaar om een oud onrecht ongedaan te maken.'

Ze knikte. 'Dat waren uw woorden. Wat is het? Verwacht u ervoor te worden betaald?'

'Niet met geld. En ik ben ook niet van plan te gaan onderhandelen. Het is uw eigendom.' Ik besefte dat ik, sneller dan gewenst, het eigenlijke doel van mijn reis had bereikt. Ik aarzelde even en vulde toen aan: 'Het eigendom van u en uw zoon.'

In een reflex schoot haar hoofd omhoog, terwijl ze me ook voor het eerst aankeek met onverholen belangstelling en, naar het me voorkwam, met woede. Onmiddellijk hierna zat het masker weer op zijn plaats. Ik vervolgde zo zakelijk mogelijk: 'Ik heb hem proberen te vinden omdat ik u liever niet had willen lastigvallen met deze zaak. Ik heb mijn uiterste best gedaan contact met hem te krijgen, maar mijn pogingen zijn op niets uitgelopen. Als u mij vertelt hoe ik hem kan bereiken, zal ik u niet langer storen en de zaak met uw erfgenaam afhandelen.'

'Mijn erfgenaam?' Ze sprak de woorden uit op een toon die ik zou willen omschrijven als spottende scherts.

'Ik neem aan dat uw zoon uw erfgenaam is?'

'Ik ben niet verantwoordelijk voor uw aannames.'

'Ongeacht of hij uw erfgenaam is of niet, deze zaak gaat hem evenzeer aan als u.' Toen ze geen antwoord gaf, stelde ik de botte vraag: 'Kunt u mij zeggen of hij nog leeft?'

Ik kon geen reactie bespeuren. Na een ogenblik zei ze: 'Weest u zo vriendelijk mij datgene te overhandigen wat volgens u van mij is.'

Ik kwam uit mijn stoel overeind en trok met een ietwat theatraal gebaar een envelop uit mijn zak en hield die haar voor.

Ze greep hem beet en scheurde hem open. Er bestaat een algemeen aanvaard geloof dat heel oude mensen een stadium hebben bereikt waarin zij zich langzaam maar zeker losmaken van zaken als eigenbelang en emoties en hebzucht. Ik zag geen enkel teken dat zij zich uit het leven aan het terugtrekken was en voelde integendeel, terwijl ik toekeek hoe ze gretig de envelop openrukte, dat ik mijn doel minstens ten dele had bereikt: ik begreep nu iets van motieven en scrupules wat ik niet eerder had bevat.

'Wat zijn dit? Wat betekent dit?'

Ze liet de inhoud van het pakje minachtend op het tafeltje naast haar stoel vallen.

'Het zijn de sleutels tot een mysterie,' kon ik niet nalaten te antwoorden. 'Wilt u ze niet hebben?'

'Ik heb geen idee waarover u het hebt.'

'U herkent ze niet?'

'Waarom zou ik?'

'Het zijn de sleutels van een huis in Thurchester. Een huis dat u heel goed kent.' Ze bekeek me met een zekere nieuwsgierigheid, maar dat was ook de enige emotie die ze toonde. Ik probeerde haar tot een reactie te verleiden: 'Ik heb ze gered net voor ze voor eeuwig zouden verdwijnen.' Toen ze nog steeds niets zei, vervolgde ik: 'Die dag – ik bedoel de dag die uw leven even dramatisch veranderde als hij het mijne beïnvloedde – volgde ik u vanaf de achterdeur van het huis. U had mij niet in de gaten, of als u dat wel deed zag u in mij geen gevaar.'

Toen ik was uitgesproken antwoordde ze niet. Misschien een minuut lang zaten we zwijgend bijeen. Toen trok ze aan het schelkoord naast haar stoel. Vrijwel onmiddellijk kwam de dienstbode binnen, die achter de deur moest hebben staan wachten. De oude dame zei in goed Frans: 'Mijnheer vertrekt. Wilt u hem uitlaten.'

'Spreekt uw dienstbode Engels?' vroeg ik. Ze reageerde niet en bleef uit het raam staren. 'Ik moet uw zoon vinden. Welke naam gebruikt hij?'

Nu draaide ze zich eindelijk om en keek mij aan, maar met zo'n uitdrukking van onverholen en ongeïnteresseerde vijandigheid dat ik wist dat ik nooit het antwoord op mijn vragen zou krijgen.

Ik stond op.

'Uw reis is tevergeefs geweest,' zei de oude dame. 'Maar dat kunt u mij niet kwalijk nemen.'

'Het is niet tevergeefs geweest. Het ging me er in de eerste plaats om opheldering te krijgen.'

Uit niets liet ze blijken dat mijn opmerking haar ook maar iets aanging.

Ik vervolgde: 'Mijn ontmoeting met u heeft me dingen leren begrijpen die me meer dan veertig jaar lang voor een raadsel hebben gesteld.'

Ik liep in de richting van de deur en had die bijna bereikt toen ze riep: 'Mr Barthram. U bent uw sleutels vergeten.'

Ik draaide me om en liep naar haar toe. 'Ik ben ze niet vergeten. Ik verzeker u, ik ben ze geen dag in mijn leven vergeten. Ze zijn van u en ik laat ze met een onbeschrijfelijk gevoel van opluchting bij u achter.' Ik hield op ongeveer tien passen voor haar halt. 'Herinnert u zich de naam Perkins?' Ze bleef roerloos zitten.

Ik besefte niet hoe bedreigend ik moest zijn overgekomen, totdat de dienstbode op doodsbenauwde toon zei: 'Zal ik Pierre halen, madame?'

De oude dame gebaarde haar ongeduldig te zwijgen zonder haar blik van mij af te wenden.

'Denkt u ooit nog aan een jongeman met de naam Eddy Perkins?' herhaalde ik.

Tot mijn verbijstering glimlachte ze. 'Ik stel me zo voor dat u dat wel doet. Waarom heeft het u zo veel tijd gekost?' Ze knikte naar het tafeltje. 'Als u hier tijdiger gebruik van had gemaakt, zou de hele zaak zelfs voor de alleronnozelsten duidelijk zijn geweest. Was u te bang?'

'Ik was een kind,' zei ik.

'Toen ik een kind was, was ik nergens bang voor. Of misschien is het eerlijker om te zeggen dat zo ik ergens bang voor was, dat me er niet van weerhield om te doen wat ik wilde. Dat is het verschil, is het niet, tussen degenen die door het leven gaan en alleen maar hun tekst opzeggen, en degenen die hun rol verzinnen op het moment dat ze hem spelen.'

'Daar was u goed in.'

'Ik was magistraal.'

'U bekent dus?'

'Bekennen? Mijn beste man, ik ben er ongekend trots op! De grootste acteurs zijn degenen die in staat zijn om voor de ogen van hun toeschouwers een mens tot leven te wekken, in plaats van een van tevoren in elkaar geflanste pop op het toneel te brengen. Het toneel opgaan en dan op een kritiek moment je personage worden, en spreken terwijl je pas weet wat je gaat zeggen als de woorden al over je lippen rollen! Dat gevaar trotseren en dan te triomferen, dat is het grote avontuur dat het leven te bieden heeft. Het avontuur dat nergens mee te vergelijken valt. Ziet u dat niet?'

'Ik heb nooit toneelgespeeld.'

'Ik heb het niet over toneelspelen. Ik heb het over leven. Anders ben je dood zonder dat je het waard was te worden begraven.'

'Hebt u nergens spijt van?'

'Alleen dat ik nu doodga.'

Het had niets opgeleverd als ik haar opnieuw naar Perkins had gevraagd, die stierf omdat hij de verbeeldingskracht miste om in iets anders dan het heden te leven. Ik keerde me om en verliet de kamer.

Mijn reis bleek op een concretere manier de moeite waard te zijn geweest. Terwijl mijn trein langzaam en met veel onvermijdelijke omwegen zijn tocht naar de kust volbracht, verschenen op de borden ook de namen van Vlaamse dorpen en steden die de laatste vier jaar een afschuwelijk soort bekendheid hadden gekregen in Engeland. Ik dacht aan de rouwende moeders van zoveel van mijn leerlingen, voor wie ik geen woorden van troost had kunnen vinden. En toen schoot me de onbewuste schrikreactie van de oude vrouw te binnen bij het woord 'zoon' – en toen ik me haar opnieuw voor de geest haalde, zag ik de zwarte vleugel met de neergelaten klep, en op dat moment kreeg ik een idee hoe ik de zaak verder kon aanpakken.

De dood van de oude dame, net twee maanden geleden, nam het laatste obstakel weg dat de publicatie van het navolgende document in de weg had gestaan. Als woord vooraf hoef ik enkel nog te zeggen dat het volgende commentaar was geschreven op de buitenzijde van de envelop die het document bevatte – geschreven als gevolg van mijn eigen tussenkomst, hoewel ik dat pas jaren later te weten zou komen: *Ik heb zojuist vernomen dat ik het bij het verkeerde eind had wat betreft de rol van Ormonde, van wie ik nu weet dat hij al jaren vóór de hier beschreven gebeurtenissen is overleden. Desondanks wil ik dit laten gelden als een waar verslag van de gebeurtenissen waarvan ik getuige ben geweest en van de conclusies die ik later uit mijn ervaringen heb getrokken – al zal een aantal daarvan fout zijn geweest. E.C.*

HET VERSLAG VAN COURTINE

Dinsdagnamiddag

Nu het nog vers in mijn geheugen ligt, zal ik nauwkeurig beschrijven wat ik zag en hoorde toen ik nog geen week geleden een man ontmoette die net als u en ik rondwandelde – ondanks het ongerief dat hij op brute wijze van het leven was beroofd.

Mijn bezoek had een onheilspellend begin. Vanwege het weer, dat al twee dagen lang een mantel van ijzige mist over de zuidelijke helft van het land gedrapeerd hield, had mijn trein vertraging en miste ik de aansluiting. Tegen de tijd dat ik – twee uur te laat – mijn bestemming bereikte, had ik al urenlang door een voortijdig ingevallen nacht gereisd. Ik zat eenzaam in het slecht verlichte rijtuig met een boek in de hand, al deed ik weinig moeite om te lezen, en staarde door het raam naar het omnevelde landschap dat steeds onbekender en schimmiger werd terwijl de schemering inzette en de mist zich verdichtte. Langzaam maar zeker kreeg ik de indruk dat de trein mij niet vooruit bracht, maar achteruit en mij uit mijn eigen leven en tijd wegvoerde naar het verleden.

Plotseling kwam ik weer tot mijzelf toen de trein met een schok begon af te remmen en na een reeks sidderingen tot stilstand kwam in een duisternis die nauwelijks werd gelenigd door het flauwe licht uit de rijtuigen. We lagen zo ver achter op de dienstregeling dat ik geen idee had of dit wel of niet mijn station was. Terwijl ik bij de deur stond en een naambord probeerde te onderscheiden in de galgele gloed van een gaslamp in de verte, hoorde ik hoe verderop in de trein een raam omlaag werd geschoven en een medepassagier de vraag riep of wij het eindstation hadden bereikt. Een stem van ergens op het perron antwoordde ontkennend en zei dat dit de een na laatste halte op de lijn was, waarna hij de naam van mijn bestemming noemde.

Ik tilde mijn koffer van het bagagerek en stapte uit, samen met slechts twee of drie andere reizigers. Zij verdwenen uit het zicht toen ik een paar tellen op het perron bleef staan en verschrikt van de kou met mijn voeten stampte en mijn armen om mij heen sloeg, terwijl ik de gore lucht probeerde in te ademen waarin de bijtende geur van zware vorst vermengd was met de rook uit de duizenden kolenkachels van de stad.

Austin had me gezegd dat hij vanwege verplichtingen elders niet in staat was me te komen ophalen van het station, en dat ik daarom rechtstreeks naar zijn huis moest gaan. Dat was mij wel zo lief, want ik had bedacht dat ik hem misschien niet zou herkennen en dat het daarom beter was hem voor zijn eigen deur te treffen. Ik kon maar niet besluiten of het vooruitzicht te moeten constateren dat hij was veranderd, meer of juist minder verontrustend zou zijn dan te moeten ontdekken dat hij dat níet was. Ik geloof echter dat ik niet zozeer bang was voor de veranderingen die ik in hem zou constateren, als wel aan het gezicht van mijn oude vriend de gedaanteverandering vreesde te zullen aflezen die de jaren in mijzelf hadden voltrokken.

De trein floot en reed het station uit, en liet mij naar adem happend achter in de roetrijke rook die hij uitbraakte – een duistere, minerale, uit-de-ingewanden-van-de-aarde-geur. De duisternis keerde weer en het enige wat nu nog zichtbaar was, was een flakkerende gasbrander boven wat de poort van het perron moest zijn. Daar richtte ik mijn schreden heen, en bij het hek pakte een spoorwegemployé, goed ingepakt met een sjaal voor zijn gezicht, mijn kaartje aan met een van zijn in handschoenen gevatte handen.

Toen ik buiten op de voorhof kwam, zag ik dat mijn medepassagiers waren verdwenen als even zovele spoken. Er stond nog maar één koetsje te wachten en dat huurde ik. Het gezicht met de knolvormige neus en de hangende onderlip dat de koetsier naar me toe keerde was, in combinatie met zijn naar zuur bier stinkende asem, niet bepaald vertrouwenwekkend. Ik gaf het adres en met een ruk zetten we ons in beweging.

Al kende ik de stad niet, ik wist dat het station ongeveer anderhalve kilometer van het centrum verwijderd lag. Door het raampje van het schommelende vehikel kon ik bijna niets onderscheiden, al hoorde ik dat er weinig andere wagens op straat waren. Na een minuut of drie, vier voerde de weg ons tegen een lichte helling op en ik vermoedde dat we de heuvel bestegen op de top waarvan de Romeinen het fort hadden opgetrokken van waaruit ze het eeroude kruispunt van wegen hadden beheerst.

Aan weerskanten van de weg lagen rijen huisjes en in de verlichte ramen daarvan ving ik nu en dan een glimp op van een gezin dat aan het avondmaal zat. Tot nu toe was mijn ontvangst kil geweest, maar ik hield mezelf voor dat ik deze week tenminste niet hoefde door te brengen op de universiteit, in het mistroostige gezelschap van de overige ongetrouwde collega's die nergens waren uitgenodigd.

Het koetsje minderde vaart naarmate de heuvel steiler werd en met verbazing realiseerde ik me dat mijn hart sneller was gaan kloppen. Ik had me regelmatig afgevraagd wat er van mijn oude vriend terecht was gekomen. Als studenten hadden we vaak gesproken over de ophef die we in de grote wereld zouden veroorzaken – beiden gepassioneerd betrokken bij onze studie en gebrand op erkenning. Had hij spijt om wat er van zijn leven was geworden? Was hij gelukkig in dit afgelegen stadje? Had hij compensatie in andere dingen gevonden? Van tijd tot tijd had ik van een gemeenschappelijke kennis geruchten vernomen over zijn levensstijl, maar daar hechtte ik niet veel geloof aan. Ik had vaak over hem zitten mijmeren en toen ik zijn uitnodiging ontving – zo verrassend na al die tijd dat wij nu van elkaar vervreemd waren – had ik de verleiding niet kunnen weerstaan.

Het koetsje passeerde het hoogste punt, de wielen begonnen over de kinderhoofdjes te ratelen en we kregen weer vaart. Er waren nu ook straatlantaarns in nevelige halo's die een karig licht verspreidden in de dichte mist en ik kon zien dat, ook al leken we in High Street te zijn, er toch nauwelijks verkeer op de straatweg was en slechts een handvol voetgangers op de trottoirs. Zoals de hoeven van het koetspaard opklonken in de stille straat, hadden we evengoed door een leeggeplunderde stad kunnen rijden die verlaten was na een beleg. Toen werd ik, volkomen onverwacht, heen en weer geslingerd terwijl het voertuig een hele reeks scherpe bochten uitvoerde en onder een grote boog door reed – de kletterende hoeven galmden rondom me. Ik dacht dat de koetsier me per ongeluk naar een herberg had gebracht, maar op dat moment hoorde ik – ik zou haast zeggen: werd ik verdoofd door – de zware dreun van een grote klok. Hij luidde nog viermaal – elke slag leek de vorige in te halen als rimpels die zich door de mist verbreidden – en toen besefte ik dat ik me recht onder de kathedraal bevond en dat we in het halfduister van de mist de immuniteit eromheen op waren gereden zonder dat ik er erg in had gehad.

Het koetsje zwaaide voor de laatste keer een scherpe bocht om en hield halt. Een paar meter verderop lag een portaal – de deur van het zuidertransept. In het flakkerende licht van een gaslamp zag ik een stapel bakstenen en wat houten latten liggen, bedekt door een geteerde doek.

'Zijn ze aan het werk in de kathedraal?' vroeg ik de koetsier bij het uitstappen.

'Zijn ze er ooit niet aan het werk?' antwoordde hij.

Terwijl ik de ritprijs betaalde, ging de deur van het dichtstbijzijnde huis open en kwam er een gedaante op mij afgestevend.

'Beste kerel, wat ben ik blij je te zien,' zei een jeugdige stem, die ik me zo goed herinnerde dat ik huiverde. De stem was hetzelfde, maar vóór mij zag ik een vreemde, een man van middelbare leeftijd met doorgroefde wangen en een hoog voorhoofd, waarop het dunne, grijzende haar terugweek. Austin greep me vast en omarmde me, en toen ik voelde hoe tenger hij was, herinnerde ik me die on-Engelse impulsiviteit en emotionaliteit van hem, die ik altijd had benijd maar ook wel had gevreesd.

'Bedankt dat je gekomen bent,' zei hij en hij klopte met één hand op mijn rug terwijl we elkaar omarmden. 'God zegene je. God zegene je.'

Bij zijn woorden voelde ik intense spijt om wat er was gebeurd. In de tijd dat we vrienden waren, was niet te voorzien geweest dat we zo lang van elkaar gescheiden zouden raken – gescheiden door een vervreemding die het gevolg was van zijn betrokkenheid bij de pijnlijkste ervaring van mijn leven. Naderhand had ik hem een brief geschreven, een gebaar waarmee ik aangaf dat ik onze vriendschap in stand wilde houden. Pas toen een antwoord uitbleef, was ik me gaan afvragen of hij zich schuldig voelde om de rol die hij had gespeeld, en toen was ik meer en meer gaan speculeren over de vraag wat nu precies de rol was geweest die hem was opgedrongen of die hij op zich had genomen. Desondanks schreef ik hem een briefje met kerst dat jaar en alle daaropvolgende jaren, en na een paar jaar begon hij hetzelfde te doen – korter – en dat was hij blijven doen met onderbrekingen van één of twee jaar.

Ik hoorde van zijn doen en laten via gemeenschappelijke kennissen, zij het steeds minder omdat zij het contact verloren of naar het buitenland vertrokken of overleden. En toen had ik een maand geleden – lang nadat volgens mij de sintels van onze vriendschap tot as waren vervallen – een brief ontvangen waarin hij me uitnodigde hem te komen opzoeken – ja, hij had me daar in de hartelijkste bewoordingen zelfs dringend om verzocht – wanneer ik maar wilde, hijzelf ging immers nooit op vakantie, en zijn enige voorwaarde was dat ik 'het geduld moest hebben om het gezelschap te verduren van de saaie en knorrige oude man die ik ben geworden'. Aanvankelijk had ik me afgevraagd of die sintels door aanwakkeren nieuw leven zou worden ingeblazen of dat ze voorgoed zouden doven, maar ik had een vermoeden waarom hij kon hebben besloten me uit te nodigen en daarom schreef ik terug om te zeggen dat ik graag langs zou komen en dat het gelukkigerwijs zo uitkwam dat ik reeds lang de oude aarden wallen bij Woodbury Castle, net buiten de stad, had willen onderzoeken en opmeten. Ik zei dat ik vroeg in het nieuwe jaar zou komen als ik terugkeerde van mijn nicht, en dat ik hem zo vroeg mogelijk zou laten weten wanneer dat zou zijn. (Toen het zover was had ik mijn plannen gewijzigd en hem slechts een paar dagen van tevoren op de hoogte kunnen stellen van mijn komst.)

Achter me hoorde ik het koetsje keren in het smalle straatje tussen de huizen en de kathedraal.

Austin deed een stap naar achteren terwijl hij me nog steeds met beide armen vasthield, waardoor ik hem voor het eerst kon zien, zij het slechts in het zwakke licht van de gaslamp een meter of vijftien verderop. Daar stond de oude Austin me glimlachend aan te kijken. Dezelfde helderheid in zijn grote donkere ogen, hetzelfde jongensachtige enthousiasme. Hij stond te glimlachen en toch, ondanks het plezier dat het hem onmiskenbaar deed mij weer te zien, dacht ik dat er iets ontwijkends, iets verhullends in zijn blik lag – hij keek me net niet recht aan. Dacht hij hetzelfde als ik: wat hebben de jaren met je gedaan? Wat hebben ze je teruggegeven voor de stralende jeugd die ze je hebben ontnomen?

'Beste Austin, je ziet er erg goed uit.'

'Des te beter nu ik jou zie,' zei hij. 'Kom binnen, ouwe makker.'

Hij pakte mijn koffer op, en zonk theatraal ineen onder het gewicht ervan. Ik probeerde de koffer van hem over te nemen, maar hij trok hem te snel weg, waardoor we even weer een stel jolige studenten waren. 'Wat zit er in 's hemelsnaam in? Boeken zeker?'

'En kerstcadeaus voor de kinderen van mijn nicht. Maar er zit ook iets voor jou in.'

'O, geweldig! Ik ben dol op cadeautjes,' riep hij uit. Hij droeg de koffer voor me uit naar de deur en stak toen zijn arm uit om mij te laten voorgaan.

Ik tuurde omhoog naar het pand. 'Wat een mooi oud huis,' zei ik. Maar terwijl ik die woorden sprak, constateerde ik dat het huis eigenlijk eerder curieus dan mooi was. Het was hoog en smal en de vensterramen en deuren stonden zo schots en scheef ten opzichte van elkaar en de grond, dat het, zoals het was samengeperst tussen twee grotere huizen, deed denken aan een dronkelap die onder zijn oksels overeind werd gehouden door zijn metgezellen.

'Het zit inbegrepen bij de betrekking. Het wordt gezien als deel van mijn salaris, maar ik denk eerder dat ik betaald zou moeten worden om erin te wonen. De beste huizen liggen aan de lage kant van de immuniteit.'

Ondertussen had de koetsier zijn onhandige manoeuvre uitgevoerd en ik hoorde het voertuig wegrijden. Nadat ik over de drempel was gestapt, liep ik een paar treden af, want het met kinderhoofdjes bestrate binnenterrein buiten de deur was in de loop der eeuwen steeds hoger komen te liggen. In het donkere portaaltje bleek ik recht tegenover een trap te staan – sterker nog, het huis was een en al trappen, want het was een oeroud bouwwerk met slechts twee kamers per verdieping. Toen ik mij had ontdaan van overjas en hoed, leidde Austin me zijn voorkamer binnen. Ik kon zien dat het kamertje erachter de keuken was. De voorkamer – of eetkamer zoals hij het noemde, en uit de tafel die voor twee personen was gedekt bleek duidelijk dat dit de plek was waar hij zijn maaltijden gebruikte – was koud, al brandde er een pas aangelegd vuur. In het licht van de gaslamp kon ik Austin eindelijk goed zien. Zijn neus was roder dan ik me herinnerde en zijn huid was ruw en rimpelig geworden, al was ze nog steeds zo bleek als papier. Hij bleek nog even slank als hij geweest was als jongeman. (Ik vrees dat ik dat niet van mijzelf kan zeggen.) Vreemd genoeg was hij langer dan ik me herinnerde. Toen hij zag hoe ik hem opnam, glimlachte hij en ik glimlachte terug. Vervolgens draaide hij zich om en begon op te ruimen, alsof hij geen voorbereidingen had getroffen voor mijn komst.

Ondertussen informeerde hij naar mijn reis en antwoordde ik met vragen over het huis en de locatie ervan en wat er zo prettig aan was. Ik nam plaats in een van de twee stoelen aan tafel. Het meubilair was sjofel en kapot en er lag een vettige glans over de bekleding. De oude lambrisering was zwart van een paar eeuwen kaarsvuur en op de kale, planken vloer lag alleen een versleten Turks tapijt. Absurd genoeg voelde ik mijn hart bonzen. Het huis was zó armoedig, smerig bijna. Ik dacht aan mijn eigen comfortabele kamers en de dienstboden van de universiteit die alles schoon en netjes hielden.

Austin schonk een glas madera voor me in uit een karaf die op een zijtafel stond. Toen hij me die overhandigde werd ik plotseling getroffen door de geur van de kamer – dik, zwaar, intiem. Terwijl ik het glas ophield ademde ik moeizaam in door mijn neus. Ik sloot mijn ogen en dacht aan de nabije kathedraal, aan de beenderen en het vlees die onder de stenen lagen te rotten, aan wat er zich onder dit huis zou kunnen bevinden dat in de schaduw van het grote gebouw lag. De geur was zoet, obsceen, alsof er een rottend lijk op me drukte en me in een klamme, glibberige omarming hield, en plotseling voelde ik dat ik op het punt stond vreselijk misselijk te worden. Het lukte me een slokje wijn te drinken en op de een of andere manier mijn gedachten af te leiden, en het ging over. Ik keek op en zag dat Austin me nieuwsgierig opnam en ik perste er een glimlachje uit en toen brachten we een dronk uit op elkaar en op mijn komst.

Waarover konden we het hebben na al die tijd? Het leek absurd om ons over te geven aan het triviale gekwebbel van mensen die niet meer dan kennissen zijn – het weer, de reis, de geringe afstand van het huis tot de kathedraal en de verschillende voor- en nadelen daarvan. En toch deden we dat. De hele tijd bleef ik hem aandachtig opnemen en vroeg ik me af wat de voortschrijdende tijd met hem had gedaan. En ik veronderstelde dat hij mij bezag met dezelfde vragen in het achterhoofd. Konden we de jongensachtige gesprekken weer opvatten waar we ons vroeger in vermeid hadden of, wat ik eerder hoopte, konden we een nieuwe, rijpe toon voor onze vriendschap vinden? Of zouden we ongemakkelijk heen en weer zwalken tussen de oude en thans misplaatste omgangswijze en het nieuwe besef dat we weinig met elkaar gemeen hadden?

'Wat is het fijn je weer te zien,' zei ik toen er een stilte viel.

Hij glimlachte naar me en die glimlach bleef op zijn gezicht, zelfs toen hij zijn glas naar zijn mond bracht en dronk.

Ik merkte dat ik idioot naar hem teruglachte. Domweg om iets te zeggen, flapte ik eruit: 'Hoe lang is het wel geleden dat we elkaar hebben gezien!' Zodra ik de woorden had uitgesproken, wilde ik ze weer inslikken. Wat is het toch raar dat je, wanneer je vastbesloten bent een bepaald onderwerp te vermijden, daarover nu juist het eerste begint.

Alsof de opmerking geen herinneringen bij hem wekten, zette hij zijn glas neer en begon omslachtig op zijn vingers te tellen. 'Twintig jaar.'

'Langer nog. Tweeëntwintig. Bijna tweeëntwintig.'

Hij schudde glimlachend zijn hoofd.

Ik was helemaal niet van plan geweest het onderwerp te berde te brengen, maar nu ik het toch had gedaan, wilde ik wel dat we het ons correct herinnerden. Daarna zou ik er niets meer over zeggen. 'Je kwam naar het station in Great Yarmouth om me uit te zwaaien. Om ons uit te zwaaien. Ik ben nooit de aanblik vergeten van jou op het perron terwijl de trein wegreed.'

Hij keek me aan met niet meer dan beleefde nieuwsgierigheid. 'Wat vreemd. Zoals ik het mij herinner, keerden jij en ik getweeën terug naar Londen.'

'Helemaal niet. Ik zie je ons daar nog staan uitzwaaien. Het was op achtentwintig juli – komende zomer is het tweeëntwintig jaar geleden.'

'Je zult wel gelijk hebben. Jij bent degene die alles van het verleden weet.'

'Het is erg moeilijk om de waarheid vast te stellen als het om het verleden gaat, Austin. Maar de gebeurtenissen van die zomer, kan ik je verzekeren, staan in mijn geheugen gegrift.'

Ik had geëmotioneerder gesproken dan mijn bedoeling was geweest. Toen ik een slok nam sloeg het glas tegen mijn tanden. Ik was plotseling doodsbenauwd dat hij een van de twee namen zou uitspreken die nooit tussen ons tweeën mochten vallen. Ik liet mijn glas zakken en probeerde mijn hand stil te houden.

'Laten we er geen ruzie over maken. Dat is het niet waard.' Toen glimlachte hij en zei: 'Maar nu over de toekomst. Kun je tot zaterdag blijven?'

'Heel graag. Maar ik zal dan wel heel vroeg moeten vertrekken omdat het de dag voor kerst is en ik 's middags bij mijn nicht word verwacht.'

'En waar is dat?'

'Exeter, zoals ik in mijn brief schreef.'

'Ja, natuurlijk. Mooi, dat is dan afgesproken. We zullen elkaar in de avonduren zien, maar overdag moet ik helaas werken.'

'En ik heb zelf ook dingen te doen die me het grootste deel van de dag in beslag zullen nemen.'

'Dat schreef je, ja. Ik hoop dat die ellendige kou en mist je niet te veel in je werkzaamheden storen.'

Ik glimlachte. Het was een wat vreemde opmerking, maar Austin had altijd een speels gevoel voor humor gehad. Ik had hem slechts een paar dagen geleden geschreven of het gelegen kwam als ik onze afspraak veranderde en op zo korte termijn al bij hem langskwam, en hij had geantwoord dat het hem een waar genoegen zou zijn. De reden waarom ik het bezoek vooruit wilde schuiven, was de volgende. Toen ik de uitnodiging van Austin had ontvangen, had ik me herinnerd dat de bibliotheek van mijn faculteit in het bezit was van de niet-gecatalogiseerde papieren van de oudheidkundige Pepperdine die, naar ik me herinnerde, de stad kort na de Restauratie had bezocht, en daarom besloot ik die eens in te kijken. Daarbij stuitte ik op een brief die – zoals ik Austin had uitgelegd – suggereerde dat er aan een reeds lang bestaande wetenschappelijke controverse met betrekking tot de door mij zo geliefde tijd van Alfred de Grote een einde kon worden gemaakt door een bepaald document dat in de Bibliotheek van Proost en Kapittel te vinden zou kunnen zijn. Ik was er zó op gebrand mijn onderzoek daarnaar te beginnen, dat ik mijn plannen wijzigde en besloot om Austin al op de heenweg naar Exeter te bezoeken in plaats van op de terugweg in het nieuwe jaar.

'Na je lange reis,' vervolgde hij, 'dacht ik dat je wel thuis zou willen blijven vanavond, en daarom zal ik eten voor ons koken.'

'Net als vroeger,' riep ik uit. 'Herinner je je dat? Toen we kamers hadden in Sidney-street en we om beurten koteletten braadden?'

Ik werd overspoeld door herinneringen en merkte dat mijn blik een beetje wazig werd.

Austin knikte.

'Herinner je je jouw "koteletten à la Sint-Laurentius", zoals je ze noemde? Krokant gebakken, net als die arme heilige? Je noemde jouw maaltijden een autodafe, want er was meer geloof vereist om die op te eten, zei je, dan de ongelukkige slachtoffers van de Inquisitie ooit nodig hadden gehad.'

Hij glimlachte, maar naar het me voorkwam eerder om mijn nostalgie dan om de herinneringen die ik opriep. 'Ik heb lamskoteletten met kappertjes klaarstaan. Ik heb genoeg ervaring opgedaan in de tussenliggende jaren om je te kunnen beloven dat er geen martelaarschap wordt vereist om die op te eten.'

Het was vreemd te bedenken dat Austin zijn eigen huishouden deed. Ik herinnerde me hoe slordig hij was geweest – altijd overal kruimels op de vloer van zijn kamers op de faculteit, zijn kleren over een stoel gesmeten, kopjes en borden zelden afgewassen. De kamer waarin ik me nu bevond was niet veel netter.

'Ik zal je je kamer laten zien,' zei Austin. 'Ik denk dat je je wel op wilt frissen terwijl ik het eten maak.'

'Heb ik nog tijd om de kathedraal te bekijken? Ik moet mijn benen even strekken na die lange treinreis.'

'Het eten is pas met een halfuur klaar.'

'Is de kathedraal niet dicht om deze tijd?'

'Vanavond niet.'

'Mooi. Ik zou graag de kooromgang bekijken.'

Austin keek verrast, geschrokken zelfs. 'Ik dacht dat je hier nog nooit was geweest.'

'Maar beste vriend, ik ken de kathedraal tot in de kleinste details uit beschrijvingen en afbeeldingen. Hij heeft een van de fraaiste kooromgangen in Engeland.'

'Werkelijk?' vroeg hij afwezig.

'Het is in alle opzichten een opmerkelijk bouwwerk, en bijna volledig intact.' Ik herinnerde me wat ik bij aankomst had gezien en hoe nietszeggend de koetsier mijn vraag had beantwoord, en daarom vroeg ik: 'Maar wordt er nu aan gewerkt?'

Hij glimlachte. 'O, daarmee heb je hét onderwerp aangesneden waarover de stad in heel haar geschiedenis nog niet zo verdeeld is geweest.'

'Dat wil zeggen, sinds het Beleg,' lachte ik. 'Vergeet dat niet.'

'Ze zijn inderdaad aan het werk; wat de reden is dat je zo laat nog naar binnen kunt.'

'Wat zijn ze aan het doen? Toch niet weer zo'n zogenaamde restauratie?'

'Ze zijn alleen met het orgel bezig.'

'Ook daarmee kan aanzienlijke schade worden aangericht.'

'Dat lijkt me onwaarschijnlijk. En het orgel zal er veel baat bij hebben. Ze leggen stoomkracht aan voor de windvoorziening en brengen de speeltafel en het rugwerk vanaf de oude orgelgalerij omlaag naar een nieuwe tribune.'

Ik kon het niet laten ontzet mijn hoofd te schudden. 'Nergens voor nodig. Het zal er niet beter door klinken.'

'Juist wel. En het wordt ook gestemd op een gelijkzwevende temperatuur en aanzienlijk verbeterd. Momenteel heeft het een smal register zonder clairon of cremona.'

Ik was verbaasd over zijn kennis van zaken, al herinnerde ik me dat hij zong en redelijk goed kon fluit spelen. 'Ik wist niet dat je orgel speelde?'

'Doe ik ook niet,' zei hij vinnig. 'Het is mij verteld door mensen die er verstand van hebben.'

'Als je eenmaal aan een oud gebouw begint te knoeien, weet je nooit waar het op uitdraait. De invoering van stoomkracht voor kerkorgels heeft de afgelopen dertig jaar tot grootschalige vernielingen geleid.'

'Nou,' zei Austin, met die vreemde glimlach waarvan ik me nu herinnerde dat die altijd alleen voor hemzelf bedoeld leek, 'als ze vinden dat er iets moet gebeuren om het gebouw aan te passen aan de behoeften van deze tijd, dan moeten ze dat doen. Het is geen mummie die je in een glazen kist in een museum moet bewaren.' Ik wilde daar juist op ingaan, toen hij opsprong: 'Ik moet je je kamer laten zien.'

Hij was altijd snel en beweeglijk geweest – klaar om overeind te springen en het huis uit te snellen vanwege een of andere onbesuisde inval. En zijn geest was even vlug – zij het wellicht iets te gehaast, en ook te snel verveeld. De mijne was mogelijk iets trager, maar wel veel vasthoudender en bereid zich dieper in een onderwerp in te graven – misschien wel precies omdat ik de dingen niet zo snel doorzag als Austin. Daarom was het niet verrassend dat niet hij, maar ik de geleerde was geworden, ook al had hij zich in zijn onderzoeksveld hoogst bekwaam getoond.

En dus greep hij nu mijn koffer en spoedde zich de kamer uit, waarop ik niet anders kon dan hem achterna gaan. In het portaal griste hij een kaarsstompje mee en hield het bij het gaskousje, verklarend dat er alleen op de begane grond gasleidingen waren aangelegd. Toen rende hij de trap op, terwijl ik in het halfduister achter hem aan zwoegde. Hij wachtte op me op het trapportaal, waar een staande klok amper genoeg plaats overliet voor ons beiden. We beklommen de laatste paar treden naar de overloop en hij duwde een deur open en liet me het gezellige kamertje aan de achterzijde zien, dat hij gebruikte als studeerkamer. De grotere kamer aan de voorzijde was zijn salon – zoals hij het met een glimlach vol zelfspot uitdrukte.

We klommen het volgende stuk van de bizarre oude trap op, waar het versleten tapijt van beneden was vervangen door kale stoffige planken. Austin liet me binnen in de slaapkamer aan de voorzijde, met de woorden: 'Ik hoop dat je geen last hebt van die vervloekte klokken.'

'Ik ben eraan gewend,' zei ik. 'Dat mag ook wel na meer dan dertig jaar.' Vanwege het plafond dat halverwege de kamer schuin afliep, leek het kamertje op een scheepshut – een effect dat nog versterkt werd door de hellende vloeren en het piepkleine raampje.

Hij liet me alleen om uit te pakken en me op te frissen. De kamer leek een tijdlang niet te zijn gebruikt en rook muf. Ik opende het kleine venster en er woei een schrapende, rokerige lucht binnen. De kathedraal rees op uit de nevel en maakte de indruk te bewegen wanneer er mist langs kolkte. Er kwam geen geluid vanaf de immuniteit. Ik deed het raam weer dicht tegen de kou. De kleine spiegel boven de wastafel was beslagen en zelfs toen ik het met mijn zakdoek had afgeveegd, bleef het beeld schimmig. Naast de tafel lag een leren necessaire met de initialen 'A.F.' die ik me nog herinnerde uit onze studententijd. Het zag er nauwelijks ouder uit dan de laatste keer dat ik het had gezien. Toen ik mijn koffer uitpakte en me waste, overdacht ik in welke zin Austin was veranderd. Hij had altijd wel iets theatraals gehad, maar het kwam me voor dat dit uitgesprokener was geworden – bijna alsof er een bedoeling achter zat. Ik vroeg me opnieuw af of hij me had uitgenodigd om het weer goed te maken na wat er tweeëntwintig jaar geleden was gebeurd, en overdacht hoe ik hem zonder het verleden te hoeven oprakelen, duidelijk kon maken dat ik hem niet verantwoordelijk hield voor het gebeurde.

Toen ik tien minuten later beneden kwam liep ik naar de keuken, waar Austin uien bleek te staan hakken. Hij nam me van top tot teen op met een geheimzinnige glimlach rond de lippen en na een paar seconden zei hij: 'En waar is mijn cadeau?'

'Hè, wat dom van me. Ik heb het uit mijn koffer gehaald en op bed gelegd om het niet te vergeten. Ik zal het boven gaan halen.'

'Doe dat straks maar. Ga nu eerst naar de kathedraal. Het eten staat over twintig minuten op tafel.'

Ik deed wat hij zei. Toen ik even later de immuniteit opliep, zag ik een paar mensen haastig weglopen van de deur in het zuidertransept, vrijwel recht tegenover Austins huis. De avonddienst was blijkbaar juist beëindigd. Ik liep naar binnen en liet de zware deur achter me dichtvallen voordat ik mijn ogen opsloeg en recht vooruit keek, vol verlangen de opwinding te smaken die me altijd overviel wanneer ik in een oeroud gebouw binnenkwam dat nieuw voor mij was.

Alsof ze hadden gewacht op mijn komst, rezen opeens a capella de stemmen van het koor op – de zuivere sopranen van de jongens uitstijgend boven de zwaardere tonen van de mannen in een toonbeeld van harmonie tussen ideaal en werkelijkheid. De stemmen klonken gedempt en ik had geen idee waar de koorleden stonden. Het verbaasde me hen zo laat nog te horen zingen.

Het grote gebouw was bijna donker en het was er koud – kouder, leek het, dan op de immuniteit. Er hing een geur van verschaalde wierook en ik herinnerde me dat de proost een aanhanger was van de High Church. Met mijn blik omlaag gericht liep ik over de plavuizen, die in het midden zo waren uitgesleten dat ik me inbeeldde over een reeks ondiepe soepborden te lopen. Toen ik midden in de kerk stond, draaide ik me opzij en hief mijn hoofd op – en plotseling viel het gehele schip vóór me weg en rezen de dikke zuilen voor me op als een stenen woud waarvan de stammen geleidelijk als takken overgingen in het verfijnde maaswerk van het dak. Ver weg in de westgevel vingen, als een donker meer onder een omwolkte maan, de grote, bobbelige glasplaten van het roosvenster de stralen op van de gaslantaarns. Het enige wat zich helder manifesteerde in het licht van de paar lampen, was de enorme omvang van de hoog oprijzende bogen. Toen mijn blik volledig verzadigd was, boog ik mijn hoofd achterover en keek het gewelf hoog boven mij in. Ik rook vers hout en ik bedacht hoe zevenhonderdvijftig jaar geleden de zware balken en de enorme blokken steen door deze ruimte veertig meter omhoog waren gehesen. Hoe vreemd om te bedenken dat dit oeroude bouwwerk ooit splinternieuw was geweest, in een tijd dat het ver-bijsterend hoog boven de lage daken van de stad uit had getorend. Hoe won-derbaarlijk toch dat dit alles en meer de Rozenoorlogen onder Hendrik VI, de sloop van de abdij tijdens het Persoonlijk Bewind en de beschieting tij-dens het Beleg van 1643 had doorstaan.

De stemmen stierven weg en het werd stil. Ik keerde me om en mijn blik viel op een volslagen misbaksel: een gigantische en weerzinwekkende nieu-we orgeltribune die zich het transept inboorde. Met zijn gepoetste pijpen, glimmende ivoor en glanzende ebbenhout leek het nog het meest op een enorme koekoeksklok uit een of andere koortsdroom.

En toen nog een verstoring: ik werd me bewust van barse en luidruchtige stemmen, waarvan de oorsprong in die weergalmende, gedempte ruimte onmogelijk te bepalen viel. Nadat ik de treden van het koor was opgelopen, ontdekte ik lichten in de achterste hoek ervan. Er klonken nog meer kreten en daarna de muzikale klank van spaden op steen – allemaal geluiden die het enorme gebouw in alle rust leek op te vangen en te absorberen, zoals het bijna achthonderd jaar lang de vreugden en angsten van mannen en vrouwen in zich had opgezogen. Ik liep rond de hoek met de koorstoelen en trof daar drie mannen aan het werk – of preciezer gezegd: twee werkten er en één gaf aanwijzingen –, hun adem zichtbaar in het licht van twee lantaarns, waarvan er één op de grond stond terwijl de andere schaamteloos op het graf van een bisschop was gezet.

De arbeiders, die een aantal grote plavuizen hadden gelicht, waren jong en baardloos, maar de oudere man die de leiding over hen had, bezat het uiterlijk van een piraat, met een grote zwarte baard en een kwaaiige, snoeve-rige houding. Ik werd echter meer geïntrigeerd door een lange, oude man in een zwarte soutane die stond toe te kijken. Hij was minstens zeventig en naar alle waarschijnlijkheid zelfs ouder dan de eeuw, en de grote uitgezakte wallen onder zijn ogen en de diepe lijnen rond zijn ingezonken wangen gaven hem het uiterlijk van een man wie een vreselijk kwaad is aangedaan waarover hij tientallen jaren heeft lopen piekeren. Met zijn rijzige gestalte en gladde, haarloze schedel leek hij een deel van de kathedraal zelf te zijn dat tot leven was gekomen of – nauwkeuriger gezegd – een geringe mate van levendigheid over zich had gekregen. Zijn bijna volmaakt horizontale mond stond strak van afkeuring.

Ik liep naar hem toe en zei tegen hem: 'Zoudt u zo vriendelijk willen zijn mij te vertellen wat ze daar aan het doen zijn?'

Hij schudde zijn hoofd: 'Een hoop onheil, mijnheer.'

'Bent u een koster?'

'Dé koster, al vijfentwintig jaar,' antwoordde hij met melancholieke trots, en hij rechtte zijn rug terwijl hij sprak. 'En mijn vader en grootvader waren het vóór mij. En alle drie waren we koorknaap in onze tijd.'

'Werkelijk? Wat een opmerkelijke dynastie. En de volgende generatie?'

Zijn gezicht betrok: 'Mijn zoon geeft er allemaal niets om. Het is triest als je eigen kind zich afwendt van de zaak waaraan je je leven gewijd hebt. Begrijpt u wat ik bedoel, mijnheer?'

'Ik kan het me voorstellen. Al heb ik zelf geen kinderen.'

'Het spijt me dat te horen, mijnheer,' zei hij ernstig. 'Dat moet een groot verdriet zijn voor uw vrouw en uzelf, als u het me permitteert.'

'Ik heb ook geen vrouw.' Ik voegde eraan toe: 'Ik had vroeger wel een vrouw. Ik… dat wil zeggen…' Ik zweeg.

'Dan spijt me dat ook voor u. Ik heb niet lang meer op deze aarde, mijnheer, maar ik ervaar het als een grote troost te weten dat ik drie fijne kleinkinderen achter zal laten. Drie kleinkinderen en twaalf achterkleinkinderen.'

'Dat is inderdaad een felicitatie waard. Zoudt u zo goed willen zijn me te vertellen wat er hier aan de hand is? Als u hier al die tijd hebt gewerkt, moet u het gebouw goed kennen.'

'Ik ken elke hoek ervan, mijnheer. En het doet me pijn als ik zie hoe ze het openhakken.'

'Waarom doen ze dat?'

'Het komt door dat onzalige orgel. Ze hebben een nieuwe tribune gebouwd in de transept. Het moet u zijn opgevallen, dat vreselijke nieuwerwetse geval dat meer op een stoomtuig lijkt dan op een orgel. En nu leggen ze de buizen ervoor aan.'

'Ze gaan toch niet dat hele stuk betegeling openbreken, wel?' vroeg ik terwijl ik het met mijn hand aanduidde.

'Wel degelijk. Ze hebben geen idee wat ze zouden kunnen oprakelen. En schelen kan het ze ook al niet.'

'Maar wat is er mis met de oorspronkelijke galerij? Voor zover ik mij herinner is het een prachtig staaltje vakmanschap uit de zeventiende eeuw.'

'Dat is het ook, mijnheer. Maar het was blijkbaar niet goed genoeg. Niet voor zijne hoogheid die erop moet spelen – en die is blijkbaar belangrijker dan wij, degenen die ernaar luisteren. Of dan wij die iedere dag van ons leven naar dat Babylonische misbaksel moeten kijken.'

'U doelt op de organist?'

Hij ging verder zonder mijn vraag te horen: 'Want een aantal van de kanunniken wil dat het orgel groot en luidruchtig is en precies zo staat dat de gemeente het kan zien en mee kan zingen, terwijl die van de andere partij het oude orgel willen behouden omdat het mooi samenklinkt met het koor en de stemmen niet overgalmt, wat met dit orgel wel zal gebeuren.'

'Zulke conflicten tussen de ritualistische en evangelische stroming hebben verdeeldheid gezaaid in elk kapittel van het land.'

'Een waar woord, mijnheer. Dat had je nog niet toen ik jong was. Toen was je ofwel een goed christen en ging je ter kerke in de kathedraal, ofwel je was een dissenter of een papist, en meer had je niet. Nu zitten overal dissenters en papisten in de kerk en maken ze ruzie over misgewaden en kaarsen en wierook en processies. Zoals ik het zie, zijn die nieuwigheden allemaal poppenkast en uiterlijk vertoon, en bepaald geen eerbiedige wijze om de Almachtige te aanbidden.'

'Maar nu krijgen de kanunniken van de Low Church hun zin met het orgel?'

'Inderdaad, want hij lijkt een groot aantal van hen in zijn macht te hebben. En daarom moet en zal hij het orgel krijgen dat híj wil, wat de kosten verder ook zijn en hoeveel schade er ook wordt aangericht.'

Ik ging ervan uit dat hij het nog steeds over de organist had. 'Waren de overige kanunniken er niet tegen?'

'Dr Locard probeerde het tegen te houden, maar ze waren met te velen voor hem. En dat lijkt ook weer zo te zijn met die ophef over de school nu.'

Ik wist wie dr Locard was. 'Wat is er met de school?' vroeg ik, me afvragend of er een crisis was ontstaan waar Austin iets mee te maken had, en als dat zo was, of dat wellicht verklaarde waarom hij mij zo opeens had uitgenodigd. Hij was altijd al onbesuisd en hedonistisch geweest en had weinig oog gehad voor de toekomst, en dat zou hem in moeilijkheden hebben kunnen brengen, net als vroeger.

De oude koster leek zich te realiseren dat hij indiscreet was geweest en mompelde: 'Ze zullen er op de volgende kapittelvergadering over beslissen. Veel meer weet ik ook niet.'

'Wanneer is de volgende vergadering? De kanunniken zouden moeten overwegen deze werkzaamheden te staken.'

'Donderdagochtend.'

'Dan is het te laat!'

Ik keerde me om en haastte me de treden af en het koor door naar waar de mannen aan het werk waren.

'Bent u de voorman?' vroeg ik aan de man met de baard.

Hij keek me verbaasd aan. 'Jep.'

De mannen hielden op met werken en luisterden mee.

'U kunt de buizen daar niet doorheen aanleggen, beste man.'

'O nee?'

Zijn houding beviel me helemaal niet. 'Daar richt u ernstige schade mee aan.'

'Ik doe alleen wat me is opgedragen,' zei hij.

'Wacht even,' begon ik. 'Sta me toe om...'

'Ik krijg mijn orders van mr Bulmer en dr Sisterson en van niemand anders,' onderbrak hij me, en hij gaf een teken aan zijn mannen om het werk te hervatten. Ze grijnsden geamuseerd naar elkaar en een van hen zwaaide zijn pikhouweel weer omhoog.

Ik liep terug naar de koster. 'Als ze het dan per se moeten doen, zouden ze de buizen de andere kant om moeten leggen, waar ze minder kwaad kunnen doen.'

'U hebt gelijk. Maar hoe weet u dat, mijnheer? Met alle respect, maar ik geloof niet dat ik u ooit eerder hier heb gezien.'

'Ik ben hier nooit eerder geweest. Maar ik heb me verdiept in de bouw van kathedralen en heb erg veel gelezen over deze.'

'Waar moeten ze volgens u de buizen leggen, mijnheer?'

'Ik weet het niet zeker. Zou ik naar de orgeltribune boven kunnen? De oude? Vanaf daar kan ik het beter overzien.'

'Ga gerust uw gang, mijnheer.'

'Daarmee ontrief ik u niet?' vroeg ik. 'U stond niet op het punt om af te sluiten?'

'Niks en niemendal, mijnheer. We sluiten meestal af na de avonddienst, maar vanavond – en morgenavond – werken de mannen tot een uur of acht, negen, en moet ik hier blijven tot ze klaar zijn om de transeptdeur achter ze af te sluiten. Dat is altijd de laatste deur die op slot gaat.'

'Waarom werken ze tot zo laat door?'

'Ze moeten voor vrijdag klaar zijn. Er wordt die middag een grootse dienst gehouden voor de herinwijding van het orgel, en de bisschop zelf zal de mis opdragen. Daarom heeft het koor ook zo laat nog gerepeteerd.'

Hij tilde de lantaarn van het graf en liep voor me uit door het priesterkoor naar het kleine deurtje net achter de koorstoelen. Tot mijn ontzetting waren veel van de oeroude eikenhouten panelen verwijderd en een aantal ervan was schuin voor de deur gezet. 'Ik ga zelf niet mee naar boven, mijnheer. Dat is me te zwaar met mijn reumatische gewrichten. Kunt u zich langs de panelen persen? Ze hebben ze verwijderd om aan het klavier te kunnen werken.'

'Maar ze plaatsen ze toch wel terug?'

'God zij dank wel, ja. Maar ze hebben die deur wel een paar weken lang min of meer geblokkeerd.'

Hij gaf me de lantaarn en ik klom de trap op en kwam op de orgeltribune, van waaruit ik een mooi overzicht had over het koor en het priesterkoor en kon zien hoeveel schade het werk dat nu werd uitgevoerd zou kunnen aanrichten. Ik zag ook een veel minder gevaarlijke manier om het te doen.

Net toen ik weer naar beneden wilde gaan, zag ik een gestalte op de oude koster aflopen vanuit de richting van het koor. Het was een kleine en jeugdige man, wiens voortijdig kale hoofd begon te glimmen zodra het in het licht kwam.

Toen ik me een paar tellen later weer bij de oude man voegde, stond deze te praten met de nieuwkomer terwijl ze naar de werkende mannen stonden te kijken.

'Dit is dr Sisterson, de sacristein,' zei de oude koster tegen me.

Met een vriendelijke glimlach stak de jongeman een hand uit. Hij riep het beeld op van extreme huiselijkheid en ik had de bizarre fantasie dat zijn vrouw hem had gewassen en ingepakt als een kostbaar pakketje voordat ze hem de deur uit stuurde. Ik zei hem wie ik was en omdat zijn ambt hem verantwoordelijk maakte voor het gebouw, legde ik uit waarom ik gealarmeerd was door wat de werklieden aan het doen waren.

'Ik geloof dat u gelijk hebt,' zei hij. 'Jammer genoeg is Bulmer, de opzichter van de kerkfabriek, een paar dagen de stad uit wegens dringende familieomstandigheden. Ik had al zo mijn bedenkingen over de raadzaamheid van deze aanpak en vreesde dat de voorman zijn instructies niet goed had begrepen.' Met een glimlach in mijn richting zei hij: 'U hebt mijn angstige vermoedens bevestigd.'

Ik wees de alternatieve route voor de buizen aan die ik vanaf de orgeltribune had ontdekt. 'Ze zouden hierlangs moeten gaan, net onder dit graf door,' zei ik en ik wees op een fraai gebeeldhouwd bas-reliëf op een grote marmerplaat hoog aan de muur. Het dateerde van begin zeventiende eeuw en verbeeldde en profil twee rijen knielende gestalten die met basalt waren ingelegd – de mannen tegenover de vrouwen en beide reeksen aflopend van volwassenen naar kinderen. Het was extra prominent doordat het niet in de muur was verzonken, maar een centimeter of tien uitstak.

'Gedenksteen, geen graf,' mompelde dr Sisterson. 'De gedenksteen van de Burgoynes. Er zit een interessant verhaal aan vast. Ik vermeld dit omdat ik juist van een receptie kom die werd gegeven door mijn collega, dr Sheldrick, ter gelegenheid van de publicatie van het eerste deel van zijn geschiedenis...' Hij zweeg abrupt. 'Excuus. Dit kan u onmogelijk interesseren.'

Ik schudde mijn hoofd. 'Integendeel. Ik ben zelf historicus.'

Hij glimlachte. 'Dan begrijp ik uw bezorgdheid om het behoud van ons cultureel erfgoed.'

'En mijnheer weet een heleboel over deze oude gebouwen,' zei de koster.

'Ik ben ervan overtuigd dat hij er meer van afweet dan ik, Gazzard,' zei dr Sisterson grinnikend. Hij deed een stap naar achteren en bleef even staan, het hoofd wat schuin, mijn voorstel bestuderend.

Toen deed hij een stap naar voren en zei tegen de voorman: 'Ik heb besloten het advies van deze mijnheer op te volgen. We leggen de buizen hierlangs.'

Terwijl hij gedetailleerder uitleg gaf, zag ik de man met de baard over zijn schouder in mijn richting staren, maar toen dr Sisterson zijn wensen duidelijk had gemaakt, gaf hij zijn mannen met tegenzin instructies over de gewijzigde aanpak.

Ik voelde me tamelijk tevreden met mezelf toen ik afscheid nam van mijn twee metgezellen en verder wandelde, de kooromgang rond – die inderdaad zo overweldigend mooi was als ik verwacht had – en toen langs de andere kant van het koor, waar ik alleen een jongeman in soutane tegenkwam die mij eveneens koster leek.

Ik liep een van de zijkapellen in en knielde neer. Als kind was ik gelovig geweest. Later had ik besloten dat ik een scepticus was en in Cambridge had ik mijzelf een atheïst genoemd. Ik weet niet of ik dat ook werkelijk was, maar ik weet wel dat ik een paar jaar later, tijdens de zwaarste crisis in mijn leven, ontdekte dat ik niet in staat was om te bidden. De kathedraal had geen geestelijke betekenis voor mij. Het was een mooi monument voor een enorme, prachtige vergissing. Ik respecteerde de moralist uit Galilea – of wie zijn leerstellingen ook had samengesteld –, maar ik kon niet geloven dat hij de zoon van God was.

Dinsdagavond

Toen ik een paar minuten later langs een huis aan de immuniteit liep, zag ik daar op de gordijnen schaduwen bewegen van mensen in een helverlichte kamer. Dat moest de receptie zijn waar dr Sisterson het over had gehad. Ik bedacht dat Austin waarschijnlijk uitgenodigd was geweest, maar had moeten afzeggen vanwege mijn komst. Toen ik mij in Austins portaal ontdeed van jas en hoed, rook ik gebraden vlees. Ik trof mijn gastheer aan in de keuken, met in zijn ene hand een steelpan die hij boven het vuur hield en in zijn andere een glas wijn. Er stonden twee geopende flessen clairet op het zijtafeltje en ik zag dat een daarvan halfleeg was.

'Kook je vaak voor jezelf?' vroeg ik glimlachend, terwijl hij een glas voor me inschonk. Ik probeerde me een voorstelling te maken van zijn leven hier.

'Je vraagt je af hoeveel ervaring ik heb opgedaan?' antwoordde hij schertsend. Toen voegde hij er met gespeelde ernst aan toe: 'Ik kan je verzekeren: mijn emolumenten staan het mij niet toe regelmatig buitenshuis te dineren. Heb je trek gekregen van je wandeling?'

'Het is zoals ik vreesde,' zei ik. 'Ze zijn de boel aan het vernielen.'

'Ze leggen alleen maar wat buizen!' riep hij en hij keerde energiek de bradende koteletten.

'Daar begint het mee. Ik weet nog wat er een jaar of wat geleden gebeurd is in Chichester. Ze sloopten het oksaal om gasleidingen voor de verwarming aan te leggen, en daardoor verzwakte de constructie dusdanig dat de kruisingstoren instortte.'

'Van het lichten van een paar plavuizen kan het gebouw toch moeilijk in elkaar zakken.'

'Het is altijd riskant om de penanten te verstoren, en zoals de oude koster opmerkte: ze weten niet wat ze kunnen aanrichten met wat ze doen, en het kan ze ook niet schelen.'

'Dus je hebt Gazzard ontmoet? Een vrolijke oude baas, vind je niet? Ik vermoed dat hij zich eigenlijk niet zo druk maakt om het gebouw. Waar hij bang voor is, is de herrijzenis van het spook van de kathedraal. Alle kosters zijn daar als de dood voor.'

'In een oud gebouw als dit moeten er heel wat zitten.'

'Maar dit is de beroemdste en de meest gevreesde. De geest van thesaurier William Burgoyne. Heb je de gedenksteen van de familie gezien?'

'Ja, al was het te donker om het echt goed te bekijken.'

'Het is een fraai staaltje vakmanschap. Het speelt trouwens een belangrijke rol in het spookverhaal.'

'Welke vorm neemt de geestverschijning aan?'

'Wat doet een competente geest zoal? Hij loopt – of liever gezegd, hij waart – 's nachts door de kathedraal en de immuniteit en jaagt mensen de schrik op het lijf.'

Ik lachte. 'Draagt hij zijn hoofd onder zijn arm?'

'Ik geloof dat hij dat op de gebruikelijke plek heeft zitten.'

'En wat is het grote kwaad dat hem 's nachts uit zijn graf houdt? Er is toch altijd sprake van een of ander gruwelijk onrecht?'

'Het grootst mogelijke kwaad! Hij is vermoord en zijn moordenaar is nooit voor het gerecht gebracht. Na het eten zal ik je het verhaal vertellen. Nee, niets zeggen. Je hebt in dezen niets in te brengen, want in deze tijd van het jaar zijn zulke vertellingen verplichte kost. Als ik je geen doodschrik bezorg en je niet sidderend naar bed stuur, zal ik mijzelf beschouwen als een slechte gastheer.'

'Dan zal ik mij gedragen als de ideale gast, en ademloos en verlamd van afgrijzen toehoren.'

Hij glimlachte en deelde mee dat het eten klaar was, en hij overhandigde me een aantal borden en schalen om mee te nemen naar de eetkamer.

We gingen aan de kleine tafel zitten – in werkelijkheid een kaarttafel waar haastig een nogal groezelig kleed overheen was geworpen om de groene blos eronder aan het oog te onttrekken – en genoten van een uitstekend maal: in pepersaus gebraden lamskoteletten met kappertjes en geroosterde rapen, gevolgd door een heerlijke kweeperentaart die Austin naar eigen zeggen – voor het geval ik zou denken dat hij die zelf had bereid en me een overtrokken beeld van zijn culinaire vermogens zou vormen – bij de bakker had gekocht. We bedienden ons rijkelijk van de clairet – Austin aanzienlijk meer dan ik. De kamer was nog steeds erg bedompt – met de geur van het gas, het eten, de kolen en nog iets wat niet bepaald aangenaam was – maar een nieuwe golf van misselijkheid bleef mij deze keer bespaard.

Terwijl we zaten te eten, werd Austin beurtelings overvallen door uitbarstingen van luchthartig gebabbel en door zwijgzame perioden waarin hij diep in gedachten verzonken leek te zijn. Ik probeerde onze gezamenlijke interesses van weleer ter tafel te brengen, maar hij leek niet geïnteresseerd, en opeens herinnerde ik me met een snijdende pijn de jongensachtige hartstocht waarmee we vroeger tot diep in de nacht over Plato hadden gesproken. Ik trachtte hem iets over de stad te laten vertellen – maar hij ontweek mijn vragen.

Ik merkte dat hij het al evenmin over het verleden wilde hebben. Het was alsof hij het vergeten was. Als ik aan mensen of voorvallen van vroeger refereerde, leek hem dat niet te interesseren. Ik sprak over onze studiegenoten uit Cambridge en wat er van hen geworden was, en hij glimlachte en knikte en toen ik aandrong vertelde hij me over degenen met wie hij contact had gehouden, maar die ik uit het oog was verloren. Ik vertelde hem over mijn onderzoek naar Alfred en mijn belangstelling voor zijn heroïsche strijd tegen de binnenvallende heidenen, en hij knikte alsof hij maar met een half oor luisterde. Alles bij elkaar genomen stelde zijn gedrag mij eens te meer voor de vraag wat zijn motieven waren voor onze hernieuwde kennismaking.

Uiteindelijk stond hij op: 'We eten boven het dessert en dan...'

'Wacht!' zei ik, mijn hand opheffend. 'Ik hoorde de buitendeur. Er is iemand binnengekomen.' Ik wist zeker dat ik de klik van het slot had gehoord.

'Onzin,' zei hij ongeduldig. 'Je hoorde waarschijnlijk de trap kraken. Dit is een oud huis dat als een seniel oudje in zichzelf staat te mompelen. Wat ik zei, we gaan naar boven en daar zal ik je het verhaal van de rusteloze kanunnik vertellen.'

'Maar vertel me eerst je eigen verhaal!' riep ik uit. Ik had niet zo vrijpostig willen zijn, maar door de wijn had ik mezelf – al had ik niet veel gedronken – minder in de hand dan anders. Twintig jaar lang had hij nu al in deze stad rondgehangen en zijn wiskunde lopen opdreunen ten behoeve van de lummelige zoons van welvarende manufacturiers, apothekers en boeren. Ik had vaak lopen denken over zijn ingeperkte, eentonige leven en me afgevraagd of hij ooit nog aan mij dacht, en hoe anders de dingen hadden kunnen lopen.

Hij keek me bevreemd aan.

'Het verhaal van jouw leven, bedoel ik. Het relaas van jouw tijd hier.'

'Ik heb geen verhaal,' zei hij kortaf. 'Ik heb me hier in alle rust aan mijn taken gewijd. Verder valt er niets te vertellen.'

'Is dat alles wat je kunt zeggen over meer dan twintig jaar?'

'Wat valt erover te zeggen? Ik heb mijn vrienden, van wie je er een aantal zult ontmoeten. Een paar van mijn studiegenoten – vrijgezellen, net als ik – zijn goede vrienden en ik heb wat kennissen in de stad. Alles bij elkaar genomen zijn we een liederlijke, slonzige club heren die te lang in de kroeg blijven hangen omdat er thuis niemand op ons wacht. Ik beweeg me verder in iets voornamere kringen, aangezien ik als een soort troeteldier ben geadopteerd door een aantal vrouwen van kanunniken en leraren.'

Ik glimlachte. 'En je hebt nooit overwogen te trouwen?'

Hij keek mij glimlachend aan. 'Ach, wie zou er met mij willen trouwen? Ik was al geen geweldige partij toen ik jong was, en nu ben ik dat nog minder.'

Ik durfde niet verder te vragen, want ik wilde niet dat hij dacht dat ik alleen maar nieuwsgierig was. Ik dacht aan de fijngevoeligheid waarmee hij het had vermeden om mij ook maar één mogelijk pijnlijke vraag te stellen over het verloop van mijn leven sedert het moment dat we het contact hadden verloren. Ik had al bedacht dat hij me wellicht te logeren gevraagd had omdat hij mijn raad of hulp nodig had bij iets, en door wat ik zojuist in de kathedraal had opgevangen dacht ik wel een vermoeden te hebben wat dat zou kunnen zijn. Ik zou hem ten minste een kans geven zijn hart te luchten: 'Gaat alles goed op school?'

'Waarom vraag je dat?'

'O, alleen omdat ik iets opving over een meningsverschil daar.'

Hij keek me ineens aandachtig aan. 'Wat bedoel je? Wie kan jou dat hebben verteld?'

Ik wou dat ik mijn mond had gehouden. 'De oude man – de koster – had het over een of andere kwestie daar.'

'Gazzard? Hoe kun je nu in vredesnaam denken dat hij daar iets van af zou weten?' Hij keek me woedend aan. 'De mensen konden zich maar beter met hun eigen zaken bemoeien. Gazzard is een oude roddeltante. Net als de meeste andere kosters. Ze spenderen hun tijd aan het verzinnen van kwaadaardige leugens over elkaar. En over ieder ander die de pech heeft met ze van doen te krijgen.'

'Wat voor leugens?'

'Die kun je zelf wel bedenken.' Hij wendde zich van me af en ik kon zien dat het onderwerp hem verveelde, en toen herinnerde ik me hoe geïrriteerd hij vroeger altijd raakte over mijn gewoonte om maar door te blijven denken over een of andere kwestie, in een poging er nieuwe inzichten uit te puren. Voor Austin was een feit een feit en verder viel er niets over te zeggen. Hij stond op.

'We gaan naar boven. Ik heb de haard al aangemaakt.'

Toen we in het portaal kwamen, zag ik tegenover de deur van de eetkamer een pakketje tegen de muur staan. Ik wist zeker dat dat er eerder niet was geweest.

Austin pakte het op. 'Hoe is dat daar beland?' vroeg ik.

'Wat bedoel je?' antwoordde hij snel. 'Dat heb ik hier voor het eten neergezet, dat ik niet zou vergeten het mee naar boven te nemen.'

We liepen naar boven zonder verder iets te zeggen en troffen een vrolijk knappend haardvuur aan in de woonkamer. Terwijl ik in een stoel voor het vuur ging zitten, zette Austin het pakket op de vloer naast de andere stoel en stak kaarsen aan. Toen opende hij een fles met behoorlijk goede port en schonk twee glazen in.

Het was net als vroeger en ik moest zó denken aan hoe het allemaal had kunnen lopen, dat mij de vraag ontsnapte: 'Weet je nog hoe wij het er als student over hadden om later collega's te worden aan dezelfde faculteit?'

Hij schudde zijn hoofd. 'Wilden we dat?'

'Wat waren we toch bezield door de gedachte ons geheel te wijden aan het leven van de geest.'

Hij glimlachte sarcastisch. 'En jij denkt vermoedelijk dat dat alleen mogelijk is binnen een faculteit in Cambridge of – al is dat al op het randje – in Oxford?'

'Helemaal niet. Ik ben er bijvoorbeeld van overtuigd dat de kanunniken intelligente mannen zijn...'

'De kanunniken!' onderbrak hij mij. 'Ik probeer zo min mogelijk met ze van doen te hebben. Het zijn vrijwel zonder uitzondering mannen met zeer beperkte capaciteiten. Daarom zijn ze ook zo geobsedeerd, de meesten, door uiterlijk vertoon – wierook, liturgische gewaden, kaarsen, processies. De Kerk zit vol met dat soort mensen, net als de universiteiten. Mensen zonder enig gevoelsleven, die intellectueel gesproken alles durven – wat eenvoudig genoeg is – maar emotioneel gezien niets.'

'Ik hoorde dat het kapittel te lijden heeft onder de gebruikelijke twisten tussen de ritualistische en de evangelische stroming,' zei ik, zorgvuldig Gazzards naam vermijdend.

'Dat steekt ook achter het dispuut rond het werk aan de kathedraal,' zei hij knikkend. 'Voor sommige mensen is het niet meer dan een prachtig oud omhulsel dat ze ongeschonden willen behouden, want buiten de materiële vorm heeft het voor hen geen enkele betekenis.'

Ik glimlachte om mijn irritatie te verbergen. 'Dient iedereen die van oude kerken houdt te worden beschouwd als een ongelovige?'

'Ik heb het over al degenen die in onze eeuw een godsdienst hebben gemaakt van zaken die ondergeschikt zijn aan, of niets te maken hebben met, het christendom: muziek, geschiedenis, kunst, literatuur.'

Het laatste wat ik wilde was betrokken raken in een dispuut, maar hij sprak met zo veel rancune dat ik me verplicht voelde mijn positie in dezen te verduidelijken.

'Wat mijzelf betreft, ik zou zeggen dat ik wel de morele implicaties van kunstwerken als de kathedraal behouden heb, maar deze ontdaan heb van de bagage aan bijgeloof.'

Hij had zich zijdelings in zijn stoel laten zakken, waardoor zijn benen nu over één leuning bungelden – een gewoonte die ik me opeens van vroeger herinnerde – en nu begon hij me fel aan te kijken, wat nogal lachwekkend was gezien zijn weinig waardige houding. Hij herhaalde langzaam mijn woorden: 'De bagage aan bijgeloof. Jij en de jouwen zijn de verbreiders van die bagage. Jullie hebben een allegaartje van geloven bij elkaar geharkt om een nieuwe vorm van bijgeloof te creëren, die veel gevaarlijker is dan wat dan ook in het christendom. En van minder nut. Het zal jullie niet helpen bij de grote vraagstukken: verlies, de dood van geliefden, het naderen van je eigen dood.'

'Is dat wat je van het geloof verwacht? Een geruststellend fabeltje? Ik heb liever de waarheid – net als de Romeinse stoïcijnen of mijn geliefde Angelsaksen voor ze werden gekerstend – hoe wreed die ook mag zijn.'

'Er is niets wreders dan het christendom.'

'Ben je gelovig geworden, Austin? Dat was vroeger anders.'

'Je hebt het over twintig jaar geleden,' zei hij geërgerd. 'Denk je niet dat er weleens wat veranderd zou kunnen zijn in de wereld buiten de faculteitsmuren van Cambridge?'

Dit was inderdaad een verandering. We waren beiden shelleyaanse vrijdenkers geweest, net als de meeste weldenkende studenten van onze generatie. Hoe geestdriftig hadden wij het geloof niet van de hand gewezen als een vorm van georganiseerde huichelarij. Ik had mijn mening niet herzien, en in feite had mijn werk als historicus mij alleen maar gesterkt in mijn overtuiging dat het geloof een samenzwering was van de machtigen tegen de rest. Wel waren mijn opvattingen milder geworden, zodat ik nu eerder medelijden had met degenen die geloofden, dan dat ik tegen hen van leer trok.

'En trouwens, ik was ook al gelovig toen ik op de universiteit zat,' vervolgde hij bitter. 'Ik wilde alleen vermijden dat ik door jou en je vrienden zou worden uitgelachen – daarom deed ik alsof ik agnosticus was.'

Austin was aanvankelijk een zeer dandyachtig soort aanhanger van het tractarianisme geweest – ik geloof dat hij daarmee zijn vader op de kast probeerde te krijgen die een Low Church-predikant was van bescheiden komaf met dito vermogen – maar hij had al snel verklaard ongelovig te zijn. Had ik hem bekeerd zonder het zelfs maar te beseffen? Was hij zo kneedbaar geweest? Als ik al enige invloed had gehad, kwam dat niet doordat ik intelligenter was maar doordat mij helderder voor ogen stond wat ik geloofde en wilde. Austin bezat een soort luiheid waardoor hij zich op de stroom liet meevoeren, en hij was veel sneller dan ik geneigd om aan al zijn verlangens toe te geven. En juist dit aspect van zijn karakter was er de oorzaak van geweest dat hij onder invloed was komen te staan van de man die mij zo veel kwaad had berokkend.

'Als studenten spraken we lichtzinnig over het christendom als een vorm van bijgeloof,' zei Austin. 'Een bijgeloof dat in het licht van het rationalisme nagenoeg in rook was opgegaan, en waarvan we het definitieve einde vol vertrouwen tegemoet zagen. Maar nu begrijp ik dat het omgekeerde waar is: dat je zonder geloof niets anders overhoudt dan bijgeloof. Angst voor het duister, voor geesten, voor het rijk van de dood dat ons schrik blijft aanjagen. Jij hebt je eigen troostende mythen en fabels uit de geschiedenis gehaald – zoals jouw opvatting over koning Arthur.'

'Koning Arthur? Waar heb je het over?'

'Je vertelde toch net dat je over koning Arthur schrijft?'

'Lieve hemel, nee. Ik had het over koning Alfred.'

'Koning Arthur, koning Alfred, wat maakt het uit. Ik haal ze misschien door elkaar, maar dat doet niets af aan mijn stelling. Jij creëert je eigen verhalen om je mee te troosten.'

'In tegenstelling tot koning Arthur is Alfred een officieel erkende historische figuur,' protesteerde ik verbolgen. 'Anders dan jouw Jezus van Nazareth. Hoeveel respect ik ook voel voor het morele systeem dat met zijn naam verbonden is.'

'Respect voor het morele systeem dat met zijn naam verbonden is!' herhaalde Austin. 'Ik heb het over geloof, overtuiging, aanvaarding van de absolute realiteit van verlossing en verdoemenis. Jij, en anderen van jouw generatie, verloren je geloof omdat jullie besloten dat de wetenschap voor alles een verklaring heeft. Ik geloofde dat zelf ook een tijdlang, maar ik ben gaan inzien dat rede en geloof niet strijdig zijn met elkaar. Het zijn verschillende realiteitsniveaus. Nu begrijp ik dat, maar toen ik jonger was deelde ik jouw misvatting. Ik weet nu dat er licht is omdat er duisternis is. Dat er leven is omdat er dood is. Dat er goed is omdat er kwaad is. Dat er verlossing is omdat er verdoemenis bestaat.'

'Dat er eieren zijn, omdat er spek is!' kon ik niet nalaten uit te roepen. 'Wat een lariekoek!'

Austin staarde me alleen maar kil aan met die grote donkere ogen van hem, alsof het niet de moeite loonde mij te verbeteren.

'Pardon,' zei ik. 'Dat had ik niet moeten zeggen. Maar je gelooft dat omdat je wilt denken dat je verlost bent. Je bent in de val gelopen die wij vroeger altijd aan de kaak stelden. Je bent ten prooi gevallen aan de verleiding van het eeuwige leven en al die onzin meer.'

'Wat weet jij van mijn geloof?' zei hij zacht.

Ik besefte opeens iets wat ik eigenlijk al bij aankomst had geweten – dat hij een volslagen vreemde voor mij was. En toen voelde ik me nog verslagener, omdat ik zelfs de Austin die ik vijfentwintig jaar geleden had gedacht te kennen, niet werkelijk gekend had. De man die me nu met zo veel minachting zat op te nemen, was in zekere zin al in potentie aanwezig geweest in de jongeman die ik had gekend, en ik had er niets van gemerkt.

Het was lange tijd stil. Buiten hield de dikke mist als een klamme bouffante de immuniteit en de kathedraal in een stevige, kille omhelzing. Austin nam een slok, terwijl hij mij nog steeds over de rand van het glas aankeek. Om zijn blik te ontwijken, nipte ik ook van mijn wijn. Hij zette zijn glas op de vloer en ging in een andere houding zitten. 'Je zou het verhaal over het spook te horen krijgen.'

Hij zei het vriendelijk, alsof we kort ervoor niet op de rand van een openlijke breuk hadden gebalanceerd. Ik beantwoordde zijn gewijzigde stemming.

'Zeker, dat zou ik leuk vinden.'

Nog geen twee dagen later zou het me zó veelzeggend voorkomen dat Austin mij het verhaal had verteld over een moord binnen de oude vrijheid van de kathedrale immuniteit, maar toen leek het een manier om de gemoedelijke omgang van weleer nieuw leven in te blazen. Na een ogenblik begon hij: 'In de afgelopen eeuwen hebben mensen regelmatig een lange, in het zwart gehulde verschijning geruisloos door de kathedraal en over de immuniteit zien schrijden.'

Ik knikte, maar hij zei: 'Je kijkt sceptisch, maar er bestaat tastbaar bewijs voor minstens een deel van het verhaal. Dat is tenminste iets wat je met je eigen ogen kunt zien en zelfs kunt aanraken, ingeval je alleen dat – als de ongelovige Thomas die je bent – als werkelijk bewijs wilt accepteren, want het is in steen gehouwen en bevindt zich op nog geen vijftig meter afstand van hier.'

'Wat is het?'

'Alles op z'n tijd. Ongeveer tweehonderdvijftig jaar geleden was William Burgoyne de kanunnik-thesaurier van de Stichting. Als je dat raam daar zou openen – niet doen, alsjeblieft, het is veel te koud! – en buiten naar links zou gluren, zou je net een glimp opvangen van wat destijds de thesaurie was. Tegenwoordig heet het de Nieuwe Proosdij, al is het ook dat niet langer. Het pand was niet zo groot als de proosdij indertijd, en zeker nog geen derde van de omvang van het bisschoppelijk paleis, maar toch was het veruit het mooiste huis binnen de immuniteit. Burgoynes voorganger had het opgeknapt met geld dat hij aan de Stichting had ontfutseld, want het ambt van thesaurier kon zeer lucratief zijn als je van zins was er je voordeel mee te doen. Burgoyne zwichtte niet voor die verleiding en moedigde evenmin anderen daar toe aan. En juist deze rechtschapenheid leverde hem een machtige vijand op. Dat was een ambitieuze kanunnik met de naam Freeth, Launcelot Freeth, de vice-proost. Een man die tot aan zijn nek in het slijk der aarde zat.'

'Die ken ik!' riep ik uit.

'O, werkelijk?' zei Austin. 'Goed, houd voor nu je mond en luister. Tot de komst van Burgoyne had Freeth alle macht in handen als gevolg van de zwakke gezondheid van de oude proost. Hij heerste over het kapittel, tezamen met een kanunnik die Hollingrake heette, de bibliothecaris – een intelligente geleerde, maar daarnaast een hebzuchtig en gewetenloos heerschap. Je kunt je wel voorstellen hoezeer ze de nieuwkomer verfoeiden.'

'Ik moet je vertellen, Austin,' kon ik niet nalaten tussenbeide te brengen, 'dat ik recentelijk een geheel nieuw verslag over de affaire Freeth heb ontdekt.'

'Interessant,' zei Austin plichtmatig. 'Maar laat me eerst mijn verhaal afmaken, dan kun je daarna het jouwe vertellen. Anders raken we allebei de draad kwijt. Er speelde nog iets mee, naast een persoonlijke antipathie tussen Burgoyne en Freeth. Burgoyne was een vrome en onwereldse man die zijn leven wijdde aan het gebed, terwijl Freeth naar macht hongerde, niets om geleerdheid gaf en enkel geïnteresseerd was in de bevordering van zijn eigen materiële belangen.'

'Wacht even,' voelde ik me verplicht hem te onderbreken. 'Ik heb een ooggetuigenverslag gevonden waarin wordt gesuggereerd dat juist Freeths liefde voor boeken de aanleiding was voor het feit dat hij het op die fatale dag aan de stok kreeg met de soldaten.'

'Daar geloof ik niets van,' zei Austin. 'Het kwam door zijn laffe vluchtpoging.'

'Niet volgens mijn ooggetuige,' protesteerde ik. 'Die beweerde…'

'Vertel me dat maar wanneer ik mijn verhaal uit heb verteld. Het is al ingewikkeld genoeg zonder jouw interrupties.' Hij zweeg even op schoolmeesterachtige wijze voordat hij vervolgde: 'De kanunniken uit die tijd waren lui en hebzuchtig – wat is er weinig veranderd sindsdien! – en hadden niet alleen de kathedraal in verval laten raken, maar verwaarloosden ook hun vele educatieve en charitatieve verantwoordelijkheden in de stad. Burgoyne probeerde in dit alles verandering te brengen. Hij wilde de kathedraal restaureren en heropenen om er opnieuw het geloofscentrum voor de hele stad van te maken, en hij wilde de scholen en ziekenhuizen weer in ere herstellen. Om geld bijeen te brengen probeerde hij te snoeien in die functies van de kathedraal die hij niet zo essentieel achtte, maar daarmee schaadde hij stevig verankerde belangen en maakte hij nog meer vijanden onder de kanunniken dan hij al had. Het kwam tot een uitbarsting toen er een rel ontstond over een of andere bezitting van de Stichting die Burgoyne wilde verkopen om geld te vergaren. Freeth kwam daarbij voor de dag met een zeer oud document dat het Burgoyne onmogelijk maakte zijn zin door te drijven – al werd het document later ontmaskerd als een vervalsing. Burgoyne koesterde argwaan en het had hem moeten waarschuwen hoe gewetenloos zijn tegenstander wel kon zijn. Hij zette echter door en kreeg uiteindelijk zijn zin en bracht bijna al het benodigde geld bijeen. Het leek of hij had gewonnen, maar daarvoor moest hij een prijs betalen. Op de een of andere duistere manier, die vermoedelijk van doen had met al deze listen en lagen, kwam hij in het bezit van een afschuwelijk geheim, een geheim zo gruwelijk dat hij door het getob erover veranderde van een man die een teruggetrokken en regelmatig bestaan leidde, in iemand die aan slapeloosheid leed en zijn nachten doorbracht in de vervallen kathedraal of ijsberend over de immuniteit.'

'Nu ga je me zeker vertellen wat het was?'

'Geenszins. Burgoyne nam het geheim mee in het graf. Maar wat het ook was, het transformeerde de waardige en respectabele geestelijke in een getormenteerd mens. Het was een hoogst gevaarlijk geheim.'

'Wil je zeggen dat hij werd vermoord om te voorkomen dat hij het zou onthullen?'

'Daar heeft het alle schijn van. Hij werd vroeg op een ochtend na een zware storm in de kathedraal gevonden, verpletterd onder een steiger die was opgetrokken om de herstelwerkzaamheden te verrichten die hij zijn collega's had opgedrongen.'

'Alsof hij werd gestraft voor zijn succes?'

'Nóg een bewijs voor de theorie dat hij vermoord werd, is het feit dat de bouwmeester van de kathedraal, een man genaamd Gambrill, diezelfde nacht verdween en nooit meer is teruggezien. Ook hij had onenigheid gehad met Burgoyne. Maar een andere verklaring voor zijn verdwijning en de dood van de kanunnik zou kunnen zijn dat beide mannen werden vermoord door Gambrills rechterhand, een jonge handwerksgezel. Dat was het gerucht dat nog jarenlang de ronde deed in de stad.'

'Welk motief kon de handwerksgezel hebben gehad?'

'Er bestond al veel langer een zekere vijandigheid tussen zijn familie en Gambrill. Maar laat me je vertellen over de geest, want het betreft hier immers een spookverhaal. Burgoynes begrafenisdienst in de kathedraal werd verstoord door een angstaanjagend gekreun dat sommige aanwezigen zozeer de schrik op het lijf joeg dat ze wegvluchtten. Vanaf dat moment tot vele jaren nadien waarde de geest van Burgoyne door de kathedraal en wordt er vanachter de gedenksteen regelmatig een hartverscheurend gekerm gehoord – vooral wanneer er een harde wind staat. En dat is dan het spook waarvan Gazzard vreest dat het is herrezen als gevolg van de recente bouwwerkzaamheden. En daarmee eindigt het verhaal dat ik je had beloofd.'

'Dat noem ik geen verhaal,' mopperde ik. 'Er zijn veel te veel losse eindjes.'

'Ik vertelde je wel dat er een concrete aanwijzing bestaat – al is die een beetje raadselachtig.'

'Werpt het enig licht op het geheim dat Burgoyne had ontdekt? Of op de vraag wie hem vermoord heeft?'

'Dat hangt af van je interpretatie. Op de ochtend na de storm werd er een inscriptie aangetroffen op de muur van Burgoynes huis, dus van onze huidige Nieuwe Proosdij. Het had er alle schijn van dat het die nacht was uitgehouwen – een verbijsterende prestatie in zo'n korte tijd, en dat bij het licht van een lantaarn.'

'Wat stond er?'

'Ik kan me de precieze bewoordingen niet herinneren, dus ik laat het aan jou over om het zelf te gaan lezen.'

'Dat is heel vervelend van je, Austin. Ik ben bijna geneigd om stante pede naar buiten te gaan om het te lezen.'

'Doe niet zo dwaas. Je kunt niet midden in de nacht over iemands terrein gaan lopen stampen.'

'Wie woont er nu in het huis? Een van de kanunniken?'

'Het is nu in privé-bezit. De eigenaar is een al wat oudere heer. Wacht tot morgen, dan kun je de inscriptie bij daglicht door het hek lezen zonder zelfs maar het achtererf op te hoeven.'

'Ik kan toch niet op klaarlichte dag het achtererf van een onbekende gaan staan bespieden?'

'De eigenaar heeft een zeer strikte dagindeling. Als je tussen vier en half-vijf gaat, garandeer ik je dat er niemand is.'

'Ik vraag me af of er ook geschreven bronnen van het verhaal bestaan,' peinsde ik. 'Ik neem aan dat die zich in de Bibliotheek van Proost en Kapittel bevinden. Ik zou het de bibliothecaris kunnen vragen als ik hem morgen zie.'

Austin keek me opeens aan. 'Heb je een afspraak met Locard? Waarom in vredesnaam?'

'Vanwege mijn werk.'

'Je werk? Wat heeft hij daarmee te maken?'

'Nou, alles!' lachte ik. 'Ik ga ervan uit dat hij me kan vertellen waar ik zo ongeveer moet zoeken om de meeste kans van slagen te hebben.'

'Ik dacht dat je ging rondzwerven over die gezegende Romeinse aardkluiten langs de weg naar Winchester? Wat heeft Locard daar mee van doen?'

'De grafheuvels rond Woodbury Castle, bedoel je? Die zijn waarschijnlijk niet Romeins, al werd dat tot vrij recentelijk wel gedacht. In feite zijn ze ofwel…'

'In 's hemelsnaam, waar het om gaat is: ga je daar wel of niet onderzoek doen?'

'Dat was aanvankelijk wel mijn plan toen ik je schreef. Wist je dat ze nooit echt grondig bestudeerd zijn? Het gevolg is dat we geen idee hebben of ze dateren uit de tijd van voor de Romeinen of door henzelf zijn gebouwd of door de Angelsaksen. Mijn eigen...'

'Maar je hebt je plannen gewijzigd?'

'Heb ik je niet in mijn laatste brief geschreven dat zich een veel spannender onderzoek heeft aangediend? Mijn hemel, ik geloof dat ik je niet duidelijk heb weten te maken dat ik naar een totaal andere kwestie verwees. Maar natuurlijk! Daarom had je het over het weer dat me zou kunnen storen bij mijn werkzaamheden! Ik dacht dat je een grapje maakte.' Ik lachte.

Austin vroeg echter geïrriteerd: 'Waar heb je het nu precies over?'

'Ik kwam er zeer recentelijk achter dat zich ergens in de bibliotheek een manuscript zou kunnen bevinden dat, als het zou worden opgediept, eens en voor altijd een eind zou maken aan een fascinerende en zeer gewichtige controverse.'

Austin stond op en liep naar het vuur. Terwijl hij mij zijn rug toewendde, pakte hij iets van de schouw en begon een pijp te stoppen. Ik had hem nooit eerder zien roken.

Ik vervolgde: 'Ik ben een monografie aan het voorbereiden over Grimbalds *Het leven van Alfred de Grote*, eigenlijk getiteld *De Vita Gestibustque Alfredi Regis*. Ken je dat?'

'Ik geloof van niet,' sputterde hij.

'Grimbald was een geestelijke en een tijdgenoot van Alfred en er wordt naar hem verwezen in Assers veel bekendere *Het leven van Alfred de Grote*. Grimbalds verslag is een fascinerend werk waarin de bijzondere koning op hoogst ontroerende wijze tot leven wordt gebracht. Je vraagt je natuurlijk af waarom het niet net zo bekend is als het werk van Asser.'

'Ik neem aan dat je me dat gaat vertellen.'

'Het antwoord is dat de authenticiteit ervan nooit is geaccepteerd. Maar ik hoop te kunnen vaststellen dat het wel degelijk een authentiek werk betreft en wil het dan gebruiken om mijn eigen biografie van Alfred te schrijven. Het zal een boek worden dat, in alle bescheidenheid, onze visie op de negende eeuw radicaal zal veranderen, aangezien er in Grimbald veel schitterend materiaal zit waarvan historici geen gebruik hebben gemaakt...'

'Omdat ze denken dat het een vervalsing is,' interrumpeerde Austin.

'Sommigen van hen denken dat inderdaad, misschien omdat hun eigen opportunistische cynisme wordt weersproken door het portret dat Grimbald van de koning schetst. Zijn verslag, moet je weten, bevestigt hoe ongelooflijk dapper en inventief en wijs Alfred was, en wat een vrijgevig en aanbeden man hij was. Het vertelt ons bijvoorbeeld een heleboel over zijn vriendschap met de eminente geleerde en heilige Wulflac.'

'Wulflac?'

'Dat was de leermeester van de koning toen deze nog een jongen was, en hij stond de koning ook bij tijdens een aantal van de ergste crisissituaties in zijn leven. Er zit een scène in Grimbald waarin de koning en hij de rol van het koningschap bespreken aan de vooravond van de beslissende slag bij Ashdown. En er is een fascinerend hoofdstuk waarin Alfred – samen met Grimbald – een bezoek brengt aan de jongens die in de abdij hier in Thurchester studeren. En boven alles is Grimbalds werk de enige bron van onze kennis over het martelaarschap van Wulflac.'

Bij het zien van zijn uitdrukkingsloze gezicht zei ik: 'Ken je dat verhaal niet?' Hij schudde zijn hoofd. 'Het relaas van zijn gevangenname door de Denen?'

'Ik heb geen flauw benul waarover je het hebt,' zij hij bijna geïrriteerd.

'Dan zal ik het je vertellen. Ik dacht dat elke Engelse schooljongen dat prachtige verhaal te horen kreeg.'

'Ik ken dat van dat onzalige brood.'

Ik lachte. 'Dat is een erg late en verwarde overlevering. Maar het verhaal van Wulflacs martelaarschap is een waargebeurd verhaal, en bovendien zeer ontroerend. Ik ken het goed, maar ik zal Grimbalds tekst van boven halen voor het geval ik details ben vergeten.'

'Dat kunnen we niet hebben,' zei hij hoofdschuddend.

Ik haastte me naar mijn slaapkamer en pakte het boek van de zijtafel, en toen viel mijn oog op mijn ietwat onbezonnen cadeau voor Austin dat ernaast lag en erg mooi was ingepakt door de winkeljuffrouw. Ik nam beide mee naar beneden en toen ik op de overloop op de eerste verdieping kwam zag ik daar tot mijn verrassing Austin naar boven komen lopen. Terwijl we de woonkamer ingingen overhandigde ik hem het cadeau, en hij bedankte me en legde het naast zijn stoel voordat hij weer ging zitten. Mijn cadeau lag nu op de plek waar eerst het pakket had gestaan, en omdat ik me afvroeg wat Austin daarmee had gedaan, keek ik de kamer rond. Ik zag het niet op de planken liggen of op het tafeltje bij het raam. Misschien had hij het in de grote kast gelegd. Of had hij het weer mee naar beneden genomen? Maar waarom zou hij?

'Ik pak het later wel uit,' zei Austin. 'Voorpret is dubbele pret.'

Ik knikte, maar omdat ik nu wist dat het cadeau hoogst misplaatst was, kon ik zijn vreugde niet delen.

Ik ging weer zitten en vond de juiste passage in het boek. 'Jij hebt me een verhaal verteld dat zich afspeelt in Thurchester en nu zal ik er jou een vertellen. Zoals je weet was deze stad het hoofdkwartier van Alfred en was het kasteel hier zijn belangrijkste vesting.'

Austin wendde zich langzaam naar me toe, waarbij zijn pijp nogal lachwekkend uit zijn mond naar voren stak.

'Als jongen toonde Alfred een leergierigheid die hoogst ongebruikelijk was voor zijn tijd. Het was des te bewonderenswaardiger in de jonge prins, omdat hij geacht werd zich toe te leggen op en te bekwamen in de kunst van het oorlogvoeren. Alfred deed dat ook, en uitzonderlijk goed. Maar hij leerde daarnaast lezen, en dat was niet gebruikelijk voor leden van aristocratische of koninklijke families – en zeker niet voor een prins wiens vader de in het nauw gedreven koning was van een klein achterafstaatje aan de rand van de Europese beschaving, want dat was Wessex in die tijd. Jaren later, toen hij al volwassen was, leerde hij ook nog Latijn. Het is mogelijk dat hij zijn honger naar kennis kon stillen omdat het onwaarschijnlijk was dat hij koning zou worden, aangezien hij een aantal oudere broers had. Grimbald beschrijft hoe Alfreds vader een jonge monnik uit Saksen liet komen om de leermeester van de jongen te worden. Dat was Wulflac, een van de geleerdste mannen in heel West-Europa in die grauwe tijd. Wat er echter gebeurde, was dat alle oudere broers van Alfred de dood vonden in de strijd tegen de Denen, en dat hij op zeer jonge leeftijd koning werd – precies op tijd om zich tegenover de grootste dreiging geplaatst te zien waarmee zijn koninkrijk ooit was geconfronteerd. In 865 was een enorme Deense invasiemacht aan land gekomen met het doel geheel Engeland te veroveren en in te lijven. Alfred verdedigde zijn koninkrijk met vernuft en moed, en slaagde erin de lafhartigen onder de Engelsen binnen zijn gelederen te houden, al wilden zij in plaats van te vechten liever capituleren en schatting betalen.

In 892 was Alfred al bijna dertig jaar koning en had hij een langdurige strijd tegen de Denen gestreden voor het behoud van zijn koninkrijk. Zijn oude vriend en leermeester Wulflac was nu bisschop van Thurchester. Alfred had weliswaar Wessex met succes verdedigd, maar de Denen hielden wel grote delen van het noorden en westen van Engeland bezet. Toen zonden de Denen vroeg in de zomer een enorm invasieleger naar Wessex om alles te plunderen en te brandschatten wat op hun pad kwam. De berichten hierover bereikten Alfred toen hij hier in de stad was met zijn raad der wijzen – de *witan*. Grimbald schrijft:

De koning hield krijgsberaad en er werd besloten dat de aldermannen naar hun grondgebied zouden afreizen en troepen zouden rekruteren, hoewel dit een aantal weken uitstel zou betekenen. Na afloop werd de koning in het geheim apart genomen door zijn jonge kapelaan, die hem waarschuwde dat zijn vertrouweling en neef Beorghtnoth tezamen met andere leenheren samenzwoer met Olaf, de leider van de Denen, met het doel hem te vermoorden en zelf koning te worden. Al stelde Alfred een absoluut vertrouwen in zijn kapelaan, toch weigerde hij zoiets vreselijks over zijn neef te geloven. Onderwijl kwam het bericht dat de Denen Exeter belegerden, en Alfred, vergezeld van het merendeel van zijn leenhe-

ren, waaronder Beorghtnoth, ging op weg naar die stad en liet Thurchester achter onder de hoede van Wulflac. De koning reed op zijn halfwilde hengst Wederstepa, of 'storm-stapper', die alleen hij kon bestijgen en die verzorgd werd door een trouwe staljongen. En hij nam de koninklijke schatkist met zich mee – drie grote ijzerbeslagen kisten met daarin goud en zilver en edelstenen – die de Denen zo bijzonder graag in handen wilden krijgen.

Ik zal de volgende passages niet voorlezen, maar alleen uitleggen dat de kapelaan helaas gelijk had wat betreft de neef van de koning. (De verwijzingen naar die jonge priester zijn trouwens heel interessant en ik heb er zo mijn theorieën over.) Beorghtnoth had in het geheim een overeenkomst gesloten met Olaf, en de aanval op Exeter was bedoeld om de koning weg te lokken van Thurchester. Tegen de tijd dat Alfred zijn hoofdkwartier verliet, hadden de Denen hun leger bij Exeter al opgedeeld: het kleinste deel bleef dicht bij de stad om de terugkeer van de koning te vertragen, terwijl het grootste deel, geleid door Olaf zelf, zich richting Thurchester spoedde via een route die hen in een wijde boog naar het noorden voerde. Aangezien Thurchester nu nog slechts licht werd verdedigd, veroverden zij het moeiteloos. Toen Alfred Exeter bereikte, zag hij dat de Denen de stad hadden verlaten. Hij haastte zich terug naar Thurchester, maar ontdekte dat de Denen de stad hadden ingenomen en – tot zijn ontzetting – dat ze Wulflac in gijzeling hielden. Ik zal de volgende passage voorlezen.'

Bij deze woorden zuchtte Austin zachtjes. 'Nee, echt,' zei ik. 'Je zult zien dat dit cruciaal is.

Olaf stuurde een boodschap waarin hij Alfred liet weten Wulflac te zullen doden, tenzij het grootste deel van het goud en zilver aan hem werd overgedragen en de koning ermee instemde in vrede met de Denen te leven, zich daartoe verplichtend in een solemnele mis. Toen Alfred antwoordde dat hij zijn schatkist in Exeter had achtergelaten en dat een deel van zijn leger hem zou gaan ophalen, ging Olaf ermee akkoord tien dagen te wachten, maar hij zei dat als op die dag het goud niet bij zonsopgang werd overgedragen, Wulflac zou sterven. De waarheid was dat Alfred de schatkist bij zich had, maar enkel zei dat deze in Exeter was om tijd te winnen, aangezien de verse troepen binnen negen of tien dagen zouden arriveren. In de witan pleitte Beorghtnoth – gesteund door de leenheren die wilden dat hij Alfred aan de vijand zou verraden – ervoor om de koning de schat te laten overdragen. De koning stond voor een pijnlijk dilemma en als oplossing stelde hij voor om een onverwachte en gewaagde aanval op de stad uit te voeren. De leenheren weigerden echter dit voorstel te steunen en stonden erop te wachten tot de verse troepen zouden arriveren. De dagen gingen voorbij en de verse troepen kwamen niet opdagen. Uiteindelijk, op de negende dag, zei Alfred tegen de witan dat hij zichzelf zou overgeven om zo het leven van zijn voormalige leermeester te redden. Men was ontzet – met uitzondering van Beorghtnoth en zijn bondgenoten, die zich heimelijk verheugden – en zei tegen Alfred dat het koninkrijk alleen kon overleven als hij aan de macht bleef. Alfred ging naar zijn privé-vertrek, enkel vergezeld door zijn jonge kapelaan, en bad God hem te zeggen wat de juiste koers was.

Zoals Grimbald het beschrijft, is dit een verbazingwekkend ogenblik. Het is een van de eerste inkijkjes in het innerlijk van een individu sedert het eind van de Romeinse beschaving. En natuurlijk is het een klassiek dilemma: liefde versus plicht. Ik vraag me trouwens af of je de bewijzen voor die hypothese van mij eruit hebt kunnen halen.'

Austin antwoordde niet. 'Grimbald vervolgt:

De koning vroeg de priester om raad en de jongeman, diep ontroerd door dit blijk van respect van de koning en verontrust door zijn vermoedens omtrent Beorghtnoths verraad, raadde hem aan het goud over te dragen. Vervolgens zou hij dan de Denen kunnen aanvallen zodra zijn verse troepen waren gearriveerd. De koning wierp tegen dat hij in dat geval zijn plechtige eed zou moeten breken, hetgeen een kwalijk vergrijp jegens God was. De jonge priester antwoordde dat geen enkele belofte aan een heiden als bindend kon worden beschouwd voor het aangezicht van God.

Weet je, dat is een heel sluw advies. Het is zowel militair als politiek steekhoudend. En theologisch gezien had de kapelaan het eveneens bij het rechte eind. Maar Alfred was duidelijk gebonden aan de voor-christelijke Angelsaksische erecode, want de tekst vervolgt:

Alfred echter volhardde dat zijn eergevoel het hem onmogelijk maakte aldus te handelen. En zo verscheen de koning na drie uur van gebed en overleg om de witan mede te delen dat hij had besloten dat het zijn plicht was om in eigen persoon met de vijand te onderhandelen en, indien nodig, zichzelf als gijzelaar aan te bieden in ruil voor de bisschop. De leenheren waren woedend, en nu waren het de trouwsten onder hen die om het hardst schreeuwden dat zij hem niet zouden toestaan zoiets te doen. Beorghtnoth nam het woord en bood aan om te pogen zelf naar Olaf te gaan om de crisis tot een oplossing te brengen, en Alfred stemde hier te goeder trouw mee in. En dus ging Beorghtnoth naar Olaf, niet om zijn oom te helpen, maar om hem te verraden. Hij vertelde de Deense leider dat Alfred zijn goud bij zich had en op versterking wachtte en dat Olaf de koning daarom tot een snel besluit in deze zaak moest dwingen. Nu werd Wulflac binnengebracht met zijn twee kapelaans, en Beorghtnoth, verachtelijk dubbelhartig in zijn gedrag, beklaagde hem luidkeels. De geleerde bisschop echter had zelf een geheim plan – zij het alleszins eervol en goedaardig –, namelijk om Alfred een boodschap te doen toekomen die alleen hij zou begrijpen. Dus zei de bisschop tegen Beorghtnoth: Vertel uw oom gerust te zijn en laat hem deze nacht denken aan hetgeen de geleerde Plinius schreef: *Een man die waarlijk wijs is zal zelfs in een moment van duisternis een licht vinden dat de zon verduistert, terwijl de domme enkel wordt verblind door iets wat enkel de dageraad is.* Het is een passage die hij zich nog goed zal kunnen herinneren. *Hij liet de ongeletterde neef deze boodschap herhalen tot hij hem feilloos kende. Dit was het geheime plan van de geleerde. Door zijn grondige kennis van de hemelen en de bewegingen van de sterren wist Wulflac dat er de volgende dag bij dageraad een zonsverduistering zou plaatsvinden. En omdat hij en de koning onlangs samen de werken van Plinius hadden gelezen waarin deze verschijnselen worden beschreven, wist hij zeker dat Alfred het zou begrijpen. Helaas vermoedde Beorghtnoth dat hij een of ander geheim bericht probeerde over te brengen en besloot hij niets aan zijn oom te vertellen over de boodschap van de bisschop. Dus toen hij in het kamp van de Engelsen terugkeerde, vertelde hij Alfred en de witan enkel dat zijn onderhandelingspoging met de Denen geen succes was geworden.*

Intussen gaf Olaf, op advies van Beorghtnoth, de opdracht Wulflac vast te binden boven de westpoort van de stadsmuren, in het zicht van de belegeringstroepen. Toen Alfred dit zag raakte hij vervuld van woede en verdriet, en hij liet weten dat hij vastbesloten was zich over te geven in ruil voor de bisschop. De leenheren – onder wie Beorghtnoth en zijn mede-samenzweerders – smeekten hem in tranen dit niet te doen, met het argument dat de Denen hem zeker zouden doden. Maar Alfred antwoordde dat hij nu zijn macht aanwendde om zijn opvolger aan te wijzen, en hij koos zijn neef die, naar hij zeker wist, een goede koning zou zijn als hijzelf de dood zou vinden. Op dat moment ging zijn trouwste leenheer, die zag dat het hem ernst was, zó ver in zijn poging om hem tegen te houden dat hij hem fysiek verhinderde zijn privé-vertrekken te verlaten. In de donkere uren voor de dageraad van deze tiende dag, de dag waarop Wulflac ter dood zou worden gebracht, vermomde de koning zich als een van zijn bedienden en slaagde erin te ontsnappen. Zonder te worden herkend liep hij naar de plaats waar de legerpaarden waren gestald en vond zijn eigen rijdier – de felle Wederstepa, die alleen hij kon berijden. Het paard verzette zich toen het werd gezadeld en bestegen, maar zodra de koning schrijlings zat, herkende het zijn baas en kalmeerde. Door het kabaal dat de hengst had gemaakt, werd de jonge stalknecht uit zijn slaap gewekt, en toen hij zag hoe gedwee het paard zich gedroeg, wist hij dat de vreemdeling in het zadel Alfred was.

Overigens,' zei ik, 'ik weet niet of je bekend bent met dat schilderij van Landseer van dit tafereel, in de National Gallery?'

'Landseer?' glimlachte hij. 'Hoe heet het? "Koning in het nauw"?'

Ik snapte meteen dat dit een toespeling was op Landseers 'Hert in het nauw' en lachte. 'Nee, dit is de broer van Edwin, Charles Landseer. Het schilderij heet "Koning Alfred herkend door zijn toegewijde stalknaap". Het is heel ontroerend. Op de voorgrond keert de koning, in wiens nobele gelaatstrekken op prachtige wijze een zowel schuldige als liefhebbende uitdrukking is gevangen, zijn gezicht weg van de verbaasde herkenningskreet die zojuist is ontsnapt aan de lippen van de knappe jongen, die in ontzag en devotie naar hem opstaart.'

Austin haalde zijn pijp uit zijn mond en glimlachte. 'Werkelijk? Als ik weer eens in de hoofdstad ben moet ik het zeker gaan bekijken.' Hij leek een bedekte toespeling te maken, maar die begreep ik niet.

'Hoe dan ook, terug naar Grimbald:

De jongen greep het hoofdstel van het paard en schreeuwde het uit totdat de rest van de hofhouding kwam aansnellen. De leenheren waren zo geroerd door de moed en onverzettelijkheid van de koning dat ze nu instemden met een aanval op de stad zonder nog op versterking te wachten. Dus werden de troepen snel gewekt, voor inspectie verzameld en opgesteld tegenover de muren. Nog steeds kon men de bisschop boven de hoofdpoort zien hangen, en het was duidelijk dat hij de dood nabij was. Kort voor zonsopgang verzamelde het Engelse leger zich en wachtte tot de koning het teken voor de aanval zou geven. Op dat moment werd de zon, die zojuist boven Woodbury Downs was verrezen, opgeslokt door een zwarte schaduw, en het land werd donkerder en donkerder totdat er binnen een minuut complete duisternis heerste en er een kille wind opstak. Het leek of de zon, verscholen achter de maanschijf, vlammen spuwde. De paarden steigerden in paniek en de vogels verzamelden zich in zwermen en joegen wild door de lucht, onzeker of het al dan niet tijd was om neer te strijken. Geen sterveling had ooit zoiets aanschouwd en iedereen meende dat het einde van de wereld nabij was. Alleen Alfred wist dat het om een zonsverduistering ging, en daarom reed hij langs de gelederen en schreeuwde tegen zijn mannen dat de zon binnen een minuut of twee zou terugkeren. Maar zijn uitleg kwam te laat en zijn troepen raakten volslagen in paniek. De Denen waren overvallen door eenzelfde paniek en Olaf, die boven op de hoofdpoort stond en in de overtuiging verkeerde dat Wulflac met magische middelen de duisternis had opgeroepen, gaf het bevel de touwen waarmee hij was vastgebonden door te snijden. De geleerde stortte zijn dood tegemoet, juist toen de duisternis weer begon op te trekken. Schandalig genoeg wierpen de Denen het lichaam van de martelaar daarna in een put naast de oude munster − nu bij alle christenen bekend als de put van Sint-Wulflac.

Men kan zich een voorstelling maken van Alfreds afschuw en verdriet. En al slaagde hij erin het merendeel van zijn troepen weer onder zijn gezag te krijgen, met angstige soldaten kon hij geen aanval op de stad ondernemen, zeker niet nu het verrassingselement was verdwenen.

Maar gelukkig arriveerden de verse troepen de volgende dag, en onmiddellijk voerde Alfred een aanval uit op de stad en heroverde die, waarbij hij de vijand een ware nederlaag toebracht. Tijdens een mis in de oude munster werden Olaf en zijn familie en leenheren gedoopt en legden ze de geloofsbelijdenis af, waarna hij en Alfred kostbare geschenken uitwisselden. Met de inname van de stad werd het verraad van Beorghtnoth ontdekt, want een van de kapelaans van Wulflac, een man genaamd Cathlac, onthulde hoe de bisschop en martelaar had getracht de koning een boodschap te zenden omtrent de zonsverduistering. Beorghtnoth bewees zijn verraad door naar de Danelaw te vluchten. Wulflacs lichaam werd uit de put gehaald en begraven in de oude munster in een zwarte stenen grafkist, afgezet met lood en versierd met beeldhouwwerk waarin... Et cetera, et cetera. Het lichaam werd gewassen en gebalsemd en gehuld in een doek van fijn...

Ik geloof niet dat dit zo interessant is.

De oude munster was door de Denen geplunderd en nu de gebouwen weer hersteld werden, deed zich iets merkwaardigs voor. Cathlac vond een zeer oud document dat verborgen was geweest in een muur die was opengebroken tijdens de verwoestingen door de Denen. Het was een charter waarin een vroegere koning van Wessex honderd jaar eerder bepaalde rechten schonk aan de abdij. Alfred accepteerde de rechtsgeldigheid van het charter en bevestigde deze rechten tot in eeuwigheid, en deed verder schenkingen aan het bisdom als eerbetoon aan zijn gemartelde vriend en leermeester. En sinds die tijd vonden er wonderen plaats die verband hielden met Sint-Wulflac en in het bijzonder met de put waarin zijn lichaam was geworpen. Want het bleek dat er weerzinwekkende zweren werden genezen met water uit de put, dat bomen die met water uit de put werden gevoed tot diep in de winter fruit droegen...

Zo gaat het nog een hele poos door en dat is niet bijster interessant – en evenmin erg overtuigend – dus hier houd ik op.'

Ik was diep ontroerd door het verhaal – zoals altijd wanneer ik aan het leven van die uitzonderlijke man denk, de Engelse geleerde-koning die het land redde van de ondergang. 'Kun je raden wat mijn hypothese is over de jonge kapelaan?' vroeg ik.

Austin schudde zijn hoofd.

'Is het je opgevallen dat hij de enige persoon is over wiens particuliere gedachten en gevoelens we worden geïnformeerd? In die scène dat Alfred bidt, schrijft Grimbald dat hij "diep ontroerd is door deze blijk van respect van de koning en verontrust door zijn vermoedens omtrent Beorghtnoths verraad". Ik denk dat de jonge kapelaan niemand anders was dan Grimbald zelf.'

Austin tuitte zijn lippen. 'Dat zou verklaren waarom het hem vergund werd zo'n wijze raad te geven.'

Ik lachte. 'Dat is heel cynisch. Maar je hebt gelijk en dat schraagt mijn theorie die ik onlangs heb gepubliceerd in een artikel voor de *Handelingen van het Engels Historisch Genootschap.*'

'Hoe betrouwbaar is dat verhaal?' vroeg Austin. 'In mijn oren klinkt het nauwelijks betrouwbaarder dan dat beroemde brood.'

'Er zijn wat problemen,' erkende ik.

'Hoe zit het met Wulflac die een zonsverduistering voorspelt?'

'Ja, dat werpt enkele lastige vragen op. De astronomische kennis die dat mogelijk zou hebben gemaakt, was eeuwen eerder al verloren gegaan – in feite met de ondergang van de Alexandrijnse beschaving. Maar de geschriften van Ptolemaeus en Plinius waren wel degelijk in die tijd bekend in Engeland, en dus konden Wulflac en Alfred zeer wel hebben begrepen dat iets een zonsverduistering was wanneer die plaatsvond.'

'Was er destijds een zonsverduistering? Is het mogelijk dat vast te stellen?'

'Er is niets bekend over een zonsverduistering precies op dat tijdstip. Dat is één reden waarom veel wetenschappers hebben geweigerd om het *Leven* als authentiek te accepteren.'

'In de veronderstelling dat het een vervalsing is? Van wie dan en waarom?'

'Nou, het bleef enkel bewaard in één manuscript, met een voorwoord van Leofranc waarin deze beschrijft dat hij opdracht had gegeven het te kopiëren en te verspreiden, opdat iedereen zou weten hoe wijs en geleerd koning Alfred was.'

'Geeft het manuscript zelf enige aanwijzingen?'

'Helaas is het in 1643 vernietigd toen de bibliotheek hier ter stede werd geplunderd. Daarom hebben we uitsluitend een zeer gebrekkige uitgave van de herziene tekst van Leofranc, gepubliceerd door de oudheidkundige Parker in 1574.'

'Waarom zou iemand de moeite hebben genomen het te vervalsen?'

'Ik geloof niet dat dat gebeurd is, al ben ik bereid te erkennen dat Grimbalds oorspronkelijke tekst is gewijzigd en aangevuld door Leofranc. Zeker is dat hij al die gegevens aan het einde heeft toegevoegd waarin de vondst van een oud charter wordt beschreven dat de abdij verrijkte, en waarschijnlijk ook het verslag van de wonderen – met het doel om van de abdij een pelgrimsoord te maken.'

'In dat geval heeft hij misschien het hele zaakje vervalst?'

'Dat is wat een schurk die de naam van wetenschapper te schande maakt – een zekere Scuttard – ongeveer drie maanden geleden suggereerde in een artikel dat hij in hetzelfde tijdschrift publiceerde en waarin hij mijn eigen artikel in de meest felle bewoordingen aanvecht. Hij beweert dat Leofranc het in z'n geheel heeft vervalst door andere teksten te plagiëren en aan elkaar te plakken.'

'Je blijft maar doorpraten over die Leofranc alsof hij hier om de hoek woont. Wie was dat in vredesnaam?'

'Weet je dat werkelijk niet? Het was de bisschop die de cultus van de martelaar-heilige Wulflac creëerde, hier in Thurchester. Scuttard beweert dat hij dat deed om geld in te zamelen voor de sloop van de Angelsaksische munster en de bouw van de kathedraal...'

'Het viel me al op dat Grimbald melding maakt van "de oude munster", wat suggereert dat het verslag is opgesteld nadat deze vervangen was. En dat was pas rond twaalfhonderd-zoveel, toch?'

'Dat was aan het begin van de twaalfde eeuw, Austin.'

'Excuus. Ik haal elf, twaalf en dertien soms een beetje door elkaar. De Middeleeuwen zijn voor mij niet meer dan monniken en veldslagen, tot je bij Hendrik VIII en zijn vrouwen uitkomt.'

Ik huiverde en vervolgde: 'Het door Parker uitgegeven manuscript was rond 1120 gekopieerd, dus dat klopt met Leofrancs jaartallen. Maar je hebt gelijk dat het een van de bewijzen is die Scuttard aanvoert. En hij beweert dat de hele onderneming van Leofranc – het tot heiligdom uitroepen van de put en het graf van Wulflac, waar de hele Middeleeuwen door bedevaartgangers naar toe kwamen – gebaseerd was op deze vervalsing.'

'Scuttard beweert dat Wulflac geen martelaarsdood is gestorven?'

Ik knikte. 'Hij gaat nog veel verder: hij beweert in feite dat hij nooit heeft bestaan. En het is waar dat er geen enkele verwijzing naar zijn leven bestaat, behalve dan in Grimbalds *Leven*. Maar in mijn repartie van vorige maand was een van mijn tegenargumenten tegen Scuttard de vraag waarom Leofranc in dat geval niet een vervalsing van het leven van Wulflac had gemaakt in plaats van dat van Alfred.'

'Ik neem aan dat hij veel geraffineerder te werk ging. Door een leven van Alfred te schrijven waarin Sint-Wulflac een prominente rol speelt, wordt de martelaar veel effectiever het leven in gesmokkeld.'

'Dat is precies was Scuttard heeft geantwoord,' erkende ik mistroostig. 'En als dat wordt geaccepteerd als de waarheid, worden ook een paar van zijn andere ongehoorde suggesties aannemelijker. Met name zijn absurde en afschuwelijke idee dat Alfred nooit de Denen heeft verslagen, maar zelf door hen werd verslagen, hun Danegeld betaalde en hun vazal werd.'

Austin bestudeerde onbewogen mijn gelaat. 'Is het echt zo belangrijk?'

'Ik houd er niet van dat een man pseudo-geleerdheid aanwendt ter bevordering van zijn carrière. Door dat artikel van hem is hij nu de voornaamste gegadigde voor de nieuwe leerstoel Geschiedenis in Oxford. Maar als het mij lukt om te vinden waarnaar ik op zoek ben, namelijk het oorspronkelijke manuscript van Grimbald, dan kan ik korte metten maken met zijn argumentatie, en bewijzen dat Grimbalds *Leven* echt is.'

'Welke kandidaat maakte de meeste kans op de leerstoel voordat Scuttard zijn artikel publiceerde?'

Ik merkte dat ik bloosde. 'Ik had nog niet besloten of ik mijzelf zou voordragen, als je dat bedoelt.'

'Viel Scuttard je aan omdat hij in jou een mogelijke rivaal zag?'

'Dat staat wel vast.'

'Jouw kansen zouden dus aanzienlijk worden vergroot als je dat manuscript zou vinden?'

Ik werd getroffen door de kwaadaardige ondertoon in zijn woorden en vroeg me af of hij zo bitter gestemd was omdat hij, ondanks zijn briljante geest, zulke teleurstellende studieresultaten had bereikt dat hij zijn hoop op een wetenschappelijke betrekking had moeten laten varen. Dat gebrek aan succes was deels te wijten geweest aan het feit dat hij weigerde om zich in te spannen voor dingen die hem niet interesseerden – al hadden ook andere zaken meegespeeld.

'Ik weet niet zeker of ik die leerstoel wel zou willen bezetten. Mijn enige wens is een leven waarin ik mij in alle rust kan wijden aan de wetenschap en aan mijn lessen, en dat heb ik nu al. Het respect en zelfs de genegenheid van mijn studenten betekenen meer voor mij dan de titel "professor".'

Austin glimlachte op hoogst irritante wijze voor zich uit. 'Stel dat je het manuscript vindt, maar dat jouw argumentatie erdoor wordt weerlegd?'

Om van onderwerp te veranderen, zei ik: 'Waarom pak je je cadeau niet uit, Austin?'

Hij raapte het op. 'Dat was ik bijna vergeten.' Hij haalde uiterst voorzichtig het pakpapier weg en hield het boek iets van zich af. 'Dank je,' zei hij.

Enigszins beschaamd zei ik: 'Ik heb begrepen dat het een geduchte bijdrage vormt aan het debat over tijdrekening.'

'Attent van je om eraan te denken. Ik twijfel er niet aan dat het een heel intelligent werkje is.'

Met geveinsde interesse opende hij het boek en keek erin.

'De schrijver is fellow aan Colchester, hetgeen in jouw en mijn ogen de grootst mogelijke aanbeveling vormt. En hij is inderdaad briljant op zijn gebied. Ik weet dat je het niet met hem eens zult zijn, maar hij beweert dat de geologie het bewijs levert dat het tijdstip van de schepping miljoenen jaren moet worden teruggeschoven. Ik heb begrepen dat...'

'Ik neem aan dat je die afspraak met Locard hebt gemaakt vanwege dat onzalige manuscript van je?' onderbrak hij mij.

'Je kent hem zeker?'

'Nou en of. Ik weet dat hij een kille, ambitieuze en gortdroge pedanterik is. Hij is een van die mensen die de vorm boven de inhoud stellen, het omhulsel boven het wezen. Hij is een van die mensen die als ze op de oever van het leven stonden, nog te bang zouden zijn om zelfs maar een teen in het water te steken.'

'Het kan me niet schelen hoe droog dr Locard zijn voeten houdt, zolang hij zijn zaakjes maar kent,' zei ik glimlachend.

'Hij kent zijn zaakjes misschien als wetenschapper, maar als geestelijke kent hij ze niet. Onder alle parafernalia van de ritualist is hij net zozeer van het geloof verstoken als de schrijver dezes.' Hij klopte op het boek. 'Zoals zovelen in onze tijd heeft hij het hart van ons geloof losgelaten en zijn toevlucht gezocht in uiterlijk vertoon. Maar al die wetenschappelijke hypothesen over apen en fossielen en sterrenstelsels doen niet ter zake. Het feit dat alles kan worden verklaard met één theorie – die je de rationeel-wetenschappelijke zou kunnen noemen – betekent nog niet dat er geen grotere theorie bestaat waaraan de wetenschap ondergeschikt is.'

'O, je bedoelt dat toen God op maandagochtend 4004 voor Christus de wereld schiep, hij de fossielen daar alleen maar neerlegde om ons geloof te testen, zoals sommigen van jouw eminente collega-godsdienstijveraars beweren?'

'Nee, dat bedoel ik niet. Als je de beleefdheid zou kunnen opbrengen om althans te proberen mijn gedachtegang te volgen, zou je misschien begrijpen waarover ik het heb.'

In zijn harde woorden bespeurde ik heel de frustratie van een intelligent mens die weet dat hij zijn kansen heeft verspeeld.

Het bleef even stil. 'Ik hoop niet dat je je de vijandschap van dr Locard op de hals hebt gehaald,' zei ik, me herinnerend wat de oude Gazzard had gezegd. 'Het is duidelijk dat hij veel macht heeft.'

'Macht? Hoezo, wat zou hij mij kunnen maken?' zei hij en hij liet het boek naast zich op de grond vallen.

'In het slechtste geval denk ik dat hij je zou kunnen ontslaan.'

'Ja, in wereldse termen heeft hij macht, als je dat bedoelt.'

'Hoe zou je leven eruitzien als je je baan zou verliezen?'

'Heel armoedig. Ik heb geen bezittingen en geen vrienden die me zouden kunnen helpen. Maar denk je dat ik erom zou rouwen als ik mijn baan verloor – lesgeven aan berooide kinderen in dit verderfelijke gehucht? Ik smacht ernaar naar Italië terug te gaan. Weet je nog dat ik daar ooit ben geweest?'

'Maar Austin, waar zou je dan van moeten leven? Zelfs in Italië zou je nog iets van een inkomen nodig hebben.'

'Jij brengt alles terug tot geld en banen. Zie je dan niet dat dat allemaal niet belangrijk is? Niet als het er werkelijk op aankomt.'

'Wat is er dan wel echt belangrijk?' vroeg ik.

Hij staarde me aan met een ondoorgrondelijke uitdrukking op het gelaat, en toen ik uiteindelijk begreep dat hij niet van zins was te antwoorden, zei ik: 'Bedoel je dat alleen het lot van je ziel telt?'

Ik had elke zweem van sarcasme uit mijn stem willen weren toen ik die laatste woorden uitsprak. Maar Austin glimlachte bitter. 'Je beschuldigde me daarnet nog te geloven in "het eeuwige leven en al die onzin meer".'

'Mijn verontschuldigingen. Ik ging te ver. Het druist volkomen tegen mijn principes in om de geloofsovertuigingen van anderen belachelijk te maken.'

'Hoe belachelijk die ook zijn?' vroeg hij met een uiterst lichte ironische ondertoon.

'Historisch beschouwd hebben de meeste mensen in de meeste samenlevingen geloofd in het voortbestaan van de ziel na de dood. In je geloof in een hemelse belofte heb je ten minste het merendeel van de publieke opinie aan je kant.'

Hij hief zijn hand op om me het zwijgen op te leggen. 'Ik ben niet duidelijk geweest. Ik geloof echt in goed en kwaad en verlossing en verdoemenis. Ik aanvaard ze volledig en onomstotelijk. Ze zijn voor mij even reëel als de stoel waarop ik zit. Reëler nog. Jij zegt dat ik me laat bedotten door het idee van een eeuwig leven, maar ik zeg je, verdoemenis is voor mij veel reëler en overtuigender dan verlossing. En zeker ook veel waarschijnlijker.'

Net toen ik dacht dat ik hem bijna begreep, kon ik hem helemaal niet meer volgen. 'Waarom zeg je dat?'

Hij bleef me aanstaren tot ik mijn blik afwendde. 'Laat mij jou dan de vraag stellen die je mij net stelde. Wat is belangrijk? Als het er echt op aankomt, wat is er voor jou dan belangrijk?'

Het kostte mij moeite antwoord te geven. 'Ik vermoed de wetenschap. De waarheid. Menselijkheid.' Ik zweeg. 'In vredesnaam, Austin, dat is een vraag voor studenten. Wat belangrijk is, is dat je fatsoenlijk probeert te leven. Dat je probeert het zo goed mogelijk te doen. Ik bedoel, dat je probeert andere mensen met respect en begrip te bejegenen. En dat je een zekere mate van intellectuele bevrediging vindt, en steun binnen je omgeving, en esthetisch genoegen.'

'Daarin schuilt nu precies het verschil tussen ons tweeën. Laat ik je het volgende voorleggen. Stel dat je je leven zou moeten omschrijven als een reis, wat zou jij er dan over zeggen?'

'Ik begrijp niet wat je bedoelt.'

'Wat ik bedoel, is dat het leven voor jou een trage voortgang is over een grote vlakte – je kunt het land overzien tot kilometers voor en achter je.'

'Ik snap het. En jij beziet je leven niet in zulke termen?'

Hij glimlachte. 'Niet echt. Voor mij is het leven een gevaarlijke queeste door dikke mist en duisternis, over een smalle richel met aan weerszijden een steile afgrond. Op bepaalde momenten trekken mist en duisternis op, en zie ik de duizelingwekkende diepte aan weerszijden van me, maar dan zie ik ook de top waarnaar ik op weg ben.'

'Mijn leven heeft ook zo zijn onverwachtse, opwindende ogenblikken. Bijvoorbeeld toen ik de verwijzing vond naar de mogelijkheid dat de bibliotheek hier dat manuscript bezit...'

'Ik heb het niet over manuscripten,' onderbrak Austin me. 'Hoe zit het met hartstocht?'

Ik glimlachte geïrriteerd. 'Op onze leeftijd, Austin...'

'Op onze leeftijd! Wat een onzin. Je klinkt als een oude man.'

'Austin, zo jong zijn we niet meer. We naderen beiden de vijftig.'

'Vijftig! Dat is nog niks. We hebben nog tientallen jaren te gaan.'

'Dat mag dan zo wezen, maar ik geloof dat ik genoeg hartstocht voor een heel leven achter me heb.'

'Ik neem aan dat je doelt op...?'

'Zwijg erover, Austin. Echt, ik heb geen zin om dat op te rakelen.'

'En sindsdien?'

'Sindsdien?'

'Het is meer dan twintig jaar geleden. Betekende dat het einde van alles, met uitzondering dan van je professionele bestaan?'

'Mijn professionele bestaan – dat jij onbeduidend schijnt te vinden – is rijk en lonend geweest. Ik heb mijn studenten, mijn collega's, mijn wetenschappelijke artikelen en mijn boeken. Ik geloof dat ik binnen mijn faculteit en mijn vak gerespecteerd wordt. Ik denk dat ik kan zeggen dat veel van de jongelieden die ik lesgeef zelfs een zekere mate van genegenheid voor mij voelen, zoals ik dat ook voor hen voel.'

'Je praat erover alsof het al in het verleden ligt. Wil je die leerstoel hebben, of ga je gezapig zitten toekijken hoe hij in de wacht wordt gesleept door die man – Scuttard, was het niet?'

'Zoals ik al zei, ik ga me er niet voor verlagen. En er is een risico aan verbonden.'

'Een risico?'

'Als bekend werd dat ik die leerstoel ambieerde maar hem niet kreeg, zou dat enigszins vernederend voor mij zijn.'

'En dat noem jij een risico?'

'Ik hoef geen leerstoel. Mijn professionele leven is ook zonder dat al zeer rijk.'

'Ook goed.' Hij leunde achterover. 'Heb je nooit overwogen te hertrouwen?'

'Ik ben nog steeds getrouwd,' zei ik kortaf. Hij keek me strak aan en ik vervolgde: 'Voor zover ik weet tenminste.'

'Voor zover jij weet. Nou, dan zal ik je vertellen…'

'Ik wil het niet horen. Ik heb je al gezegd dat ik geen zin heb om erover te praten.'

'Kwam er dan twintig jaar geleden een einde aan je liefdesleven? Heb je nadien nooit meer tedere gevoelens voor iemand opgevat?' Zijn toon was eerder ongeduldig dan vriendelijk.

'Hoe zou ik dat kunnen? Daar ben ik niet vrij in. En bovendien, ik heb als gezegd al genoeg hartstocht voor een heel leven achter de rug.' Hij keek me zwijgend en kritisch aan, en bespottelijk genoeg zei ik: 'Ik ben volmaakt gelukkig met wat ik nu heb.'

'Geluk,' zei hij zacht, 'is veel meer dan de afwezigheid van verdriet.'

'Dat is misschien wel zo, maar ik durf niet het risico te lopen nog een keer zo veel verdriet te worden aangedaan als twintig jaar geleden. Ik neem genoegen met een leven zonder pijn.'

'Hoe kun je dat nu zeggen? Het enige waar het om gaat in het leven, is hartstocht. Dat is het enige.'

Er brandden vele antwoorden op mijn lippen – wat wij hartstocht noemen is vaak niet meer dan een kinderlijke hang naar opwinding, een drang om alle aandacht voor onszelf op te eisen – maar die bestierven ter plekke toen ik naar zijn gezicht keek. Daar sprak zo'n heftigheid uit, zo'n concentratie. Ik wendde mijn blik af. Waar had hij het in vredesnaam over? Wat voor hartstocht bezielde zijn leven? En voor wie of wat? Het was vreemd om een man van zijn en mijn leeftijd in verband te brengen met het begrip hartstocht. En toch had hij misschien gelijk. Zeker als hij het over liefde had. Maar 'liefde' was niet het woord dat Austin had gebruikt.

'Wat bedoel je met hartstocht?' vroeg ik.

'Moet je dat nog vragen? Ik bedoel dat wij niet binnen en voor onszelf leven, maar alleen leven in zoverre wij zijn herschapen in de verbeelding van een ander – door zover mogelijk in het leven van die ander door te dringen. Ik bedoel, door te dringen in de verbeelding, het verstand, het lichaam, de gevoelens van die ander, met alle conflicten die daar onvermijdelijk uit voortkomen.'

'Daar geloof ik niet in. Ik geloof dat wij in de grond volkomen alleen zijn. Wat jij beschrijft, is een tijdelijke obsessieve toestand.' Ik glimlachte. 'Tijdelijk, ook al duurt het in sommige gevallen een leven lang.'

'We zijn alleen wanneer we ervoor kiezen dat te zijn.'

Ik was het niet met hem eens, maar liet het erbij. Ik was nu wel nieuwsgierig geworden. 'Verschilt dit abstracte begrip dat jij hartstocht noemt zó van liefde, van genegenheid?'

Hij leek even na te denken en zei toen: 'Laat ik het zo zeggen: er is sprake van hartstocht als degene voor wie je die voelt iets van je vraagt wat alle grenzen van de moraal overschrijdt, en je ermee instemt dat te doen.'

'Je bedoelt zoiets als liegen of stelen?'

Hij glimlachte. 'Zoiets, ja. Of misschien iets ergers, als je je dat kunt voorstellen.'

'Ik kan me niet indenken dat ik zoiets zou doen.'

'Nee? Werkelijk niet?'

Na een ogenblik vroeg ik: 'Word ik nu geacht aan te nemen dat je hartstocht op dit moment ergens door is gewekt?'

Hij knikte zwijgend.

'Je maakt me nieuwsgierig,' zei ik en ik wachtte even om hem de gelegenheid te geven iets te zeggen als hij dat verkoos. Hij bleef zwijgen. Wie kon het zijn, deze mysterieuze vrouw op wie hij verliefd was? Had dit alles iets te maken met de reden dat hij me had uitgenodigd? Lag hierin de oorzaak van de moeilijkheden waarin hij naar mijn stellige overtuiging verkeerde?

'Zeg eens, maakt het je gelukkig? Deze zoektocht naar de hartstocht?'

'Gelukkig?' Hij lachte. 'Geluk is wat je voelt tijdens een wandeling op een mooie dag, of als je thuiskomt na een prettige avond met je vrienden. Nee, ik ben er niet gelukkig van geworden. Het heeft me naar de diepste afgronden van de wanhoop gevoerd. Het heeft me naar de toppen van de extase gebracht.' En toen mompelde hij op zo'n zachte fluistertoon dat ik er nauwelijks van op aankon dat ik het hem had horen zeggen: 'En naar de verdoemenis.'

'Als de keus aan ons was,' zei ik, 'zou ik eerder geluk dan hartstocht kiezen.'

'Jij bent nog een studentje,' zei hij, 'als je het zo gemakkelijk van tafel kunt vegen.' Toen zei hij op bijna minachtende toon: 'Jij hebt genoeg hartstocht beleefd, zei je? Jouw kortstondige huwelijk van jaren geleden was genoeg?'

'Zwijg er verder over, Austin.'

'Ik geloof dat jij er erger aan toe bent dan ik,' zei hij ernstig. 'Als jij op je sterfbed ligt, zul je beseffen dat je nooit hebt geleefd.'

'O, ik heb geleefd, Austin.'

'Eenmaal. En dat meer dan twintig jaar geleden.'

Het verraste me dat hij er zo kil over sprak, bijna snerend. Wilde hij de schijn wekken dat hij niet had begrepen hoezeer dat alles me had aangegrepen? Of had hij het echt niet doorgehad?

'Ik wil er liever niet over praten.'

'Ik neem aan dat je jezelf de schuld geeft?'

'Mijzelf de schuld geef? Ja, vermoedelijk wel. Ik was naïef, goed van vertrouwen, onwerelds. En nu we het er toch eerlijk over hebben, kan ik je net zo goed zeggen dat ik lange tijd kwaad op je ben geweest.'

'Jij was kwaad op mij?'

'Maar, Austin, wat ik in die tijd ook mag hebben gevoeld, laat het je duidelijk zijn dat als ik nog steeds verbolgen was geweest over jouw aandeel in de affaire, ik jouw uitnodiging om hier te komen nooit zou hebben aangenomen.'

'Wat was volgens jou dan mijn aandeel in de affaire?'

'Nee, je zult genoegen moeten nemen met wat ik net heb gezegd, ben ik bang. Ik ga geen autopsie plegen op wat er al die jaren geleden is gebeurd.'

'Heb je werkelijk niet gehoord dat...?'

'Ze is begraven. Voor mij is ze begraven.'

'Ik hoorde van een oude vriend uit Napels...'

'Ik wil het niet weten, Austin. Zwijg er verder over. Ik neem aan dat ze nog altijd in leven is, want als ze was overleden had iemand me dat wel verteld.'

'Ik hoorde van een oude vriend uit Napels dat ze een kind hebben gekregen,' zei hij. 'Wist je dat?'

Ik voelde een pijnscheut in mijn zij alsof er een mes in was gestoken. Ik schudde het hoofd. Austins stem leek van ergens diep onder water te komen.

'Een meisje. Ze zal nu ongeveer vijftien zijn. Er is me verteld dat ze heel slim is en erg mooi. Ze heeft de trekken van haar moeder en de ogen van haar vader.'

Ik sloeg mijn handen voor mijn gezicht.

'Je houdt er niet van de waarheid te horen, is het wel? Een vreemde eigenschap voor een historicus. Dat moet toch een professionele handicap voor je zijn?'

Ik nam mijn handen voor mijn gezicht weg en wendde me af. 'Ik had niet moeten komen.'

'Het heeft alles te maken met jouw hang naar slappe compromissen.' Hij lachte even. 'Dat is jouw hartstocht: compromissen sluiten. Maak nooit iemands geloofsovertuigingen belachelijk, hoezeer je het er ook mee oneens bent. Hoe burgerlijk en Engels en geborneerd. Maar er is zoveel waar jij niets van begrijpt. Jij hebt zo'n bevoorrecht en beschermd leven geleid. En je hebt het zelf nog verder verengd, en zoveel uitgebannen. Je hebt zo veilig en behoedzaam geleefd. Zo veel gruwelen en ontaarding en extase als ik heb gekend, daar kun jij je in de verste verte geen voorstelling van maken.'

Hij zweeg even. Toen zei hij: 'Maar ik ben zo blij dat je me vergiffenis hebt geschonken.'

We zaten meer dan een volle minuut te zwijgen. Ik werd me bewust van de duisternis en de schaduwen rondom ons bij het licht van één enkele kaars en de smeulende sintels van het vuur. Ik kon zelfs de klok horen tikken op het trapportaal beneden.

'Het is te laat om nog naar een hotel te gaan,' zei ik terwijl ik opstond. 'Maar ik verlaat dit huis direct na het ontbijt.'

Het leek of Austin ontwaakte uit een verdoving of een hypnotische trance. 'Maar je moet gewoon blijven! Het spijt me als ik je heb beledigd. Ik weet niet waarom ik die dingen zei. Je gaat niet weg, toch?'

'Ik denk dat dat het beste is.'

'Luister, om heel eerlijk te zijn, ik ben niet helemaal mijzelf op dit moment. Ga alsjeblieft zitten.'

Aarzelend deed ik wat hij zei en hij vervolgde: 'Er drukt iets zwaar op mijn gemoed. Anders zou ik dat soort dingen nooit zeggen.'

'Ik vermoedde al zoiets.'

'Ik had het daarnet niet tegen jou, ik probeerde alleen mijzelf te overtuigen. Ik zou die dingen tegen iedereen hebben gezegd die de pech had op jouw plaats te zitten.' Hij wendde zijn hoofd af. 'Ik zal je in alle eerlijkheid zeggen dat ik de afgelopen weken heel dicht bij de uiterste rand van mijn bestaan ben gekomen.'

'Wil je me er niet over vertellen?'

Hij draaide zijn gekwelde gezicht naar mij toe: 'Dat kan ik niet. Maar kun je je een situatie voorstellen die zo ondraaglijk is dat je serieus overweegt om jezelf te vernietigen, als enige uitweg?'

'Lieve God! Zoiets afschuwelijks, daar mag je niet eens aan denken. Zeg dat je het niet serieus meent.'

Op zijn gezicht verscheen een trage, sardonische glimlach. 'Ik heb deze optie verworpen. Op dat punt kun je gerust zijn.'

'Kun je me niet vertrouwen en vertellen waar dit allemaal over gaat, Austin?'

'Blijf je tot zaterdag?'

'Goed. Ja, ik blijf.'

'God zegene je, ouwe makker.'

Ik wachtte tot hij iets zou zeggen, maar het was duidelijk dat hij geen enkele intentie had mij in vertrouwen te nemen. Desondanks stond ik op het punt het onderwerp aan te snijden dat hij kort had aangeroerd, maar op dat moment sloeg de klok op het trapportaal één uur.

'Is het al zo laat?' riep ik uit.

'Het is al veel later,' antwoordde Austin terwijl hij zijn horloge te voorschijn trok. 'Heb je de kathedraal niet gehoord? Het is bijna twee uur. Die klok loopt nooit goed.'

'Waarom laat je er niet naar kijken?' vroeg ik.

Hij glimlachte.

Ergerniswekkende, verbijsterende, ondoorgrondelijke Austin! Ik had van hem gehouden toen we jong waren en het had me veel verdriet gedaan te bedenken dat ik zijn vriendschap kwijt was geraakt. 'Ik heb veel te doen morgen,' zei ik. 'Ik moest maar eens naar bed.'

We schudden elkaar de hand en gingen uiteen. Ik liep het eerst naar boven en vond de trap en de slaapkamer gruwelijk koud na de warmte van de woonkamer. Ik trok het gordijn een beetje opzij en zag dat de mist zo mogelijk nog dichter was geworden. Austin ging naar beneden en twintig minuten later hoorde ik hem naar boven komen en zijn slaapkamer aan de overloop binnengaan. Ik kroop in bed en lag nog een halfuur te lezen – een gewoonte zonder welke ik niet in slaap kan komen – maar deze keer kostte het me moeite me te concentreren.

Ik was van slag door Austins woede. Ik kon me niet herinneren dat hij als student zo snel kwaad was geworden. Het moest komen doordat hij zo'n bezwaard gemoed had. Opnieuw vroeg ik me af op wie hij verliefd kon zijn en of die liefde zijn positie op school in gevaar bracht. De vrouw van een collega? De moeder van een leerling?

Ik kon het nieuwtje dat hij mij had opgedrongen niet uit mijn hoofd krijgen. Juist om mijzelf te beschermen tegen dat soort feiten had ik destijds de banden met bepaalde vrienden en kennissen verbroken. Waarom had Austin per se over het verleden willen praten en dat wrede nieuws willen doorgeven? Voelde hij de behoefte om zijn schuld uit te drijven? Ik had bij hem geen spoor gezien van spijt over de rol – de belangrijke rol – die hij destijds had gespeeld.

Het enige wat ik vijfentwintig jaar geleden had gewild, was een leven in de wetenschap en vrouw en kinderen, maar Austin had dat duidelijk niet gewild. Ik had altijd gedacht dat hij minder dan ik wilde, maar nu begon ik me af te vragen of hij niet juist meer had gewild. Hij was er niet in geslaagd de graad te behalen waarop zijn kwaliteiten hem recht gaven, doordat hij zich net voor het examen weer eens in de nesten had gewerkt, zoals hij het zelf omschreef. Austin bezat iets weerloos en gevaarlijks wat ik bijna was vergeten, totdat het me daarnet weer was opgevallen. Hij was in staat om zonder enige waardigheid of zelfbeheersing te handelen. Had een gevoel van teleurstelling en mislukking hem ertoe verleid een ernstige beoordelingsfout te maken?

Ik blies mijn kaars uit en probeerde te slapen. Austin had gelijk: het was volkomen stil op de immuniteit. Het leek sprekend op de faculteit tijdens de vakantie. Bijna te stil. Ik bedacht hoe, een jaar of twee na de grote cesuur in mijn leven, het huis aan de rand van Cambridge mij te stil was geworden en ik daarom mijn oude vrijgezellenkamers in de faculteit weer had betrokken. Gedurende het semester is het lawaai van studenten geruststellend en slechts af en toe hinderlijk; in de vakantie wordt de stilte drukkend. Het enige geluid op dit moment was de klok van de kathedraal die de kwartieren sloeg, en als hij de diepe beierklank van het volle uur had geslagen, klonk in antwoord het geklingel van andere klokkentorens, gedempt door de mist die als een zee over de stad moest liggen terwijl de kerktorens en torenspitsen er bovenuit staken. De enige andere geluiden kwamen uit het huis zelf, wanneer het houtwerk kraakte als de gewrichten van een oude man, alsof het oude bouwwerk kreunde van de pijn om z'n trage verval. Ik dacht aan alles wat er in dit huis kon zijn gebeurd: de mensen die er waren gestorven, de baby's die waren geboren, het leed en het plezier. Het gekraak klonk als de kreunende platen van een oud houten schip. Het huis was een schip, maar de zee van wolken lag boven ons hoofd. Het was een schip dat onder het oppervlak van het water voer. Mijn hoofd vulde zich met dit soort onzin, en ik sukkelde in slaap, of in een soort halfslaap.

Plotseling werd ik wakker en een ogenblik lang vroeg ik me af wat me had gewekt. Toen hoorde ik opnieuw het geluid dat me blijkbaar in mijn slaap had gestoord. Het was een jammerkreet, iets tussen een gil en een snik – bijna onmenselijk. Ik had een soort halfdromend besef dat ik het spook hoorde uit het verhaal van Austin, maar dit was een echt geluid en het kwam van ergens uit het huis. Ik stak mijn kaars aan, en de flakkerende schaduwen die daarop door de kamer werden geworpen hielpen me niet bepaald om mijn zenuwen in bedwang te houden. Op de een of andere manier vond ik de moed mijn bed uit te stappen, een kamerjas aan te schieten en de overloop op te stappen. Het geluid kwam, zoals ik al had geraden, uit Austins kamer. Ik klopte aan en even daarna duwde ik de deur open en stapte naar binnen.

In de halfschemer zag ik een gestalte op het bed. Ik hield de kaars omhoog en zag dat Austin in zijn nachthemd op de dekens zat geknield. Hij hield zijn handen over zijn oren, alsof hij ze probeerde af te schermen tegen een hels kabaal. Zijn ogen waren open en hij leek naar iets te kijken aan het voeteneind van zijn bed. Toen ik zijn magere benen onder zijn nachthemd zag uitsteken voelde ik medelijden en een vage weerzin tegen hun witte stakerigheid.

Ik keek naar zijn bleke, gevoelige gezicht op dit moment van onverholen pijn en voelde een vlijmende steek van genegenheid voor hem, ondanks alles wat hij had gedaan. Was het genegenheid voor de man hier vóór mij, of een gevoel van rouw om de jongeman die hij ooit was geweest?

Ik naderde het bed. Hij keek naar mij – tenminste, zijn ogen waren open en mijn kant op gekeerd. Ik kreeg een heel raar gevoel toen ik besefte dat hij me recht aankeek, maar me niet zag. Wie of wat hij wel zag, wist ik niet.

Zich tot mij richtend, en toch ook weer niet, sprak hij de woorden: 'Zij zegt dat hij het al jaren verdient. Zij zegt dat het geen wraak is, maar gerechtigheid. Hij heeft zijn straf al die jaren ontlopen.'

'Austin,' zei ik. 'Ik ben het, Ned.'

Nog steeds met zijn gezicht naar mij toegekeerd en met zijn niet-ziende ogen op mij gericht, zei hij: 'Zijn boeken moeten worden afgesloten. Dat zegt ze. En ze zegt dat als wij het niet doen, zij er zelf wel voor zal zorgen.'

Ik pakte hem beet en drukte hem tegen mij aan.

'Austin,' zei ik. 'Mijn beste kerel.'

Hij schrok en keek me ineens aan, en terwijl hij me met wijdopen ogen aanstaarde, zag ik daarin herkenning en besef dagen. Een ogenblik lang hield ik hem nog in mijn armen vast, toen duwde hij me nogal bruusk van zich weg.

'Mijn beste kerel,' zei ik, 'ik vind het vreselijk je zo van slag te zien. Kan ik je ergens mee helpen?'

'Daar is het te laat voor.' Hij haalde twee keer diep adem en zei toen: 'Het gaat alweer. Ga terug naar bed.'

'Mijn beste Austin, ik laat je niet graag achter in deze toestand.'

'Het gaat alweer. Ga maar. Het was maar een nachtmerrie.'

Zijn toon viel niet langer te negeren. Hoogst onthutst deed ik wat hij vroeg, maar het duurde lang voor ik de slaap weer kon vatten.

De wrevel die ik tegen hem had gekoesterd was grotendeels verdreven door het beeld van kwetsbaarheid en gekweldheid dat ik zojuist had aanschouwd. Had mijn oude vriend zichzelf de schrik op het lijf gejaagd met het spookverhaal waarvan hij beloofd had dat het mij uit mijn slaap zou houden en mijn dromen zou verstoren? De ontzetting die ik op zijn gezicht had gelezen, leek op iets veel ergers te wijzen. Ik voelde met hem mee, want ik was vaak gekweld door nachtmerries – met name in de ongelukkigste periode uit mijn leven, toen ik maandenlang amper de slaap had durven vatten. Had Austins nachtmerrie daar iets mee te maken? Werd hij achtervolgd door schuldgevoelens om zijn rol in die pijnlijke episode? Ik wist niet precies welke rol hij daarin had gespeeld, maar het was duidelijk dat hij er tot op zekere hoogte voor verantwoordelijk was. Had hij me hier uitgenodigd omdat hij het wilde bijleggen? Of was het omdat hij hulp nodig had bij de raadselachtige crisis waarin hij verkeerde? En was de vrouw over wie hij daarnet in zijn droom had gesproken, degene die zijn hartstocht had gewekt?

Woensdagochtend

Ik werd gewekt door de klok van de kathedraal die het uur sloeg, al ontwaakte ik te traag om het aantal slagen te kunnen tellen. De kamer was in duisternis gehuld en de zware gordijnen lieten geen enkel licht door, zodat ik geen idee had hoe laat het was. Ik stak een kaars aan en met enige wilsinspanning dwong ik mijzelf het bed uit te stappen, de verkleumende kou van de onverwarmde kamer in. Toen ik me had aangekleed, keek ik op mijn horloge. Het was acht uur! Ontsteld over mijn exorbitante hedonisme, schoof ik de gerafelde gordijnen open en ontdekte dat er nog altijd een dikke mist hing. Zelfs in het troebele licht stond het door de tijd gezwarte steenwerk van de kathedraal verbluffend dicht bij het venster.

Toen ik een paar minuten later de trap afliep, rook ik toast en koffie en in de eetkamer trof ik Austin, die bezig was de tafel te dekken voor ons ontbijt. Hij glimlachte en de Austin van de nachtmerrie – ja, zelfs de strijdlustige Austin van onze discussie laat op de avond – was verdwenen.

'Blij te zien dat je er weer helemaal bovenop bent,' zei ik.

'Het spijt me dat ik je gisteravond heb gestoord, ouwe jongen,' zei hij met neergeslagen blik. 'Ik bleek mijzelf met dat verhaal heel wat meer van streek te hebben gemaakt dan jou.'

'Je maakte inderdaad een erg verschrikte indruk. Herinner je je nog dat je iets mompelde over wraak en straf en gerechtigheid?'

Hij draaide zich van me weg om voor de koffie te zorgen. 'Ik had een nachtmerrie over Gambrill, de bouwmeester van de kathedraal. Herinner je je dat hij een handwerksgezel had die ervan werd verdacht betrokken te zijn bij de moord op Gambrill? Zijn naam was Limbrick, en jaren daarvoor was zijn vader verongelukt op de toren van de kathedraal, waarbij ook Gambrill zwaargewond raakte en een oog verloor. Zijn weduwe zei indertijd dat de twee mannen ruzie hadden gehad en ze beschuldigde Gambrill ervan hem te hebben vermoord.'

'Lieve hemel,' zei ik opgewekt terwijl ik ging zitten en me aan mijn ontbijt zette. 'Wat een moordlustig stadje is dit toch! Dus dan was zij de vrouw over wie je het had?'

Hij keek verbaasd. 'Welke vrouw? Wat zei ik dan?'

'Dat was moeilijk te ontcijferen. Je had het over een "zij" die erop aandrong dat zijn boeken moeten worden afgesloten. Was dat de moeder van de jongeman?'

'De moeder van de jongeman?' herhaalde hij terwijl hij me aanstaarde. 'Wat bedoel je?'

Ik kon mijn verbazing niet verhullen: 'De weduwe van Limbrick, natuurlijk! De moeder van de jonge werkman.'

'O, die,' zei hij. 'Ja, die moet het geweest zijn. Ze had jarenlang over de dood van haar man lopen tobben en had haar zoon ertoe aangezet hem te wreken.'

Terwijl we ontbeten – haastig, want Austin dreigde te laat te komen op school – zei ik dat ik meteen naar de Bibliotheek van Proost en Kapittel zou gaan in de hoop dr Locard daar te spreken, al had mijn brief hem vermoedelijk niet voor gisteren bereikt. Austin verklaarde dat zijn verplichtingen hem tot 's avonds in beslag zouden nemen, maar dat wij wel samen zouden dineren in de stad.

We verlieten het huis en Austin deed de deur achter zich dicht. 'Je kunt in en uit lopen naar het je uitkomt. Je hebt geen sleutel nodig.'

'Doe je de deur niet op slot?' vroeg ik.

'Nooit. Maar ik verstop wel de sleutels.'

Ik vroeg me af wat hij daarmee bedoelde, want het kwam me vreemd voor om de deursleutel te verstoppen als de deur zelf niet op slot was. Maar aangezien hij bij ons vertrek de sleutel in zijn zak stopte, moest hij wel een ander stel sleutels hebben bedoeld.

Op de immuniteit was het even koud en mistig als de dag ervoor. Toen ik omhoog tuurde, zag ik een paar duiven ineengedoken onder de daklijst van de kathedraal zitten en ik bedacht dat je in de mist scherper ziet omdat je beter moet kijken. De aanblik van de vogels die hun omslachtige dans uitvoerden op de smalle richels, deed me denken aan een Schots kasteel waar ik ooit had gelogeerd en dat op een levensgevaarlijke klif boven de oceaan stond. Onze kamer lag boven in een hoge toren, waar zeemeeuwen, hachelijk balancerend op de vensterbank, als onverbeterlijke waarzeggers hun melancholieke kreten lieten horen.

Austin zei dat hij me zeer tot zijn spijt – zoals hij het met een grimas uitdrukte – niet aan dr Locard voor kon stellen, omdat hij al laat was voor zijn eerste les, maar hij wees me nog wel de zuidoosthoek van de hoge kant van de immuniteit waar de bibliotheek was, en spoedde zich toen weg.

Toen ik de uitgesleten stenen treden was opgeklommen en een zware eikenhouten deur had opengeduwd, werden mijn neusgaten overweldigd door de geur van oude boeken, oeroud leer, bijenwas en kaarsen. Voor mij lag een lange, fraai geproportioneerde galerij, want de bibliotheek was oorspronkelijk de grote zaal van de abdij geweest. De ruimte was op regelmatige afstand opgedeeld in nissen die haaks op de muren stonden en boekenplanken bevatten, waardoor alleen in het midden een smal pad vrij bleef. De nissen waren grote, meer dan manshoge, oude eikenhouten constructies. Dit was het deel waar vroeger de boeken aan de ketting lagen, en nog altijd was er een groot aantal op die wijze vastgemaakt.

Vlak bij de deur zat een jongeman achter een bureau. Hij stond op bij mijn binnenkomst. Toen ik hem vertelde dat ik een afspraak had met dr Locard en dat ik hem had geschreven, zei hij tot mijn grote vreugde dat de bibliothecaris me verwachtte en vroeg me hem te volgen.

'Dit moet een prettige ruimte zijn om te werken,' waagde ik op te merken toen we de volle lengte van de galerij doorliepen.

Mijn metgezel was vrij stevig, eind twintig, en al was zijn gezicht niet knap, toch wekte het de indruk toe te behoren aan een intelligent en humoristisch iemand. Hij knikte heftig: 'In de zomer is het uitgesproken ideaal, maar in de winter is het naar mijn smaak iets te donker en kil.'

'Het lijkt me nu anders wel gezellig en prettig,' zei ik. 'En je zou je bijna in de zeventiende eeuw wanen, zo weinig als hier uit onze tijd afkomstig lijkt.'

Net voor we aan het einde van de galerij een deur doorgingen naar wat vroeger een ander gebouw moest zijn geweest, keerde de jongeman zich om en zei: 'Daar hebt u volkomen gelijk in, sir. Ik heb vaak het gevoel of een aantal van de uitzonderlijke figuren die hier in die tijd werkten, over mijn schouder meekijkt: Burgoyne, Freeth en Hollingrake.'

'Dat kan niet al te geruststellend zijn,' opperde ik en hij lachte, maar trok zijn gezicht weer in de plooi toen hij op een deur links van ons klopte en onmiddellijk naar binnen liep. Het was een grote, erg oude kamer met eikenhouten lambrisering, een aantal grote en zware vitrines, en een grote zwarte boekenpers vol oeroude, in leer gebonden banden. Er zat een man aan een bureau onder het raam, die bij onze binnenkomst opstond. Hij was lang en voor iemand halverwege de vijftig zag hij er goed uit, met kritische grijze ogen die een grote scherpzinnigheid verrieden, maar weinig warmte uitstraalden. Ik kende dr Locards reputatie als eminent geleerde – al was zijn werkterrein niet het mijne – en wist dat hij met name een voortreffelijk latinist was.

Hij begroette me bij mijn naam en we schudden elkaar de hand. Hij nodigde me uit te gaan zitten en stelde me voor aan mijn begeleider die, naar hij verklaarde, zijn eerste assistent was en Quitregard heette. De jongeman wilde juist vertrekken, maar toen hij de deur al had bereikt riep dr Locard: 'Vraag Pomerance koffie te brengen voor mijn gast en mijzelf.' Hij keerde zich naar mij: 'Wilt u een kopje?'

Ik accepteerde dankbaar zijn aanbod.

Quitregard antwoordde echter: 'Pomerance is nog niet gearriveerd, sir. Wilt u dat ik het breng?'

'Doet u geen moeite omwille van mij,' zei ik. 'Ik heb net ontbeten.'

'Uitstekend. Dan stellen we dat uit tot mr Pomerance de goedheid heeft ons met zijn aanwezigheid te vereren.'

Quitregard vertrok en dr Locard knikte in de richting van de dichtgaande deur: 'Die jongeman wordt nog eens een voortreffelijk bibliothecaris. Zijn Latijn is ruim voldoende en hij is vertrouwd met een breed scala aan oude handschriften.'

Ik zei hem dat zijn assistent een zeer gunstige indruk op mij had gemaakt en toen kwamen we terzake.

'Uw brief is hier gisteren aangekomen en ik ben uitermate geïntrigeerd,' zei de bibliothecaris. 'Weliswaar ligt het onderwerp ver buiten mijn eigen aandachtsveld, maar de bibliotheek heeft een abonnement op de *Handelingen van het Engels Historisch Genootschap*, zodat ik toevallig zowel uw eigen artikel heb gelezen als het antwoord van Scuttard.'

'Het doet me deugd dat te horen. Maar ik hoop dat u niet overtuigd bent geraakt door Scuttards argumentatie?'

'Ik zou me niet dúrven wagen aan een mening over een dermate complex terrein buiten mijn eigen vakgebied. Maar hij was wel heel overtuigend. Hij is een geleerde met bijzondere talenten en een opmerkelijke staat van dienst – al is hij amper veertig – van wie nog veel te verwachten is. Dankzij zijn boek over de achtste eeuw zijn de nevelen van niet-onderbouwde veronderstellingen waarin dat onderwerp tot nu toe gehuld ging, grotendeels opgetrokken.'

Ik was enigszins verbluft door dit antwoord. 'Hoe dat ook zij – en volgens mij veegt hij een aantal zeer briljante inzichten van vroegere geleerden iets te gemakkelijk van tafel –, over dit onderwerp heeft hij het mis.'

Dr Locard keek me onbewogen aan: 'Als u inderdaad datgene ontdekt waarop u hoopt, zult u zijn argumentatie volledig onderuit halen. Wat ik echter niet goed begreep uit uw brief, is waarom u zo optimistisch gestemd bent.'

'Ik weet niet of u bekend bent met de naam van de oudheidkundige en geleerde Ralph Pepperdine?'

Dr Locard knikte. 'De schrijver van *De Antiquitatibus Britanniae*?'

'Precies. Welnu, hij overleed in 1689 en liet zijn papieren na aan zijn oude faculteit – die toevalligerwijs ook de mijne is. Schandelijk genoeg zijn ze nooit behoorlijk onderzocht. Twee weken geleden keek ik ze door, omdat ik hierheen zou komen en me herinnerde dat Pepperdine deze stad ooit had bezocht. Ik vond een brief die hij had geschreven toen hij deze bibliotheek in 1663 bezocht.'

'Werkelijk? Ik kan me voorstellen dat het een interessante invalshoek biedt op de Stichting in die moeilijke tijd.'

'Zeker, en er staat iets in wat u in hoge mate zal interesseren, denk ik zo.' Ik haalde de handgeschreven kopie die ik had gemaakt uit mijn portefeuille. 'Pepperdine laat een ooggetuige aan het woord over de dood van proost Freeth.'

'Meent u dat? Verschilt het significant van de algemeen aanvaarde versie?'

'Dat zijn dood een gevolg was van verkeerd begrepen bevelen en dat er geen enkele opzet in het spel was?'

'Ja, al werd die versie aangereikt door de verantwoordelijke officier, en die had alle reden om het aldus uit te leggen.'

'Pepperdine geeft een compleet andere verklaring.'

Dr Locard glimlachte. 'Daarmee is dan de hele bestaande discussie over het voorval ondeugdelijk geworden. Als er nog eens een competente historicus van de Stichting opduikt, zal hij bij u in het krijt staan.'

'Bestaat er niet al zo'n geschiedenis?'

'Enkel een langdradig werk dat halverwege de vorige eeuw is gepubliceerd. En binnen afzienbare tijd is er geen werk van enig gewicht te verwachten, al worden er wel wat amateuristische pogingen ondernomen, waarbij er echter op zeer onwetenschappelijke wijze met de bronnen omgesprongen wordt. Wat heeft Pepperdine te melden?'

'Het begin van de brief hoeft ons hier niet bezig te houden. Hij beschrijft de reis en de toestand van de wegen en zegt dat hij twee weken eerder dan gepland arriveerde en werd ondergebracht in het paleis van zijn oude vriend, de bisschop. Dit is het interessante gedeelte:

Aan de maaltijd gisteravond bij mijnheer de proost hoorde ik een verslag van de dood van wijlen de proost, dat het verhaal dat daarover verspreid is geheel loochenstraft. Zoals u naar alle waarschijnlijkheid weet, zette het parlementaire leger bij de verovering van de stad de proost schandalig genoeg gevangen in zijn eigen onderkomen, omdat hij de kant had gekozen van de koning en gevreesd werd dat hij de bevolking zou aanzetten tot verzet. Mijn informant was een zekere Champniss, die hier al meer dan veertig jaar kanunnik met residentieplicht is en de onfortuinlijke Freeth zeer liefhad. Op de ochtend van diens dood zag Champniss zes soldaten de immuniteit binnengaan die dronken leken te zijn en zich een weg baanden naar de hoek waar de bibliotheek is gelegen. Daar begonnen ze het gebouw te plunderen – de ramen in te slaan en te brandschatten en te stelen. De oude man vertelde me dat de proost dit moet hebben gezien vanuit een van de ramen van de proosdij en, ernstig verontrust door deze daad van heiligschennis, zich erheen spoedde vanuit zijn woning om ze tegen te houden, in weerwil van de hechtenis waarin hij was geplaatst. Toen Champniss hem het gebouw in zag rennen, vreesde hij voor het leven van de proost en spoedde zich herwaarts teneinde zijn beklag te doen bij de soldaten. Toen hij een minuut of twee later de hoek van het gebouw rondde, zag hij de proost voor de soldaten op de grond knielen, terwijl hij een document tegen zich aan geklemd hield en bad. Champniss hoorde hem hardop Gods vergiffenis vragen voor zijn moordenaars – waarvan er één nog maar een jongen was, die vrijelijk zijn tranen liet stromen. Toen Champniss naderbij kwam, kreeg de proost hem in het oog en maande hem met zijn hand om weg te gaan. Twee van de soldaten grepen Champniss vast en dreven hem vandaar, en juist op dat moment zag hij een officier naderen van wie hij wist dat hij een in alle opzichten ongerechtvaardigde wrok koesterde tegen de proost. Toen hij twee tellen later de hoek omsloeg, hoorde hij de ontlading van twee of drie pistolen. Zelfs toen de oude man dit voorval twintig jaar na dato vertelde, liepen de tranen hem langs het gelaat.'

Ik zweeg. 'De implicatie is duidelijk dat de officier zelf het bevel gaf om de proost dood te schieten, nietwaar?'

'Het beeld dat Pepperdine schetst is zo emblematisch dat het me verdacht voorkomt.' Dr Locard perste zijn lippen samen in een ironische glimlach. 'Kent u het werk van Charles Landseer?' Ik knikte. 'Dit zou echt iets voor zijn dweepzieke sentimentaliteit zijn, vindt u niet? Tot en met die snikkende soldatenjongen toe, want er is bijna altijd wel een knappe jongeman te vinden op zijn schilderijen. Kunt u zich geen doek voorstellen met de titel: "De proost van Thurchester bidt voor zijn moordenaars"?'

Ik glimlachte. 'Maar zelfs als we erkennen dat de oude man partijdig was, dan doet dat toch niets af aan zijn verslag?'

'Natuurlijk niet. Maar het is ook mogelijk dat Pepperdine de woorden van de oude heer verkeerd weergeeft.'

'Ik zie niet in waarom hij dat zou doen.'

De bibliothecaris keek me een ogenblik peinzend aan. 'Werkelijk niet? Mijn uitgangspunt als historicus is dat wanneer ik word geconfronteerd met tegenstrijdig bewijsmateriaal, ik altijd analyseer welke visie op de gebeurtenissen door de verschillende getuigen bevorderlijk zou worden gevonden voor hun eigen belangen. Dat lijkt me de beste kans te bieden om achter de waarheid te komen. In dit geval nu schreef Pepperdine aan een machtige royalist en kan hij goede redenen hebben gehad om het verhaal in het voordeel van de proost te laten doorslaan, niet?'

'Zijn correspondent, Giles Bullivant, was gewoon een andere geleerde, zonder politieke invloed. Hij en Pepperdine waren beiden geïnteresseerd in de overlevering van de klassieke teksten aan het eind van de Middeleeuwen, en dat was ook de reden dat Pepperdine naar de stad was gekomen. Zijn hoop zou echter de grond in worden geslagen, want er was nog nauwelijks een begin gemaakt met het ordenen van de papieren na de plundering van de bibliotheek.'

'Ik vrees dat u zult ontdekken dat daar in de twee eeuwen erna al evenmin veel aan is gebeurd.'

Ik keek hem verbijsterd aan.

'Ik vrees dat dat echt zo is. Aan de meeste manuscripten is bijna niets meer gedaan sinds ze in 1643 grofweg zijn geordend. Wat zegt hij over de vindplaats van het manuscript dat uw belangstelling heeft?'

'Hij is tergend onnauwkeurig:

Ik doorzocht de bovenste verdieping van de oude bibliotheek en vond niets van enig belang. De manuscripten in de crypte onder de nieuwe bibliotheek verkeren in een pijnlijk wanordelijke staat en het zou vele dagen of zelfs weken kosten om ze te onderzoeken, wat niet de moeite waard is aangezien het voor het merendeel verslagen lijken te zijn van de abdij in de oude tijd.'

Ik zweeg weer. 'Kunt u mij uitleggen wat hij bedoelt?'

Hij glimlachte. 'Ik zal het u laten zien, want er is niet veel veranderd sinds hij die woorden opschreef.'

Ik haalde mijn schouders op om uiting te geven aan mijn verbazing, en vervolgde mijn verslag van de brief. 'Daarna schrijft hij:

Toevallig stuitte ik op een manuscript dat naar ik vermoed de belangstelling kan wekken van allen die zich bezighouden met de vroege geschiedenis van de ruwe stammen die dit land overheersten in de duistere tijd voor de Normandische verovering. Het vertelt – in schrikbarend slecht Latijn – het verhaal van een koning wiens vroegere leermeester voor zijn eigen ogen vermoord wordt door de heidenen die zijn hoofdkwartier hebben ingenomen, waarvan de oude man bisschop is. Ik heb het daarom laten liggen waar ik het aantrof.'

'En wat had hij volgens u gevonden?'

'Aangezien hij niets wist van de Angelsaksische periode, onderkende Pepperdine niet dat het manuscript dat hij samenvatte een versie was van een verhaal in Grimbalds *Leven*.'

Dr Locard schrok. Zo rustig mogelijk en in de hoop dat hem de trilling in mijn stem zou ontgaan, zei ik: 'Ik ben ervan overtuigd dat het niets minder is dan de originele tekst van Grimbald.'

'In dat geval zou het onweerlegbaar bewijzen hoezeer Leofranc heeft zitten veranderen in zijn brontekst.'

'En dat hij het hele verhaal niet zelf heeft bedacht, zoals Scuttard absurd volhoudt, maar enkel de bestaande tekst heeft herzien.'

'Dat zou, naar ik vermoed, hevige opschudding veroorzaken in het onderzoek rond Alfred de Grote.'

'Als Grimbald grotendeels authentiek is – wat ik inderdaad geloof – zou zijn *Leven* serieus moeten worden genomen als een belangrijke bron over de betreffende periode.'

'U moet staan te popelen om met uw onderzoek te beginnen. Ik zal u de bibliotheek laten zien.'

Hij leidde me terug naar de grote zaal en we klommen een oude houten trap op naar de enorme bovenverdieping, waar het daglicht binnenviel door de bovenhelft van de hoge ramen, hetgeen het me mogelijk maakte de fraaie steekbalkenkap te bewonderen.

'Na de plundering en de brand,' legde dr Locard uit, 'werden hier honderden boeken en manuscripten van de grond geraapt zoals ze waren neergegooid. De gedrukte boeken werden naar de begane grond gebracht en in de maanden en jaren erna geordend, maar de manuscripten vormden een immens probleem. Vele ervan waren in obscure talen geschreven of in een moeilijk leesbaar handschrift, en daarom maakte de bibliothecaris een ruwe schifting: ze werden opgesplitst in een deel dat zo snel mogelijk gecatalogiseerd moest worden en een deel dat kon wachten.'

'Op grond waarvan werd die schifting gemaakt?'

'De manuscripten die konden wachten waren voor het grootste deel aktes van de Stichting zelf – documenten aangaande de kerkbouw, pachtregisters en dergelijke – en die werden naar de crypte onder de nieuwe bibliotheek gebracht, waar er sedertdien zelden meer naar is omgekeken. De belangrijkste stukken werden hier naar boven gebracht om te worden gecatalogiseerd.'

Hij liet me het deel van de planken zien waarop de manuscripten werden bewaard.

'En zijn ze ook inderdaad gecatalogiseerd?'

'Met dat werk is ongeveer acht jaar geleden een aanvang gemaakt, toen ik bibliothecaris werd.' Hij wachtte even en zei met kalme gewichtigdoenerij: 'Over een maand of zes verwacht ik proost en kapittel te kunnen melden dat we gereed zijn. De manuscripten die nog gedaan moeten worden, hadden voor het merendeel al in 1643 in de crypte moeten worden opgeslagen.'

'Mijn felicitaties, dr Locard.'

Hij knikte even ten teken van dank. 'Laten we nu naar beneden gaan, naar de crypte.'

We daalden de trap af en toen we de begane grond over de volle lengte doorliepen, ontmoetten we de jonge assistent aan zijn bureau in een van de nissen. 'Ah, Quitregard,' zei dr Locard. 'Wil je een lamp halen en met ons meekomen naar de crypte?'

Een ogenblik later bevonden we ons in het deel van het gebouw dat bekend stond als de nieuwe bibliotheek en van waaruit je kon afdalen in de crypte, en we liepen voorzichtig de trap af met vóór ons de jongeman die ons bijlichtte. Dat was hard nodig, want er was geen gasverlichting: het was niets anders dan de oeroude kelderruimte van de grote zaal, en het rook er sterk naar stof en spinnen en oud papier.

De crypte was enorm groot en een paar minuten lang leidden de twee mannen me door een labyrint van oude boekenpersen, met na iedere hoek die we omsloegen nóg meer planken overladen met bundels vergeelde manuscripten en oude leren oorkondeboeken die zichtbaar werden in het flakkerende licht in Quitregards hand. Het was me onmiddellijk duidelijk dat Pepperdine gelijk had gehad: het zou eerder jaren dan maanden werk zijn om deze stapels papier en velijn te doorzoeken.

'De hemel zij geprezen,' zei ik, 'dat ik niet hier beneden hoef te zoeken.'

Dr Locard bleef staan en keerde zich naar mij om: 'Waarom zegt u dat?'

'Alleen maar omdat Pepperdine hier niet heeft gezocht en hier dus ook het manuscript niet gevonden kan hebben.'

Dr Locard leek hier een ogenblik over na te denken en vroeg toen: 'Zegt u mij eens, dr Courtine, had Pepperdines correspondent werkelijk zo weinig belangstelling voor de Angelsaksische periode als Pepperdine lijkt te veronderstellen?'

'Merkwaardig genoeg heeft Bullivant uiterst waardevol werk verricht met betrekking tot het Angelsaksisch, en belangrijk materiaal ontdekt en gepubliceerd.'

'Dan is het dus inderdaad merkwaardig dat Pepperdine zegt dat het manuscript hem vermoedelijk niet zal interesseren?'

'U schijnt daar een idee over te hebben. Mag ik vragen wat dat is?'

'Enkel dat we rekening moeten houden met de vraag tot wie Pepperdine zich richt en wat zijn motieven kunnen zijn geweest. In de wetenschap speelt competitie minstens zo'n grote rol als samenwerking – net als in een spel eigenlijk. Je speelt om de knikkers, maar je moet je wel aan de regels houden.'

'Wilt u suggereren dat hij het manuscript uit zijn duim heeft gezogen?' vroeg ik onthutst. 'Dat hij niets heeft gevonden?'

'O, nee. Dan zou hij tegen de regels hebben gezondigd.'

'Dan ben ik bang dat ik niet begrijp wat u bedoelt.'

'Het zou kunnen dat de verwijzing naar het manuscript als lokaas moest dienen, en dat het een valstrik was om Bullivant naar de stad te lokken zodat hij hier zijn tijd en geld zou verknoeien door op de verkeerde plek te zoeken. Tijd en geld die anders besteed hadden kunnen worden aan zijn wetenschappelijke rivaliteit met Pepperdine.'

Het was merkwaardig om over zo'n slinkse tactiek te horen spreken door iemand uit de geestelijkheid, maar ik dacht aan dergelijke praktijken op mijn eigen terrein en moest erkennen dat hij in principe gelijk kon hebben. 'Maar Pepperdine zei dat hij de manuscripten hier beneden niet doorzocht heeft. Dus zelfs als u gelijk hebt, zou Bullivant niet de moeite hebben genomen ze hier te zoeken.'

'Laten we de brief eens wat aandachtiger bekijken.'

We volgden Quitregard de trap op, die daarop weer aan het werk toog. Eenmaal terug in de kamer van de bibliothecaris, vouwde dr Locard de brief uit op zijn bureau en gezamenlijk bogen we ons er nu over.

'Pepperdines formulering – *het zou vele dagen of zelfs weken kosten om ze te onderzoeken, wat niet de moeite waard is* – houdt duidelijk in,' zei ik, 'dat hij niet beneden heeft gezocht.'

'Maar zijn woorden geven geen uitsluitsel op dit punt. Mijn suggestie is dat het de bedoeling was dat deze dubbelzinnigheid Bullivant zou opvallen.'

'Bedoelt u dat hij moest denken dat Pepperdine wel beneden had gezocht, maar dat probeerde te verbergen?'

'Precies.'

Onthutst besefte ik dat er wel degelijk iets in deze suggestie zat.

'En,' vervolgde hij, 'aangezien de manuscripten op de bovenverdieping al zijn gecatalogiseerd – op een paar na, die overigens wel zijn doorgekeken – en we niet hebben gevonden wat u zoekt, kan het niet anders of het moet beneden zijn.'

Tegen deze gedachtegang leek niets in te brengen. Ik had maar drie dagen voor mijn zoekpoging en het zou dus puur geluk zijn als ik op mijn prooi stuitte. Ik kon mijn wanhoop niet verheimelijken.

'Ik wou dat ik u enige hulp kon bieden, maar mijn assistenten en ik leveren al een zware strijd om ons eigen werk op tijd af te krijgen.'

'U bent zeer genereus geweest met uw tijd,' mompelde ik. 'Ik denk niet dat ik het zal vinden, maar ik kan mezelf troosten met de gedachte dat als ik het wel doe, mij des te meer lof toekomt gezien de omstandigheden daar beneden.'

Ik liep al in de richting van de deur, toen hij zei: 'Anderzijds, aangezien we al snel het materiaal beneden zullen gaan ordenen, is er geen man overboord als ik morgenochtend een paar uur samen met u zoek.'

Ik draaide me om. 'Dat zou buitengewoon vriendelijk van u zijn,' antwoordde ik.

'Uitstekend, dat is dan afgesproken. Ik heb om elf uur een kapittelvergadering – zoals elke donderdag, helaas – maar daarvóór heb ik een paar uur de tijd. Zullen we om halfacht beginnen, het tijdstip waarop de bibliotheek op donderdagochtend opengaat?'

'Heel graag.'

'Bovendien zal ik u een van mijn assistenten ter beschikking stellen. Ik kan Quitregard niet missen – wat spijtig is, want hij is een heel leger van Pomerances waard – maar die nogal inadequate jongeman kan ik u wel uitlenen. Hij is overigens net gearriveerd, want ik zag hem zojuist wegduiken in een van de nissen. Ik zal hem aan u voorstellen.'

We verlieten de kamer en kwamen terug in de hoofdgalerij, waar we in een van de schietgaten een lange dunne jongen uit het raam zagen staan staren. Hij schrok op toen we naderbij kwamen en draaide een lang en mager gezicht naar ons toe, dat de indruk wekte ooit met geweld in zijn vorm te zijn geperst. Het deed me denken aan een Viking-hoofd en -gelaat – ruw en leeg, op de ogen na waaruit de pijn van het jong-zijn sprak.

'Staat u me toe om Pomerance, mijn tweede assistent, aan u voor te stellen,' zei dr Locard.

We gaven elkaar een hand en hij stamelde dat het hem een eer was.

'Geef dr Courtine alsjeblieft alle hulp die hij nodig heeft,' zei de bibliothecaris.

'Ik zal mijn best doen, sir.'

'Dat is niet helemaal hetzelfde,' zei dr Locard terwijl hij naar mij glimlachte.

Ik nam afscheid en bedankte hem nogmaals. Daarna daalden mijn hulp en ik met een paar lampen af, en eenmaal beneden keek ik in een toestand van diepe moedeloosheid om me heen. Het was mogelijk – ja, zelfs waarschijnlijk – dat hier ergens een oeroude foliant lag die het grootste gedeelte van de geaccepteerde kennis over de negende eeuw ondersteboven zou keren. Als Grimbald van alle blaam werd gezuiverd, zou zijn verslag over Alfred niet langer in twijfel kunnen worden getrokken door de honende iconoclasten die de passie van de koning voor onderwijs aan alle rangen en standen, zijn nieuwsgierigheid naar de Islam en de Moorse cultuur, zijn belangstelling voor windmolens voor het droogmalen van moerassen, enzovoort, afdeden als de anachronistische en uit eigenbelang voortkomende verzinsels van Leofranc.

De kans was gering, maar de beloning groot, en geïnspireerd door deze overweging begon ik stapels stoffige manuscripten door te kijken. Ik had niet veel aan de jonge Pomerance, aangezien hij geen andere taal kende dan zijn eigen en de paleografische expertise miste die nodig is om zelfs maar de letters van oude manuscripten met enig gemak te kunnen spellen. Maar hij kwam me goed van pas om grote bundels perkament en papier onder het spinrag vandaan te halen en schoon te maken alvorens ik er een blik op wierp.

Na een paar uur vertrok Pomerance met de mededeling dat het tijd voor hem was om thuis te gaan eten. Toen ik om één uur naar buiten glipte, was dr Locard nergens te zien, maar ik knikte naar Quitregard, die terug glimlachte. Juist toen ik buiten de trap afliep, passeerde ik een dame die naar boven kwam. Ze was lang en slank en al was ze slechts een paar jaar jonger dan ik, toch was ze nog een knappe vrouw met fijne gelaatstrekken en grote grijze ogen. Ze deed me sterk aan iemand denken – al kon ik op dat moment niet bedenken aan wie. We wisselden een glimlach uit als van vreemden die vermoeden dat er op enigerlei wijze een band tussen hen bestaat, en die elkaar daarom nogmaals zullen tegenkomen.

Woensdagmiddag

Ik ging naar de meest solide ogende herberg die ik aan de hoofdstraat kon vinden – The Dolphin – en at een eenvoudige lunch. Ik keerde terug naar de immuniteit via het oude poorthuis aan de noordzijde en toen ik daar doorheen liep, wierp ik een blik door een van de raampjes met verticale raamstijlen en zag een groot klaslokaal waarin zo'n twintig jongens bijeen zaten. Het hoorde vermoedelijk bij Courtenay's Academy, Austins school. Bij de aanblik kwam het allemaal weer levendig bij me terug – het suizen van de gasarmen, de geur van krijt en lei. Met een zucht om mijn eigen, lang vervlogen schooltijd spoedde ik me rechtsom de immuniteit rond en wendde het belangrijkste middel aan uit het arsenaal van de historicus: de verbeeldingskracht. Ik hield halt en dacht na. Vóór mij lag het oude huis dat eerst van Burgoyne was geweest en later de Nieuwe Proosdij was geworden. Uit dit huis moest proost Freeth een paar minuten voor zijn dood zijn weggesneld, en daarna was hij de kruisgang ingegaan of -geduwd. Ik concentreerde me zó om me het tafereel van die dag voor te stellen, terwijl ik me bovendien afvroeg of ik het zou wagen de inscriptie te gaan lezen, dat ik niet in de gaten had dat er iemand voor mij stond die mijn aandacht probeerde te trekken. Het was de jonge sacristein, en hij was in gezelschap van een veel oudere heer, die eveneens in habijt gekleed ging.

'Het spijt me verschrikkelijk, dr Sisterson,' zei ik. 'Ik was geheel in gedachten verzonken. Ik probeerde me de gebeurtenissen voor te stellen op die dag in september 1643 toen de omsloten ruimte van deze immuniteit zijn plaats veroverde in de annalen van de misdaad.'

'Een oorspronkelijke aanpak,' becommentarieerde de andere man droogjes. 'Het zou een historicus een hoop moeizaam onderzoek besparen.'

Dr Sisterson lachte en zei: 'Dr Courtine, dit is dr Sheldrick, onze kanselier.'

74

We schudden elkaar de hand. Toen ik mijn universiteit noemde, zei dr Sheldrick: 'Dan moet u mijn jonge neef kennen, de edelachtbare George de Villiers, die daar student is. Hij werkt momenteel aan zijn kandidaats klassieke talen.'

'Ik heb wel van hem gehoord, uiteraard, maar ikzelf ben verbonden aan de historische faculteit.'

'Ik ben volledig op de hoogte van uw werk en reputatie, dr Courtine,' zei hij op tamelijk vernietigende toon, alsof hij me die verweet. 'Ik ben zelf ook een beetje een historicus.'

'Welzeker bent u dat, kanselier,' zei dr Sisterson. Hij wendde zich tot mij: 'Dr Sheldrick is de geschiedenis van de Stichting aan het schrijven. Het eerste deel is zojuist verschenen.'

'Juist, ja.' Ik bedacht dat het wel vreemd was dat Austin dit boek niet had vermeld als bron van het verhaal over Burgoyne. En nog vreemder was dat dr Locard dat evenmin had gedaan, al herinnerde ik me wel dat hij zich laatdunkend had uitgelaten over bepaalde amateuristische pogingen. Toen herinnerde ik me dat dr Sisterson het werk van dr Sheldrick had vermeld toen ik hem in de kathedraal was tegengekomen. 'Dat zei u gisteravond al.' Ik wendde me tot de oudere heer. 'Ik meen gezien te hebben dat er gisteravond bij u een receptie was ter gelegenheid van de publicatie van het boek.'

Er viel een merkwaardige stilte. Ik had blijkbaar een pijnlijk onderwerp aangeroerd.

'Ik zou bijzonder graag uw geschiedenis willen lezen, dr Sheldrick,' zei ik snel. 'Gaat het ook over de tijd van Burgoyne en Freeth?'

'Het loopt maar tot het einde van de dertiende eeuw,' antwoordde dr Sheldrick.

Tot mijn verbazing bood hij me geen exemplaar aan – toch een normale geste onder geleerden.

'Dr Sheldrick heeft al wel een concept geschreven van het volgende deel dat ook de tijd van de Burgeroorlog omvat,' zei dr Sisterson. 'Sterker nog, ik heb het in mijn bezit, want hij was zo vriendelijk mij te vragen of ik het lezen wilde en hem in alle bescheidenheid van advies wilde dienen.'

Dr Sisterson wierp een blik op zijn collega. 'Zou ik het aan dr Courtine mogen uitlenen?'

'Ik zie niet in waarom niet,' antwoordde hij nogal nors.

'Ik heb het op kantoor,' zei dr Sisterson tegen me. 'Als u tijd hebt kunnen we daar even heen lopen.'

Ik verklaarde me daartoe bereid en bedankte beide heren. We namen afscheid van dr Sheldrick en wandelden naar de sacristie.

'De kanselier is er vandaag niet helemaal bij,' zei dr Sisterson zodra we buiten gehoorsafstand van de andere man waren gekomen. 'Er vond gisteravond een nogal ongelukkig voorval plaats…'

'Pardon,' zei ik. 'Het spijt me dat ik u in de rede val, maar kunt u mij vertellen wie die dame is?'

De vrouw die ik had gezien toen ik kort voor de lunch de bibliotheek was uitgekomen, was langs de andere kant van de immuniteit in een richting komen lopen die haaks op die van dr Sheldrick stond, en op het punt waar hun wegen elkaar kruisten, was ze blijven staan om met hem te praten.

'Dat is mrs Locard,' zei hij glimlachend. 'Een vreselijk aardige vrouw en een goede vriendin van mijn vrouw.'

'En van dr Sheldrick, voor zover ik kan beoordelen.' Ik voegde er enigszins ondeugend aan toe: 'Hij glimlacht zowaar.'

Dr Sisterson keek om en lachte en we wandelden verder. 'U hebt volkomen gelijk. Het is onmogelijk haar niet aardig te vinden.'

Kort daarop kwamen we in het kantoor van de sacristein, waar hij me een dik manuscript overhandigde dat, naar ik zag, was volgeschreven in een erg net, maar wat houterig handschrift.

Ik kon het niet laten op te merken: 'Ik vraag me af waarom dr Locard geen melding maakte van dr Sheldricks werk toen ik vanochtend bij hem informeerde naar de geschiedenis van de Stichting.'

Dr Sisterson glimlachte en stak schalks een vermanend vingertje op. 'Ho, ho, dr Courtine. Probeert u me nu niet tot indiscreties te verleiden.'

Ik lachte, bedankte hem voor het boek, stak het onder mijn arm en nam afscheid. Om twee uur was ik weer aan het werk in de stoffige crypte. Kort daarop verscheen ook Pomerance weer en hij besteedde een halfuur van zijn tijd aan mij, maar was daarbij zo onhandig en vergeetachtig dat ik meer last dan nut van hem had en ik ervoer het als een opluchting toen hij wegging om thee te drinken.

Om een uur of drie kwam Quitregard naar beneden om te zeggen dat dr Locard zich afvroeg of ik soms zin had boven te komen en thee met hem te drinken. Ik ging daar graag op in, blij om even uit de stoffige omgeving weg te kunnen.

De bibliothecaris stond op toen ik zijn kamer binnenliep. Op zijn bureau stonden een pot thee en twee koppen en schotels, en daarnaast een schaal met een stapel sandwiches en een tweede vol koekjes.

'Aangezien we het vanochtend over Freeth hadden,' zei hij, 'interesseert het u wellicht om zijn portret eens te zien.' Hij wees op een doek dat bij het raam hing en ik doorkruiste de kamer om het te bekijken.

'Het is een paar maanden voor hij proost werd geschilderd.'

Tot mijn verrassing was het niet het gezicht van een ambitieuze of gewetenloze man, maar was het juist gevoelig, zelfs teer. Ik wendde me naar de bibliothecaris: 'Als u me verteld had dat dit Burgoyne was, zou dat me niet

76

hebben verbaasd. Dit is eerder het gezicht van een aristocratische geleerde dan van een wereldse sensualist.'

'Jammer genoeg heeft Burgoyne nooit de moeite genomen een portret van zichzelf te laten maken, of als hij dat wel heeft gedaan, is het niet bewaard gebleven. Maar Freeth was een man van aanzienlijke verdienste, ondanks zijn zwakheden. Hij was bekwaam, werkte hard en heeft veel gedaan voor de Stichting. Wat er van Burgoyne resteert, is niet zijn beeltenis maar zijn wetenschappelijke werk.' Hij wees naar een rij banden in de oude boekenpers. 'Dat is zijn uitgave van bepaalde Aramese manuscripten – nog altijd de gezaghebbende tekst. Maar om op iets heel anders over te stappen, ik zal u een van de meer ambigue schatten van de bibliotheek laten zien.' Hij liep de kamer door naar een glazen vitrine tegen een wand, deed die van het slot en haalde er een groot velijnen document uit. 'Wat denkt u dat dit is?'

Ik bekeek het aandachtig, erop gebrand geen blunder te begaan. Het zag eruit als een middeleeuwse akte, geheel op velijn geschreven in een fijn kanselarijhandschrift. 'Het is ongetwijfeld een of ander juridisch stuk en dateert, zou ik zeggen, uit het begin van de vijftiende eeuw.'

'Inderdaad. Welnu, thesaurier Burgoyne wilde geld bijeenbrengen voor het behoud van de kathedraal, die toen in een erbarmelijke staat verkeerde. Om dat te kunnen betalen, bedacht hij het plan om een van de instituten van de Stichting op te heffen.'

'Welk instituut was dat?'

'Een koorinternaat. Een grote school voor kerkmuziek waar knapen en jongelieden niet alleen werden opgeleid voor het koor van deze kathedraal, maar ook voor de koren van andere kathedralen. Burgoyne slaagde erin een meerderheid van het kapittel voor zijn plan te winnen, maar Freeth verzette zich tegen het plan en weigerde karakteristiek genoeg zijn nederlaag te aanvaarden. Hij en mijn voorganger in dit ambt – een zekere Hollingrake – doorzochten vervolgens grondig de oude bescheiden van de Stichting en kwamen een week of twee later voor de dag met een document dat Burgoynes plan verijdelde. Tussen twee haakjes, neemt u alstublieft wat van die sandwiches en koekjes. Mijn vrouw heeft ze gemaakt. Dat was het document dat u nu in handen hebt – de originele schenkingsakte uit 1424.'

'Dus ik had het bij het rechte eind!' kon ik niet nalaten uit te roepen.

Dr Locard zweeg een ogenblik en ging toen door: 'In de akte wordt de Stichting een nabijgelegen heerlijkheid geschonken, bestaande uit een mooi herenhuis en een aantal boerderijen, ter ondersteuning van de school. Maar ook werd er bepaald dat indien de school werd opgeheven, het land moest worden verkocht en de opbrengsten louter en alleen aan de zittende proost ter beschikking moesten worden gesteld. Het kostte Freeth weinig moeite de oude proost over te halen om te verklaren dat hij in dat geval het geld voor eigen gebruik zou aanwenden. Daarop werd Burgoynes voorstel uiteindelijk toch nog afgewezen.'

'Wat raar dat de voorwaarden van de schenking zo voordelig waren voor de proost.'

Dr Locard glimlachte. 'Raar, zeg dat wel. Het is u nog niet opgevallen dat het document een vervalsing is?'

Ik voelde dat ik bloosde. 'Natuurlijk wel, maar het ziet er heel overtuigend uit.'

'Dat komt omdat het naar alle waarschijnlijkheid is overgeschreven van een oorspronkelijk document. De vervalser heeft er alleen – in zeer respectabel slecht Latijn – een clausule aan toegevoegd die de houder van het ambt van proost persoonlijk het eigendomsrecht toeschreef.'

'Bestaat het originele document nog?'

Hij glimlachte. 'Het beste bewijs dat iets een vervalsing is, is het origineel waarop de vervalsing is gebaseerd. Aangezien het document zou hebben aangetoond dat dit een vervalsing was, kunt u er zeker van zijn dat het is vernietigd.'

'Verdenkt u Hollingrate ervan het te hebben vervalst? Die koekjes zijn overigens erg lekker.'

'Toen Freeth proost werd schonk hij Hollingrate het ambt van thesaurier – een genereuze beloning, aangezien de man daarmee alle gelegenheid kreeg zichzelf te verrijken. Maar ik vrees dat Freeth in dezen het slechte voorbeeld gaf, want ironisch genoeg maakte hij gebruik van de vervalste akte door zelf het instituut te sluiten, het land te verkopen en de opbrengst ervan in eigen zak te steken.'

'Na zijn verbitterde verzet tegen Burgoyne? Wat een hebberige huichelaar! Hoe is het mogelijk dat de andere kanunniken met zoiets akkoord zijn gegaan?'

Dr Locard keek me aan met een mild ironische blik. 'Ik neem aan dat Freeth een manier heeft gevonden om hun geweten te sussen.'

Het duurde even voor ik begreep wat hij bedoelde. 'Hij kocht ze om?'

'Freeth werd een zeer rijk man. Hij bezat nu een aanzienlijk stuk land en een mooi herenhuis een paar kilometer buiten de stad. Hij was bij machte genereus te zijn.'

'En Hollingrake?'

'Vreemd genoeg wijzen de annalen van de kapittelvergaderingen op een openlijke vete tussen de twee mannen, dus ik neem aan dat ze ruzie kregen over de verdeling van de buit.'

'Wat jammer dat het koorinternaat verloren is gegaan voor het nageslacht.'

'Het zou sowieso het Protectoraat niet hebben overleefd gezien de vijandigheid van de puriteinen waar het kerkmuziek betreft. In feite bleef het in gereduceerde vorm voortbestaan, want het kromp in en werd de koorschool die nu in hetzelfde gebouw huist aan de noordzijde van de hoge kant van de immuniteit – het oude poorthuis.'

'Ik zag het vanmiddag toen ik terugliep van mijn middagmaal in The Dolphin.'

'Maar beste man toch,' riep dr Locard uit. 'Hebt u daar geluncht? Ik moet er niet aan denken dat u het leven leidt van een handelsreiziger. Het zal mijn vrouw en mij een groot genoegen doen als u ons de eer verschafte eens bij ons te komen eten zolang u hier nog bent.'

'Dat zou me een waar genoegen zijn.'

'Bent u hier met uw vrouw, dr Courtine?'

'Nee, dat is niet het geval. Ze is... Dat wil zeggen, nee, dat is niet het geval.'

'Hoe lang bent u van plan te blijven?'

'Tot zaterdagochtend. Ik word die dag bij mijn nicht en haar gezin verwacht.'

'Maar tot zaterdag? Dat is al heel snel. Maar ik meen te weten dat mijn vrouw en ik morgenavond vrij zijn.'

'Dat is heel vriendelijk van u.'

'Ik zal het haar vanmiddag vragen en het u onmiddellijk laten weten.'

Ik bedankte hem voor de thee en zei dat ik weer aan de slag moest.

'Hebt u er na uw werk van vanochtend al enig vertrouwen in dat u het manuscript zult vinden?'

'Het zou puur geluk zijn. Als het nog bestaat, denk ik dat u het zult vinden, dr Locard, wanneer u het materiaal beneden gaat catalogiseren – al zal het vermoedelijk nog een paar jaar duren.'

'Dat is vanuit uw standpunt gezien hoogst ongelukkig, want ik stel me zo voor dat de vondst uw kansen op de nieuwe leerstoel zou vergroten.'

Ik lachte ongemakkelijk. 'Ik sta daar niet eens kandidaat voor.'

'Maar u moet toch een zeer serieuze mededinger zijn, vooral nu Scuttard zich naar alle waarschijnlijkheid terugtrekt.'

'Trekt Scuttard zich terug? Hoe dat zo? Is er iets onoorbaars over hem aan het licht gekomen?'

Dr Locard glimlachte. 'Absoluut niet. Ik begreep dat hij naar alle waarschijnlijkheid rector magnificus wordt van zijn eigen universiteit.'

'Op zijn leeftijd?'

'Hij staat in hoog aanzien bij het huidige landsbestuur, zoals al bleek uit zijn recentelijke benoeming in de Kathedraalcommissie. Hij is een zeer bekwame man met degelijke opvattingen en hij zal het nog ver schoppen.'

'Hij heeft machtige vrienden, dat is zeker. En hij zal vast en zeker het soort vertrouwen dat het landsbestuur in hem stelt, niet beschamen.' Ik stond op. 'Ik moet u niet langer van uw werk houden, dr Locard.'

Mijn gastheer kwam eveneens overeind. 'Waar kan ik u laten weten of mijn vrouw en ik morgenavond vrij zijn om u te ontvangen? U logeert vermoedelijk in The Dolphin?'

'Nee, ik ben te gast bij een oude studievriend. Ik denk dat u hem wel kent. Austin Fickling.'

'Natuurlijk ken ik hem.' Hij liep naar de vitrine en met zijn rug naar mij toe gekeerd legde hij het document op zijn plaats terug, terwijl hij doorpraatte. 'Ik had er geen idee van dat u bij een vriend logeerde toen ik u bij ons te eten vroeg. Ik kan me zo voorstellen dat Fickling andere plannen met u heeft. Ik wil u niet in verlegenheid brengen.'

'Dat is erg attent van u,' mompelde ik. 'Ik meen inderdaad dat Fickling iets zei over samen eten morgenavond.'

'Ik hoop dat u bij een andere gelegenheid wellicht…'

'Zeker, zeker. Dat is erg vriendelijk van u, dr Locard. Maar gelukkig zien wij elkaar morgenochtend om halfacht weer. Ik zie er erg naar uit.' Hij keek me aan zonder iets te zeggen, maar toen knikte hij plotseling.

Ik bedankte hem nogmaals voor de thee en keerde terug naar de crypte. Terwijl ik mijn werk hervatte, bedacht ik wrang voor hoeveel complicaties de kathedraalpolitiek zorgde. Klaarblijkelijk had het feit dat ik een vriend van Austin was, mij onwrikbaar in het evangelische kamp geplaatst.

Ongeveer een halfuur later, net toen ik de hoop had opgegeven dat Pomerance nog terug zou keren, kwam hij plotseling de trap af en liep met een lamp naar me toe.

'Ah, daar ben je,' zei ik. 'Ik had je eerder verwacht.'

'De baas besloot dat ik vanmiddag boven nodig was.'

'Goed, maar nu je hier toch bent, zou je zo vriendelijk willen zijn die grote bundels van de bovenste plank te pakken?'

'Neem me niet kwalijk, maar ik kom alleen even zeggen dat het bijna tien voor halfvijf is en dat de bibliotheek zo dicht gaat.'

'Ik had totaal niet in de gaten dat het al zo laat was!' In de loop van de dag had ik de inhoud van vier van de zeven- of achthonderd boekenplanken doorzocht. De totale zinloosheid van mijn onderneming stond nu onomstotelijk voor mij vast toen ik mijn lamp en het manuscript dat dr Sisterson me geleend had oppakte en achter de jongeman de trap opliep.

De bibliotheek was nu bijna geheel verduisterd, op één enkel licht bij de deur na, en het leek er verlaten.

'Is dr Locard op zijn kamer? Ik zou hem graag nog gedag willen zeggen.'

'Nee, hij is al naar huis.'

'En Quitregard?'

'Die is met hem mee. Hij gaat vaak met hem mee naar huis om hem te helpen bij kapittelkwesties.'

De jongeman deed de deur voor me open en ik zei hem gedag. Er was nog iets wat ik wilde doen, en in de angst dat het daarvoor al snel te donker zou zijn, spoedde ik mij langs de volle lengte van de kathedraal naar de achterzijde van de Nieuwe Proosdij. Het was een groot en grillig oud gebouw met topgevels en ramen met verticale raamstijlen en hoge schoorstenen die op verwrongen snoepgoed leken. Het was van de immuniteit afgescheiden door een hoge muur en ik liep naar het hek en tuurde door de spijlen naar de achtermuur. Ik kon nog net een groot stuk zwart marmer onderscheiden dat in het metselwerk was ingevoegd. Er stonden woorden in gegraveerd, maar in de invallende duisternis waren die onmogelijk te ontcijferen op deze afstand. Teneinde ze te kunnen zien moest ik over het hek leunen en me naar voren rekken, hoezeer ik me ook bewust was dat ik er idioot moest uitzien – gelukkig was er niemand die mij in de gaten had – en tegelijkertijd was ik bang mijn evenwicht te verliezen, want ik torste nog altijd dr Sheldricks manuscript onder een arm. Ik zag dat het hek niet op slot zat, maar ik was niet genegen het open te duwen en het terrein te betreden.

Plotseling zag ik op een paar meter afstand een licht bewegen, een zwaaiende lantaarn, en het drong tot me door dat er iemand op het achtererf was. Ik was verbaasd maar ook ontzet, want Austin had me verzekerd dat er rond deze tijd van de dag niemand thuis zou zijn! Voordat ik iets had kunnen doen, draaide de lichtstraal in mijn richting en hoorde ik een hoge stem, die zo opvallend was dat hij nog lang in mijn geheugen en gedachten zou blijven hangen: 'Ik zie u wel. U hoeft niet beschroomd te zijn. Kom gerust binnen. Het hek zit niet op slot.'

Ik putte mij uit in verontschuldigingen en wees de uitnodiging van de hand, maar de oude heer – want dat moest de bezitter van de stem zijn – kwam naar het hek toe en zei: 'U hoeft niet beschroomd te zijn. Kom toch binnen.'

Hij duwde het hek open en maakte glimlachend ruimte om me door te laten, wat ik ook deed, al bloosde ik van gêne.

Hij was kleiner dan gemiddeld en slank, al was het moeilijk om daar zekerheid over te hebben, aangezien hij warm zat ingepakt in een zware overjas met een dikke bouffante rond zijn hals. Onder een ouderwetse hoed zag ik een wilskrachtig gezicht met een uitdrukking die zowel oplettend als geamuseerd was, met fijne trekken ook, een bleke huid en gladde wangen. Het opvallendst waren de stralend blauwe ogen die mij onafgebroken leken aan te kijken.

'Het spijt me werkelijk heel erg, sir. Het was niet tot me doorgedrongen dat er hier iemand was.'

'Ik ben een dwaze oude man dat ik hier buiten ben met dit weer, maar ik moest en zou nog wat meer stro rond de planten leggen. Ik weet zeker dat de vorst vannacht nog bijtender zal worden.'

Ik bemerkte nu pas dat er op alle vensterbanken bloembakken stonden.

'Ik zag dat u de inscriptie probeerde te lezen,' zei hij nog altijd glimlachend.

'Het was onvergeeflijk van me dat ik zomaar uw terrein binnendrong.'

'Helemaal niet, helemaal niet. Ik ben trots op die inscriptie. En op heel dit oude gebouw. Ik ben zo gelukkig in een heel curieus oud huis te wonen waarin allerlei vreemde en gruwelijke dingen zijn gebeurd, en het lijkt me een geringe prijs als er af en toe onbekenden zijn die enige belangstelling tonen.'

'Dat is erg vriendelijk van u, sir. Nogmaals mijn excuses.'

'Ik heb het niet over u, sir. Ze turen door mijn ramen aan de voorkant naar binnen, moet u weten.'

'Dat moet onverdraaglijk zijn. Ik kan met u meevoelen, want ik woon in een universiteitsgebouw in Cambridge en mijn kamers zijn het voorwerp van eenzelfde soort belangstelling.'

'U bent een van de meest welgemanierde mensen die de inscriptie hebben trachten te lezen. Ik was bang dat u voorover zou vallen zoals u probeerde buiten het hek te blijven.'

'Het moet er volkomen dwaas hebben uitgezien.'

Hij deed een paar passen naar de muur en hield de lantaarn omhoog. 'Kunt u het nu lezen?'

De letters waren verweerd en op plekken waar de steen was afgeschilferd waren ze geheel verdwenen. Maar de oude heer kende de woorden uit het hoofd en we ontcijferden ze getweeën:

Alle dingen wentelen en de Mens die bestemd is om in het zweet zijns aanschijns te werken, wentelt met hen mede. En daarom zullen in de Rijpheid der Tijd zij die Hoog staan ten val worden gebracht en zij die Laag zijn op worden geheven. Dan zullen de Schuldigen gelijk de Onschuldigen worden vermorzeld, door hun eigen Machine ten Ondergang gevoerd op het Moment der Triomf zelve. Want als de Aerde beeft en de Torens schudden, zal het Graf haar geheimen prijsgeven en alles bekend worden.

Het was inderdaad raadselachtig, dacht ik terwijl ik het in mijn geheugen grifte.

'Kent u het verhaal erachter?' vroeg de oude heer.

'Ik heb me laten vertellen dat het 's morgens vroeg werd ontdekt, net na de dood van thesaurier Burgoyne, en dat Gambrill, de bouwmeester van de kathedraal, in deze tekst als zijn moordenaar wordt aangewezen.'

De oude heer knikte. 'Het verhaal dat in mijn familie is overgeleverd luidt dat Gambrill bij wijze van bekentenis zelf 's nachts de tekst heeft uitgehouwen.'

'Het kost me moeite om het zo te lezen,' vervolgde ik, 'want de tekst is eerder wraakzuchtig en triomfantelijk van toon dan verdedigend.'

'Dat is waar,' stemde hij in. 'Maar misschien voelde Gambrill zich gerechtigd op te scheppen over de moord. Die vermelding van hoog en laag lijkt me onmiskenbaar een verwijzing naar de aristocratische thesaurier en de bouwmeester van lage afkomst.'

Ik knikte terwijl ik bedacht dat het ook goed aansloot bij een idee dat ik die ochtend bij het ontbijt had gekregen naar aanleiding van iets wat Austin had gezegd.

'Hoe is Burgoyne precies vermoord?'

'Dat is nooit met zekerheid vastgesteld. Hij werd onder een ingestorte stellage gevonden die was opgetrokken om de herdenkingssteen aan te brengen voor het monument voor zijn eigen familie. Het bizarre was dat Gambrill die zware steen in de daarvoor bestemde plek in de muur bleek te hebben gekregen.'

'In zijn eentje?'

'Daar heeft het alle schijn van. En volgens de legende kwam Gambrill vervolgens hierheen en hieuw deze tekst kort voor zonsopgang uit.'

''s Nachts, en niemand die het hoorde?' vroeg ik glimlachend.

Er kwam net genoeg licht van de lantaarn om te zien dat de oude heer zelf ook glimlachte. 'Nu ja, dat is de verklaring die mijn voorouders meer dan tweehonderd jaar lang hebben aanvaard.'

'Hoe is het huis in het bezit van uw familie gekomen?'

'Dat is een lang verhaal. De kanunnik-thesaurier die de directe voorganger van Burgoyne was, heeft een hoop geld besteed aan de uitbreiding en verbetering ervan, geld dat afkomstig was uit het fortuin dat hij in zijn tijd als thesaurier had vergaard.'

'U bedoelt: dat hij van de Stichting had verkregen door verduistering?'

'Ja, of liever gezegd door malversaties – als u mij de muggenzifterij van een bankier wilt vergeven.' De oude heer gniffelde. 'Kort na de dood van Burgoyne kwam er een nieuwe proost en omdat dit het grootste huis was aan de hoge kant van de immuniteit, wist hij het kapittel te overtuigen hier de Nieuwe Proosdij van te maken. Zeer tegen de zin van de thesaurier destijds.'

'Die proost was Launcelot Freeth, niet?'

'U bent goed op de hoogte!' riep de oude heer uit. 'In dat geval zult u begrijpen dat het kapittel na diens dood besloot het huis te verkopen omdat er een vloek op leek te rusten en dat ze de Oude Proosdij weer in gebruik namen. Het werd in 1664 gekocht door mijn overgrootvader, James Stonex, en heeft sedertdien zijn naam behouden.'

'En dus moest de proost door dit hek zijn dood tegemoet zijn gehold,' zei ik terwijl ik me omkeerde om het te bekijken.

'Hij passeerde vlak voor zijn dood ongetwijfeld dit hek, maar hij ging wel uit vrije wil naar zijn executie.'

'Uit vrije wil? En waarom noemt u het een executie? Zijn dood wordt beschouwd als een van de lafhartigste moorden uit onze geschiedenis.'

'Niet volgens het verhaal dat er in mijn familie is overgeleverd, samen met het huis.'

'Het zou me bijzonder boeien het te horen.'

'Ik heb nu geen tijd,' zei hij op verontschuldigende toon. 'Op dit tijdstip eet ik altijd mijn middageten. Ik heb een wat vreemde dagindeling vanwege mijn werk. Maar kom overmorgen theedrinken, dan zal ik u het ware verhaal vertellen over de dood van de proost.'

'Dat is buitengewoon vriendelijk van u.'

'Mooi, dat is dan afgesproken. Ik verwacht u even na halfvijf. Wees alstublieft op tijd, want mijn leven wordt beheerst door de klok en ik moet om zes uur weer naar kantoor.'

Ik verzekerde hem stipt op tijd te zullen zijn. Er volgde een ongemakkelijk ogenblik waarin we beiden bleven staan wachten en toen zei hij: 'Ik kan u helaas niet binnen vragen nu.'

'Nee, natuurlijk niet, dat begrijp ik uiteraard,' zei ik, enigszins van mijn stuk gebracht. Met een gebaar dat merkwaardig onbeleefd aandeed, opende hij vervolgens het hek, glimlachte en maakte een lichte buiging alsof hij me wilde aanmoedigen naar buiten te gaan.

'Tot vrijdag,' zei hij.

Ik liep de immuniteit weer op, zei gedag en wandelde weg, terwijl hij aan het hek bleef staan.

Toen gebeurde er iets merkwaardigs. De hoek van de kathedraal was ongeveer vijftig meter verderop en ik was ervan overtuigd dat daar een gestalte stond, slechts vagelijk zichtbaar in de avondschemer. Toen ik naderbij kwam, verdween hij de hoek om. Ik wist bijna zeker dat het Austin was. Vreemd, dat hij zich verborgen had gehouden en zich daarna uit de voeten had gemaakt. Al was dat wel weer in overeenstemming met ander gedrag van hem, zoals ik bedacht terwijl ik rond de immuniteit liep naar zijn huis. Het was alsof hij me zowel niet als wel hier wilde hebben.

Ik wist dat ik het huis in kon, aangezien Austin me had verteld dat hij de deur nooit op slot deed. En nu ik eens nadacht over zijn vreemde opmerking van vanochtend daarover, besefte ik opeens wat hij bedoeld moest hebben:

de reden dat hij de sleutels verstopte – want hij had het meervoud gebruikt – terwijl de voordeur nooit op slot was, was dat een van de sleutels op het slot paste van een veilige bergplaats. Zelfs als er iemand het huis inkwam, zou hij nooit zowel de bergplaats als de sleutel daarvan vinden. Maar wat moest hij zo nodig verbergen? Ik liep hier nog over na te denken toen ik bij het huis kwam en ik werd pas uit mijn gemijmer opgeschrikt toen ik de klink oplichtte, de deur opende en voelde dat de deur ergens door werd geblokkeerd. Op de grond lag een stuk papier. Ik raapte het op en nam het mee naar de eetkamer en draaide het gas hoger. Op het briefje stond:

Zorg alsjeblieft zelf voor je eten vanavond. Ik word elders opgehouden en kan niet weg. Ben rond tienen terug.
A

Het verblufte me hoe kortaf, ja, hoe beledigend het briefje was geformuleerd. Hij gaf geen enkele uitleg en verontschuldigde zich evenmin voor het feit dat hij als gastheer in gebreke bleef. Als het inderdaad Austin was geweest die ik een paar minuten geleden in de immuniteit had gezien, waarom was hij dan weggehold zonder iets te zeggen, terwijl hij mij nota bene toch wel wat te melden had?

Ik ontdeed me van mijn hoed en jas, schonk een glas sherry voor mezelf in en ging aan tafel zitten. Het was allemaal erg raar. Ik was er meer dan ooit van overtuigd dat Austin betrokken was bij een of andere intrige. Ik wist zo weinig van zijn leven hier, maar toch, hoe kon hij gelukkig zijn in dit saaie stadje – hij, die in Cambridge de beste wiskundestudent was geweest en een stralende toekomst voor zich had gehad? Ik had hem al meermalen de gelegenheid gegeven mij in vertrouwen te nemen. Dacht ik ten onrechte dat hij me had uitgenodigd omdat hij mijn raad wilde? En als dat zo was, had ik me dan misschien vergist in de volgorde van de gebeurtenissen, en had hij me uitgenodigd voordat deze kwestie – wat het ook was – beslag op hem had gelegd, zodat hij nu maar weinig tijd en belangstelling aan mij bleek te kunnen besteden? Of als hij mij hier helemaal niet wilde hebben op dit moment, waarom had hij me dan niet een kamer in een herberg laten nemen toen ik hem daartoe de kans had gegeven? Het was onverklaarbaar dat hij me had uitgenodigd en me vervolgens zo raar behandelde. Hoe langer ik over de botheid van dat briefje nadacht, des te verontwaardigder ik werd. Vanavond hadden we in een herberg in de stad zullen eten en ik had gehoopt dat dan eindelijk het ijs eens zou breken.

Een plotselinge dreun onderbrak mijn mijmering. De klok van de kathedraal sloeg halfzeven. Hoe onontkoombaar herinnert de nabijheid van de kathedraal je aan het verstrijken van de tijd, bedacht ik. In mijn rustige leventje op de universiteit drong dat niet tot mij door. De niet-aflatende stroom van nieuwe cohorten jongemannen, elk jaar weer, verdoofde op de een of andere manier het besef dat de tijd verstreek. In zekere zin vond ik mijzelf nog altijd redelijk jong, alsof mijn leven nog voor me lag. En toch wist ik dat dat een waanidee was. Ik was bijna vijftig en de teerling was geworpen. Er was niets meer aan te veranderen, mijn leven had de vorm aangenomen die het tot mijn dood zou behouden.

Ik realiseerde me dat ik trek had en stond op. Mijn oog viel op het manuscript van dr Sheldrick dat ik voor me op tafel had gelegd, en ik besloot het mee te nemen en door te lezen tijdens mijn eenzame maal. Ik klemde het onder mijn arm, verliet het huis en ging op weg naar High Street, waar ik, als het gewoontedier dat ik ben, mijn schreden richtte naar The Dolphin.

Woensdagavond

Ik ging in de enorme, mistroostige eetzaal zitten, waar niemand anders een maaltijd gebruikte, en werd door een lugubere ober bediend met de treurige plechtigheid van de laatste priester van een stervende Kerk. De ambiance stemde in mijn ogen geheel overeen met deze oeroude, halfvergane stad met zijn onverlichte en vervallen straten waarin zich nooit iemand leek te vertonen. Ik vermoedde dat de handel in de stad zich nooit helemaal had hersteld van de klap die het had gekregen van het beleg tijdens de Burgeroorlog. Dat deed me denken aan mijn recente ontmoeting met het vreemde oude heerschap dat mij de inscriptie had laten lezen.

Ik herinnerde me de raadselachtige woorden – *zullen in de Rijpheid der Tijd zij die Hoog staan ten val worden gebracht* – want toen ik die had gelezen werd ik, met Austins droom nog vers in het geheugen, getroffen door de mogelijkheid dat ze verwezen naar de moord van Gambrill op Limbrick, de vader van zijn handwerksgezel. Gaf de inscriptie een beschrijving van die moord? Bekende Gambrill dat hij zijn rivaal van de toren van de kathedraal had geduwd tijdens het ongeval dat hem een oog had gekost? Maar het was onzin om te veronderstellen dat de inscriptie daadwerkelijk door Gambrill zou zijn uitgehouwen. Hoe dat ook zij, ik bedacht dat ik er heel wat voor over zou hebben om de toren van de kathedraal te beklimmen en de plek met eigen ogen te aanschouwen. Austin had gezegd dat de inscriptie zinspeelde op het geheim waar Burgoyne zo door geobsedeerd was geweest en ik probeerde daar aanwijzingen voor te vinden in de bijbelse zinswendingen van de tekst. De woorden weerstonden helaas mijn inspanningen en ik vroeg me af of het boek van dr Sheldrick enig licht op deze kwestie zou werpen.

En zo kwam het dat ik, gebogen over mijn vettige lamskoteletten en waterige tafelwijn, het verslag van deze gebeurtenissen opzocht in het manuscript. Het was niet goed geschreven – gewichtig geformuleerd, pedant en vaak pompeus – maar het verhaal was fascinerend en ik las het snel door, en toen nog een keer aandachtiger. Verschillende zaken die dr Sheldrick onthulde, waren hoogst verbazingwekkend – met name de aard van het geheim dat Burgoyne dreigde te onthullen. Ik begreep dr Locards spottende opmerkingen over de onwetenschappelijke aanpak van dit werk, want regelmatig werd vergeten de bronnen te vermelden en het leek zich voor een groot deel te baseren op niet-onderbouwde mondelinge overleveringen.

Toen ik mijn eten op had, merkte ik dat ik nog geen zin had om terug naar huis te gaan, en daarom betrad ik de bar, waar ik een glas brandy bestelde en een plaatsje zocht. De enige andere aanwezigen waren twee oude mannen die nogal samenzweerderig in een hoekje bijeen zaten. Ik vroeg me af of ik Austin ronduit moest vragen of hij liever had dat ik wegging. Ik zou hem zelfs kunnen vragen of zijn vreemde gedrag voortkwam uit een schuldgevoel over wat hij mij vroeger had aangedaan. Ik bleef maar doormalen, mezelf voorhoudend dat het dwaas was geweest te menen dat ik mijn vriendschap met Austin weer had kunnen oppakken. Er was te veel tijd verstreken en er waren nog altijd niet-geheelde wonden. Ik had niet beseft hoezeer het verleden mij nog altijd wist te kwetsen. Bovendien was deze Austin iemand anders dan ik had gekend. Ik dacht aan een aantal van de vreemde dingen die hij had gedaan en gezegd in de korte tijd dat ik nu bij hem op bezoek was. Hij leek een zekere geniepigheid te bezitten waarvan ik me niets kon herinneren. Als jongeman was Austin zo open geweest, zo impulsief en zo kwetsbaar. Was hij nu onbetrouwbaar en achterbaks geworden? Ik dacht aan zijn drankzucht, zijn opvliegendheid, en hoe hij eerder die avond was weggeslopen over de immuniteit. Het was alsof hij ergens aan was onderworpen, aan een duistere macht die de overhand had genomen.

Er was een jongere man aangeschoven bij de andere heren die iets dronken. Ik was me slechts half bewust van hun conversatie, tot mijn aandacht werd getrokken door hun steeds luidere stemmen. Een van de oudere mannen – hij had een gedeukte hoed over één kant van zijn gezicht getrokken – zei juist op luide toon: 'Ze hadden d'r nooit mee mogen rotzooien. Je weet nooit wat er kan gebeuren in zo'n oud gebouw. Laat toch met rust, zeg ik altijd.'

'Je lijkt de oude Gazzard wel,' zei de jongeman. 'Die is tegen alles wat nieuw is. En vanavond is-ie als een kind zo blij.'

'Wedden dat het de rioolbuizen zijn,' zei dezelfde oude man. 'Die zijn honderden en honderden jaren oud. God weet wat eronder ligt. Dingen die d'r al jaren liggen te rotten.'

'Doe nou niet onnozeler dan de Heer je heeft gemaakt,' zei de andere oude man terwijl hij zijn pijp voor het eerst uit zijn mond haalde. 'De kathedraal heeft geen riolering.'

'Dat zou anders geen gek idee zijn,' zei de ander met een afschuwelijke grimlachje. 'Het stinkt d'r al meer dan twintig jaar verschrikkelijk.'

'Waar heb je het over?' zei de jongste van de drie verontwaardigd. Ik meende hem nu te herkennen als een van de hulpkosters die ik gisteravond in de kathedraal had gezien.

'Ik heb het over wat iedereen allang weet van de kanunniken,' zei de oude man met de hoed, en hij gaf een vette knipoog.

'Je weet niet wat je zegt,' zei de man die Gazzard had vermeld. 'Die houden elkaar in de gaten gelijk een reu een teef begluurt. Als een van hen iets heeft gedaan wat niet door de beugel kan, staan de anderen direct klaar om hem op te hangen, te radbraken en te vierendelen.'

''t Is waar dat ze elkaar in de gaten houden,' zei de eerste oude man. 'Maar ze hebben niet altijd alles door. En als ze het wel doorhebben, lappen ze elkaar er niet altijd bij.'

'Daar zit je ernaast. Die geven elkaar geen millimeter ruimte vanwege het feit dat ze verdeeld zijn tussen de papisten met hun wierook en Roomse manieren, en de andere lui die meer op methodisten lijken dan op fatsoenlijke kerkdienaren.'

'Ik zal je dit zeggen: of ze nu paaps of vrijgezind of goed Engels protestants zijn, ze weten allemaal wat goed voor ze is, en dat is dat ze hun snuit zo diep mogelijk in de trog moeten duwen,' zei de man met de hoed op. En met weer zo'n grimlachje voegde hij daaraan toe: 'En het is niet alleen hun snuit waar ze zo goed voor zorgen.'

'Jij weet er helemaal niks van,' zei de hulpkoster. 'Als een van hen ook maar een stuiver meenam die hem niet toekwam, dan zouden de anderen hem eruit smijten nog voor iemand boe of ba kan zeggen.'

'Zo simpel als jij altijd bent! Ik heb het niet over stuivers. Hoe zit het met dat gedoe daar op school?'

'Waar heb je het nou weer over?'

'Dat weet je maar al te best.'

'En wat weet jij daarvan?' vroeg de oude man met de pijp.

'Hetzelfde als jij, lijkt me. Bij die kanunnik is er altijd stront aan de knikker geweest.'

Beide oude mannen piepten van het schorre gegrinnik. Daarna nam de pijproker een lange, bedachtzame trek, blies de rook uit en zei: 'De bovenmeester weet het merendeel van de tijd niet welke dag van de week het is.'

'Behalve 's zondags dan, als The Red Lion dicht is. Dat is de enige avond dat je Appleton niet in de achterbar aantreft.'

De andere oude man grijnsde: 'Daarom heeft Sheldrick ook zo lang precies kunnen doen waar hij zin in had.'

'Jullie moesten je schamen zulke kletspraat rond te bazuinen,' zei de jongste man.

89

'De proost zou er al het goud uit z'n tanden voor over hebben om van die twee af te komen en de school te sluiten en de hele godvergeten bende de straat op te schoppen,' zei de oude man met de hoed.

'Nou ja, wat een onzin!' riep de hulpkoster. 'De kathedraal kan niet zonder die school!'

'O, dat is onzin, hè? En is er morgenochtend dan soms geen speciale vergadering van de hele meute?'

'Een kapittelvergadering zal je bedoelen. Ja. En wat dan nog?'

'Nou, daar gaat het toch allemaal om. Alleen kan hij nu niet doen wat hij wil.'

'En hoezo niet?'

'Vanwege die uitgekookte duvel van een Slattery. Die heeft alle kaarten in handen en doet waar hij zin in heeft. En de proost kan hem niet aanpakken.'

'Waar heb je het nu weer over? De proost kan zo ongeveer alles doen waar hij zin in heeft.'

'Maar niet tegen meester Slattery, mooi niet. Dan zou hij zo'n enorme stank veroorzaken dat de hele godvergeten bende zich dood zou kotsen.'

'Precies,' zei de ander die zijn pijp uit de mond haalde en stilletjes lachte. 'Dat is een ding wat zeker is. Ze zouden er allemaal in blijven.'

'Allemaal larie, wat jullie zeggen!' riep de hulpkoster.

De oude man met de hoed negeerde hem. 'Naar het schijnt heeft hij gisteravond iets uit het huis van Sheldrick gehaald, en niemand die hem nu nog wat kan maken.'

'Wat was dat dan?' vroeg de andere oude man.

Zijn metgezel haalde zijn schouders op. 'Iets wat een groot schandaal zou veroorzaken en de hele godvergeten bende ten val zou brengen als het uitkwam. Daarom kan de proost niets tegen hem uitrichten, al wil hij niets liever dan hem zijn marsorder geven. Hem en zijn vrouw.' Hij staarde de tafel rond en gaf toen een knipoog die zijn gezicht bijna doormidden wrong. De andere oude man moest lachen om deze kwinkslag.

'Zijn vrouw? Waar heb je het over?' vroeg de jongste van de drie neerbuigend.

'Wat ben je ook een onnozelaar,' zei de oude man met de hoed. 'Heb je dan niet gehoord wat er over hem gezegd wordt?'

Ik zag dat de andere oude man zijn metgezel aan de arm trok en een blik in mijn richting wierp, en toen ook deze naar mij keek, schaamde ik me plotseling voor mijzelf. Wat was ik aan het doen, dat ik hier naar het geroddel van kwaadwillende en stumperige lieden zat te luisteren? En toch, wat ze hadden gezegd, maakte het een en ander duidelijk over de last waaronder Austin gebukt ging. Er was wel degelijk iets aan de hand op school en dat zou zeer ernstige consequenties kunnen hebben voor mijn vriend. Ik herinnerde me dat zowel Gazzard als dr Locard iets hadden gezegd over een belangrijke kapittelvergadering morgenochtend. Maar wie was Slattery en in welke zin had hij alle kaarten in handen?

Het was laat. Ik stond op en liep naar de immuniteit. Toen ik een paar minuten later langs de oostzijde van de kathedraal kwam, zag ik tot mijn verbazing dat er lichten en schaduwen achter de ramen bewogen. Gisteravond had de koster gezegd dat de mannen tot acht of negen uur zouden doorwerken. Ik keek op mijn horloge. Het was halfelf. Toen dacht ik aan het gesprek dat ik zojuist had opgevangen, en liep de treden op. Zodra ik binnenkwam hapte ik naar adem en viel bijna flauw, want er hing een penetrante en uiterst onaangename lucht. Het was de stank van iets oerouds en verrots – van iets wat me veel ouder en erger leek dan een lekkende riolering.

Er bewogen lantaarns onder de kruisingstoren en daar liep ik op af. Een aantal werkmannen was in de weer met gereedschap en ik zag dr Sisterson een beetje opzij staan, diep in gesprek met de voorman. De oude koster stond hen net als de vorige keer te bekijken en begroette me met hoffelijke ernst.

'Wat is hier in 's hemelsnaam de oorzaak van?' vroeg ik. 'Is er een gaslek?'

De oude man schudde zijn hoofd. 'Dat komt ervan als je gaat rotzooien. Ze hadden er nooit op mogen losgaan. Toen ze de plavuizen hier lichtten, week dat daar uiteen.' Hij wees naar een haarscheur van een halve meter lengte in de muur van het transept.

'De vloer daar vlakbij moet iets verzakt zijn,' zei ik. 'Is er een gaspijp kapot gegaan? Dat zou die stank verklaren.'

Hij trok zijn schouders op in een gebaar van wanhoop en verbazing. 'Die zijn er helemaal niet in dit deel van het gebouw, sir. We hebben geen idee waar het vandaan komt.'

'Dan weet ik het ook niet.'

'De voorman heeft gedaan wat u had aangeraden en wat dr Sisterson hem had opgedragen.'

Er klonk een verwijt in zijn stem door en ik zei snel: 'Ik vrees dat hij een blunder heeft begaan toen hij mijn advies probeerde op te volgen. Je moet erg veel van de constructie van dit soort oude gebouwen afweten, voor je er iets aan kunt gaan veranderen.'

'En weet u er veel van af, sir?'

Ik keek hem scherp aan. Wilde hij soms suggereren dat ik in enigerlei mate verantwoordelijk was? 'Nou, ik ben min of meer architectuurhistoricus – op amateuristische basis, uiteraard. En ach, dat herinnert me eraan hoe graag ik nog eens die toren op zou willen.'

Op dat ogenblik keek dr Sisterson mijn richting op en glimlachte, terwijl hij me gebaarde dat hij er zo aan zou komen.

'Nou, dat is dan erg jammer, sir,' antwoordde de oude koster. 'Maar dat ligt geheel buiten mijn macht. Ik heb niet eens de sleutel van die deur, alleen de sacristein en de opzichter hebben er een. Niemand heeft toestemming om naar boven te klimmen – op last van proost en kapittel. Het is te gevaarlijk.'

'Ik begrijp het volkomen,' zei ik. Ik bedacht dat de torenspits al tweehonderd jaar geleden in een hachelijke toestand verkeerde, en ook nu zou het er zeer wel onveilig kunnen zijn.

Dr Sisterson kwam naar ons toe en begroette me. 'Dit is een zorgelijke kwestie,' zei hij, maar zelfs nu er sprake was van een crisis, zweefde er een prettige glimlach op zijn gezicht.

Ik trok mijn neus op: 'En die geur!'

'Waar die vandaan komt is een compleet raadsel. Ik moet er niet aan denken wat Bulmer zal zeggen als hij morgen terugkomt. Hij heeft al een scherpe tong als alles prima gaat.'

Ik stak hem het pak met het manuscript toe. 'Ik ben in ieder geval blij dat we elkaar hier nog even treffen, want dat geeft me de gelegenheid u dit terug te geven.'

'Hebt u het al gelezen?'

'Van A tot z. En ik zou er graag eens met u over praten en uw mening willen horen.'

'Helaas, ik heb zelf nog geen tijd gehad het te lezen. Maar dat maakt het voor mij des te interessanter om het met u te bespreken en te horen hoe dr Sheldrick nu precies denkt over bepaalde mysterieuze voorvallen in die episode uit de geschiedenis van de kathedraal. Ik weet dat het laat is, maar zoudt u geen zin hebben met me mee naar huis te gaan en er bij een glas wijn nog wat over te praten?'

'Ik kan me onmogelijk op dit tijdstip van de dag aan u opdringen. Het zou uw vrouw hoogst ongelegen komen.'

'Integendeel, ik weet zeker dat ze bijzonder graag kennis met u wil maken. En ze heeft vanavond een vriendin op bezoek, mrs Locard. Toen ik ze een uur geleden verliet, waren ze nog diep in gesprek. Als wij binnenkomen zitten ze vast en zeker nog te smoezen over babykleertjes en liefdadigheidswerk voor de zieken.'

Ik kon de uitnodiging niet langer afslaan en volgde hem het gebouw uit, blij aan de stank te ontsnappen. Nog geen twee minuten later kwamen we bij zijn huis aan de hoge kant van de immuniteit. Het was aan dezelfde kant als Austins huis, maar aanzienlijk groter – met een dubbele gevel en erkerramen op de begane grond. En omdat het op een hoek lag, met de gevel naar de immuniteit gericht, moest het bij daglicht wel een prachtig uitzicht bieden op het grasveld, bedacht ik. Dr Sisterson leidde me naar de zitkamer waar ik zijn echtgenote, een slanke jonge vrouw, aantrof, en de dame van wie ik wist dat ze mrs Locard was. Beiden hadden een kindje op schoot, mrs Sisterson een jongetje en mrs Locard een meisje. Een al wat oudere jongen en meisje speelden op het tapijt.

We werden aan elkaar voorgesteld en mrs Locard zei: 'Mijn man heeft me al over u verteld, dr Courtine.'

'Ja,' zei mrs Sisterson terwijl ze het kind op haar knieën liet rijden en het recht in het gezicht keek. 'Ik hoorde dr Locard tegen mijn man zeggen dat u hem duidelijk hoopt te maken hoe hij zijn bibliotheek moet leiden. Dat is heel genereus van u.'

Er viel een stilte. Ik zag dat het gezicht van haar man uit schaamte enigszins rood was aangelopen. Mrs Locard redde de situatie door te zeggen, alsof er niets onbetamelijks was gebeurd: 'Mijn man vertelde van uw hoogst interessante theorie over een verdwenen manuscript.'

We praatten daar een paar minuten over door en ik kreeg een kopje thee aangeboden, die de jonge kanunnik zelf voor mij inschonk omdat zijn vrouw haar handen vol had. Hij legde uit dat hij me zojuist in de kathedraal had ontmoet en toen mrs Locard vroeg of het probleem daar al was opgelost, moesten we erkennen dat dat niet het geval was.

'Ik kan me niet herinneren dat er ooit eerder zo veel opwinding was als de afgelopen twee dagen,' riep mrs Sisterson. Ze keerde zich naar haar echtgenoot. 'Is er al wat bekend over die arme dr Sheldrick?'

'Voor zover ik weet niet,' antwoordde hij. 'Wist u, dr Courtine, dat er gisteravond is ingebroken bij de kanselier?'

'Hemeltje lief! Daar wist ik niets van. Maar hij gaf gisteravond toch een receptie?'

'Dat klopt. Sterker nog, toen ik u in de kathedraal ontmoette kwam ik juist bij hem vandaan. En vlak nadat ik er weer naar was teruggegaan, werd de diefstal ontdekt.'

'Het misdrijf werd opgemerkt door de proost, als ik het wel heb,' zei mrs Locard.

'Inderdaad. Dr Sheldrick had hem meegenomen naar zijn bibliotheek en wilde hem een recente aanwinst laten zien – hij is een enthousiast verzamelaar van mooie oude edities – en toen viel het de proost op dat er aan de andere kant van de kamer een secretaire was opengebroken.'

'Wat vervelend nou,' mompelde mrs Sisterson vagelijk, al haar aandacht bij het kind op haar knie.

'Dr Sheldrick zei dat er alleen een pakje ontbrak – met ongeveer de omvang en dikte van een groot boek – met daarin een serie van vijf miniaturen, en hij wilde er verder geen drukte om maken, maar de proost stond erop dat de politie erbij werd gehaald.'

'Stel je voor, hij wilde er geen politie bij hebben!' merkte mrs Sisterson op. 'Ze moeten toch heel wat waard zijn geweest.'

Haar echtgenoot glimlachte. 'Vergeet niet dat dr Sheldrick een vermogend man is, liefje. Wat voor ons een boel geld is, is voor hem een schijntje.' Hij wendde zich tot mij. 'Hij is verwant aan een van de grote hertogelijke huizen.'

'Zoals hij ons telkens weer laat weten,' merkte zijn vrouw op zonder een spoor van kwaadwillendheid.

Ik keek heel even naar mrs Locard en beiden onderdrukten we een glimlach om deze combinatie van vulgariteit en onschuld.

'Is bekend wanneer er precies is ingebroken?' vroeg ik.

'Dr Sheldrick zei tegen de politieagent dat hij al een aantal dagen niet naar de secretaire had omgekeken, en dat men het dus al die tijd had kunnen openbreken,' zei dr Sisterson. 'Maar zijn huishoudster hield vol dat zij de kamer eerder die avond grondig had geïnspecteerd en dat toen alles nog normaal was geweest.'

'Wordt een van de bedienden verdacht of denkt men dat er iemand in het huis is binnengedrongen tijdens de receptie?'

'Dr Sheldrick was er zeer stellig over dat niemand van zijn personeel het heeft gedaan. Ze zijn allemaal al jaren bij hem in dienst. En zoals de brigadier al zei, het viel nauwelijks voor te stellen hoe iemand ongemerkt het huis had kunnen binnenkomen terwijl het er vol was met gasten en bedrijvige bedienden.'

Ik lachte. 'Dan blijven alleen de gasten over.' Dr Sisterson keek even naar mrs Locard, en ik zei snel: 'Ik maak natuurlijk maar een grapje. Ik stel me zo voor dat het vrienden en collega's van de kanselier waren.'

'Inderdaad,' zei mrs Locard. 'Alle gasten waren kanunniken of employés van de kathedraal met hun echtgenotes.'

'Dan,' zei ik, 'is het natuurlijk uitgesloten dat een van hen zoiets heeft gedaan.'

'Inderdaad,' zei dr Sisterson voorzichtig. 'Het lijkt me niet aannemelijk dat een van hen zo'n risico zou nemen vanwege een stel miniaturen.'

'Het moet een onbekende zijn geweest,' zei mrs Locard, 'al is het nauwelijks voor te stellen dat een binnendringer ongemerkt heeft kunnen wegkomen.'

'Het is buitengewoon raadselachtig,' mijmerde de sacristein. 'De brigadier riep ons bijeen in de salon en vroeg of iets of iemand een verdachte indruk op ons had gemaakt. Natuurlijk had niemand iets gezien.'

'Mr Appleton werd erg kwaad, toch, Frederick?' zei mrs Sisterson zonder op te kijken van het gezicht van haar kind.

'De bovenmeester van de koorschool,' verklaarde haar echtgenoot tegen mij. 'Hij raakte een beetje oververhit en vroeg of de sergeant een van ons beschuldigde. Die ontkende dat niet helemaal. En toen wees mr Slattery erop dat het zonneklaar was dat niemand van ons zoiets omvangrijks als een stapel miniaturen bij zich droeg.'

'Wat een vreemde man is dat toch, die mr Slattery,' murmelde mrs Sisterson tevreden, terwijl ze glimlachend in het gezicht van het kind staarde. 'Hij bood de brigadier zelfs aan zich te laten fouilleren.'

Haar man knikte. 'En hij had volkomen gelijk. Het was duidelijk dat niemand zoiets groots bij zich had.'

'Wat een hoogst merkwaardig verhaal,' zei ik.

'Niet zo merkwaardig als de geschiedenis van thesaurier Burgoyne,' lachte dr Sisterson. 'Ik ben heel benieuwd naar dr Sheldricks versie.'

'Ik weet zeker dat het de dames niet erg kan interesseren,' sputterde ik tegen.

'Integendeel,' zei mrs Locard. 'Ik ben heel nieuwsgierig. En Kerstmis is tenslotte de tijd dat men elkaar verhalen vertelt rond het haardvuur.'

Mrs Sisterson stemde hier minzaam mee in, en nadat de oudere kinderen door een jong dienstmeisje waren opgehaald om in bed te worden gestopt, terwijl de jongste twee in de armen van hun moeder en mrs Locard sliepen, waagde ik mij derhalve aan een samenvatting van het hoofdstuk dat ik eerder op de avond had gelezen.

Ik hield dr Sheldricks manuscript op mijn knie bij wijze van geheugensteun, en begon: 'Dit is het verhaal van de vijandschap tussen een kanunnik van aristocratische geboorte en een man van nederige afkomst, en hoe deze vete beide mannen te gronde richtte. Kanunnik-thesaurier Burgoyne werd volgens dr Sheldrick vermoord omdat hij op het punt stond een zeer ernstige en verborgen misdaad openbaar te maken. Hij vond zijn dood tijdens de Grote Storm, die nog altijd niet is vergeten omdat die nacht de klokkentoren boven de hoofdpoort van de immuniteit instortte – al werd daarbij wonderbaarlijk genoeg niemand gedood.'

'Dat is waar, als ik u een ogenblik mag onderbreken,' zei dr Sisterson. 'Maar door de storm stortte ook een ander gebouw aan de hoge kant van de immuniteit in, en daarbij viel ongelukkigerwijs wel een dodelijk slachtoffer. Vermeldt dr Sheldrick dat ook?'

'Nee, daar meldt hij niets over.'

'Neem me niet kwalijk. Gaat u alstublieft verder.'

'William Burgoyne is een van de grote figuren uit de geschiedenis van de kathedraal. Hij werd op zijn drieëndertigste kanunnik-thesaurier, en al dankte hij het vermoedelijk aan zijn eruditie en familiebanden dat hij op zo'n jeugdige leeftijd werd bevestigd in een kanonikale prebende, zeker is wel dat zijn intelligentie en wilskracht hem in de tien jaar daarna tot een van de machtigste personen in het kapittel maakten. Hij was een briljante persoon wiens talenten zich niet alleen openbaarden in zijn eruditie – hij had Grieks, Hebreeuws en Aramees gestudeerd in Cambridge –, maar ook in praktische en politieke zaken. Hij was daarnaast een trots, ambitieus en koppig individu en was zich terdege bewust van het respect dat men hem en zijn familie was verschuldigd. Als gevolg daarvan maakte hij zich al snel onbemind – zo niet gehaat – bij vele lieden in het wereldje van de kathedraal die hij had beledigd met zijn scherpe tong of door de gestrengheid waarmee hij zijn plichten vervulde. Maar zelfs zijn vijanden hadden grote moeite hem te beschuldigen van onoorbaar gedrag – hij was te trots, zeiden ze, om zich daartoe te verlagen.

Hij was een markante figuur en werd weldra een befaamde verschijning, zoals hij rond de immuniteit schreed en de mensen die verantwoording schuldig waren aan de kerk, de schrik op het lijf joeg – van de eenvoudigste poortwachter in de immuniteit tot en met de bisschop zelf. Hij was een lange, slanke man, met een scherpe neus en doordringende grijze ogen in een lang en mager gezicht. Hij droeg vrijwel altijd het allerstrengste zwarte habijt en een hoge hoed, en vertoonde zich nooit in het openbaar zonder de ambtsketen van thesaurier rond zijn hals. Hij was ongetrouwd en besteedde de weinige tijd die niet aan zijn verplichtingen gewijd was, aan studie en het schrijven van preken.'

Mrs Sisterson zei, zonder haar ogen van haar slapende kind af te nemen: 'Het lijkt kanunnik Sheldrick zelf wel!' Ik keek op van het manuscript en zag haar man en mrs Locard een geamuseerde blik uitwisselen.

'Naar verluidt was hij een uiterst rechtschapen man, aan wiens naam niet één schandaal met betrekking tot vrouwen kleefde – al had een aantal jongedames haar zinnen op hem gezet vanaf het moment van zijn komst. En hij zou ook een waardige vangst zijn geweest, want naast de inkomsten uit zijn prebende en het dividend dat hij ontving als kanunnik, had hij aanzienlijke vooruitzichten van de kant van zijn familie. Sterker nog, gegeven zijn ambitie en zijn bevoorrechte positie, zou hij het naar alle waarschijnlijkheid minstens tot bisschop brengen. De thesaurier had geen hechte vrienden in de stad, bleef buiten de joviale sfeer van de gemeenschap op de immuniteit, en sprak openlijk schande – op een manier die een schaduw moet hebben geworpen op de warmte van het sociale verkeer in het kapittel – van de onmatigheid die in die tijd heel gewoon was onder kanunniken. Hij bleef deze strenge en gedisciplineerde levensstijl aanhangen tot een paar maanden voor zijn voortijdige dood.

Burgoynes positie als thesaurier, zijn intellectuele gaven en het feit dat hij nooit de confrontatie uit de weg ging, maakten hem al snel de kampioen van het kapittel in de vele twisten die het had met het stadsbestuur. Vanzelfsprekend was de Stichting in die tijd veel rijker en machtiger dan nu. Ze bezat veel onroerend goed in de stad en daardoor had ze voortdurend conflicten met de burgemeester en het gemeentebestuur.

Maar al trad het kapittel eensgezind op tegen de stad, in zichzelf vormde het bepaald geen gesloten eenheid. Dr Sheldrick suggereert dat het met zijn vijftien kanunniken met residentieplicht in de immuniteit, niet onderdeed voor de universiteit van Oxford of Cambridge – met alle animositeit en rivaliteit van dien. Ik weet zelf hoe bitter en irrationeel zulke conflicten kunnen zijn.'

'Ik vrees dat we daar allemaal ons deel van hebben gekregen,' was het commentaar van dr Sisterson, terwijl hij naar de vrouw van de bibliothecaris keek. Zij glimlachte droevig en drukte een kus op het hoofd van het kind dat in haar armen sliep.

'De proost was al een oude man toen Burgoyne arriveerde, en in de navolgende jaren verwierf de jonge kanunnik een overwicht over de grijsaard, die steeds zwakker en labieler werd. De andere kanunniken konden of wilden niet in opstand komen tegen hun thesaurier, al koesterden velen een wrok tegen hem vanwege zijn machtspositie. Bij de komst van Burgoyne waren de meesten in het kapittel arminiaans en ze stonden derhalve welwillend tegenover de oude katholieke riten en praktijken – al wezen ze het katholicisme zelf van de hand. De meeste stadsbewoners deelden hun opvattingen – in feite waren velen van hen in het geheim katholiek gebleven, al was dat ook buitengewoon riskant. In de tijd dat Laud nog aartsbisschop van Canterbury was geweest, hadden de arminianen een meerderheid genoten en waren de geestelijken met protestantse neigingen genadeloos vervolgd. Maar nu was dat allemaal veranderd. De calvinistische factie was aan de macht gekomen, zowel in het parlement als aan het hof, want Laud had zich vergaloppeerd door de koning aan te zetten tot oorlog tegen de Schotten om zijn gebedenboek in te kunnen voeren. De catastrofe die volgde had tot zijn val geleid.

In de tien voorafgaande jaar waren er in het kapittel vele twisten geweest tussen Burgoyne, de meest prominente protestant, en de traditionalisten, van wie vice-proost Launcelot Freeth de leider was. De ergste conflicten draaiden om het onderhoud van de kathedraal, want op dit punt kwam alles samen, zoals ik nog zal uitleggen.

In al deze disputen waren Burgoyne en Freeth aan elkaar gewaagd, want ze leken sterk op elkaar: intelligent, ambitieus en trots. Maar terwijl Burgoyne een aristocratische minachting voor intrige en bedrog koesterde, was Freeth erin bedreven zijn werkelijke gevoelens te verbergen – hij was een gewetenloze opponent. Vanuit een bescheiden achtergrond had hij zich tot zijn huidige positie omhoog weten te werken met behulp van doortrapte en achterbakse streken.'

'Is dat hoe dr Sheldrick het uitdrukt?' vroeg de jonge kanunnik.

'Hij gebruikt bijna exact diezelfde woorden,' bevestigde ik.

'Dat lijkt me een onvriendelijke manier om een man te beschrijven die door hard werken en aangeboren talenten zo ver was gekomen,' zei hij goedmoedig.

Ik begreep wat hij bedoelde. Voor zover ikzelf successen had weten te behalen, kwam dat door mijn eigen inspanningen en niet door de invloedrijke connecties en andere gunstige omstandigheden waarvan dr Sheldrick zo duidelijk had geprofiteerd. 'Maar denk eens aan zijn schandelijke gedrag met betrekking tot het koorinternaat,' antwoordde ik.

'Wat heeft hij dan gedaan?' vroeg mrs Locard.

Ik draaide me naar haar om en glimlachte. 'Dat zult u direct horen. Dr Sheldrick vermeldt het koorinternaat als een van de onderwerpen waarover het kapittel het bitterst verdeeld was. Vanaf zijn komst was Burgoyne er zonneklaar over geweest dat hij fel gekant was tegen de grote rol die muziek in de eredienst in de kathedraal speelde. Volgens zijn strikt protestantse opvattingen was muziek een zinnelijk genot dat, onder het voorwendsel aan te zetten tot spiritualiteit, naar alle waarschijnlijkheid vooral grove en wulpse gedachten aanmoedigde. Hij liet geen gelegenheid voorbijgaan om de inkomsten van het internaat te reserveren voor de Stichting, en aangezien de koorleider – dus de kanunnik die verantwoordelijk was voor de muziek – een goede vriend van Freeth was, kan men wel raden of dit de relatie tussen de twee mannen wel of niet ten goede kwam.

Freeths vijandschap ten opzichte van de indringer werd nog vergroot, toen het er steeds meer naar begon uit te zien dat Burgoyne hem zou verslaan in de opvolgingsstrijd rond het proostschap. Niet alleen blies de politieke wind in zijn richting, hij was ook nog eens lid van de machtige familie Burgoyne – een naar het protestantisme neigende dynastie die de belangrijkste landgoederen rond de stad in bezit had en waarvan het hoofd, de graaf van Thurchester, zijn oom was. De graaf was buitengewoon invloedrijk, zowel in het parlement als aan het hof. De belangrijkste zetel van de Burgoynes, Thurchester Castle, lag een paar kilometer hiervandaan en ze bezaten omvangrijke landgoederen op het platteland. (Dr Sheldrick doet vrij uitvoerig verslag van hun geschiedenis, die mijns inziens niet geheel relevant is. Hij vermeldt dat de familie thans bijna geheel is verdwenen en dat de titel niet meer bestaat.) Eeuwenlang werden de leden van de familie Burgoyne begraven in de kathedraal en ze hebben er vele en fraaie gedenkstenen. Wat moet Freeth een vreselijke wrok hebben gekoesterd tegen deze man, die bezig was alles te verwoesten waarin hij geloofde en die hem zijn enige kans op macht en rijkdom ontnam. Zonder enige rijkdom, maar met een vrouw en vele kinderen, verkeerde hij altijd in geldnood en hij zag reikhalzend uit naar het royale honorarium dat hij als proost zou kunnen opstrijken.

Al deze onderwerpen kwamen opeens aan de oppervlakte toen er een hevig debat losbarstte rond de miserabele toestand van de kathedraal. Alleen het koor werd voor diensten gebruikt, de rest was afgesloten en buiten gebruik ten tijde van het Persoonlijk Bewind. Dat was gedaan omdat de torenspits reeds de eerste tekenen van verval vertoonde en de Stichting geen geld had om die te laten restaureren. Het grootste deel van het gebouw kon gemakkelijk worden afgesloten, aangezien het koor door een stenen muur was afgescheiden van het schip.'

'Een oksaal!' riep dr Sisterson.

'Maar de kathedraal heeft geen oksaal,' wierp mrs Locard tegen.

'Dat klopt, en de reden daarvoor zal zo aan de licht komen. In het oksaal zat slechts één deur, in het midden, en die was dichtgemetseld. De enige manier om in het lekengedeelte te komen was via de deur aan het einde van het schip. Die deur was permanent op slot en van de sleutel bestond slechts één exemplaar – een enorm geval van wel dertig centimeter lang.'

'Die zie ik elke dag van mijn leven,' interrumpeerde dr Sisterson. 'Hij is nog altijd in gebruik. Hij is in bewaring bij de koster.'

'Net als in de tijd van Burgoyne,' zei ik. 'De koster was toen een zeer oude man, genaamd Claggett. Burgoyne had de gewoonte de sleutel bij hem op te halen en zichzelf 's nachts toegang tot het gebouw te verschaffen, want vanaf zijn komst had hij zich diep bezorgd getoond over de verwaarlozing en het verval van de kathedraal. Hij beschouwde dat als een blamage voor de status van zijn familie – aangezien de kathedraal bijna hun privé-kapel was – maar ook als bedreiging voor zijn status als toekomstige proost. Hem was zonneklaar wat zijn medekanunniken niet konden of wilden zien: dat als de torenspits zou instorten, wat zeer waarschijnlijk was, de rest van het gebouw zó zwaar beschadigd zou worden dat restauratie geen zin meer zou hebben. Het idee om proost te worden van een halve kathedraal was een weinig aanlokkelijk vooruitzicht, maar proost worden van een verwoeste kathedraal was wel heel onaantrekkelijk. Jarenlang kreeg hij geen enkele steun in het kapittel voor zijn plan om de torenspits te restaureren. De kanunniken waren niet van zins de enorme som geld uit te geven die daarvoor nodig was, aangezien het uit hun eigen zak moest komen. Burgoyne had hoogoplopende ruzies met de sacristein, die op de hand van Freeth was en weigerde te erkennen dat de kathedraal het gevaar liep volledig in te storten.

Vanwege zijn regelmatige nachtelijke bezoeken aan het grote, wegterende geraamte van het schip en de transepten, wist Burgoyne hoezeer het gebouw de ondergang nabij was. De vloer onder de kruisingstoren lag bezaaid met puin, want regelmatig vielen er balken en stenen uit de torenspits naar beneden, dwars door de daksparren heen, en deze hadden al decennia lang gaten geslagen in het bakstenen gewelf. Burgoyne liet zich regelmatig vergezellen door de bouwmeester van de kathedraal – een man met de naam John Gambrill. De twee waren het volledig eens over het belang van de restauratie van de torenspits, aangezien Gambrill zijn inkomsten verkreeg uit zijn werk aan het gebouw.'

'Ik vind dat een beetje unfair van dr Sheldrick,' onderbrak dr Sisterson me. 'Gambrill was de beste steenhouwer in de stad – ja, een van de beste in het land, en zijn werk staat tot op de dag van vandaag in hoog aanzien bij architectuurhistorici. Hij hield werkelijk van het gebouw – waaraan hij zijn hele leven had gewerkt – en moet zeer verbolgen zijn geweest over het feit dat het kapittel hem onvoldoende geld ter beschikking stelde om verder verval te voorkomen. Ik weet hoe hij zich gevoeld moet hebben, want over elke penny die ervoor moet worden neergeteld wordt eindeloos gebakkeleid door mijn medekanunniken.'

Ik had hem niet eerder de woede zo nabij gezien. 'Ik weet zeker dat u gelijk hebt,' zei ik. 'Maar dr Sheldrick wijst erop dat het kapittel in de jaren na zijn benoeming meermalen onenigheid met hem heeft gehad. Er schijnt zich ook een ernstig incident te hebben voorgedaan in zijn jeugd, waarbij de duisterste beschuldigingen tegen hem waren geuit. Dat is op zich al een interessant verhaal. Gambrill was op zijn veertiende begonnen als leerling onder de toenmalige bouwmeester van de kathedraal en had zich door vlijt en vakmanschap weten op te werken. Al snel beheerste hij het ambacht beter dan wie dan ook. Hij was niet alleen een bekwaam handwerksman, maar ook een slimme zakenman. En deze gaven wekten de jaloezie van zijn handwerksgezel, die toch al een wrok jegens Gambrill koesterde omdat aan deze laatste de hand van de dochter van hun meester was beloofd, diens erfgename. De handwerksgezel vreesde daarom dat niet hij, maar Gambrill de volgende bouwmeester van de kathedraal zou worden. Toen de twee mannen aan het werk waren op de toren van de kathedraal vond er een ongeval plaats waarbij de handwerksgezel, Robert Limbrick, overleed. De weduwe van Limbrick diende daarop een aanklacht tegen Gambrill in bij het Hof van de Kanselarij, en verklaarde dat haar echtgenoot door Gambrill was vermoord. Echter, de ruzie werd klaarblijkelijk bijgelegd, want Gambrill nam later de zoon van de overledene als leerling aan. Ten tijde van de gebeurtenissen die ik nu beschrijf lag dit alles ver in het verleden en was Gambrill – wiens moeder wasvrouw was geweest en wiens vader onbekend was – dankzij hard werken, vakmanschap en een opvallende eerlijkheid een welvarende ingezetene geworden van de stad. Hij had het mooie huis van zijn schoonvader geërfd met aan de achterkant een prachtige tuin die aan de immuniteit grensde, had het in elegante stijl ingericht en woonde er nu met zijn vrouw en vijf kinderen.

Hij was een grote, knappe man, alom geliefd omdat hij oprecht en gul was en zonder gedraai voor zijn mening uitkwam. En hij stond altijd onmiddellijk klaar voor zijn buren als deze in moeilijkheden zaten – al kon hij ook snel kwaad worden en werd er van hem gezegd dat hij het je nooit vergaf als je hem had bedrogen. In de stad ging het gerucht dat hij onverantwoordelijk veel had uitgegeven aan zijn huis, op aandrang van zijn echtgenote – een hebzuchtige en geldbeluste vrouw die met alle geweld wilde bewijzen dat zij het beter had dan haar vrienden en buren – en dat hij daardoor schulden had gemaakt. Als dat zo was, was het vooruitzicht dat hij misschien nog een heleboel werk aan de kathedraal te doen zou krijgen des te belangrijker voor hem. Dr Sheldrick stelt dat hij enthousiast Burgoynes plan omarmde, en de twee mannen begonnen plannen te maken en kosten te berekenen, zonder dat ze de sacristein daarvan op de hoogte brachten.

Ondanks het verschil in sociale omstandigheden en godsdienstige voorkeur konden Burgoyne en Gambrill het in eerste instantie goed met elkaar vinden. Afgezien van de kathedraal hadden de twee mannen nog een gezamenlijke passie – al wist Gambrill dat in eerste instantie niet. Gambrill was dol op muziek en zelf een begenadigd vedelaar. Maar in het geheim hield ook Burgoyne ervan, ondanks zijn overtuiging dat muziek verdorven was en een bron van werelds vermaak. Burgoyne had zich in zijn jonge jaren in Cambridge onbekommerd overgegeven aan dit vermaak, maar er later weerstand tegen leren bieden door zijn geest te dwingen de paden van het gebed te volgen zodra hij in verzoeking kwam. En toen hij naar de kathedraal kwam, slaagde hij er de eerste paar jaar ook werkelijk in zich niet te laten afleiden door het koor en het internaat voor jonge koorknapen. Maar nu zag Burgoyne vaak hoe Gambrill in een genotvolle trance stond te luisteren naar het koor, of kwam hij hem tegen terwijl hij zong of floot, en zo kwam zijn eigen liefde voor muziek weer in hem boven.

En toen vertelde Gambrill hem op een dag dat een neef van zijn vrouw een begaafd zanger was en dat de familie hem heel graag op het internaat wilde doen, zodat hij zijn opleiding zou kunnen betalen uit zijn diensten voor het koor. Burgoyne weigerde te helpen omdat de kwestie buiten zijn competentie viel. Maar toevalligerwijs kwam hij een dag of wat later Gambrill met de knaap tegen op de immuniteit en werd de jongeling aan hem voorgesteld, en om de een of andere reden veranderde hij toen van mening en beloofde dat hij de koorleider zou overhalen de jongen toe te laten tot het internaat. De koorleider moet zich hebben verbaasd over Burgoynes verzoek, maar hij was voldoende onder de indruk van de zangkunst van de jongen om hem een toelage te geven waarmee hij kost en inwoning kon betalen. Hij werd gehuisvest in een deel van de school dat handig genoeg pal naast het huis van Gambrill lag – het oude poorthuis aan dezelfde kant van de immuniteit.

Was de koorleider al verrast door Burgoynes gewijzigde opvattingen, hij zou zich nog heel wat meer verbazen, want vanaf dat moment gaf Burgoyne zich met heel de intensiteit van zijn gestrenge persoonlijkheid over aan zijn passie voor muziek. Hij maakte er een gewoonte van door de kathedraal te dolen en luisterde urenlang naar de koorrepetities – en verzaakte zo zijn plichten. Zijn favoriete plek was de orgelgalerij, van waar hij omlaag kon kijken naar het koor zonder zelf gezien te worden. Hij trachtte de vriendschap van de koorleider te winnen die hij tot dan had geminacht als man van lage afkomst, en met dat doel liet hij instrumenten en bladmuziek overkomen uit Londen en werd hij een soort beschermheer van de koorschool. Ze werden zulke goede vrienden dat de koorleider hem zijn sleutels leende, zodat hij naar believen in en uit kon lopen.

Intussen nam Burgoyne in zijn positie van thesaurier buitensporige maatregelen om het geld bijeen te brengen dat nodig was voor het werk dat hij en Gambrill aan het voorbereiden waren: hij verhoogde de huren en joeg met strikte toepassing van de wet achter schuldenaars aan. Toen bedacht hij zijn meesterzet: de sluiting van het internaat voor koorknapen.'

'Als hij zo van muziek hield,' zei mrs Locard, 'is het dan niet vreemd dat hij juist dat wilde sluiten?'

'Heel juist, en dr Sheldrick suggereert dat zijn wens om het internaat te sluiten gebaseerd was op zijn angst dat het een verzoeking vormde, zowel voor hemzelf als voor anderen. Hij wist dat zijn plan op hevig verzet zou stuiten, en nog vóór hij openlijk zijn voorstel deed, probeerde hij daarom al een meerderheid in het kapittel voor zijn plan te winnen. Hij probeerde het sluimerende geweten van een aantal van zijn medekanunniken wakker te schudden door ze fijntjes te wijzen op bepaalde persoonlijke tekortkomingen, en de recalcitrantere gevallen herinnerde hij eraan hoe hun geringe vergrijpen bezien zouden worden indien ze in het schelle licht van de publieke opinie zouden worden gebracht.'

Ik zag dr Sisterson glimlachen en toen hij mijn nieuwsgierigheid opmerkte, zei hij: 'Dr Sheldrick geeft een zeer genereuze interpretatie van Burgoynes gedrag.'

'Vindt u? Hij lijkt me een zeer bewonderenswaardig man.'

'Vindt u niet,' opperde hij, 'dat zijn hooggestemde bekritisering van de wereldse aangelegenheden van zijn collega's blijk geeft van een zekere arrogantie?'

'Nee, dat geloof ik niet,' zei ik, vreemd gegriefd. 'Hij komt op mij over als een principieel en ascetisch mens.'

'Ik stel me zo voor,' kwam mrs Locard voorzichtig tussenbeide, 'dat hij het door zijn rijke en bevoorrechte afkomst moeilijk vond sympathie op te brengen voor collega's die minder gunstig bedeeld waren.'

Dr Sisterson en ik knikten. Ik vervolgde: 'De omstandigheden waren op zijn hand. In de lente van het jaar voor zijn dood bleek een kier in de toren-spits, die daar al tientallen jaren eerder was ontstaan, plotseling verder uiteen te wijken, waardoor het zelfs de koppigste kanunnik duidelijk werd dat de spits bij een zware storm zeer wel zou kunnen instorten. Nu legde Burgoyne het kapittel zijn voorstel voor om het internaat op te offeren en daarmee de kathedraal te redden. Hij eiste het volledige herstel van de torenspits en liet zien dat het grotendeels betaald kon worden uit de verkoop van aan het internaat geschonken bezittingen, welke bestonden uit een landhuis en drie boerderijen in het dorpje Compton Monachorum. Hij vond alle machtige kanunniken tegenover zich – Freeth, de bibliothecaris Hollingrake, de oude proost, de sacristein en de koorleider – want dezen stelden dat de muzikale reputatie van de kathedraal haar grootste roem vertegenwoordigde. Burgoy-ne had echter degenen die hij op hun geweten had aangesproken op zijn hand gekregen, en het voorstel werd met een krappe meerderheid aangeno-men, wat tot veel verbittering leidde. Freeth en Hollingrake vervalsten daar-op echter een akte, die uw echtgenoot, mrs Locard, zo vriendelijk was mij vanmiddag te laten zien. Deze maakte het Burgoyne uiteindelijk onmogelijk het internaat op te heffen.'

'We weten niet zeker of zij die hebben vervalst,' bracht dr Sisterson hier tegenin. 'Het zou kunnen dat ze een oudere vervalsing vonden en meenden dat die echt was. Maar zelfs als Freeth hem vervalste, wie zal zeggen wat zijn motieven werkelijk waren?'

'Nogal verwerpelijk,' zei ik en ik wendde me tot de twee dames. 'U moet namelijk weten dat toen Freeth een paar jaar later zelf proost werd, hij de vervalste akte gebruikte om het internaat te sluiten en zich de bezittingen ervan toe te eigenen.'

'Wat schandalig,' mompelde mrs Sisterson.

'Zou het niet kunnen,' opperde mrs Locard, 'dat hij de Burgeroorlog zag naderen en wilde voorkomen dat het bezit van de Stichting zou worden geconfisceerd door het parlement?'

'Dat is erg edelmoedig gedacht van u, maar bijna alles wat we over hem weten wijst erop dat hij buitengewoon hebzuchtig was,' zei ik.

Dr Sisterson keek even naar de slapende kinderen en glimlachte. 'Als va-der van een groot en nog erg jong gezin, kost het mij moeite hem te veroor-delen, ook al waren zijn motieven wellicht geheel werelds.'

Ik was een ogenblik lang van mijn stuk gebracht, tot ik inzag dat hij ver-moedelijk een grapje maakte. Ik vervolgde: 'Om terug te komen op het verhaal van Burgoyne. Hij was afgetroefd door Freeth – en hij was woedend – maar hij gaf de strijd niet op, en al heel snel daarna kon hij zijn eigen troef-kaart uitspelen. Het lukte hem om toezeggingen van zijn oom en andere familieleden los te krijgen voor de helft van het benodigde geld. Een deel daarvan zou worden besteed aan een gedenksteen in de kathedraal, opgedragen aan de vorige graaf – zijn grootvader.'

'Het Burgoyne-monument!' riep mrs Locard.

'Inderdaad,' beaamde ik. 'Toen Burgoyne zijn nieuwe plan aan het kapittel voorlegde, zag Freeth onmiddellijk dat de combinatie van de gedenksteen en een grote subsidie voor de restauratie van de kathedraal Burgoyne een onvervreemdbare aanspraak op het proostschap zou geven. En toch was het moeilijk zo'n gift te weigeren. De kanunniken schrokken echter nog altijd terug voor dat deel van de kosten dat ze uit eigen zak moesten betalen. En toen beging Burgoyne, bleek later, zijn fatale vergissing, zoals dr Sheldrick het stelt. Hij vroeg Gambrill te berekenen wat de kosten zouden zijn voor enkel de meest noodzakelijke werkzaamheden aan de torenspits. Gambrill was verbijsterd door dit verraad van zijn bondgenoot. Hij stond erop de thesaurier mee te nemen naar de toren, waar hij met één hand aan de balken schudde om aan te tonen dat een groot aantal los lag, en hij wees erop hoe gemakkelijk een ervan omlaag zou kunnen storten. Burgoyne bleef echter bij zijn beslissing. De bouwmeester kwam pas tot bedaren toen hij hoorde van de plannen van de thesaurier voor de gedenksteen, die vanzelfsprekend door hem, Gambrill, zou worden gemaakt en die, zo besloot hij, zijn meesterwerk zou worden.

Nu liet Burgoyne Gambrill het kapittel duidelijk maken dat met het instorten van de torenspits niet alleen de kathedraal zou worden verwoest – een vooruitzicht dat ze nog met enige gelatenheid konden bezien –, maar naar alle waarschijnlijkheid ook een aantal huizen aan de immuniteit. Geconfronteerd met dit gevaar voor eigen leven en dat van hun gezin, stemden de kanunniken ermee in hun eigen inkomsten af te staan ter aanvulling van de benodigde som gelds.

Burgoyne en Gambrill hadden hun zin gekregen, en dr Sheldrick schrijft dat Gambrill zijn overwinning op de sacristein vierde door geen gelegenheid voorbij te laten gaan om hem te pesten, te bedriegen en belachelijk te maken in aanwezigheid van zijn werklieden, als gevolg waarvan deze kanunnik – toch al nooit een man met een blakende gezondheid – een zenuwinzinking kreeg en zijn taken moest neerleggen.'

'Ik heb echt te doen met die arme man,' riep dr Sisterson vrolijk.

'Arme dr Sisterson,' zei mrs Locard glimlachend. 'U ziet vast niet uit naar de kapittelvergadering van morgen.'

'Niet echt, nee. Ik moet bekendmaken dat de diensten in de kathedraal voor onbepaalde tijd ernstig verstoord zullen blijven.'

Hij slaakte een grappige zucht die eindigde in een brede glimlach en het verzoek aan mij om verder te gaan met het verhaal.

'Burgoyne en Gambrill hadden nu de vrije hand om te doen wat ze wilden. In de maanden erna kwamen echter de verschillen tussen hen langzaam maar zeker aan de oppervlakte. Burgoyne gaf Gambrill geen toestemming om de torenspits op te knappen en eiste in plaats daarvan dat hij zijn financiële middelen eerst zou aanwenden voor werk dat volgens de bouwmeester veel minder prioriteit had, zoals de voorbereidselen om de Avondmaalstafel naar het midden van het gebouw te verplaatsen zodra de gaten in het gewelf gerestaureerd zouden zijn.'

'Ik vermoed,' zei mrs Locard, 'dat kanunnik Burgoyne het behoud van het gebouw voor de toekomst minder belangrijk vond dan het onmiddellijke gebruik ervan in de dienst.'

'Ik denk dat hij het argument van instortingsgevaar vooral opvoerde om geld los te krijgen,' opperde ik. 'Maar toen hij dat eenmaal had, dacht hij dat hij de torenspits wel een beetje kon oplappen om het nog een paar decennia vol te houden, terwijl hij de rest wilde gebruiken voor het monument.'

Dr Sheldrick huiverde en riep uit: 'Hoe vaak heb ik niet precies dat soort ideeën moeten aanhoren! De dingen een beetje oplappen, dat is het enige waarover de kanunniken het ooit eens kunnen worden.'

Ik glimlachte naar mrs Locard en vervolgde: 'Burgoyne en Gambrill begonnen elkaar te wantrouwen, maar het conflict tussen de twee mannen werd binnen de perken gehouden – althans, zo leek het – door Thomas Limbrick, Gambrills voorman. Hij was de zoon van de man die gestorven was bij het ongeval waarbij ook Gambrill letsel had opgelopen, en veel mensen in de stad zeiden dat het van generositeit getuigde dat hij hem een baan had gegeven – al schreven sommigen hem andere motieven toe. Limbrick was een nijvere en bekwame jongeman die zowel het vertrouwen genoot van de thesaurier als van de bouwmeester, waardoor hij bij uitstek in de positie verkeerde om de moeilijkheden tussen de twee glad te strijken.

Burgoyne had nu in feite wat hij verlangde: er werd gewerkt aan de restauratie van de kathedraal, en de wijze waarop deze vervolgens zou worden heropend zou zijn positie in hoge mate versterken. Toch leek hij helemaal niet gelukkig, en het werd steeds duidelijker dat er iets aan hem knaagde, want hoewel hij er altijd uiterst verzorgd uit had gezien, verscheen hij nu soms ongeschoren en slordig gekleed in het openbaar. Hij kwam te laat op kapittelvergaderingen, verzuimde steeds vaker zijn plichten en was soms zelfs afgeleid tijdens de dienst. Het gebeurde een paar keer dat hij halverwege een preek zweeg alsof hij de draad van zijn gedachten kwijt was. Hij ontwikkelde de gewoonte om in het duister rusteloos door de stad te dolen en werd meermalen door de wacht aangehouden – tot hun opperste verbazing – voordat ze aan hem gewend raakten en hem in de extreme duisternis van de toenmalige nachten leerden herkennen aan zijn rijzige gestalte en zijn hoge hoed en habijt.'

'Bovendien had hij, naar het schijnt, zijn gebruikelijke gematigdheid opgegeven,' bracht dr Sisterson naar voren, 'en bij verschillende gelegenheden verscheen hij in aangeschoten toestand.'

'Werkelijk? Dr Sheldrick maakt daar geen melding van. Iedereen in de stad vroeg zich af door welke geheime hartstocht de kanunnik werd gekweld…'

'Hij was verliefd,' zei mrs Sisterson zachtjes.

We keken haar allemaal verbaasd aan en zij glimlachte naar haar man, die bloosde en zijn ogen neersloeg.

'Nu ja,' ging ik verder, 'al werd er wel iets over een vrouw gefluisterd door de mensen, toch zag niemand hem ooit in haar gezelschap. Dr Sheldrick geeft echter als eerste de werkelijke verklaring.'

'Werkelijk?' vroeg dr Sisterson verrast. Hij keek even naar zijn vrouw die op dat moment al haar aandacht had bij het sluimerende kind op haar schoot.

'De waarheid is dat Burgoyne een geestelijke crisis doormaakte nadat hij een verborgen misdaad op het spoor was gekomen, zoiets duisters en schokkends dat het al zijn zekerheden ondermijnde.'

'Echt waar? En dat zegt dr Sheldrick?' Met een blik op mrs Locard vroeg dr Sisterson me: 'En wat was dat geheim volgens hem?'

'Financieel geknoei van Freeth. Burgoyne was ontzet toen hij zich de omvang van Freeths kuiperij realiseerde.'

'Zodoende,' zei dr Sisterson en hij leunde glimlachend achterover. Ik had vaag het idee dat hij iets anders had verwacht. 'Maar hij was er toch allang van overtuigd dat Freeth hebzuchtig en corrupt was?'

'Dat is waar, maar hij was hevig geschokt door de omvang en doelbewuste opzet van wat hij ontdekt had. En bovendien, zoals dr Sheldrick oppert, ontdekte hij dat zijn toeverlaat Gambrill zeer nauw betrokken was bij Freeths verduisteringen.' Ik kon zien dat hij sceptisch bleef en ook ik vond dr Sheldricks onthulling niet al te overtuigend. 'Wat is volgens u de reden dat hij zich opeens zo anders ging gedragen?'

'Ik geloof dat hij inderdaad iets op het spoor kwam, en dat hij daardoor volkomen van de kaart raakte, maar ik geloof niet dat dat Freeths financiële kuiperijen waren.'

'Wat was het dan volgens u?'

Hij wierp snel een blik op de twee dames, die op dat moment hun volle aandacht bij het kind in de armen van mrs Sisterson hadden, en zei zacht: 'Ik kan alleen maar gissen, en zelfs een man die al meer dan twee eeuwen dood is, zou ik niet graag willen belasteren.'

Ik keek hem verbaasd aan, maar hij perste zijn lippen op elkaar en schudde zachtjes met zijn hoofd om duidelijk te maken dat hij het hier verder niet over kon hebben in het gezelschap van dames, en dus hervatte ik het verhaal:

'In april van dat jaar verbleef Burgoyne lange tijd in Londen. Bij terugkomst gaf hij Gambrill te kennen dat hij besloten had de gedenksteen te laten vervaardigen door Italiaanse ambachtslieden in de hoofdstad. Gambrill was zwaar gegriefd door deze miskenning van zijn vakmanschap. Een dag of twee later meldde hij dat het in de torenspits zo gevaarlijk was geworden dat hij iedereen de toegang tot de toren verbood, met uitzondering van hemzelf en zijn werklieden. Al was Burgoyne woedend – hij zag het als een poging hem te dwingen het geld voor de restauratie vrij te geven –, hij kon de expertise van de bouwmeester niet ter discussie stellen en moest daarom de beperkende maatregel wel accepteren. En dus liet Gambrill de trap aan de voet van de toren afsluiten met een solide deur, waarvan alleen hij en een van de kanunniken de sleutel hadden.

Was Gambrill al boos over Burgoynes beslissing om de gedenksteen in Londen te bestellen, die verontwaardiging viel in het niet bij zijn razernij een paar weken later, toen hij vernam waar Burgoyne de steen geplaatst wilde hebben: op de meest in het oog springende plek, precies aan de koorkant van de kruising. Om die reden wilde Burgoyne het oksaal laten verwijderen. Uiteraard tekenden de overige kanunniken protest aan, maar op dat moment was de politieke situatie in het land definitief omgeslagen ten faveure van Burgoyne. Aartsbisschop Laud zat in de Tower en zou kort daarop worden geëxecuteerd, en de zegevierende calvinisten eisten de afbraak van alle barrières tussen de kerkgangers en de celebranten. Het kapittel kon niets beginnen. Toen Gambrill van Limbrick vernam wat Burgoyne hem had opgedragen, was hij ontzet.'

'Dat moet ook wel,' zei dr Sisterson meelevend. 'De ontmanteling van zo'n oud en prachtig onderdeel van de kathedraal – het gebouw waarvan hij hield en aan het behoud waarvan hij zijn leven had gewijd en zelfs een oog had opgeofferd –, het moet hem zijn voorgekomen als heiligschennis.'

'Dr Sheldrick geeft een ietwat andere verklaring. Hij beweert dat Gambrill in het geheim katholiek was – zoals zovelen in het slaperige oude stadje. Daardoor liep hij niet alleen ernstig het gevaar financieel geruïneerd te worden en zelfs in het gevang te eindigen, maar het betekende ook dat de kathedraal in zijn ogen nog altijd een katholiek heiligdom was en onrechtmatig in het bezit was gekomen van mensen die uit waren op de vernietiging van alles waarvoor het stond. Er vond een schandaleus incident in de kathedraal plaats, waarbij de bouwmeester de thesaurier tartte en hem op luide toon verwijten maakte over de schade die hij aanrichtte. Burgoyne stevende het gebouw uit, maar Gambrill achtervolgde hem over de immuniteit, zelfs helemaal tot aan de achterdeur van zijn huis, en bleef tegen hem schreeuwen tot Limbrick tussenbeide kwam en hem wegtrok. En daarmee was vermoedelijk het lot van beide mannen bezegeld.

Vanzelfsprekend moest Gambrill nu ofwel zijn ontslag nemen, ofwel doen wat Burgoyne hem had opgedragen, en aangezien hij een gezin te onderhouden had, kon hij zich het grootse gebaar niet permitteren. Burgoyne wilde Gambrill ontslaan, maar er was in de stad geen andere steenhouwer aan wie het werk kon worden toevertrouwd, en Burgoyne erkende dat Gambrill een consciëntieuze en vakbekwame ambachtsman was.

En dus sloopte Gambrill het oksaal en verving het door een houten schutting om het schip afgeschermd te houden zolang de torenspits nog niet was hersteld.

Nu werd Limbrick de tussenpersoon door wiens bemiddeling Burgoyne en Gambrill elk rechtstreeks contact volledig konden vermijden. Althans, dat dacht men. Veel later, toen de gebeurtenissen hun eigen loop hadden genomen, zeiden sommigen dat Limbrick in feite uit eigenbelang tweespalt tussen de twee mannen had gezaaid, terwijl hij listig pretendeerde het tegenovergestelde te doen.

Vanaf dat moment kwam Burgoyne in elk geval nooit meer kijken naar Gambrill en zijn mannen wanneer deze aan het werk waren in de kathedraal. In plaats daarvan hervatte hij zijn vroegere bezoeken aan het gebouw in de duistere, nachtelijke uren, en al veronderstelde men dat hij dat deed om Gambrills werk te controleren zonder hem te hoeven zien, toch begon het de mensen op te vallen dat zijn bezoeken steeds langer duurden, en dat hij de grote sleutel soms pas bij zonsopgang weer inleverde bij Claggett, de koster. De oude man was ernstig ziek en lag vaak hele nachten wakker.

Burgoynes gedrag leidde tot steeds meer speculaties. Zijn huishoudster beschreef later hoe hij hele nachten opbleef en door zijn kamer ijsbeerde of rond de immuniteit sloop alsof hij worstelde met een gruwelijk dilemma. Toen de mensen later hoorden wat op dat moment nog niet bekend was, beweerde een aantal stedelingen dat ze hem 's nachts vaak aan de noordzijde van de immuniteit hadden zien staan, waar hij over de achtermuur van de tuinen door de ramen in de huizen staarde die aan High Street lagen. Sommigen zeiden naderhand dat hij naarbinnen keek in het huis van Gambrill, in tweestrijd verkerend of hij het geluk van hem, zijn vrouw en zijn kinderen zou verwoesten. Anderen zeiden dat hij een eenzame en jaloerse man was die zijn vijand zijn huiselijk geluk niet gunde. Anderen kwamen met nog weer andere motieven.

Dit alles bereikte twee weken voor de Grote Storm een kritiek punt. Die zondag hield Burgoyne tijdens de hoofdmis in de kathedraal de preek. Toen hij de kansel besteeg zag hij er bleek en uitgemergeld uit, en de kerkgangers begonnen te mompelen, want zijn vreemde gedrag van de afgelopen weken was alom bekend. Maar toen hij begon te spreken, was zijn stem krachtig en stroomden zijn woorden zonder haperingen uit zijn mond. Eerst voer hij uit tegen wraakroepende zonden en sprak hartstochtelijk over de verdoemenis die iedere man wachtte die zich in verzoeking liet brengen en berouweloos voortging op zijn zondige levenspad. En toen zei hij dat hij het over één man in het bijzonder had, die zich op dat moment onder hen bevond en die hij aanklaagde wegens zijn heimelijke wangedrag – wangedrag waarvan hij de aard niet onthulde. Hij leek zo geobsedeerd door een of andere verborgen betekenis, dat een aantal toehoorders meende dat hij tekenen van verstandsverbijstering vertoonde. Veel van wat hij zei werd niet begrepen door de toehoorders, maar zijn woorden werden wel herinnerd: *"Er bevindt zich onder ons iemand die is binnengegaan in het huis van God met zondigheid en hovaardigheid in zijn hart, al draagt hij het uiterlijke kleed van de schijnvroomheid. Hij alleen in deze gemeente weet wat voor duisternis hij voedt in de verborgen woonstee van zijn ziel. Hij alleen weet hoe ver hij is afgedwaald naar de smerige en vreemde paden die leiden naar de poel van pestilent verderf."*

Toen hij de kansel afstapte, liet hij de stadsbewoners en zijn medekanunniken in verbijstering achter. In de dagen erna had niemand het nog ergens anders over. Een aantal mensen werd verdacht van uiteenlopende wandaden en de atmosfeer in de stad raakte min of meer vergiftigd van de geruchten. Het viel de mensen op dat Gambrill er het zwijgen toe deed als het onderwerp ter sprake kwam, en daarmee laadde hij de verdenking op zich – zij het niet meer dan vele anderen. Met name Freeth liet door zijn nerveuze optreden duidelijk blijken dat hij meende zelf de man te zijn op wie Burgoyne had gedoeld. En als dr Sheldrick gelijk heeft over zijn financiële misstappen, dan had hij ook alle reden zich zorgen te maken.

De zondag daarop was een groot deel van de bevolking – samengeperst in het koor, ja, zelfs tot buiten de deur – aanwezig toen Burgoyne opstond voor de preek. Zijn woorden werden preciezer, al waren ze nog altijd vaag genoeg om zijn toehoorders voor raadsels te stellen. Burgoyne zei: *"Wee de man die in de kolossale trots van zijn onwetendheid zijn schande meent te kunnen verbergen. Al staat hij in hoog aanzien bij de mensen en meent hij zijn zonden verborgen te weten, wanneer hij van aangezicht tot aangezicht worstelt met zijn Vijand in de hoogte en omlaag wordt gestort, zal zijn goddeloosheid worden blootgelegd voor het oog van de mensen. Ja, zelfs in de duisternis zullen zijn zonden worden rondgebazuind. De waarheid zal hem achterhalen."* Op dat moment trok Gambrill door zijn gedrag de aandacht. Hij werd bleek en men zag hem beven toen Burgoyne aankondigde dat hijzelf op de volgende dag des Heren, en op deze zelfde plek, de zondaar te pronk zou stellen.

Alle ogen richtten zich op Gambrill, die eruitzag alsof hij de dood in het gelaat keek, plotseling opstond en zich door de menigte naar de deur wrong. Veel van Burgoynes toehoorders, die hadden zitten sidderen bij de gedachte dat hij hen misschien bedoelde, voelden zich opgelucht door zijn gedrag.

Toch uitte Burgoyne geen beschuldiging tegen hem.

In de week daarna werd er een gat voor de gedenksteen uitgehakt in de muur, op de plek waar het oksaal had gestaan. De gedenksteen zelf arriveerde op dinsdag uit Londen, en toen Gambrill de wagen met de steen ratelend de immuniteit op zag bolderen, zei hij tegen Limbrick dat hij evenzeer geschokt was door de lelijkheid als door het gewicht ervan, en dat hij bang was voor de gevolgen als de steen eenmaal in de muur was bevestigd.

De zaterdag brak aan als een abnormaal zwoele en drukkende dag voor de tijd van het jaar, met laaghangende bewolking en korte, hevige regenbuien. Oude mannen schudden het hoofd en voorspelden een geweldige storm en een aantal van hen murmelde en mopperde wat over de toestand van de torenspits. Aan het eind van de dag had Gambrill – altijd een consciëntieuze ambachtsman, hoezeer hij zijn taak ook verfoeide – alles gereed. De zware platte steen was naar de steiger onder de kruisingstoren getakeld en lag klaar om de maandag erna te worden neergelaten in het daartoe bestemde gat op zo'n drie meter hoogte in de muur. Gambrill gaf al vroeg de opdracht het werk stil te leggen vanwege de naderende storm, want bij zonsondergang leken de wolken al te kolken als in een heksenketel.

Zoals wel vaker, kwam Burgoyne die avond om een uur of tien bij het huis van Claggett – juist toen de wind begon aan te trekken. De oude man was toen al ernstig ziek en zijn vrouw en dochters hadden hun handen vol aan hem, maar de jonge dienstmeid – die te verlegen was om een heer in het gelaat te kijken – overhandigde de grote sleutel aan de kanunnik. Zo'n twee uur later barstte de storm in alle hevigheid los boven de stad en opende een bombardement van hagelstenen zo groot als lijstereieren, rukte dakpannen van de daken die als bladeren door de lucht vlogen, vermorzelde ramen en velde zelfs schoorstenen. Te midden van al deze herrie en verwarring van slaande deuren en luiken en brekend glaswerk en rommelend gedonder, verloor de oude Claggett het bewustzijn en werd duidelijk dat hij de dood nabij was. Er werd iemand op uit gestuurd om een chirurgijn te halen en ook werd er een bediende naar het huis van de koorleider gezonden omdat deze een goede vriend van de oude man was. In alle drukte dacht niemand eraan dat Burgoyne de sleutel nog niet had teruggebracht.

Toen de storm rond een uur of twee 's nachts zijn hoogtepunt bereikte, hoorden de mensen die in de huizen rond de immuniteit sliepen – of probeerden te slapen – een geweldig kabaal, en schudde de hele hoge kant van de immuniteit op zijn fundamenten. Verscheidene kanunniken en hulpkosters haastten zich naar buiten om te zien wat er aan de hand was en zagen dat het dak en de bovenste verdieping van de oude klokkentoren boven de hoofdpoort waren ingestort. Terwijl een verschrikt groepje – Freeth, de koorleider en zelfs de oude proost – de ruïne inspecteerde, dankbaar dat het gebouw 's nachts niet werd gebruikt, hoorden ze nog iets ineenstorten. En ditmaal, realiseerden ze zich tot hun schrik, kwam het kabaal uit de kathedraal. Ze speurden het gebouw af, voor zover dat mogelijk was in de diepe duisternis, en zagen dat de torenspits nog intact leek, maar niemand was bereid zich in het gebouw te wagen zolang de storm nog raasde. Op dat moment vernam men van Claggetts dienstmeid dat Burgoyne de sleutel niet had teruggebracht. Desondanks bood niemand van de aanwezigen aan naar binnen te gaan om hem te zoeken.'

Dr Sisterson stond op, liep naar het raam en opende het venster. 'Ik kan me wel voorstellen waarom niet. Nu is het een vredige nacht. Maar stel dat er een storm raast.'

Ik liep de kamer door en kwam naast hem staan. De lampen op de immuniteit stonden te druipen. Door de mist en in het duister torende de enorme massa van het gebouw als een klif boven ons uit. 'Het moet angstaanjagend zijn geweest,' beaamde ik, 'om in de schaduw van dat enorme gebouw te staan, vrezend dat het grootste deel ervan ieder moment omlaag kan komen.'

Tot mijn voldoening huiverde de sacristein.

'Doe alsjeblieft dat raam dicht, Frederick,' protesteerde mrs Sisterson die zijn beweging verkeerd opvatte. 'Het is ijskoud en straks worden de kinderen er wakker van.'

Mijn gastheer deed wat hem gevraagd werd en we gingen weer zitten. Ik vervolgde: 'Een aantal van de overige kanunniken kwam naar de proosdij om te zien wat er gaande was, maar niemand waagde zich in de kathedraal. Sommige mensen waren zelfs bang om nog langer in de nabijgelegen huizen te blijven. Limbrick arriveerde en raadde sterk af de kathedraal binnen te gaan zolang het nog stormde. En dus bleven ze wachten. Tegen de tijd dat de eerste strepen licht aan de hemel boven Woodbury Downs verschenen, was de storm grotendeels gaan liggen. In tamelijk geagiteerde staat slopen de oude proost, Freeth, de koorleider, Limbrick en een van de hulpkosters behoedzaam de kathedraal binnen.

Stelt u zich voor hoe het moet zijn geweest om de volle lengte van het schip af te lopen, met enkel het licht van twee of drie lantaarns als geleide, terwijl de wind nog rond de torenspits en de toren brult en je eraan herinnert dat je bedolven kunt worden onder omlaag stortende stenen en balken. En in het geluid van de wind vingen ze nog een ander geluid op – een gerucht dat hen de haren te berge deed rijzen: een geluid als van een mens die van pijn en wanhoop kreunt en prevelt.

Toen ze de kruising naderden, rees er plotseling iets formidabel groots op uit de duisternis. Hun angst werd er niet echt minder om toen het tot hen doordrong dat ze naar de steiger keken die in elkaar was gestort en nu vóór hen lag als een hoop planken en versplinterd hout. Dat was het enorme kabaal geweest dat ze binnen hadden gehoord. Toen ze dichterbij kwamen en hun lantaarns optilden zagen ze een plas van een donkere en kleverige vloeistof, die onder de gebroken balken vandaan was gesijpeld. Ze luisterden, en nu beseften ze pas dat het menselijke geluid dat ze hadden menen te horen, enkel door de wind werd veroorzaakt. Voor de rest was het stil. Limbrick zei tegen de anderen dat hij een voorgevoel had dat ze het lichaam van hun collega onder de brokstukken zouden vinden. Hij was ook degene die op het verbijsterende feit wees dat er geen enkel spoor was van de marmeren plaat die de avond ervoor nog op de steiger had gelegen. Hij tilde zijn lantaarn op en verlichtte de plek waar de plaat had zullen komen en tot hun aller verbazing bleek hij daar hoog in de muur op de daartoe bestemde plek te zitten. Ze stonden er ongelovig naar te kijken. De steen was keurig in het gat geschoven dat ervoor gemaakt was, en rondom vastgemetseld in de muur.

Limbrick liet zijn werklieden komen, die twee uur lang liepen te zwoegen om de stapel gebroken balken te verwijderen. Nu pas realiseerde men zich dat Gambrill zich sinds het begin van de storm niet meer had vertoond. Limbrick spoedde zich naar zijn huis en hoorde daar dat de vrouw van zijn meester hem sedert negen uur de vorige avond niet meer had gezien. Ze had aangenomen dat hij de hele nacht was weggebleven omdat hij druk was met maatregelen treffen tegen de storm, en begon zich nu pas zorgen te maken om zijn afwezigheid.

Toen Limbrick met dit nieuws de kathedraal weer betrad, werden juist de laatste resten van de ingestorte steiger van het lichaam getild. Het was zozeer geplet dat men er alleen het lichaam van Burgoyne in kon herkennen dankzij het kanonikale habijt, de ambtsketen van de thesaurier en de grote sleutel van de westdeur die Burgoyne bij Claggett had opgehaald. Limbrick deelde Freeth in vertrouwen mee – want er was een hechte verstandhouding tussen hen ontstaan – dat de verdwijning van Gambrill suggereerde dat hij Burgoyne had vermoord. Gambrill dook die dag niet meer op en werd de facto nooit meer gezien in de stad. Door te verdwijnen verklaarde hij zichzelf schuldig. Het vooruitzicht dat hij de dag erna aan de schandpaal zou worden genageld, had hem tot moord gedreven.'

'Ik begrijp het niet,' wierp dr Sisterson tegen. 'Waarvoor dacht Gambrill aan de schandpaal te worden genageld?'

'Wel, daarover heeft dr Sheldrick een theorie. Limbrick deed Freeth de suggestie aan de hand dat er misschien een aanwijzing te vinden zou zijn in de boekhouding die Burgoyne had bijgehouden van Gambrills werkzaamheden aan het gebouw. De twee mannen braken in in Burgoynes werkkamer en vonden de kasboeken, bestudeerden deze en onthulden een paar dagen later dat ze door het vergelijken van de rekeningen en het werk dat daadwerkelijk was uitgevoerd, hadden ontdekt dat Gambrill een aantal fondsen had verduisterd die gereserveerd waren voor werkzaamheden aan de kathedraal.'

'Dat lijkt me nogal duidelijk,' zei dr Sisterson.

'Maar u zei dat dr Sheldrick daar een theorie over had?' merkte mrs Locard op. 'Hij accepteert deze verklaring dus niet?'

'Hij beweert dat Freeth Limbrick ompraatte hem te helpen de boekhouding te vervalsen, om zo alle schuld op Gambrill te kunnen schuiven.'

'Terwijl Freeth zelf Gambrill had betrokken bij het verduisteren van fondsen van de Stichting?' opperde dr Sisterson.

'Precies. Ik heb overigens begrepen dat de juiste term in dezen "malversatie" is. En daarom ook kon hij hem overtuigen Burgoyne te vermoorden.'

'Hemeltjelief!' riep hij uit. 'Heeft hij daar enig bewijs voor?'

'Alleen indirect. Het klopt met de feiten en Freeth lijkt ertoe in staat.'

'In staat om een man aan te zetten tot moord!' riep mrs Locard uit. 'Dat is toch zeker een te zwarte kijk op de menselijke natuur, dr Courtine.'

Ik was even van mijn stuk gebracht. 'Uit de stukken blijkt dat hij een hebzuchtig en gewetenloos man was, gezien het feit dat hij een vervalst document gebruikte om de Stichting van haar bezittingen te beroven.'

'Zelfs als dat waar zou zijn, is dat toch iets heel anders dan moord?' zei ze met een glimlach. 'En de rol die dr Sheldrick de bouwmeester toedicht, vind ik ook nogal raadselachtig. De trotse en consciëntieuze man die u beschreef, zou toch zeker nooit iets stelen van de kathedraal die hem zo dierbaar was, wat hij ook verder van de kanunniken vond?'

'Nu ja, iemand moet Burgoyne toch hebben vermoord?' protesteerde ik.

'Als het Gambrill was,' zei dr Sisterson, 'denk ik niet dat geld daarbij een rol heeft gespeeld. We weten immers met zekerheid dat hij van de kathedraal hield en dat hij dacht dat Burgoyne erop uit was die te verwoesten.'

'Freeth en Limbrick wisten indertijd iedereen te overtuigen dat Gambrill de moordenaar moest zijn geweest,' vervolgde ik. 'Het enige mysterie was hoe de gedenksteen op zijn plaats was gekomen. Limbrick en de andere werklieden die er de voorgaande avond hadden gewerkt, hielden vol dat het veel te zwaar was om door één man te kunnen zijn gedaan. De inwoners van de stad kwamen onder elkaar tot de conclusie dat Gambrill hulp moest hebben gehad van de duivel.'

'Dat lijkt inderdaad de enige rationele verklaring,' merkte mrs Locard glimlachend op. Toen zei ze: 'Het enige wat mij echt verbaast, is waarom hij besloot de stad te ontvluchten.'

'Dat trof mij ook,' beaamde dr Sisterson. 'De dood van Burgoyne had als ongeluk kunnen worden afgedaan en als Gambrill gewoon naar huis was gegaan, had niemand geweten wat zijn aandeel was geweest.'

'Je vrouw en kleine kinderen in de steek laten!' riep mrs Locard zachtjes en ze keek even naar het kind dat op haar schoot in slaap was gevallen. 'Dat lijkt me wel erg ver gaan.'

'Het is wel wat vreemd, ja,' beaamde ik.

'Als vrijgezel heeft dr Sheldrick die overweging wellicht niet voldoende laten meetellen,' zei mrs Sisterson.

Haar echtgenoot grinnikte. 'Ik ben eerder geneigd te zeggen dat we juist wél achter Gambrills motief zijn gekomen om de stad te ontvluchten.' Toen wij glimlachten, vervolgde hij: 'Overigens, vermeldt dr Sheldrick ook wat er later van Limbrick terecht is gekomen?'

'Hij nam Gambrills bedrijf over en leidde het uit naam van de weduwe.'

'Werkelijk! En wat gebeurde er met de weduwe en de kinderen?' vroeg hij.

'Een paar jaar later diende ze bij het gerecht een verzoek in om haar echtgenoot dood te laten verklaren en na lang wachten gebeurde dit ook.'

'En trouwde Limbrick met haar?' opperde mrs Locard.

'Zeer scherpzinnig van u, als ik zo vrij mag zijn. Het schijnt dat ze ondertussen al meerdere kinderen van hem had gekregen.'

'Het komt me voor,' zei ze, 'dat hij een cruciale rol speelt in het verhaal.'

'Zou het zo kunnen zijn,' opperde dr Sisterson, 'dat hij onrust stookte tussen Burgoyne en Gambrill, terwijl hij deed alsof hij de vredestichter was?'

'U verdenkt hem ervan betrokken te zijn bij de moord zelf? Het is mogelijk, maar Burgoynes familie heeft uitvoerige pogingen ondernomen om achter de waarheid te komen, en dr Sheldrick vermeldt nergens een dergelijke hypothese. De neef van Burgoyne, een jongeman genaamd Willoughby Burgoyne, bracht een aantal weken in de stad door om te onderzoeken wat er was gebeurd. Hij wist natuurlijk van de vijandige houding van het kapittel tegenover zijn oom, maar slaagde er niet in enig bewijsmateriaal te vinden en kon derhalve geen proces beginnen.'

We praatten er nog een paar minuten over door en toen herinnerde een dreunende slag van de kathedraalklok ons eraan hoe laat het was. Dr Sisterson vroeg of ik mrs Locard naar de proosdij zou willen begeleiden en al zei ze nadrukkelijk dat dat niet nodig was, ik deed het maar al te graag. Een paar minuten later verlieten we het huis en op de korte wandeling door de immuniteit spraken we over dr Sisterson en zijn vrouw en hun in het oog springende geluk.

Toen we vlak bij de proosdij waren, zei ze: 'Ik vond uw uiteenzetting van het verhaal van kanunnik Burgoyne fascinerend. U bracht het allemaal zo tot leven. Ik stel me zo voor dat u een erg goede leraar bent.'

'Dat weet ik nog zo niet, maar ik probeer inderdaad het verleden weer tot leven te brengen,' zei ik. 'Ik vind het zó belangrijk om de jeugd te laten beseffen dat de mannen en vrouwen uit vervlogen tijden ooit ook gewoon menselijke wezens waren met precies dezelfde verlangens en angsten als wij.'

'En toch kunnen we er nooit zeker van zijn, is het wel, dat kanunnik Burgoyne zo nobel was als dr Sheldrick ons wil doen geloven, of dat vice-proost Freeth zo'n monster was?'

'Nooit helemaal zeker, nee. Maar als al het bewijsmateriaal in een bepaalde kwestie in één richting wijst, is dat op een gegeven moment bewijs genoeg.'

'Denkt u niet dat we personages uit het verleden onze eigen verlangens toeschrijven als we over ze nadenken, omdat wij als dolende stervelingen onmogelijk onpartijdig kunnen zijn?'

'Dat gevaar bestaat zeker. Het enige verweer daartegen is te trachten onze eigen motieven te doorgronden en ons zo rekenschap te geven van onze vooroordelen.'

'Dat is vast en zeker de verstandigste benadering,' zei ze glimlachend. 'Maar gemakkelijk is het niet.'

Tot mijn spijt waren we alweer bij de proosdij gekomen. Het was in de loop van de avond tot me doorgedrongen aan wie ze me deed denken, en toen ik afscheid van haar nam zei ik dat ik hoopte haar voor mijn vertrek nog eens te zullen zien. Terwijl ze mijn hand schudde, zei ze dat zij daar naar zou uitkijken, en toen een gapende bediende de deur opendeed, maakte ik een buiging en richtte mijn schreden naar Austins huis.

Woensdagnacht

Toen ik de donkere immuniteit overstak dacht ik aan het gedruis en de warmte en vriendelijkheid die ik zojuist had achtergelaten, en daarbij vergeleken kwam mijn eigen leven me wel erg rustig voor. Er was nu geen enkel geluid meer te horen, en al hield ik van stilte, dit begon een beetje sinister te worden. Sisterson, tien of vijftien jaar jonger dan ik, had zich welgemoed belast met zorgen en verplichtingen die ik op de een of andere manier had vermeden. Ik bedacht dat van de drie kanunniken die ik had ontmoet, hij zich het minst bekommerde om de bekrompen rivaliteiten in het kapittel.

Ik stond nu voor Austins deur, maar omdat ik nog geen zin had naar binnen te gaan, besloot ik een rondje te lopen rond de kathedraal, die als een groot dier in de zwarte kooi van de immuniteit gehurkt zat. Werd ik vrolijk bij de onaardige gedachte dat Austin een warboel had gemaakt van ieder facet van zijn leven? Al kende ik niet de huiselijke genoegens van dr Sisterson, ik had tenminste wel een interessante, respectabele en goedbetaalde baan, terwijl mijn vriend levend begraven leek te zijn in een wereld van provinciale treurigheid en beklemming. In tegenstelling tot hem, deed ik wat ik altijd had willen doen en ik genoot ervan: lesgeven aan studenten, onderzoek doen, boeken schrijven. Natuurlijk had Austin gelijk toen hij zei dat geluk veel meer is dan de afwezigheid van verdriet. En nu ik erover nadacht, veronderstelde ik dat je eigenlijk niet kon zeggen dat ik gelukkig was. Het kwam me voor dat sommige mensen een talent hadden om gelukkig te zijn, terwijl anderen het ongeluk leken te vinden alsof ze ernaar gezocht hadden. Misschien was dat uit angst teleurgesteld te worden. Ik had altijd gedacht dat het geluk uiteindelijk wel zou komen, zolang ik maar vermeed de verkeerde dingen te doen. Ik was voorzichtig geweest en had in mijn leven bijzonder weinig vergissingen begaan. Ik had natuurlijk één ernstige fout gemaakt, en daar ondervond ik nog steeds de gevolgen van.

Absurd genoeg was ik mijzelf als jeugdig blijven beschouwen. Zelfs omgeven door studenten was ik mijzelf hardnekkig blijven zien als iemand die net iets ouder was dan zij. Kwam dat omdat ik was blijven denken dat mijn leven als volwassene pas ergens in de toekomst zou beginnen? En nu opeens ontdekte ik dat ik bijna vijftig was en dat het te laat was. Mijn leven zou zich ontvouwen op een manier die geheel identiek aan de voorafgaande dertig jaar was.

Maar hoewel ik mezelf nog jong vond, vroeg ik me soms af of ik – omdat ik te vroeg te veel boeken had gelezen – niet zulke wereldwijze theorieën had gehad over het volwassen leven, dat ik mijn adolescentie en jeugd daardoor vrijwel had overgeslagen. Daardoor was ik in zekere zin veel jonger geweest dan ik had behoren te zijn toen ik verliefd werd op mijn vrouw.

Terwijl ik de oostzijde van de kathedraal om liep, voelde ik me als een spook op de verlaten immuniteit. Maar anders dan kanunnik Burgoyne zou niemand zich mij nog herinneren over tweehonderd jaar. Al over vijftig jaar niet meer. En niemand zou mijn naam dragen. Wat zou ik achterlaten? Een paar stoffige boeken die ongelezen op de planken van een bibliotheek lagen? Vliedende herinneringen bij een paar van mijn studenten – als ze ooit al aan me dachten, en waarom zouden ze?

Ik had nooit tijd en aandacht willen besteden aan dingen en mensen die me verveelden, en ik zag nu in dat ik op die manier een heleboel uit mijn leven had weten te bannen. Oude teksten, tegenstrijdigheden en lacunes in de historische overlevering, vergeten talen – die dingen waren altijd fascinerend, en hadden bovendien het voordeel dat ik ze onmiddellijk terzijde kon schuiven zodra mijn belangstelling vervloog. Heel mijn passie was in dat aspect van mijn leven gaan zitten, en in de afgelopen tweeëntwintig jaar had ik het mijzelf nooit toegestaan tedere gevoelens te koesteren voor een andere vrouw. Had ik het als excuus gebruikt, het feit dat ik onmogelijk kon trouwen? En toch wist ik dat ik altijd precies zoveel om mijzelf had gegeven als ik dacht dat iemand anders om mij gaf. We waarderen onszelf zoals anderen ons waarderen, want in zekere zin houden we onszelf in bewaring voor anderen. En welke reden had ik zo bezien om mijzelf te waarderen? Was ik werkelijk tevreden met het idee dat enig vooruitzicht op liefde – of zelfs maar op huiselijk geluk – uitgesloten was? Was ik door die ervaring van lang geleden altijd bang gebleven om mijn gemoedsrust in handen te leggen van een ander? Als ik even op de gebeurtenissen vooruit mag lopen, misschien was deze diep in het kreupelhout van mijn verbeelding opgeschrikte haas er de oorzaak van dat ik vrijdagochtend heel vroeg een van de meest onthutsende dromen van mijn leven had.

Toen ik de deur opende, zag ik dat het gas in het portaal laag gedraaid, en daarom nam ik aan dat Austin nog niet thuis was. Ik ontdeed mij van mijn hoed en overjas, pakte een kaars en stak die aan, maar toen ik op de overloop op de eerste verdieping kwam, hoorde ik uit de woonkamer een begroetingskreet. Toen ik naar binnen liep, bleek de kamer vrijwel volledig in het duister te zijn gehuld, en alleen de smeulende kolen in de haard verbreidden een flakkerend roodachtig licht. Austin zat aan tafel met een fles en twee glazen voor zich.

'Kom binnen, ga zitten en drink een glaasje mee,' zei hij uitbundig.

'Mag ik een kaars aansteken?' vroeg ik en toen hij knikte, deed ik dat snel.

Het licht vlamde op en ik zag dat Austin zijn glimlachende gezicht naar mij hield opgeheven. In het kaarslicht leek hij heel even op de jongeman die ik lang geleden had gekend.

Hij tilde de fles op om wat wijn in het nog schone glas te schenken. Toen glimlachte hij en zei: 'Merkwaardig. Er schijnt niets meer in te zitten. Wees eens lief en haal een andere fles uit de kast, wil je?'

Ik liep naar de grote kast en trok aan de deur. 'Hij zit op slot, Austin.'

'Die niet,' viel hij scherp uit. 'Ik bedoelde die andere daar, in godsnaam. Ga maar zitten, ik doe ik het zelf wel.' Hij sprong op en liep snel naar een kast bij de deur, terwijl ik deed wat hij zei. Hij bracht een andere fles oude port mee en opende die – zijn vriendelijke stemming was blijkbaar weer teruggekeerd.

'Beste oude vriend,' zei hij. 'Ik begon me behoorlijk zorgen om je te maken. Ik was bang dat ik je had gekwetst en dat je had besloten weg te gaan, en dat is wel het laatste wat ik zou willen. Echt het allerlaatste.'

Ik was ontroerd, al kon ik zien dat hij zwaar had gedronken en dat je zijn woorden niet al te letterlijk moest nemen. Terwijl ik hem zo zag – vrolijk en beschonken – dacht ik aan al die drinkgelagen tot diep in de nacht op onze kamers, en voelde ik een droeve pijn om wat geweest was en om wat had kunnen zijn.

'Waarom zou ik dat nou willen?' vroeg ik, terwijl ik tegenover hem ging zitten.

Hij schonk mijn glas tot de rand toe vol. 'Omdat ik vreselijk grof ben geweest. Ik was snel geërgerd en kibbelig. En dan dat briefje dat ik voor je achterliet. Maar ik… Als je eens wist. Ik heb zo'n…'

Hij zweeg toen ik mijn hand op de zijne legde.

'Beste Austin, je hebt me niet beledigd, in het geheel niet. Ik weet dat er iets aan je knaagt.'

Hij keek geschrokken. 'Hoe kom je erbij. Er is helemaal niks.' Hij trok zijn hand weg.

'Beste oude vriend, je hoeft je voor mij niet groot te houden. Ik heb wel gezien hoe nerveus je was. En dan die nachtmerrie van je. Ik weet dat je je vreselijke zorgen maakt en ik denk dat ik wel weet waarom.'

Hij staarde me aan. 'Wat bedoel je?'

Ik voelde me opgelaten. Ik had helemaal niets willen zeggen. Maar het feit was dat ik had lopen denken aan de roddels die ik die avond had opgevangen. 'Ik weet dat er ernstige moeilijkheden op school zijn.'

'Op school? Waar heb je het over?'

'Ik heb gehoord – en vraag me alsjeblieft niet hoe of van wie, want dat kan ik je niet zeggen – dat de bovenmeester weinig aanzien geniet en dat...'

'De rector, bedoel je. Mijn aanzien geniet hij in elk geval niet.'

'En dat er een crisissituatie aan het ontstaan is.'

'Een crisissituatie! Het is daar altijd crisis. Middelmatige mensen kunnen niet zonder surrogaat-opwinding. Dat neemt voor hen de plaats in van een geestesleven. Maar wat daar gebeurt is van geen enkel belang. Je hebt er een of ander verhaaltje omheen bedacht, niet? Je hebt veel te veel fantasie. Daardoor zie je niet wat er pal onder je neus gebeurt. Jij wil zo graag verder kijken dan je neus lang is, dat je ontgaat wat voor minder opmerkzame lieden zonneklaar is. Nou, het spijt me je te moeten teleurstellen.'

Ik lachte een beetje ongemakkelijk. 'Weet je het zeker? Ik hoorde dat de school wellicht een deel van de staf zal moeten ontslaan.'

'Werkelijk? Denk je dat ik de rest van mijn leven in dit ellendige peststadje wil doorbrengen? Ik sta te trappelen om hier weg te mogen.'

'Maar Austin, je hebt je salaris toch nodig om van te leven?'

'Geld is wel het allerlaatste waar een mens zich druk om moet maken.'

Deze instelling verraste mij in hoge mate. Maar als student was hij al even nonchalant geweest en zijn instelling had ook toen al beter gepast bij iemand van rijke komaf. Austins vader was echter nóg minder welvarend dan de mijne. En terwijl ik door relatief geldgebrek erg graag een vaste, interessante en redelijk betalende baan had willen vinden, had Austin zich nooit bekommerd om zulke zaken.

'Bedoel je dat je nu goed bij kas zit?'

Hij glimlachte. 'Ik heb geen rooie rotcent.' In een gebaar van 'wat doe je eraan?' dat ik me maar al te goed herinnerde, wierp hij zijn hoofd naar achteren en stak beide handen uit om de kamer aan te duiden – het versleten tapijt, het oeroude, gammele meubilair. 'Het lukt me amper om te overleven met mijn salaris, en ik heb niets kunnen sparen. Als de gal en de vijandigheid die hier zo welig tieren ertoe zouden leiden dat ik geen referentie meekrijg, zou mijn toestand hopeloos zijn. Maar ik betwijfel of het echt zover zal komen.'

'Heeft Appleton iets tegen jou?'

Hij keek me verschrikt aan: 'Appleton? Wat heeft die ermee te maken?'

'Dat is toch de bovenmeester of de rector?'

'Van de koorschool!' riep Austin. 'Hij is de bovenmeester van de kathedrale koorschool!'

'Hoort die dan niet bij Courtenay's?'

'Absoluut niet. De twee instellingen staan volkomen los van elkaar. Wij hebben een rector.'

'Ik dacht dat de koorschool gewoon een afdeling van de middelbare school was.'

'Verre van dat. De koorschool valt onder directe verantwoordelijkheid van proost en kapittel.'

'En Courtenay's niet?'

Hij rilde. 'Het idee alleen al! Door de bemoeienissen van dat stelletje bekrompen ouwe wijven van een kanunniken is het educatieve peil van de koorschool meer dan verschrikkelijk. Je beledigt me als je denkt dat ik daar ook maar iets mee te maken zou hebben.'

'Neem me niet kwalijk. Ik wist niet dat er zo'n verschil bestond tussen de twee scholen.'

'Op Courtenay's zitten tien keer zo veel leerlingen, want de koorschool leidt uitsluitend koorknapen op. Courtenay's is stukken beter dan het poorthuis. Dat is de oude naam voor de koorschool, en je beledigt me nogal omdat er altijd al een zekere animositeit heeft bestaan tussen de twee scholen.'

'De jongens vechten zeker onderling.'

'Nou en of. Maar helaas staan de scholen zo vijandig tegenover elkaar, dat er zelfs met een scheef oog naar een vriendschap tussen leraren wordt gekeken. Ik heb toevallig een goede vriend op de koorschool – een prima kerel, ik zou je graag aan hem voorstellen – en het feit dat wij maatjes zijn heeft veel kwaad bloed gezet in dit galspuwende gehucht.'

'Dat zou moeilijk te geloven zijn als ik niet de universitaire wereld van Cambridge kende.'

'Waar heb je dat verhaal gehoord?'

Ik was te beschaamd om toe te geven dat ik een gesprek had zitten afluisteren in een café. Zonder echt te liegen, zei ik: 'Herinner je je dat ik gisteravond met de oude koster heb gepraat en dat hij de school ter sprake bracht? Hij zei dat erover zou worden gesproken in de kapittelvergadering van morgen.'

'Ja, er is die kwestie met de koorschool waarmee de kanunniken zo in hun maag zitten. Maar dat heeft niets met Courtenay's te maken. Ik begreep je verkeerd. Er is bij ons niet meer aan de hand dan het gebruikelijke gekibbel en gemeier in de leraarskamer.'

Zijn woorden klonken zo geprikkeld en hij wendde zich vervolgens zo abrupt van me af, dat ik wel zag hoezeer ik hem op zijn zenuwen had gewerkt. Na een lange stilte zei ik: 'Wil je dat ik hier blijf? Zit ik in de weg?'

Hij boog zich voorover en klopte op mijn hand.

'Nee, nee. Ga niet weg. Het is heel belangrijk dat je hier bent. Je kunt een grote steun voor me zijn.'

Ik was diep ontroerd door zijn woorden.

Hij vervolgde: 'Blijf nog een paar dagen.'

'Ik kan niet langer dan tot zaterdag blijven.'

'Zaterdag, ja, dat is uitstekend.'

'Ik moet die middag bij mijn nicht zijn, vandaar dat ik niet langer kan blijven.'

'Zaterdag dus. Dat is ook lang genoeg. Ik ben, vrees ik, geen bijster goede gastheer geweest. Ik zal mijn best doen mijn leven te beteren.' Hij stond op en vulde mijn glas bij. Daarna liet hij zich als vanouds zijdelings in zijn stoel zakken en gleed langzaam omlaag tot ik zijn gezicht uiteindelijk tegenover me had, ingelijst tussen zijn voeten.

In de prettige stilte die hierop volgde dacht ik na over zijn ietwat merkwaardige woorden – 'zaterdag is lang genoeg' – toen hij vroeg: 'Hoe was je bezoek aan de bibliotheek? Heb je gevonden waarnaar je zocht?'

Ik lachte. 'Goeie hemel, Austin, zo gemakkelijk gaat dat niet. Maar dr Locard was zeer behulpzaam.'

'Ja, dat is nou echt een patente kerel.'

'Ik vond hem anders best sympathiek,' zei ik voorzichtig.

'Maar natuurlijk. Zolang hij wat aan je kan hebben of als je zijn carrière vooruit kunt helpen, is hij buitengewoon sympathiek. Niet echt innemend, want charme heeft hij niet. Hij zou charme ook tamelijk verdacht vinden, en ver beneden zijn waardigheid.'

'Hij was anders heel vriendelijk tegen mij. We hadden het over de moord op proost Freeth.'

'Dat moet opwindend zijn geweest.'

'Het was heel interessant. Net voor ik uit Cambridge vertrok, vond ik een brief uit 1663 die een nieuw licht op die zaak werpt, en ik geloof dat er materiaal in zit voor een bijdrage aan de *Handelingen van het Engels Historisch Genootschap*. Dat zou het nodige stof doen opwaaien.'

'Dan zou ik maar snel zijn met dat stuk, anders is Locard je voor en strijkt hij alle eer op.'

'Dat lijkt me nogal kras, Austin. Hij heeft weinig gepubliceerd, maar dat weinige is wel van zeer hoge kwaliteit, en naar ik heb begrepen heeft hij een hoogst belangrijke bijdrage geleverd aan de wetenschappelijke kennis van de Keltische cultuur uit de vroege tijd – een onderwerp dat pas onlangs in de aandacht is gekomen – door de misvattingen te tonen van de amateurs die tot nu toe het meeste onderzoek hiernaar hebben verricht. Het lijkt me sterk dat zo iemand zich zou verlagen tot diefstal en plagiaat.'

'Het was enkel uit ambitie dat hij een nieuw terrein voor de wetenschap heeft willen afbakenen, en niet uit liefde voor de kennis. Hij is geen geleerde maar een politicus, en ik zou er maar niet van uitgaan dat hij jou een succesje zou willen bezorgen.'

'Integendeel, hij was juist buitengewoon behulpzaam en stelde me zelfs een van zijn jonge medewerkers ter beschikking – al is dat geen bijster indrukwekkend individu, moet ik tot mijn spijt bekennen.'

Hij keek me opeens belangstellend aan: 'Je bedoelt toch niet dat vreemde heerschap Quitregard, wel? Dat is de grootste kletsmeier van Thurchester, je moet geen woord geloven van wat hij zegt.'

'Nee, de ander, Pomerance. Echt veel heb ik niet aan hem. En aardig is hij evenmin. Anderzijds lijkt Quitregard me een zeer sympathieke jongeman. Ik weet niet waarom jij hem vreemd noemt. Hoe dat ook zij, ik heb de rest van de ochtend en de middag doorgebracht met het zoeken naar het manuscript – tevergeefs helaas.'

Ondanks zijn belofte zich van een betere kant te laten zien, leek Austin opnieuw weg te zakken in een van zijn sombere stiltes. 'Over dr Locard gesproken,' zei ik. 'Ik heb vanavond zijn vrouw ontmoet.'

'Hoe kwam dat zo?' informeerde hij plichtmatig.

'Ik was op bezoek bij dr Sisterson.'

'Sisterson is een dwaas, maar hij doet geen vlieg kwaad.'

'Mrs Locard was zeer innemend. En ze is als een tweede moeder voor die kinderen.'

'Niemand die iets onaangenaams over haar weet te zeggen,' zei Austin, bijna alsof hem dat speet. 'Behalve dat ze niet van de kinderen van anderen kan afblijven. Ze heeft er één gehad die als baby is gestorven en daarna bleek ze geen kinderen meer te kunnen krijgen.'

'Wat triest!' riep ik uit. 'Zo'n aardige, moederlijke vrouw. En zo knap. Echt heel…'

'Hoe kwam het dat je zo laat nog werd uitgenodigd?'

'Ik raakte in gesprek met dr Sisterson.'

'Op de immuniteit? Je moet het erg koud hebben gehad. Welk onderwerp zou jullie tweeën daar warm hebben kunnen houden?'

'Het was niet op de immuniteit. Op de terugweg hierheen na mijn avondmaal in The Dolphin, zag ik licht branden in de kathedraal en ging naar binnen, en daar was hij.'

'Nee toch, zeker. Die had toen al uren afgesloten moeten zijn.'

'Nee, de mannen werken tot laat door.'

'Ja, om het orgel voor vrijdag af te krijgen. Maar ze stoppen altijd op z'n allerlaatst om negen uur.'

'Er is iets gebeurd waardoor ze de hele nacht moeten doorwerken. Daarom was dr Sisterson er ook.'

'Waar heb je het over?' Opeens had ik zijn aandacht te pakken.

'Die klungels die aan de kathedraal werken, hebben zware schade aangericht, precies waarvoor ik al bang was. Er is een kier ontstaan in de muur van het transept en er hangt een verschrikkelijke stank.'

Hij trok zichzelf in zijn stoel overeind tot een wat gebruikelijker houding en staarde mij paniekerig aan. 'Wat heeft dat te betekenen?'

'Het is mogelijk dat de voet van een pijler een beetje is verzakt. Als de kathedraal is gebouwd op grond die van water verzadigd was, kan er daaronder moerasgas zijn ingesloten dat nu ontsnapt.'

'Leidt dat tot uitstel van de inzegening van het orgel?'

'Dat weet ik niet.'

'Heb je daar niet naar gevraagd?'

'Nee,' zei ik verbijsterd. 'Is dat belangrijk?'

Hij schudde langzaam zijn hoofd.

Op dat moment sloeg de grote klok van de kathedraal het volle uur.

'Eén uur,' mompelde Austin. 'Je zou al in bed moeten liggen.' Maar als om zijn eigen opmerking te corrigeren, liet hij daarop volgen: 'Ik houd je uit je slaap.'

'Ja, je hebt gelijk,' zei ik. 'Ik moet morgen vroeg in de bibliotheek zijn. Ik zal mijn best doen weg te gaan zonder je te wekken.'

'Nee, dat maakt niet uit,' zei hij enigszins verstrooid. 'Ik heb morgen zelf ook veel te doen. Ik sta even vroeg op als jij. Waarschijnlijk nog wel vroeger.'

We schudden elkaar de hand en gingen uiteen. Nog geen vijftien minuten later lag ik in bed met mijn boek rechtop voor me. Ik kon Austin in zijn kamer aan de andere kant van de overloop heen en weer horen lopen, want met het vage idee in mijn hoofd dat hij nogmaals een nachtmerrie zou kunnen hebben, had ik de deur op een kier laten staan.

Al bewogen mijn ogen zich over de bladzijde voor mij, er drong niets tot me door. Terwijl ik erover nadacht hoe geïrriteerd Austin had gereageerd toen ik enige interesse had getoond in zijn handel en wandel, drong het tot me door dat hij mij geen enkele vraag over mijzelf had gesteld. Ik had eerst gedacht dat dat voortkwam uit een fijngevoelig soort angst om bij mij geen wonden open te rijten, maar nu begreep ik dat het hem domweg niet interesseerde. Toen we allebei nog jong waren had ik niet beseft hoe intens egocentrisch hij was, misschien omdat ik al evenzeer met mijzelf in de knoop had gelegen als hij. Maar naarmate ik ouder werd was ik anderen interessanter gaan vinden dan mijzelf.

En toch, herinnerde ik me plotseling, was hij mij achterna gekomen toen ik naar de Nieuwe Proosdij was gegaan om de inscriptie te lezen. Was hij in laatste instantie dan toch geïnteresseerd in mijn doen en laten?

De nacht van woensdag op donderdag

Het liep tegen tweeën toen ik de kaars uitblies en in slaap probeerde te vallen. Ik bevond me al in een warrig landschap van schaduwen en half begrepen beelden, toen een geluid op de overloop mij weer bij volle bewustzijn bracht. Het oude huis kraakte voortdurend, maar dit geluid was scherper en luider geweest. Ik luisterde aandachtig en hoorde zachtjes een gewicht op de trap drukken. En toen nogmaals. En nogmaals. Austin liep de trap af! Dat riep bij mij onmiddellijk het beeld op van mijn vriend die met wijdopen ogen door de voordeur naar buiten liep, terwijl zijn geest nog in de droomwereld rondwaarde. Ik stond op, trok in het donker wat kleren aan en vond op de tast de deur. Om hem niet te wekken, sloop ik zo rustig mogelijk over de overloop en het eerste stuk trap naar beneden, want ik herinnerde me dat het gevaarlijk kan zijn om een slaapwandelaar plotseling wakker te maken. Ik spitste mijn oren, maar ving alleen het geluid op van de oude klok die luid tikte op het trapportaal onder mij. Net toen ik boven aan de trap was gekomen, hoorde ik de voordeur zachtjes opengaan en weer sluiten. Ik haastte me zo snel als de diepe duisternis toeliet omlaag, me vastklemmend aan de trapleuning. Eenmaal in het portaal beneden zocht ik op de tast de jashaken en vond mijn overjas. Ik schoot hem aan, opende voorzichtig de deur en gluurde om het hoekje. Voor het eerst sinds een paar dagen stond er wind, en er kwamen wat verdwaalde sneeuwvlokken omlaag gevallen – of liever gezegd langsgevlogen. De mist was opgetrokken en door de streperige wolken gluurde een zwak maantje, in het licht waarvan ik een gedaante snel de hoek van het transept om zag slaan.

Ik haastte me achter hem aan en toen ik zelf de hoek omliep was ik net op tijd om hem te zien verdwijnen in een steeg tussen de hoek van de immuniteit en de Nieuwe Proosdij. Zo snel als ik kon zonder geluid te maken, volgde ik hem het laantje in. Ongewild werd ik overvallen door een herinnering van vele jaren geleden, toen ik iemand op vrijwel dezelfde wijze had achtervolgd.

Austin wekte niet de indruk te slaapwandelen, daarvoor liep hij te snel en te vastberaden. De steeg wendde en keerde een paar maal, waardoor Austin niet meer te zien was, al liep hij ook slechts een paar meter voor me. Als hij niet slaapwandelde dreigde er ook geen gevaar voor hem, en ik bedacht dat ik niet het recht had hem te achtervolgen. Maar waren er sinds mijn aankomst niet genoeg rare dingen voorgevallen om mij te staven in de veronderstelling dat hij zich iets op de hals had gehaald, en om een daad te rechtvaardigen die anders oneerbaar zou zijn geweest? Ik werd snel verlost uit dit morele dilemma, want toen ik de steeg uitliep, was Austin nergens meer te zien. De steeg kwam uit op een rij kleine huisjes en mogelijkerwijs was hij één hiervan binnengegaan, of anders was hij een van de straten ingeslagen die erop uitkwamen. Ik bleef staan. Er was niets te horen. Het was of de stad zo rustig ademde als een slapend kind. Ik spoedde me verder. Als hij een van de huizen was binnengegaan, zou ik misschien licht kunnen zien of stemmen kunnen horen. Ik haastte me de rij huisjes langs, maar zag en hoorde niets. Aan het eind lag nog een straat die er in een rechte hoek op uitkwam en die voor zover ik kon vaststellen – want de straat was onverlicht – in beide richtingen verlaten was. Ik was hem kwijt.

Ikzelf was nu helemaal de weg kwijt. Minutenlang zwierf ik paniekerig door de stille straten. Was ik langs deze route gekomen? Was dit het steegje dat ik had genomen? Het zag er in het donker allemaal hetzelfde uit en het kon goed zijn dat ik telkens door dezelfde paar straten zwierf. Maar ik genoot van de snijdende nachtlucht, zo helder na de verstikkende mist van de afgelopen paar dagen, en de regelmatige beweging van mijn benen vormde een ideale begeleiding voor mijn zorgelijke gedachten. Waar kon Austin heen zijn gegaan op dit uur? Wat voor zaken kon hij te doen hebben, en met wie? Waarom had hij zo bezorgd geleken over die toestand in de kathedraal?

Eindelijk vond ik het steegje en ik liep terug naar de immuniteit. De kathedraal doemde verontrustend hoog boven mij op, glanzend waar het maanlicht erop scheen. Ik bedacht hoe alles eromheen was afgebrokkeld en gesloopt en weer opgebouwd, zelfs het enorme klooster dat er ooit omheen had gelegen. De immense omvang van de kathedraal gaf de stad het aanzien van een hoofdstad, en toen bedacht ik dat het ooit een van de grote studiecentra van het middeleeuwse Europa was geweest – en lange tijd was gebleven – waar geleerden en studenten helemaal vanuit Cordoba en Constantinopel heen waren gekomen. Ik betreurde de verloren schatten van de immense bibliotheek die tijdens het Persoonlijk Bewind verloren waren gegaan, maar ook het verdwijnen van de gemeenschap van ascetische geleerden.

Toen ik langs de koude stenen liep waarin ooit zo veel passies hadden geheerst, schoot me opeens het verhaal van de vermoorde kanunnik Burgoyne te binnen, gevolgd door beelden van de dood van Freeth, de proost. Iets deed me het huis van Austin voorbijlopen en een rondje om de immuniteit maken. Er heerste een vrijwel volslagen duisternis. Enkel aan het westeinde van het schip was een zwak schijnsel te zien van een olielamp die tegen middernacht had moeten opbranden en nu pas op het punt stond uit te doven.

De aloude angst voor de duisternis nam bezit van mij, de panische angst dat het kwaad werkelijk bestaat en in de nacht eindelijk krijgt wat het toekomt. Het beeld van een gezicht, van een grijnzende schedel drong zich aan me op. Ik kon het verhaal van Burgoyne niet van me afzetten. Ik wist dat ik als historicus strikt rationeel diende te zijn en moest accepteren dat het verleden achter ons ligt, en toch ben ik me door mijn beroep scherp bewust van de pijn en ontzetting die de doden moeten doorstaan te midden van de vredige weilanden en achterafbuurten van Engeland, en daardoor kan ik geloven dat er altijd iets blijft hangen, ongeveer als op een fotografische plaat die dubbel belicht is. Hoe weten we wat er met ons gebeurt na de dood?

Ik hoorde gedempt gerammel en bedacht dat de werkmannen misschien nog bezig waren in de kathedraal. De ramen waren inderdaad vaag verlicht en er bewogen schaduwen. Ik liep terug naar de deur van het zuidertransept en duwde ertegen. Hij ging open en stilletjes glipte ik naar binnen. De grote stenen pilaren waren overdekt met druppeltjes – alsof ze transpireerden, ondanks de kou. Sterker nog, het hele gebouw leek te ademen. Het was een immens levend wezen. Ik voelde de huid achter in mijn nek prikken toen ik een zacht borrelend geluid hoorde dat gruwelijk veel op de stem van een mens leek die in pijn en wanhoop kreunde en steunde – al wist ik ook dat het enkel de wind was.

Ik liep heel stil naar het koor waar de mannen bezig waren. Drie van hen waren aan het werk en de oude koster, Gazzard, stond toe te kijken, met zijn rug naar mij toegewend.

Geen van hen zag mij onder de kruisingstoren staan. En ineens voelde ik dat er naar mij werd gekeken, waardoor ik mijn blik opsloeg naar de orgelgalerij. Ik deed dat zonder er verder bij na te denken. Het was een van die momenten van verstrooidheid waarin lichaam en geest uiteen lijken te wijken, alsof niet langer de inspanning wordt geleverd om ze bijeen te houden – een van die momenten ook waarin de tijd in haar voortgang belemmerd lijkt te worden. Of liever gezegd, waarin dat later zo lijkt, want dergelijke momenten kun je enkel met terugwerkende kracht bevatten. Het was als al die keren dat ik schijnbaar geconcentreerd meerdere bladzijden had zitten lezen, maar opeens besefte niet in staat te zijn me er ook maar een woord van te herinneren. Op zulke momenten vroeg ik me af: als mijn gedachten niet bij het boek waren geweest, waar dan wel?

En zo was het ook ditmaal. Toen ik opkeek naar de orgelgalerij drong het opeens tot me door waar ik was, terwijl ik er geen idee van had hoeveel tijd er was verstreken of hoe ik op de plek terecht was gekomen waar ik mij klaarblijkelijk nu bevond. Boven de balustrade was in het duister een bleke vlek zichtbaar en terwijl ik keek, nam die de vorm aan van een gezicht dat mij recht leek aan te staren. Een koud, wit, leeg gelaat met ogen als glasscherven – hol, en toch leken ze zich in mij te boren. Ze doorgrondden mijn ziel – of beter gezegd, mijn gebrek aan een ziel, want ze vonden of schiepen een overeenkomstige leegte in mij. Het was het gelaat van een wezen dat niet van deze aarde was. Hoe lang we elkaar aanstaarden – of liever gezegd, hoe lang ik hem aanstaarde, want ik weet niet zeker of het mij aankeek – valt niet te zeggen. Het gelaat verdween en ik scheen met een huivering te ontwaken, met het koude zweet op mijn lichaam, en op dat moment reconstrueerde ik het verloop van de gebeurtenissen. Ik had een vermoeden wie ik had gezien, maar kon dat niet accepteren. Alles wat ik wist en waarin ik geloofde, zou daarmee ondersteboven worden gehaald.

Ik bleef staan wachten om te zien wie er uit de deur zou komen die vanaf de orgelgalerij omlaag voerde. Toen het uiteindelijk tot me doordrong dat er niemand de trap af zou komen, draaide ik me om en als in een trance liep ik het transept door naar de buitendeur.

Toen ik de deur uitstapte en achter me dichttrok, werden mijn ogen bijna verblind door een onverwacht wit in de hemel. De lucht was een en al beweging, een myriade dwarrelende sneeuwvlokken werd afwisselend zwart en wit als ze maanlicht opvingen en weer kwijtraakten. In de tijd dat ik binnen was geweest, was het hevig gaan sneeuwen en er was al zo veel sneeuw gevallen dat de kasseien en daken bedekt waren. Ik had niet geweten dat ik zó lang in het gebouw was geweest dat dit had kunnen gebeuren. Met de eerste sneeuw van de winter begint de wereld altijd overnieuw. Ongewild moest ik aan mijn jeugd denken – me door de sneeuw haastend met mijn kindermeisje om de schaatsers op de vijver in de buurt te zien, thuiskomend uit school na mijn eerste semester met een koets die zich bij het naderen van Londen door een steeds dikkere sneeuwlaag ploegde, en op kerstavond wachtend op mijn vader in de zekerheid dat ik laat zou mogen opblijven en warme punch zou drinken met mijn ouders. De herinneringen grepen me zo aan dat de tranen me in de ogen schoten.

En toen gebeurde het. Ik geef enkel weer wat ik zag en destijds geloofde. De lezer moet geduld met me betrachten.

Zo'n vijftig meter verderop in het bleke maanlicht en duidelijk afgetekend tegen de sneeuw, stond een zwarte gedaante bij de ingang van de steeg waarin Austin was verdwenen. Alleen was dit Austin niet. Het gelaat was dat van het wezen dat ik zojuist op de orgelgalerij had gezien. *Als het een sterfelijk wezen was, kon ik geen enkele manier bedenken hoe het van daar naar hier was gekomen zonder dat ik het had gezien, want ik had de deur van de galerij in de gaten gehouden en was daarna rechtstreeks naar de enige niet-afgesloten deur van de kathedraal gelopen.* En opnieuw leek de gedaante mij aan te kijken. Een lange, minachtende blik. Toen draaide het zich om en verdween met een hobbelende beweging in het gat van de steeg. Het liep mank en leek daardoor op een gewond wezen dat zichzelf wegsleepte, vervuld van pijn en ellende en woede.

Ik had William Burgoyne aanschouwd. Ik wist het zeker. En in dat geval was de wereld niet zoals ik me haar had voorgesteld. De doden konden zich weer onder ons bewegen, want er was mij een man verschenen die tweehonderd jaar eerder was gestorven. Dat betekende dat alles waarin ik geloofde – alle betamelijke, rationele, vooruitstrevende ideeën waarnaar ik had geleefd –, dat dat alles kinderachtige spelletjes waren die enkel in het daglicht konden worden gespeeld. Als het donker werd namen de ware machten hun plaats weer in, en zij waren onbedwingbaar, irrationeel, boosaardig.

Ik weet niet hoe lang ik daar stond – tien minuten, vijftien, een halfuur – want nog nooit was de tijd mij zo onwerkelijk voorgekomen. Toen ik weer tot mijzelf kwam, keek ik naar de besneeuwde kasseien. In het zwakke maanlicht kon ik zien dat de sneeuwlaag onbetreden was tussen de plek waar ik me bevond en waar de gedaante had gestaan. Tenzij het een of ander onstoffelijk wezen was geweest, kon het daar niet zijn gekomen zonder sporen in de sneeuw achter te laten!

Ik wilde weg van die plek, en toch was het ondenkbaar dat ik naar Austins huis zou terugkeren. Ik moest er niet aan denken te worden ingesloten, en al helemaal niet in dat oude huis dat mij nu vol bedrieglijke schaduwen leek te zitten, vol half verstaanbare, prevelende stemmen in het gekraak van de oude spanten. Ik snelde in tegengestelde richting langs de kathedraal, liep onder de poort door naar buiten en kwam op de stille High Street. Ik zette er in een willekeurige richting de pas in. Ik weet niet hoe lang ik door de slapende straten voortstapte.

De vredigheid van de stad stelde me gerust dat de wereld van het dagelijks leven, van het ritme van rust en arbeid nog altijd bestond, want wat ik had gezien was als een doodskreet midden in een kamerconcert – een glimp van een pijn en woede die zo groot waren dat een man er tweehonderd jaar na dato nog van uit de dood herrees. Ik liet me door mijn benen leiden en wist nauwelijks waar ze me heen voerden. Waar ik ook langskwam, altijd waren mijn voetstappen de enige smet op het dunne laagje sneeuw dat de stad nu bedekte. Ik weet nog dat ik op een gegeven moment een zacht glooiende heuvel opklom langs een kromme weg met aan weerszijden grote villa's, met elk een smeedijzeren balkon en veranda en geschilderde houten luiken, en ik weet nog dat ik vlak bij de top bleef staan en neerkeek op de huizen met hun langgerekte tuinen, aflopend naar een stroompje dat over de volle lengte verscholen ging onder de treurwilgen, en ik weet nog dat ik dacht dat het er in de zomer vast lieflijk was geweest, ook al zagen de bomen er nu stil en grimmig uit in het winterse maanlicht. Ik dacht aan de ouders en kinderen en bedienden die binnen sliepen en zuchtte toen ik me voorstelde hoe prettig het moest zijn om in die huizen op te groeien of een gezin te stichten.

Vanaf hierboven gezien lag de stad als een verzameling kinderspeelgoed voor me, mijn zicht ietwat wazig door de vallende sneeuw. Middenin schoot de donkere vorm van de kathedraal hoog op tussen de omliggende lage daken, en terwijl ik aan de kleine duistere immuniteit dacht die zich daar in de schaduw verschool, voelde ik een weerzin om er vanuit de heldere lucht van de heuveltop naar terug te keren.

Na een paar minuten vertrok ik echter weer. Ik daalde via een andere route de heuvel af en kwam niemand tegen, totdat ik uiteindelijk in een of andere straat aan de rand van de stad – die door de huisjes met rieten daken en de doorploegde rijweg eerder deed denken aan een landweg dan aan een stadsstraat – op een melkkar stuitte met op de bok een stoere jongeman die me opgewekt en luid begroette. Deze uitwisseling met een levend mens bracht me weer bij zinnen. Nu haastte ik me terug naar het centrum van de stad, waarbij ik me oriënteerde op de torenspits van de kathedraal die zich dreigend aftekende tegen de donkere lucht. Binnen enkele minuten was ik hem zozeer genaderd dat de huizen om mij heen me het zicht erop benamen. En toen hoorde ik de klok het halve uur slaan en wist ik dat ik vlakbij was. Het was halfvier. Ik was volkomen verdwaald in de enge achterafstraatjes en tuinen, totdat ik zag dat ik me in een van de straten bevond die ik was ingeslagen nadat ik Austin uit het zicht had verloren.

Opeens rook ik boter en gember. Er werd ergens iets gebakken! Ik volgde de geur. Toen ik een lange smalle straat insloeg, zag ik over de gehele lengte ervan slechts één enkel licht branden. Het was een straat met hoge oude huizen van verweerde rode baksteen, nu enigszins vervallen, met afbladderende verf op deuren en kozijnen en daaronder rottend hout. Alle hadden meerdere trekbellen en naambordjes – duidelijke indicaties dat ze tot afzonderlijke appartementen waren verbouwd. Ik liep naar het enige raam dat verlicht was en keek naar binnen.

Er zat een opening in de rafelige gordijnen en daar doorheen kon ik net een stuk van Austins gezicht zien en zijn onderlichaam. Hij zat in een stoel en praatte, al kon ik niet zien met wie. Ik zag hem een glas naar zijn mond heffen en een slok nemen. Ik spitste mijn oren om er iets van te verstaan en kon net een gemurmel van stemmen onderscheiden – waarvan één een vrouwenstem was. Ik kon niet uitmaken of zij de enige andere persoon in de kamer was met Austin of dat er meer mensen waren. En toen zag ik opeens een hand, die te groot leek om van een vrouw te kunnen zijn, maar wel slanke en fijngebouwde vingers had, naar Austin reiken en een ogenblik lang op zijn knie rusten in een vreemd intiem gebaar.

Austin glimlachte met zo veel tederheid naar deze onzichtbare metgezel, met een gezicht dat zo duidelijk van geluk straalde, dat ik me ineens een moment van jaren her herinnerde waarop hij mij op diezelfde manier had aangekeken, en ik voelde een vlijmende steek van spijt, wroeging, ja, zelfs van jaloezie. Ik bleef maar een paar seconden kijken, doodsbang dat hij een blik naar buiten zou werpen en me zou zien, hoewel de lichten in de kamer de vensterramen vermoedelijk in zwarte spiegels hadden veranderd. Ik deed een stap achteruit, weg van het raam, en liep verdoofd de straat af.

Dus dit was zijn grote hartstocht – een smoezelig avontuurtje met een vrouw uit de stad, in deze gore buurt. Wat dom van me dat ik niet had bedacht dat dit de reden was voor zijn vertrek midden in de nacht! Het idee dat hij zou kunnen ontdekken dat ik hem was gevolgd, vervulde me met afschuw. En tegelijkertijd was ik verbijsterd. De Austin die ik had gekend, had zich nooit ingelaten met veile amourettes – terwijl veel van onze leeftijdgenoten op de universiteit die wel hadden gehad. Ik had me geen seconde zorgen gemaakt in die richting toen hij en mijn vrouw bevriend waren geraakt.

Ik probeerde me hem voor te stellen wanneer hij zich door de donkere en stille straten naar zijn geliefde spoedde. Belachelijk op zijn leeftijd! En tegelijkertijd zo benijdenswaardig. Ik merkte dat ik moest halthouden en diep moest inademen bij de gedachte aan de onversneden schaamteloosheid waarmee mijn vriend zich in dit avontuur had gestort.

Aan het eind van de straat leek ik weer bij zinnen te komen en opeens wist ik waar ik was. Ik stond op de hoek van de straat die naar het steegje voerde waarin ik Austin was kwijtgeraakt. Ik nam dezelfde weg terug. Nu begon het besef te dagen dat de kwestie weleens anders in elkaar kon steken dan ik zojuist had aangenomen. Misschien was Austin echt verliefd op een vrouw, die zijn liefde ook waardig was. Toch leek hun middernachtelijke ontmoeting te impliceren dat hun verhouding in zekere zin ongeoorloofd was. Was ze getrouwd? Was ze misschien zelfs de vrouw van een collega of van iemand die in een bepaalde hoedanigheid aan de kathedraal was verbonden? Wie zou het in dat geval kunnen zijn? Ik dacht aan de cyclus van teleurstelling, opwinding, wrok en verlangen waarvan ik nu twintig jaar lang gevrijwaard was gebleven. Wie was dit heerszuchtige, onredelijke schepsel dat zo'n macht over hem had – hem misschien wel had verordonneerd om midden in de nacht naar haar toe te komen, ongeacht de risico's? Ik herinnerde me hoe hij zich had gedragen: hij had misschien een kwellende periode van verbanning achter de rug, waarin hij misschien had moeten toezien hoe zij vol genegenheid naar een rivaal had geglimlacht. Toen ik bedacht wat ik zelf had doorgemaakt, wist ik nauwelijks of ik hem moest benijden of beklagen.

Toen kreeg ik een gruwelijke inval over wie die vrouw zou kunnen zijn. Ik kon niet geloven dat het waar was. Hoe zou zo'n vrouw Austin waardig kunnen achten? En toch vatte het idee in mij post dat de echte Austin, de Austin die ik had gekend, zo die nog steeds bestond, dat misschien wel degelijk was, want de beste eigenschappen in hem waren zeker bewonderenswaardig. En van alle vrouwen in de wereld moest zij wel degene zijn die ze zag en aanmoedigde, want zoals ik had gezien lag het in haar aard om altijd het beste van mensen te denken en probeerde ze altijd hun ergste daden te begrijpen en te vergeven. Wat afgrijselijk te moeten bedenken dat vaak juist de grootmoedigheid van de verliefde er de oorzaak van is dat een onwaardige geliefde waardig lijkt te zijn!

Ik ging terug naar Austins huis, schudde de sneeuw van mijn laarzen voordat ik naar binnen ging, en nam een brandende kaars mee naar boven naar de woonkamer. Ik wist nu wat mij te doen stond. Austins optreden was geheel in overeenstemming met andere vreemde gedragingen van hem sedert mijn komst: het feit dat hij mij die middag op de immuniteit had bespionneerd, zijn snel wisselende humeur en de abrupte overgangen van vriendelijkheid naar wrevel. De huidige omstandigheden – het feit dat het midden in de nacht was, de sneeuw, de gedaante die ik zojuist had gezien –, al deze factoren leken erop te duiden dat ik de gewone wereld had verlaten en derhalve maatregelen mocht treffen die ik mijzelf normaal gesproken niet zou hebben toegestaan. Ik had het vermoeden opgevat dat er een verband bestond tussen de diefstal van de miniaturen – als het dat al waren – van dr Sheldrick op dinsdagavond en het rare feit dat er zo mysterieus een pakketje in Austins huis was opgedoken.

Ik liep naar de grote kast toe. De deuren waren massief en toen ik eraan trok, merkte ik dat ze inderdaad op slot zaten.

Ik speurde de kamer aandachtig af op zoek naar andere aanwijzingen. Het viel me op dat de boekenkast de properste plek in het hele huis was. Betekende dit dat Austin nooit aan zijn boeken kwam, of dat hij er integendeel zo aan gehecht was dat hij ze met zorg op orde hield? Vanwege de keurige rangschikking was het frappant dat er op een van de planken een boek uit het gelid was getrokken en op zijn kant lag. Toen ik er een boekenlegger in zag zitten, pakte ik het op en ontdekte dat het een verzameling sprookjes was, en dat er een etiket in zat gelijmd waarop stond dat het van de bibliotheek van Courtenay's Academy was. In een impuls nam ik het mee naar boven naar mijn kamer, maakte me gereed om te gaan slapen en kroop onder de dekens.

Ik opende het boek op de plaats waar de boekenlegger had gelegen en toen ik zag dat het het begin was van een van de verhalen, begon ik te lezen. Maar mijn aandacht dwaalde af. Was het mogelijk dat ik me de gedaante had ingebeeld die ik op de orgelgalerij en daarna in de immuniteit had gezien? Het was waar dat ik gedurende de avond een paar glazen meer had gedronken dan normaal. Nu ik erover nadacht, kon ik een paar van de dingen die ik gezien had wel verklaren, maar niet alles. Het zou bijvoorbeeld kunnen dat ik langer bij de trap had gestaan dan ik me bewust was geweest en dat de sneeuw die was gevallen de sporen van de gedaante die ik had gezien alweer had bedekt voordat het bij me opkwam er aandacht aan te besteden. Maar het bleef een feit dat de gedaante onmogelijk van de orgelgalerij naar de plek had kunnen komen waar ik hem had gezien, zonder mij op een paar meter afstand te passeren. Zelfs nu ik veilig in bed lag, zag ik niets grappigs in mijn bijgelovige ontzetting, want ik had nog steeds het vreemde gevoel dat ik iets uit een andere wereld of een andere tijd had gezien. Ongevraagd schoot mij Austins raadselachtige opmerking over verdoemd-zijn weer te binnen – dat deze raadselachtige hartstocht hem naar de verdoemenis had gevoerd. Het wezen dat ik die nacht had gezien was boosaardig – verdoemd zelf –, als dat woord iets betekende.

Nieuwsgierig naar wat Austin had zitten lezen, dwong ik mijzelf het verhaal dat voor mij open lag door te nemen. Hoewel het een traditioneel verhaaltje was over een dappere jonge prins, een beeldschone prinses en een betoverd kasteel, vond ik het tot mijn verrassing hoogst verontrustend.

Toen ik het uit had, lag ik enige tijd terug te denken aan bepaalde passages in mijn leven. Na ongeveer een uur hoorde ik Austin het huis in en de trap op sluipen. Het duurde nog een uur of wat voordat het me lukte in een onrustige sluimering te vallen.

Donderdagmorgen

Austin had waarschijnlijk nog slechter geslapen dan ik, want toen ik om kwart voor zeven beneden kwam voor het ontbijt, was hij nog niet op. Ik zette koffie en maakte toast voor ons beiden en een paar minuten later kwam hij beneden, bleek en hologig. Ik zweeg in de hoop dat hij iets zou zeggen over de gebeurtenissen van de afgelopen nacht, hetgeen tot gevolg had dat we tijdens het ontbijt geen van beiden meer dan een paar zinnen uitbrachten. Het viel me op dat zijn hand trilde toen hij zijn kopje naar de lippen bracht. Hij leek mijn blik te ontwijken en ik deed hetzelfde, want ik geneerde me ingeval hij er op de een of andere manier achter was gekomen dat ik hem gevolgd was. Hij kon me hebben gezien of, bedacht ik nu, bij thuiskomst sporen van gesmolten sneeuw in het portaal hebben ontdekt.

Uiteindelijk nam hij het woord: 'Ik zal vanmiddag rond sluitingstijd buiten voor de bibliotheek op je wachten.'

'Waarom dat?'

Hij keek me schijnbaar verrast aan: 'Ben je vergeten dat de oude mr Stonex ons vanmiddag op de thee verwacht?'

Even wist ik niet waarover hij het had. Toen besefte ik dat ik de naam kende die hij had genoemd. Natuurlijk! Zo had de oude bankier gistermiddag zijn voorouder genoemd die het huis had gekocht. 'Maar hij heeft mij, ons, voor morgen uitgenodigd.' Ik kon me niet indenken hoe Austin hier iets van wist.

'Vandaag. Hij bedoelde vandaag.'

'Ik weet zeker dat hij morgen zei. Vrijdag.'

'Hij heeft het gewijzigd.'

'Maar Austin, hoe weet jij dat? Ik ben je vergeten te zeggen dat ik hem gisteren heb ontmoet toen ik de inscriptie ging lezen.'

'Daar weet ik van.'

Dit verbaasde me hogelijk. Erkende hij nu dat hij me had lopen bespioneren? Ik voelde opeens een plaatsvervangende schaamte en omdat ik niet wilde dat hij verder iets zou zeggen over zijn vreemde gedrag, vervolgde ik: 'Ik had er niet eens aan gedacht dat je mee zou willen. Hoe weet je dat hij het tijdstip heeft veranderd?'

'Hoe ik dat weet? Omdat hij het me heeft verteld. Ik kwam hem gisteren aan het eind van de middag toevallig tegen. Ik ben zelf vergeten om het je gisteravond te zeggen.'

'Maar hoe is hij erachter gekomen dat jij mijn vriend bent? Ik weet zeker dat ik hem dat niet heb verteld.'

'Deze stad kent geen geheimen,' zei hij kortaf, en het leek erop dat ik het daarmee moest doen. 'Dus ik zie je met sluitingstijd voor de bibliotheek en dan gaan we er samen heen.'

Ik knikte. Het was wonderlijk. Als Austin mij niet had gezien toen ik gistermiddag achter de Nieuwe Proosdij stond te praten met de oude heer, waarom zou hij mr Stonex dan hebben aangesproken? Mijn vermoeden dat hij me was gevolgd, moest dus juist zijn. En hij had naar alle waarschijnlijkheid willen weten wat de oude man en ik besproken hadden.

Een paar minuten later was Austin, die haastig toilet had gemaakt maar er nog altijd ongeschoren en onverzorgd uitzag, klaar voor vertrek. Ik had op hem gewacht zodat we gezamenlijk het huis zouden verlaten. Toen we de deur openden, ontdekten we dat er de afgelopen uren meerdere centimeters sneeuw waren gevallen. Zwijgend sjokten we door het vrijwel ongerepte wit.

Nabij de deur van het transept passeerden we twee jongens. De ene hield de ander vast en ik glimlachte naar Austin, me afvragend of ze ook hem deden denken aan ons tweeën toen wij nog jong waren, maar hij scheen ze niet te hebben opgemerkt. De grotere jongen, die minachtend naar Austin gluurde, droeg de, naar ik aannam, verplichte kledij van het atheneum – een donkerblauwe wijde jas en kniebroek, en schoenen met een gesp – terwijl de ander een simpel zwart jasje en een gewone broek droeg en waarschijnlijk een leerling van de koorschool was. Ik herinnerde me dat Austin het had gehad over de rivaliteit tussen de twee instellingen, wat dit plaatje leek te ontkennen. Terwijl we langsliepen, zei de jongste van de twee iets – of probeerde iets te zeggen, want hij stotterde erbarmelijk – over te laat zijn en moeilijkheden krijgen.

Even later keek ik om en zag dat de grotere jongen de ander bij zijn nek had gegrepen en een sneeuwbal in zijn kraag propte. De jongste stribbelde tegen en zijn tegenstander sloeg hem tweemaal na elkaar snel en behoorlijk hard tegen zijn borst. Ik stond op het punt terug te lopen, maar toen zag ik dat hij de kleinere jongen losliet, die wegholde. Austin – anders dan de eeuwig oplettende schoolmeester uit mijn jeugd – liet uit niets blijken dat hij er iets van had gemerkt.

We bereikten zwijgend de achterzijde van de kathedraal en gingen uiteen nadat Austin mij nogmaals aan onze afspraak had herinnerd. Op dat moment zag ik de jonge Quitregard rond de hoek van de kooromgang komen en we begroetten elkaar en liepen de laatste paar meters samen op. Ik maakte melding van het incident waarvan ik zojuist getuige was geweest, waarop hij zei dat hij de jongen van de koorschool een paar minuten eerder had gezien, eraan toevoegend dat hijzelf een broer op die school had zitten. Het was een paar minuten voor halfacht toen we bij de bibliotheek aankwamen, waarvan de grote deur door Quitregard werd ontgrendeld.

'Heb je daar zelf ook op school gezeten?' vroeg ik.

'Ik zat op Courtenay's – het atheneum.'

'Het verbaast me dat broers naar verschillende instellingen worden gestuurd,' zei ik, terwijl ik op de mat vlak achter de deur de sneeuw van mijn laarzen afstampte.

'Ik kan geen noot zingen, moet u weten.'

'Dan nog verbaast het me, want ik heb begrepen dat de twee scholen op voet van oorlog met elkaar leven.'

Hij lachte. 'De jongens vechten uiteraard met elkaar. Maar ik geloof niet dat er een openlijke vijandschap tussen de scholen bestaat.'

'Mijn vriend – Fickling – vertelde me dat de argwaan tussen de scholen zo ver gaat dat zijn vriendschap met een leraar van de koorschool wordt afgekeurd.'

De jongeman zei snel: 'O, ik geloof niet dat het de vriendschap zelf is waarover weleens een wenkbrauw wordt opgetrokken.' Toen liep hij rood aan en hij zei: 'Dr Locard heeft me verzocht zijn verontschuldigingen aan u over te brengen, dr Courtine. Hij zal niet in staat zijn u vanochtend te helpen, zoals hij had gehoopt. Hij moet zich voorbereiden op de kapittelvergadering. Er heeft zich onverwachts een gewichtige zaak aangediend.'

'Dat is vanuit mijn standpunt bezien hoogst betreurenswaardig.' Het was, peinsde ik, geheel in overeenstemming met de uitnodiging om te komen eten die de bibliothecaris me had gedaan en toen weer had ingetrokken, en het verminderde eens te meer mijn kansen op een succesrijke zoektocht.

De jongeman moet de teleurstelling van mijn gezicht hebben afgelezen, want hij bood me een kop koffie aan voor ik me weer aan mijn stoffige arbeid in de crypte zou wijden, en zei: 'Als Pomerance komt maakt hij de haarden aan, dus als we even wachten wordt het warmer.'

Ik stemde daar dankbaar mee in, al bedacht ik dat de warmte nooit zou doordringen tot waar ik zat te werken. Terwijl hij mij voorging naar de gezellige nis waarin hij koffie zette, zei hij: 'Ik denk dat ik u, zonder uit de school te klappen, wel kan vertellen dat er zo'n beetje een crisis gaande is. Het belooft een langdurige en lastige bijeenkomst te worden voor het kapittel.'

Ik herinnerde me dat Gazzard had gezegd dat er vanochtend over de school zou worden gesproken en nam aan dat de crisis iets van doen had met de achterklap die ik vannacht in de tapkamer had opgevangen. Ik wilde Quitregard echter niet in verlegenheid brengen door verder te vragen. We gingen zitten wachten tot het water kookte.

'Natuurlijk spijt het me erg dat dr Locard me zijn waardevolle assistentie niet kan verlenen,' merkte ik op. 'Maar ik vrees dat alle hulp van de wereld mij niet kan helpen. Zelfs als het manuscript hier is, zou ik zes maanden lang beneden kunnen zoeken zonder het te vinden.'

De jongeman keek ietwat ongemakkelijk terwijl hij zich over het petroleumstel boog. Ik vroeg me af of hij zich geneerde omdat hij mij hier met dr Locard over had horen spreken. 'Ik wilde dat ik u kon helpen,' zei hij. 'Ik zou er alles voor geven om het voor u te vinden, en ik weet ook zeker dat dr Locard veel liever zag dat het door een van zijn medewerkers zou worden ontdekt.'

'Dat zou ik zelf ook graag zien. Dr Locard liet zich in zeer vleiende bewoordingen over u uit en was zo vriendelijk te zeggen dat hij u misschien een paar uur zou kunnen ontlasten om mij het profijt van uw assistentie te gunnen.'

'Werkelijk?' Quitregard draaide zich om, reikte naar een koffiepot en zei over zijn schouder: 'Tot mijn spijt moet ik u echter melden dat dr Locard me gisteren nogmaals op het hart heeft gedrukt hoe belangrijk het is dat wij doorgaan met het catalogiseren van de manuscripten, en hij heeft me zo veel taken gegeven dat ik in elk geval de komende twee weken nog wel bezig ben.'

'Dat treft dan ongelukkig. Maar ik kan tenminste wel mijn voordeel doen met het advies dat dr Locard me heeft verstrekt. Zijn interpretatie van het enige bewijsstuk dat in mijn bezit is, was meesterlijk. Ik zou moeten uitleggen dat het in dezen om een brief gaat die geschreven is door een oudheidkundige ten tijde van de Restauratie, een zekere Pepperdine, die...'

'Ik moet u bekennen dat ik uw gesprek heb kunnen volgen,' zei de jongeman verontschuldigend, terwijl hij opkeek van zijn bezigheden met de koffiepot. 'Ik had geen reden om aan te nemen dat het vertrouwelijk was.'

'Het was allerminst vertrouwelijk. Maar in dat geval weet u ook hoe briljant dr Locard tussen de regels van het bewijsstuk door las en er de ware betekenis van ontdekte. Het was een indrukwekkend staaltje van historische analyse.' Hij boog zich over de ketel waardoor ik zijn gezicht niet kon zien. Ik vervolgde: 'En u hoorde ons waarschijnlijk ook spreken over de nieuwe kijk die deze brief verschaft op de affaire Freeth?'

'Inderdaad. En dat heb ik altijd een fascinerende episode gevonden.'

'In dat geval zal het u interesseren dat ik daar vanmiddag nog een versie van te horen zal krijgen. Gisteren ben ik de inscriptie op de muur van de Nieuwe Proosdij wezen lezen.'

'De beroemde satanische inscriptie,' zei Quitregard terwijl hij zich glimlachend omdraaide. 'Al betwijfel ik of het iets te maken heeft met de dood van Freeth.'

'Ik denk het ook niet. Ik ging hem lezen in verband met de geschiedenis van thesaurier Burgoyne.' De jongeman trok een wenkbrauw op om aan te geven dat hij daar al even sceptisch tegenover stond. 'Maar daar gaat het nu niet om,' vervolgde ik. 'Ik wilde u vertellen dat ik toevallig in gesprek raakte met de oude heer die nu in dat huis woont, en hij nodigde mij uit om morgen op de thee te komen.' Ik corrigeerde mijzelf: 'Ik bedoel vanmiddag.'

Quitregard keek verbaasd op. 'Meent u dat werkelijk? Mr Stonex?'

'Ja. Hij vertelde me dat hij een verhaal kent over de dood van Freeth dat hij met het huis heeft geërfd. Hij zal het me vanmiddag vertellen.'

'Ik kan u niet zeggen hoezeer me dat verrast. U valt een grote eer ten deel, zoveel is zeker. Hij leeft uiterst teruggetrokken. Of misschien hebt u het toch niet zo getroffen. Ik heb gehoord dat hij niet bepaald vriendelijk is.'

'Nou, hij was buitengewoon innemend tegenover mij.'

Quitregard trok zijn wenkbrauwen op. 'Ik sta volkomen paf, dr Courtine.'

'Dat iemand innemend tegen mij kan doen?' vroeg ik speels.

Hij glimlachte. 'Zo'n uitnodiging is geheel in tegenspraak met alles wat ik ooit over hem gehoord heb. En ik ben hier in Thurchester opgegroeid en heb mijn leven lang over hem horen roddelen. Hij is alleen aardig tegen kinderen – of eigenlijk alleen tegen de jongens van de koorschool, waar hij zelf op heeft gezeten. Toevallig zag ik hem net nog met eentje praten toen we hierheen liepen.'

'En wat wordt er over hem gezegd in de stad?'

'Al is hij een veelbesproken persoon, toch is er maar weinig met zekerheid over hem bekend. Hij is een zeer vooraanstaande figuur in zijn hoedanigheid van enige eigenaar van de Thurchester and County Bank.'

'Misschien is hij alleen innemend tegen mensen die geen weet hebben van zijn positie in deze stad – zoals kinderen en vreemden. Maar mag ik aannemen dat hij rijk is?'

'Hij maakte niet die indruk op u?' zei de jongeman glimlachend.

'Verre van dat. Zijn voorkomen deed wat armoedig aan. En het huis lijkt – van buitenaf tenminste – in slechte staat te verkeren.'

'Hij is – om er geen doekjes om te winden – een befaamde vrek en geeft zo min mogelijk geld uit aan zichzelf en zijn comfort, en al helemaal niets aan derden. Maar in werkelijkheid is hij een van de rijkste inwoners van de stad – vermoedelijk de rijkste. Toch leeft hij zo zuinig en teruggetrokken als maar mogelijk is. Ik heb nog nooit van iemand gehoord die bij hem binnen is genodigd.'

'Heeft hij geen vrienden of familie?'

'Geen familie met wie hij een goede band onderhoudt – of iets wat daarvoor kan doorgaan –, al wordt er gezegd dat hij een zuster had met wie hij jaren geleden ruzie heeft gekregen. En hij heeft zeker geen vrienden.'

'Dan ben ik inderdaad bevoorrecht. Ik ben benieuwd hoe ik zal worden ontvangen. Wat zal ik er aantreffen?'

'Ik kijk ten zeerste uit naar uw verslag,' zei de jongeman met een glimlach. 'Het huis zal schoon en aan kant zijn, want er komt elke dag een vrouw die het huishouden doet. Alles zal keurig op z'n plaats staan, maar het zal u opvallen dat er niets in het huis is wat recentelijk is aangeschaft. Hij heeft een gruwelijke hekel aan geld uitgeven, tenzij voor zijn verzameling oude landkaarten.'

'Is hij alleen excentriek of is er iets ernstigers aan de hand?'

'Hij is allesbehalve gestoord. Ik zou vermoedelijk niet eens durven beweren dat hij excentriek is, want een geslaagd bankier aan wie mensen hun geld toevertrouwen kun je niet echt excentriek noemen. Hij is eerder een zonderling. Je zou kunnen zeggen dat zijn onalledaagsheid zich uit in zijn extreem geregelde leven. Hij lijkt op Kant, de filosoof, wiens dagelijkse bezigheden naar verluidt zo regelmatig verliepen dat zijn medeburgers hun horloges op hem gelijkzetten.'

'Heeft hij een reden om zo strikt te zijn wat betreft de tijd, en zo eenzelvig?'

'Het lijkt beide voort te komen uit zijn panische angst voor diefstal. Ze zeggen dat hij een fortuin aan baar geld en goud op een geheime plek in zijn huis bewaart. Ik heb geen idee of dat waar is. Ik kan me zo voorstellen dat hij zijn kostbaarheden eerder aan de kluis in de bank toevertrouwt. Maar dat is wat er in de stad wordt geloofd, en ik kan me indenken dat het is ingegeven door zijn uitgebreide voorzorgsmaatregelen tegen diefstal. En misschien moet hij nu alleen maar zulke maatregelen treffen omdat zijn huis het inbreken waard wordt geacht.'

Hij lachte en ik glimlachte met hem mee.

'Wat voor maatregelen zijn dat dan?'

'Hij ontvangt niemand thuis. Vandaar dat het zo'n ongebruikelijke eer is die u ten deel is gevallen.' Hier kwam hij even half overeind en maakte spottend een lichte buiging. Ik begon deze jongeman bijzonder te mogen. 'Het huis wordt nooit onbewaakt achtergelaten en hijzelf verlaat het alleen om naar de bank te gaan. Er is slechts één sleutelbos, die hij aan een ketting op zijn eigen lichaam draagt, en niemand anders heeft een sleutel, zelfs niet de huishoudster – een oude vrouw, mrs Bubbosh, die elke dag komt schoonmaken en de was doet en zijn maaltijden bereidt.'

'Als zij geen sleutel heeft en mr Stonex een groot deel van de dag op de bank doorbrengt, hoe komt zij het huis dan in en uit?'

'Een goede vraag. Dat is een van de zonderlingste facetten van het bestaan van de oude heer. Hij laat haar om zeven uur binnen en zij maakt zijn ontbijt klaar. Hij verlaat het huis om halfacht en sluit haar dan op.'

'Ze zit de hele dag opgesloten?'

'Tot hij om twaalf uur terugkomt voor de lunch. En verder zijn alle ramen afgesloten met luiken die op slot zitten, zodat zij niemand binnen kan laten. De oude vrouw heeft 's middags een paar uur vrij, want zijn middageten wordt gebracht door de kelner van een nabijgelegen herberg. Die arriveert om klokslag vier. Dus hij opent de deur alleen op die tijden: om zeven uur, om vier uur, en om zes uur als mrs Bubbosh terugkomt en hij weer naar de bank gaat. Hij komt om negen uur 's avonds thuis voor het avondeten en dan gaat zij naar huis.'

'Toen ik hem gisteren zag, zei hij nog iets over zijn middageten. Ik dacht dat hij zei dat hij erop wachtte, en toch moet het al lang na vieren zijn geweest, want ik ging hier pas weg om kwart over, toen uw collega de bibliotheek afsloot.'

Quitregard glimlachte. 'Ik denk dat u hem niet helemaal hebt begrepen. Ik verzeker u dat iedere wijziging in zijn dagelijkse routine uitvoerig zou worden besproken in de stad.'

'Intrigerend, zo'n strikte dagindeling. Ik vraag me af of er in zijn verleden iets is gebeurd waartegen hij zich probeert te beschermen.'

De jongeman keek me vragend aan.

'Soms proberen mensen zich af te schermen van pijnlijke herinneringen door een vaste regelmaat in hun leven te brengen.' In de ongelukkigste periode van mijn leven had ik van mijzelf als het ware een figuurtje op een oude klok gemaakt – iemand die alleen vanachter zijn bureau of uit zijn studeerkamer te voorschijn kwam voor maaltijden, voordrachten en colleges. De jeugdige bibliothecaris had duidelijk geen idee waarover ik het had, en ik liet het onderwerp varen. 'Hoe lang leidt hij al zo'n bestaan?'

'Hij is zijn leven lang al vrekkig en eenzelvig geweest, maar ongeveer acht of negen jaar geleden begon hij zulke uitgebreide voorzorgsmaatregelen te treffen.'

'Als hij geen familie heeft, wat is hij dan van plan met heel die zo gekoesterde rijkdom van hem?'

'Daar zou de stad dolgraag het antwoord op horen.'

'Heeft de stad er geen enkel idee over?' vroeg ik glimlachend.

'De stad vermoedt – en hoopt vooral – dat hij het zal nalaten aan de Stichting van de Kathedraal ten behoeve van zijn oude school. Die heeft een warm plekje in zijn ietwat versteende hart, want hij heeft een moeilijke jeugd gehad en op de school waren er een of twee meesters die hem altijd vriendelijk bejegenden.'

De klok van de kathedraal sloeg het volle uur en ik stond op. 'Wel, het was me een waar genoegen, maar ik moet weer aan het werk.'

Quitregard kwam ook overeind. 'Gaat u verder zoeken in de crypte?'

'Inderdaad,' zei ik, verrast door zijn vraag na wat ik hem had verteld.

Hij aarzelde even alsof hij op het punt stond iets te zeggen wat hij pijnlijk vond, maar toen lachte hij en zei: 'Ik ben bang dat het er koud is. Pomerance is nog niet gekomen om de haarden aan te maken. Hij weet dat dr Locard het op donderdag in de regel druk heeft met de kapittelvergadering en komt die dag meestal later.'

Ik bedankte hem voor de koffie en daalde af naar de stapels halfvergane manuscripten om mijn zoektocht te hervatten. Quitregard had zijn vraag weliswaar terloops gesteld, maar het zette me toch aan het denken. Was deze nijvere zoektocht wel de juiste aanpak? Er was iets bij me begonnen te dagen, zelfs al tijdens mijn gesprek met de jongeman. Door het vreemde gedrag van de bibliothecaris, die zijn uitnodiging had ingetrokken, zijn afspraak niet was nagekomen en, zoals Quitregard had gesuggereerd, mij de assistentie van zijn medewerkers alsnog had geweigerd, was ik me gaan afvragen of dr Locard – met zijn obsessie voor wetenschappelijke rivaliteit en omslachtig gekonkel en tegengekonkel – soms jaloers was op mijn ontdekking dat Grimbalds manuscript zich mogelijkerwijs in dit gebouw bevond. Zou het kunnen dat hij had besloten het manuscript zelf te zoeken? Zoals mrs Sistersons onbedachtzame woorden hadden gesuggereerd, zou hij het als een vernedering kunnen ervaren als zo'n belangwekkende ontdekking recht onder zijn neus werd gedaan door een buitenstaander, terwijl hij en zijn assistenten op het punt stonden het resterende materiaal te gaan catalogiseren. Austin had me gewaarschuwd voor zijn ambities en – naar hij suggereerde – voor zijn gewetenloosheid, en hoewel ik het met het eerste eens was geweest, had ik geweigerd die laatste eigenschap in hem te zien. Was dat naïef van mij? Had dr Locard mij moedwillig van advies gediend zodat ik mijn tijd zou verknoeien? Had hij in feite hetzelfde met mij gedaan als wat Pepperdine, zoals hij me had weten te overtuigen, met Bullivant had gepresteerd? Was het mogelijk dat hij had besloten zich op het terrein van de Angelsaksische studies te begeven en om die reden mijn artikel en Scuttards antwoord had gelezen – hetgeen anders een verbluffend toeval zou zijn geweest?

De hele ochtend werkte ik mij door stapels bespinragde en halfvergane manuscripten heen, waarbij mijn taak nog eens werd bemoeilijkt door het feit dat Pomerance verstek liet gaan – al had hij mij ook enkel kunnen bijstaan in de fysieke component van mijn arbeid en niet in het intellectuele deel daarvan. Om twaalf uur verliet ik de bibliotheek en ploegde me moeizaam een weg door de sneeuw, die tegen die tijd was vertrapt tot een dikke sneeuwbrij en daarna was bevroren tot een massa ijzige modder en stenen. Ik genoot het middagmaal in de herberg waar ik de avond ervoor was geweest, al betrad ik deze keer niet de bar. Toen ik iets na enen terugkwam, trof ik Quitregard die net bezig was koffie te zetten en ik nam zijn uitnodiging aan om deze met hem te delen.

Net toen het water kookte, stormde Pomerance binnen en riep: 'De baas heeft gewonnen! Sheldrick is gevloerd. Ze hebben hem zonder pardon afgeslacht. Ze hebben kattenvoer van hem gemaakt. Hij zal ontslag moeten nemen. Alle jongens hadden het erover.' Hij hield abrupt zijn mond toen hij mij zag en zijn lange, magere gezicht liep nogal rood aan.

Quitregard glimlachte. 'Ga zitten en neem een kop koffie, Pomerance.' De jongeman liet zich in een stoel vallen als een pop waarvan de touwtjes waren doorgesneden. 'Hij komt net van koorrepetitie,' legde hij me uit. 'Waar, naar ik heb begrepen, alleen wordt gezongen tijdens de incidentele pauzes in de niet-aflatende stroom van achterklap.'

'Daar is niets van aan. De koordirigent is een ware boeman. Hij laat ons keihard werken.'

'Dan moest ik zijn boeman-eigenschappen misschien maar eens trachten te evenaren.'

'Dat is waar ook,' zei Pomerance. 'Ik hoef morgenmiddag geen vrij te nemen.'

'En de dienst voor het orgel dan?'

'O, die hebben ze afgelast.'

Quitregard keek hem verbijsterd aan.

'Er is iets bizars aan de hand in de kathedraal,' legde Pomerance uit. 'Daarom zal het orgel na de avonddienst van vanavond niet meer gebruikt kunnen worden.'

'Iets bizars?' herhaalde Quitregard. 'Kun je de mogelijkheden van onze moedertaal niet hanteren met iets meer finesse, Pomerance?'

De jonge knaap haalde zijn schouders op om aan te geven dat hij verder niets wist.

'De werklui hebben misschien wat schade toegebracht aan een penant,' zei ik, verguld dat ik informatie over zijn geboorteplaats kon verstrekken waarvan Quitregard niet op de hoogte was. Tot mijn voldoening draaide de jongeman zich verrast naar mij om. Met zwier voegde ik eraan toe: 'En er hangt een mysterieuze geur.'

Pomerance trok zijn neus op. 'Ja, het stinkt er vreselijk. Het was beestachtig dat we er moesten zingen terwijl je het liefst je kaken op elkaar zou houden.'

'Ik kan niet geloven dat jij ooit je kaken op elkaar hebt willen houden sinds je je eerste hap lucht binnenkreeg,' zei Quitregard. 'Maar wanneer wordt de dienst dan gehouden?'

'Waarschijnlijk volgende week.' De jongen keek snel even naar mij en wendde zich toen weer tot zijn collega. 'En tegen die tijd is er naar alle waarschijnlijkheid een nieuwe organist.'

Quitregard glimlachte. 'Misschien, ja. We zullen zien.'

'Nou,' zei ik, 'het wordt tijd dat ik mijn bezigheden hervat. Mijn ietwat hopeloze bezigheden.'

Quitregard wierp een blik op Pomerance. 'Vooruit, wees zo vriendelijk om het werk van gisteren over te schrijven in het register.'

De jongeman dronk zijn kopje leeg en stond op.

'Ik heb je vanochtend gemist, Pomerance,' zei ik met ironische beleefdheid. 'Bestaat er een mogelijkheid dat je later nog naar beneden kunt komen om me te helpen?'

'O, nee,' zei hij onmiddellijk. 'De baas zegt dat daarvan geen sprake meer kan zijn.' Toen ving hij Quitergards blik op en liep rood aan.

'Schiet nou maar op, ouwe jongen,' zei zijn oudere collega welwillend en de jongen liep naar het andere einde van de galerij.

Ik wachtte tot Quitregard iets zou zeggen, maar hij leek in gedachten verzonken. Om de stilte te verbreken, zei ik: 'Gaan de eerwaarde kanunniken echt zo woest met elkaar om?'

Hij glimlachte. 'Het zijn voor het merendeel eerlijke en intelligente mensen, maar ze dichten hun collega's met wonderbaarlijk gemak de meest snode motieven toe.'

'Dat ken ik maar al te goed van mijn eigen universiteit. Het is toch merkwaardig dat een groep volkomen eerbare mensen elkaar als immorele bezetenen kunnen beschouwen, enkel omdat ze een ander standpunt innemen.'

'En hun verdenkingen zijn bijna altijd onterecht.'

'Ik geloof dat ik wel kan raden wat er werkelijk aan de hand is in deze kwestie.'

Hij keek me verbaasd aan. 'Werkelijk?'

'Het is overal hetzelfde, nietwaar?'

'Echt waar?' Hij draaide zich om om het gebruikte vaatwerk bij elkaar te zetten.

'Het is algemeen bekend dat de meeste kanunniken in Thurchester tot de High Church behoren – met name de proost – maar dat anderen van de evangelische vleugel zijn. In elk kapittel in Engeland bestaat er zo'n verdeeldheid.'

Hij draaide zich weer naar mij terug en knikte vriendelijk. 'Ik begrijp waarop u doelt.'

'Ik neem aan dat dr Locard High is?'

'Duizelingwekkend High.'

'Maar dr Sheldrick is Low Church,' opperde ik.

Hij knikte. 'Zo Low, dat hij bijna plat ligt.'

'Nou, daar heb je je verklaring. Ik stel me zo voor dat de kanunniken jarenlang hebben gebekvecht – neemt u me niet kwalijk, gediscussieerd – over de gebruikelijke kwesties, zoals wierook en liturgische gewaden en gezangen en zo meer. Maar waarschijnlijk is er vandaag een veel ernstiger zaak besproken.' Toen hij niets zei, vroeg ik: 'Draagt dr Sheldrick als kanselier enige verantwoordelijkheid voor de koorschool?'

'Niet rechtstreeks,' antwoordde hij terwijl hij nieuwsgierig opkeek. 'Maar een van zijn taken is toe te zien op het beleid van de bovenmeester.'

'En is het beleid van de bovenmeester discutabel geweest?'

'Het is in elk geval ter discussie gesteld.'

Ik stond te popelen hem te ondervragen: welke beschuldigingen waren er tegen dr Sheldrick geuit en waarom was hij blijkbaar gedwongen om af te treden als hij alleen maar nalatig was geweest in zijn toezicht op de bovenmeester? Bestond er verband met de raadselachtige diefstal uit zijn huis dinsdagavond? Maar het was duidelijk dat ik de jongeman in een steeds lastiger positie aan het brengen was. Ik stond mijzelf nog één zorgvuldig geformuleerde vraag toe: 'Is dr Locard degene die er het sterkst op heeft aangedrongen dat het kapittel tot daden zou overgaan?'

Hij glimlachte. 'Dr Locard heeft zijn gebruikelijke doortastendheid getoond in wat hij als zijn plicht beschouwt.'

'Ik kan me zo indenken dat hij zeer doortastend is,' zei ik. 'En ik meen dat hij een ietwat sceptische kijk op het mensdom heeft.'

'Misschien af en toe iets te sceptisch.' Hij zweeg en keek me nerveus aan. 'Als u mij toestaat om in alle eerlijkheid te spreken, waarbij ik vertrouw op uw discretie…'

Hij maakte zijn zin niet af.

'Daar kunt u volledig op vertrouwen,' antwoordde ik.

'Ik geloof dat dr Locard de neiging heeft de zaken bovenmatig ingewikkeld te maken, zeker wanneer het andermans motieven betreft.' Hij zweeg even en zei toen behoedzaam: 'Zijn eruditie vertoont om die reden enigszins strijdlustige trekjes. Bijvoorbeeld – met alle respect voor hem – weet ik niet zo zeker of ik het wel eens ben met zijn interpretatie van de brief van Pepperdine.'

'Meent u dat nu? U denkt niet dat Pepperdine Bullivant op het verkeerde spoor probeerde te zetten?'

'Ik denk dat hij onbedoeld naar de crypte verwees, enkel doordat hij zulke dubbelzinnige woorden gebruikte.'

'Waar denkt ú dan dat het manuscript is?'

'Op de bovenverdieping.'

'Maar bijna alle manuscripten boven zijn gecatalogiseerd.'

'Bijna alle. En als het niet tussen de ongecatalogiseerde manuscripten blijkt te liggen, zou dat slechts een geringe tegenslag voor u zijn, want als het in de crypte ligt, zult u het in de komende twee dagen heus niet vinden, tenzij door het grootst mogelijke toeval.'

Op die redenering viel niets af te dingen. Ik vroeg me af of dr Locard me expres in de verkeerde richting had gewezen, en toen bedacht ik dat de jongeman in elk geval de verdenking koesterde dat dat zo was. 'U hebt me een uitstekende raad gegeven. Ik ben u erg dankbaar.'

Hij kon zijn genoegen niet verbergen en stond erop met me mee te gaan naar de bovenverdieping. Daar liet hij me zien op welke planken de ongecatalogiseerde manuscripten lagen, en het was onmiddellijk duidelijk dat ik die in een dag of twee, drie zou kunnen doorwerken. Het was zoveel prettiger hierboven – stofvrij, licht, schoon en een stuk warmer. De omstandigheden waaronder ik mijn werk voortzette, alsook mijn kans van slagen, waren totaal anders geworden.

Ik begon zware, ingebonden banden met manuscripten van de plank te halen, legde ze op een tafel en bladerde ze door. Een paar uur later had ik er vier doorgenomen en was ik moe van het zitten. Ik stond op en liep rond de tafel om mijn benen wat te strekken. Toen ik mijn blik langs de boeken liet glijden die al waren gecatalogiseerd, viel mijn oog op drie grote folianten op een van de bovenste planken. Ik klom op een stoel en zag op de rug in een typisch laat-zeventiende-eeuws handschrift de woorden staan: 'Verslagen van het Hof van de Kanselarij van de Vrijheid van St. John', telkens gevolgd door een tweetal jaartallen: '1357-1481', '1482-1594' en '1595-1651'. Dat moest verwijzen naar een reeds lang opgeheven rechtbank – te vergelijken met een politierechter – die de jurisdictie over de kathedrale immuniteit uitoefende, en ik vroeg me af of ik er een verwijzing in zou vinden naar het ongeval waarbij Limbricks vader was gestorven en Gambrill letsel had opgelopen. In de hoop mijn nieuwsgierigheid te bevredigen en als korte onderbreking van mijn werkzaamheden, haalde ik het derde deel naar beneden en sloeg het op tafel open.

Ik bladerde het snel door en zag dat iemand – vermoedelijk de klerk van het Hof – voor elke adjudicatie een kort verslag had geschreven van de aanklacht, de getuigenverklaringen en het besluit van de kanselier. Ik vond het jaartal 1615, wat naar ik vermoedde de vroegst mogelijke datum was waarop het ongeval had kunnen plaatsvinden, en begon langzamer te lezen. En toen, onder het jaar 1625, vond ik wat ik zocht. Alice Limbrick, weduwe van de overleden handwerksgezel van de kathedraal, had John Gambrill aangeklaagd omdat hij *door nalatigheid of kwade opzet* de dood van haar man, Robert Limbrick, had bewerkstelligd. Ze beweerde dat ze onenigheid hadden gehad omdat Gambrill de wens had opgevat *het ambt van bouwmeester voor zichzelf op te eisen, welk ambt was beloofd aan haar man*, en daarom had hij haar man ervan beschuldigd – zonder gegronde redenen – dat hij de gezagdragers van de kathedraal had opgelicht en zijn metgezellen in gevaar had gebracht door hout van slechte kwaliteit te leveren voor de steunbalken.

Daarop volgde een beknopte beschrijving van het ongeval door twee medearbeiders die het hadden zien gebeuren, en door Gambrill zelf. Waarschijnlijk omdat de drie eenzelfde beschrijving gaven, had de klerk hun verklaringen niet afzonderlijk weergegeven. Gambrill en Limbrick waren bezig geweest met het gewelf van de toren boven de middelste kruising toen het ongeluk had plaatsgevonden: *Zij hieven afgebikte Steen omhoog met hun Machine toen door het slippen van de Knoop in een Touw, John Gambrill zijn Houvast verloor en viel, tot de Ondergang van Robert Limbrick, die hoog stond en daarbij ernstig gekwetst raakte, zijn Lichaam op Honderden Plaatsen gebroken.* De beschrijving was vreemd schimmig, maar door het vallen van Gambrill moest ook de andere man op de een of andere manier ten val zijn gebracht.

De kanselier was van oordeel dat Gambrill niet vervolgd kon worden. Maar de klerk had opgetekend dat de weduwe Limbrick dat oordeel niet accepteerde en dat Gambrill, door de tussenkomst van de kanselier zelf, aanbood het geschil bij te leggen door haar oudste zoon Thomas, die toen twaalf was, in de leer te nemen zonder daarvoor leergeld te vragen. Ik werd getroffen door de gelijkenis met de woorden van de inscriptie. En met name door het woord *Machine*, dat in beide voorkwam en waar ik mij een idee over begon te vormen. In de vroege zeventiende eeuw kon het Engelse woord drie dingen aanduiden: vernuft, een samenzwering ofwel machinatie, of een werktuig. Het was duidelijk dat er in de Verslagen werd verwezen naar een of ander mechanisch werktuig, terwijl de inscriptie veel duisterder was met de zinspeling dat *de Schuldigen door hun eigen Machine ten Ondergang gevoerd waren*.

Dat was het einde van het verslag. Onwillekeurig sloeg ik de bladzij om teneinde me ervan te vergewissen dat dit inderdaad het hele verhaal was, en toen vond ik een blad dat niet in het boek zat gebonden, maar er los was ingeschoven. Ik bleef er een paar seconden naar staren voordat het tot me doordrong dat ik naar een folioblad keek van een manuscript uit een veel vroegere periode – de elfde eeuw ongeveer, te oordelen naar de stijl van het ietwat onelegante protogothische schrift. Ik las de eerste woorden – *Quia olim rex martyrusque amici dilectissimi fuissent* – en voelde mijn hart sneller kloppen. Ik las haastig verder en herkende, zoals ik eigenlijk al wist, het verhaal van de belegering van Thurchester en het martelaarschap van Sint-Wulflac. Buitengewoon kalm deelde ik mijzelf mee dat ik had gevonden waarnaar ik had gezocht: een deel van een vroege versie van Grimbalds *Leven*. Mijn inschatting was correct geweest. Het werk had wel degelijk al bestaan voordat Leofranc er iets mee gedaan had.

Al meer dan tweehonderd jaar had geen mens ernaar gekeken. Ik realiseerde me opeens dat het folioblad hier terecht moest zijn gekomen omdat Pepperdine dit boekdeel met verslagen had geraadpleegd na zijn toevallige ontdekking van wat ik nu beschouwde als 'het manuscript van Grimbald'. Hij had het folioblad eenvoudigweg laten liggen waar ik het nu had aangetroffen, omdat hij zich zo weinig interesseerde voor wat hij afdeed als *de duistere tijd voor de Normandische verovering*. Hij had de verslagen van het Hof van de Kanselarij gezocht omdat hij net als ik geïnteresseerd was geraakt in het verhaal van Burgoyne en Freeth. Hij moest hebben beseft dat de dood van de thesaurier op enigerlei wijze samenhing met het vroegere leven van zijn vermoedelijke moordenaar, en zoals het een goed historicus betaamt, had hij zich tot de beschikbare bronnen gewend. Dr Sheldrick, bedacht ik, had dat achterwege gelaten en had daardoor de kans gemist om dr Locard te irriteren door het manuscript pal onder de neus van zijn rivaal te ontdekken.

Op dat moment hoorde ik iemand de trap op bolderen, en zonder ook maar een seconde na te denken klapte ik het boekdeel dicht, met het manuscript op de plek waar ik het had aangetroffen, en schoof het terug in de kast.

De jonge Pomerance stormde binnen en vertelde me dat hij de bibliotheek ging afsluiten. Ik draaide me om, liep zonder er verder bij na te denken achter hem aan en praatte over koetjes en kalfjes, maar mijn gedachten waren elders. Waarom had ik het manuscript verstopt? Zou ik dat ook hebben gedaan als dr Locard, of zelfs Quitregard, de trap op was gekomen? Waarom had ik niet tegen Pomerance uitgeroepen dat ik gevonden had waarnaar ik op zoek was geweest, en hem gezegd dr Locard te gaan halen? Misschien omdat de geheimzinnigheid die het manuscript zo lang had omgeven te sterk was om gedachteloos, zonder veel ceremonieel te doorbreken. Of had ik een ander motief waarvan ik mij niet volledig bewust was?

Ik verliet de bibliotheek als in trance, gelukkig zonder dr Locard of Quitregard tegen te komen.

Donderdagmiddag

Toen ik de donkere immuniteit opstapte en zomaar ergens heen liep, maakte zich iemand los uit de schaduw naast de ingang. Het was Austin. Ik was totaal vergeten dat we een afspraak hadden.

Zou ik hem moeten vertellen van mijn ontdekking? Iets deed mij besluiten van niet. Hij zag bleek en maakte een zenuwachtige indruk.

We begroetten elkaar met een betekenisloze frase en ik paste me aan bij zijn tred toen we de immuniteit rond wandelden. Ik liep mechanisch, zonder te weten waar we heen gingen of me te herinneren waarom hij me was komen ophalen. We liepen zwijgend voort, want Austin leek evenzeer in gedachten verzonken als ikzelf. Ik zocht een gespreksonderwerp, maar alles leek triviaal in vergelijking met mijn ontdekking. Ik moest op de een of andere manier de avond en lange nacht zien door te komen tot de bibliotheek morgen weer de deuren opende. Wat een pech dat hij alleen op donderdag vroeg openging. Ik zou tot halfnegen moeten wachten!

We liepen zwijgend de hele immuniteit rond en toen riep Austin plotseling uit: 'We zijn te vroeg. Hij kan ons nog niet ontvangen.'

Het kostte me de nodige wilskracht om te bedenken waarover hij het had. Ik zag dat we bij het achterhek van de Nieuwe Proosdij stonden en toen herinnerde ik het me: we zouden op de thee gaan bij mr Stonex.

Ik trok mijn horloge te voorschijn en keek bij het licht van een nabij staande gaslantaarn hoe laat het was. 'Integendeel. De oude heer zei halfvijf en dat is het op de klok af.'

'Toch is hij nog niet klaar, dus we gaan eerst even bij mij thuis langs,' zei Austin en hij beende er alweer vandoor.

Verbaasd, maar niet in staat voldoende geestelijke hulpbronnen aan te spreken om hier verder over na te denken, sjokte ik met hem mee terwijl we ons rondje om de kathedraal vervolgden. Het was nu bijna donker en we kwamen niemand tegen. Ik herinnerde me hoe stipt de oude man was volgens Quitregard, en mijn verbazing nam alleen maar toe. Toen we langs het kapittelhuis kwamen, riep de doffe gloed uit de ramen donkere schaduwen op tussen de steunberen, alsof zich daar een gestalte schuilhield. Het licht en ook de gedempte klanken van een piano en van stemmen die in harmonie opklonken, wezen erop dat het koor aan het repeteren was. Toen we de hoek van het transept omkwamen, herinnerde ik me dat dit de plek was waar de nachtelijke verschijning had gestaan en ik vroeg: 'Loopt hij mank?'

Austin schrok en draaide zich paniekerig naar mij om: 'Waarom vraag je dat?'

'O, ik vind zijn geschiedenis gewoon erg intrigerend.'

'Zijn geschiedenis? Over wie heb je het?'

'Over Burgoyne. Loopt de geest van Burgoyne mank?'

Hij leek mijn gezicht nauwkeurig op te nemen. 'Burgoyne liep niet mank,' zei hij bijna kwaad. 'Gambrill was juist kreupel. Je hebt ze door elkaar gehaald.'

Ik nam niet de moeite hem te corrigeren.

'En waarom komt dat in 's hemelsnaam nu bij je op?' informeerde hij.

'Ik vroeg me alleen af of ooit is waargenomen dat de geest mank loopt.'

'De geest?' zei hij bijna sissend.

'De geest van Burgoyne.'

Hij bleef staan en keek me aan. 'Waar heb je het over?'

Ik wist even niet hoe ik moest reageren en kon niets uitbrengen. Ik kon hem toch moeilijk vertellen wat ik in de vroege uren van de ochtend meende te hebben gezien op slechts een paar meter afstand van waar wij ons nu bevonden.

We liepen in stilte een eindje door en toen we bij de deur van zijn huis kwamen, zei ik: 'Ik heb nog eens nagedacht over het idee dat een geest rusteloos is wanneer het bijbehorende lichaam niet is begraven. En daarom vroeg ik me af of het wel Burgoyne is die over de immuniteit rondwaart, want zijn lijk is immers begraven, dus waarom zou zijn geest gaan rondspoken?'

'Wat loop je nu toch in vredesnaam te bazelen?' vroeg Austin terwijl hij zijn overjas uitdeed.

'Het lijk. Het lichaam van de vermoorde man.'

'De vermoorde man?' stamelde hij, me onthutst aankijkend.

'Wat ik zei, was dat het me merkwaardig voorkomt dat Burgoynes geest rondspookt, omdat hij immers begraven is.'

'Dat is toch maar een verhaaltje, god nog aan toe. Je moet niet al die onzin geloven.'

'Maar ze zeggen toch ook dat iemands geest blijft rondspoken als zijn moord ongewroken is gebleven? Ik ga ervan uit dat er geen wraak is genomen voor Burgoyne, aangezien Gambrill wegkwam zonder te zijn gestraft.'

'Waarom blijf je daar in godsnaam zo over doorzeveren?'

'Maar beste vriend, ik wilde gewoon een beetje praten.'

'Als dat alles is waaraan je kunt denken, kun je misschien maar beter je mond houden.'

Daarna draaide hij zich om, trok snel aan het koordje van het gaskousje om de vlam hoger te draaien, en liep voor mij uit de trap op. Ik pakte een kaars, stak die aan, en volgde hem naar boven. Toen we de woonkamer binnenkwamen, zette ik de kandelaar op een lage tafel en ging zelf voor de haard zitten, maar Austin liep naar het raam waar hij zich in de hoek perste en de gordijnen dichttrok, al hield hij een kiertje open om naar buiten te kunnen spieden. Ik pakte een boek op en probeerde te lezen, omdat hij niet in de stemming leek om te praten. Austin haalde zijn horloge te voorschijn en wierp er meermalen een blik op in de drie of vier minuten die volgden.

Wat zou er nu met het manuscript gebeuren? vroeg ik me af. Al zou ik de eer krijgen het te hebben gevonden, toch hield dat niet noodzakelijkerwijs in dat de publicatie ervan aan mij zou worden toevertrouwd. Vermoedelijk zou dr Locard over het lot ervan beslissen. Ik moest er niet aan denken dat het in handen zou worden gegeven van een onwetende onbenul of, erger nog, van iemand die vastbesloten was het belang ervan in diskrediet te brengen. Of zelfs aan Scuttard! Uit mijn snelle inspectie ervan had ik al wel gezien dat het hoogst vatbaar was voor verkeerde interpretaties.

En toen beleefde ik wat vermoedelijk het meest beschamende moment uit mijn leven was. Ik bedacht dat, aangezien ik het manuscript terug had gelegd op de plek waar het twee eeuwen lang had gelegen, niemand hoefde te weten dat ik het had gevonden. Of om preciezer te zijn: dat ik het op die plek had gevonden. Het zou heel eenvoudig zijn te beweren dat ik het tussen Pepperdines papieren had aangetroffen in de bibliotheek van mijn eigen faculteit. Er bestond geen enkele reden waarom hij het niet zou hebben gekocht van de Bibliotheek van Proost en Kapittel van de kathedraal van Thurchester. In dat geval zou het lot van het manuscript geheel in mijn handen liggen. Maar wat dacht ik toch? Ik had een kortstondig, krankzinnig visioen van mijzelf, bezig het manuscript uit de bibliotheek te smokkelen. Geen denken aan. Geheel uitgesloten. Dan zou ik nog dieper zinken dan Scuttard. En bovendien, aangezien dr Locard wist dat ik het daar had hopen te vinden, zou hij onmiddellijk begrijpen wat ik had gedaan.

Opeens riep Austin uit: 'We moeten gaan!'

Tot mijn verbazing haastte hij zich de kamer uit en de trap af, wierp snel zijn jas over z'n schouders en daar stond hij me ongeduldig op me te wachten bij de deur, terwijl ik voorzichtig de slecht verlichte treden afdaalde.

En zo keerden we op onze schreden terug en kwamen we een paar minuten later opnieuw bij de Nieuwe Proosdij. Omdat ik later alles in detail moest beschrijven en er in de verschillende verklaringen essentiële tegenstrijdigheden voorkwamen, zal ik nu precies vertellen wat ik zag en hoorde – al begreep ik pas wat er gebeurd was toen ik er naderhand over nadacht.

We liepen door het hek het achtererf op en klopten op de deur. Er werd onmiddellijk opengedaan en daar stond de gestalte die ik de dag ervoor had gezien.

'Het doet me bijzonder veel deugd u weer te zien, dr Courtine,' zei de oude heer met een glimlach op zijn gelaat, en hij knikte gemeenzaam naar Austin. Hij schudde ons de hand en nodigde ons binnen. Het viel me op dat Austin liep te bibberen. Het was weliswaar koud in het huis, maar dat leek me geen afdoende verklaring.

Toen ik binnenliep zei ik: 'Ik vind het toch zo'n opwindende gedachte dat dit het huis van William Burgoyne was.'

'En van Freeth,' zei onze gastheer. 'Vergeet Freeth niet, toch een veel bekendere figuur in onze geschiedenis.'

'Maar eerder herinnerd vanwege de wijze waarop hij stierf dan om iets wat hij bij leven deed,' riposteerde ik en hij knikte krachtig. 'Want wat hij zoal deed was laag en verwerpelijk, terwijl Burgoyne een veel bewonderenswaardiger mens was: een briljant geleerde die in de bloei van zijn leven werd geveld.'

Terwijl ik sprak liepen we door een grote oude keuken waar bijkeukens en provisieruimten op uitkwamen, en daarna door een donkere corridor. 'Inderdaad, laag en verwerpelijk,' beaamde onze gastheer, terwijl hij zich naar ons omkeerde toen we bij een volgende deur kwamen. 'U kunt hier uw jas en hoed ophangen,' zei hij. Terwijl wij deze ophingen aan een haak, vervolgde hij: 'We gebruiken onze thee in de woonkeuken. Daar is het veel gezelliger dan in de eetkamer.' Hij ging ons voor door de deur en toen bevonden we ons in de grote hoofdkamer van het huis met, zoals vroeger gebruikelijk was, een deur die rechtstreeks op de straat uitkwam. Het was echt een 'woonkeuken' – een kruising tussen een eetkamer en een keuken, met aan één kant een groot fornuis, op een van de pitten waarvan een ketel stond te koken. Een andere muur ging bijna geheel verscholen achter een enorme buffetkast, naast de voordeur stond een fraaie oude klok en midden in de kamer bevond zich een enorme eikenhouten tafel met vier of vijf stoelen eromheen.

'Ik heb een huishoudster, maar zij is er 's middags nooit, dus we moeten onszelf zien te redden,' zei mr Stonex toen we binnentraden.

In het licht van wat Quitregard me had verteld, was ik verbijsterd over de rommeligheid in de kamer. Verspreid over de grond lagen een kolenbak, tangen, een kachelpook, twee lampetkannen, een emmer en een aantal lege inmaakpotten. De laden van het buffet waren opengetrokken en de inhoud ervan – bestek, servetten, onderleggers, enzovoort – puilde erbovenuit. Op het buffet lag alles kriskras door elkaar – koppen, borden, schotels, schalen: een enorme warboel. Een deur van het buffet stond halfopen en ik kon zien dat alles in de kast er al even rommelig bij stond. Het treffendst van al was een grote oude tafel tegen de zijmuur, die helemaal vol lag met aktentrommels, pakken brieven met een rood lint eromheen, juridische akten, facturen, enzovoort. Deze lagen in zulke groten getale opgestapeld en uitgespreid over de zijtafel, dat sommige ervan op de grond waren gevallen. Vreemd genoeg lag er tussen de warboel ook een lei waarop iets geschreven stond, met daarnaast een paar stukken krijt. Te midden van deze enorme chaos was de eikenhouten tafel in het midden van de grote kamer een eiland van orde, bedekt met een fijn damasten tafelkleed en keurig gedekt voor een thee voor drie personen, met schalen met beboterde sneetjes brood en twee grote taarten – vruchten- en chocoladetaart – en een paar kleinere gebakjes.

Ik vroeg me af waar onze gastheer zijn middageten had gelaten en toen zag ik de vuile borden staan, opgestapeld op een overvolle hoek van de zijtafel. Blijkens wat Quitregard me had verteld, moest de huishoudster van de oude heer, mrs Bubbosh, om twaalf uur 's middags zijn vertrokken en zou ze pas om zes uur terugkomen. Ik ging ervan uit dat zij deze maaltijd had bereid.

Toen mr Stonex mij met zo veel evidente en hoogst onbeleefde verbazing de kamer zag rondkijken, zei hij: 'Ik was ergens naar op zoek. Een document. Dat had ik u willen laten zien.' Toen wendde hij zich tot Austin en zei: 'Ik heb het niet kunnen vinden.'

'U hebt het niet gevonden?' herhaalde Austin.

De oude heer glimlachte. 'Het is heel vervelend. Maar gaat u toch alstublieft zitten.'

'Maar u moet het vinden!' riep Austin.

'Ik hoop heel erg dat het me zal lukken.'

We namen plaats rond de tafel en ik zei: 'Mag ik u vragen waarom het gaat?'

'Dat zal ik u vertellen,' zei hij en ik zag Austin een verbaasde blik op hem werpen. 'Het is een verslag van de dood van Freeth, dat ongeveer vijftig jaar na het voorval is geschreven,' zei mr Stonex. 'Er woonde in dit huis een oude bediende die er indertijd als keukenhulpje getuige van was geweest. Mijn grootvader had als jongeman belangstelling voor het verhaal en hij schreef het verslag woordelijk neer zoals het van de lippen van de oude man rolde, kort voor diens dood.'

'Het zou fascinerend zijn het te zien, maar u had zich werkelijk niet zo veel moeite hoeven getroosten,' zei ik, terwijl ik om me heen keek naar de chaos die hij had aangericht.

'Ik had niet gedacht het huis ondersteboven te moeten keren, want ik nam aan dat het bij al mijn juridische stukken lag,' zei hij, zich meer tot Austin richtend dan tot mij. 'Maar dat bleek niet zo te zijn.'

'Waar denkt u dat het dan zou kunnen zijn?' vroeg Austin. Ik verbaasde me over deze felle reactie van hem, want ik had niet gedacht dat hij zich nou zo druk maakte om de geschiedenis van Freeth.

De oude man keerde zich half om en wees op de dozen en papieren die op de zijtafel lagen opgehoopt. 'Vast en zeker ergens daartussen. Ik heb alle dozen met documenten uit het huis hierheen gehaald en zal ze doorkijken terwijl we theedrinken. En nu we het er toch over hebben, tast alstublieft toe. Ik heb net mijn middageten op, dus ikzelf doe niet mee.'

Ik ging op zijn uitnodiging in en begon met de besmeerde boterhammen. Austin scheen geen trek te hebben, want hij nam niets.

Onze gastheer liep de kamer door, pakte de ketel en zette thee in een grote pot naast het fornuis terwijl hij over zijn schouder doorpraatte: 'Ik kan me bijna het hele verhaal herinneren, ook zonder het geschreven verslag, want mijn broer en ik hadden er een toneelstukje van gemaakt.' Hij zweeg even en zei toen snel: 'En mijn zus ook, natuurlijk.' Hij keerde zich om en richtte zich tot mij: 'Wist u dat ik in dit huis ben opgegroeid?'

'Het moet een geweldige plek zijn voor een kind,' zei ik.

'Er zijn zo veel gangen en duistere hoekjes waar we ons konden verbergen dat we uitgebreid verstoppertje speelden, soms uren achtereen. En wat teisterden we onze ouders toch door onszelf te verschuilen en ze dan te bespieden of te bespringen als ze daar het minst op bedacht waren.' Hij lachte. 'We vonden het heerlijk om ons te verkleden – zwaarden, mantels, baarden. Ik was er erg goed in. En dan speelden we beroemde scènes uit de geschiedenis na: de executie van Mary, de koningin van Schotland, of Jeanne d'Arc op de brandstapel. En een van onze favoriete scènes – bloeddorstige jonge wilden die we waren – was de dood van proost Freeth.'

Ik glimlachte. 'Wat deed u dan?'

Terwijl hij de theepot op tafel zette, zei hij: 'Als tekst gebruikten we het verhaal dat was overgeleverd van de keukenhulp, en dan speelden wij de verschillende rollen. Ik speelde altijd het liefst de officier die aan het hoofd van het garnizoen stond. Dat is de echte held van het verhaal.'

Als ik al verbaasd was geweest over de staat waarin de kamer verkeerde, dan was ik pas echt verbluft door het minzame gedrag van onze gastheer. De oude heer viel nu nog minder dan bij onze eerste ontmoeting te verzoenen met de beschrijving die Quitregard van hem had gegeven. Het kwam waarschijnlijk, bedacht ik, omdat hij veel vriendelijker voor vreemden was dan voor zijn stadsgenoten. En toch, dat kon niet waar zijn, want hij ging ook zo ongedwongen met Austin om, die hier al vele jaren had gewoond – maar misschien beschouwde hij hem als een nieuwkomer in de stad, omdat hij hier pas twintig jaar woonde. En ik vond het lastig om te beoordelen hoe goed ze elkaar kenden, want Austin leek ontzag en zelfs angst te voelen voor de oude heer.

'Is hij de held?' vroeg ik. 'Hij speelde toch zeker een verwerpelijke rol in de dood van de proost?'

'Hij handelde onverschrokken en beslist, hetgeen vereist is in een crisissituatie,' antwoordde onze gastheer. Toen riep hij: 'Maar we zullen het toneelstuk nogmaals opvoeren en dan zien we het met eigen ogen!'

'Wat bedoelt u?' vroeg Austin.

'We gaan het spelen.' Hij wendde zich tot mij: 'U bent historicus. U kunt de dorre beenderen van het verleden nieuw leven inblazen.'

'Historici hoeven niet over enige fantasie te beschikken,' wierp ik tegen. 'Sterker nog, dat is alleen maar lastig.'

'Volgens mij heb jij genoeg fantasie om een complete historische faculteit tot last te zijn,' zei Austin nogal bitter.

'Dan bent u geknipt voor het spel,' kwam onze gastheer tussenbeide.

Hij bleef midden in de kamer staan: 'Stelt u zich voor dat het de ochtend is van de tiende september in het jaar van onze Heer 1643,' begon hij theatraal. 'Proost Freeth zit in zijn studeerkamer hiernaast. De keukenjongen is de vaat aan het doen in de kamer waarin wij ons thans bevinden. Er zijn twee soldaten van het parlementaire leger in de keuken, want de proost wordt feitelijk gevangen gehouden in zijn eigen huis. Het is halfelf en de proost heeft nog minder dan een uur te leven. Dat weet hij niet, maar de beslissing over zijn dood is al gevallen.'

'Allemachtig,' riep ik uit. 'Dus volgens u was het geen ongeval?' Ik herinnerde me dat hij tijdens onze ontmoeting de vorige dag had gesproken van de 'executie' van de proost.

'Daar ben ik zeker van overtuigd,' zei onze gastheer terwijl hij voor ons allemaal thee inschonk en de kopjes ronddeelde. 'Maar oordeel zelf. Stelt u zich de toestand voor. Nog maar drie weken geleden heeft een parlementair leger de stad bereikt om het te belegeren. Er heersten paniek en doodsangst. Veel van de bemiddelde burgers hebben weten te ontvluchten – met onder hen de vrouw en negen kinderen van proost Freeth. Ze zijn samen met een aantal bedienden door hem naar een veilige plek gestuurd – een fraai landhuis een paar kilometer buiten Thurchester.'

'Dat hij van het internaat had gestolen!'

'Ah, daar weet u van! Dan weet u ook wat een hebzuchtige schoft hij was.' Terwijl hij nog steeds bij ons naast de tafel stond, zei hij: 'Neem toch wat taart.'

Ik bedankte hem en begon voor Austin en mij een punt uit de chocoladetaart te snijden. De oude heer vervolgde: 'De meeste stedelingen hadden geen personeel dat kon achterblijven om op hun bezittingen te passen, en moesten daarom zelf in hun woning blijven – tenzij ze die al kwijt waren, want in de loop van het beleg waren er vele huizen beschadigd en verwoest. De kathedraal zelf was beschoten en een aantal gebouwen aan de immuniteit was in brand gestoken. Zes dagen geleden heeft de militaire commandant zich overgegeven, op voorwaarde dat het de verdedigers werd toegestaan te ontsnappen en dat de stad niet geplunderd zou worden.'

Hij liep naar de zijtafel waar de suikerpot en het roomkannetje stonden. Het viel me op dat hij ze neerzette en afwezig de woorden op de lei wegwreef met een theedoek. Daarna keerde hij terug naar onze tafel en zette de pot en het kannetje zo neer dat Austin en ik ons ervan konden bedienen. Hij liep weer naar de zijtafel die bezaaid was met documenten en begon ze, half met zijn rug naar ons toegekeerd, te sorteren terwijl hij aan één stuk door verder praatte. 'De royalisten wisten inderdaad te ontsnappen, maar het parlementaire leger hield zich niet aan de afspraak en brandschatte vele gebouwen in de stad. Op de zesde trok het bezettingsleger verder en liet een jonge officier achter die het bevel voerde over een klein garnizoen. Dat ben ik.' Terwijl hij sprak rechtte hij zijn rug, zijn gezicht nam een uitdrukking van jeugdige vastberadenheid aan en voor mijn ogen werd hij plotseling een vijfentwintigjarige officier die piekerde over zijn volgende zet. 'Ik zit wanhopig in het nauw. Hoe kan ik met niet meer dan een handvol manschappen zesduizend woedende en woeste mensen in bedwang houden? Zoiets kan alleen door goedwilligheid, of als dat er niet is, door intimidatie. De goedwilligheid is definitief verspeeld. Op dit moment is de toestand zelfs nog ernstiger aan het worden. Drie dagen geleden – op de zevende – heeft een gerucht de stad bereikt: er is een royalistisch leger in aantocht! De stadsbewoners waren dolgelukkig. De redding was nabij! Er verzamelde zich een menigte op het marktplein die ik moest verspreiden en daartoe gaf ik mijn soldaten de opdracht over hun hoofden te schieten. De stemming onder de bevolking verslechterde.'

Terwijl ik luisterde pakte ik een van de gebakjes en merkte dat Austin nog niets had aangeraakt van het eten.

'De volgende dag hield de proost, een berucht aanhanger van de koningsgezinden, een preek in de kathedraal waarin hij de stadsbevolking opriep in opstand te komen en vond er een opstootje plaats voor de kathedraal, waardoor ik opnieuw mijn troepen opdracht moest geven te vuren. Deze keer raakte een vrouw verwond door een te laag vliegende, verdwaalde kogel. De toestand was nu buitengewoon gevaarlijk en omdat ik vreesde dat de proost een boegbeeld voor een opstand zou kunnen worden, besloot ik hem onder arrest te plaatsen in zijn eigen huis en daar twee gewone soldaten als bewakers in te kwartieren. Op de negende kom ik hierheen en meldt hem dat.'

'Maar de man was een geestelijke,' zei ik. 'Er was toch enig respect verschuldigd aan de clerus, al was hij dan een gierige en leugenachtige intrigant.'

De oude heer stapte even uit zijn rol en zei streng tegen mij: 'U bént Freeth.'

'Pardon? Waar hebt u het over?'

'Dat is uw rol. Dus u moet niet óver hem spreken. En al helemaal niet in die termen. Spreek vrijuit en verdedig uzelf.' Plotseling werd hij weer de jonge officier: '*Mijnheer de proost, u verlaat dit huis niet meer zonder mijn toestemming.*'

'*Ik ben een geestelijke van de Kerk,*' zei ik tamelijk stijfjes. '*U bent me wel enig respect verschuldigd.*' Met een zeker gevoel voor mijn eigen virtuositeit, voegde ik daaraan toe: '*Jongeheer.*'

'*U bent een dwaas, sir,*' zei mijn gastheer streng en ik voelde dat ik bloosde. '*En bovendien geheel zonder principes, want u liefhebbert in de politiek voor uw eigen gewin en zet daarmee het leven van vele anderen op het spel.*'

'*Onzin,*' zei ik nogal zwakjes.

De oude heer dook kort weer op en fronste zijn wenkbrauwen, als om aan te geven dat ik wel met iets beters moest komen. Toen verdween hij weer op slag: '*U bent een verrader, sir. U hoopt de stad weer in handen te krijgen voor de koning en dan beloond te worden met een bisdom. U doet nooit iets zonder zelfzuchtige motieven.*' Toen hij was uitgesproken, draaide hij zich om en begon aandachtig een document te bestuderen tussen de papieren op de zijtafel.

'*Hebt u ook maar het geringste bewijs voor die bewering?*' vroeg ik verontwaardigd, in een vreemde impuls om voor de man op te komen.

'*Alles wat u ooit gedaan hebt,*' antwoordde hij terwijl hij het document terzijde wierp. '*U bent een hebberig, eerzuchtig, niet al te snugger iemand en u bent opgeklommen door naar boven te likken en naar onder te trappen. U hebt de Stichting leeggeplunderd en u de bezittingen van het internaat wederrechtelijk toegeëigend.*'

'*Dat ontken ik. Ik heb dat bezit in eigendom genomen om te voorkomen dat het geconfisceerd zou worden door uw parlementaire vrienden.*'

'*Bah! Als u dat echt gelooft, bewijst dat alleen maar met welk gemak u uw grootste wandaden rechtpraat, en dat toont eens te meer hoe door en door corrupt u bent. Wilt u beweren dat u nooit een schandelijke, eerzuchtige, zelfverheerlijkende gedachte hebt gekoesterd? Dat u nooit iets hebt willen stelen wat niet van u was?*' Hij keek me buitengewoon indringend aan en ik was er werkelijk niet zeker van of hij nu toneelspeelde of me echt beschuldigde. Kon hij mijn gedachten lezen? Bij de herinnering aan de verzoeking waarmee ik eerder die middag had geworsteld voelde ik het bloed naar mijn wangen stijgen.

'*Ik... Nee.*'

'*U beroept zich op de privileges van uw habijt en desondanks hebt u een complot beraamd om William Burgoyne te vermoorden en zo een mededinger naar het proost-schap uit te schakelen. Daarom alleen al zou ik u kunnen laten berechten en ophangen en niemand in de stad zou er een traan om laten.*'

'*Ik heb zijn dood niet beraamd.*'

'*Beweert u dat u zijn ondergang niet hebt gewenst?*'

'*O, zeker, ik haatte hem. Ik haatte hem omdat hij vanwege zijn oneerlijk bevoor-rechte positie proost zou worden in plaats van mij. En ik haatte hem omdat hij intelli-genter was dan ik!*' Ik schrok. Waarom had ik dat gezegd?

'*Als u met alle geweld iedereen wilt doden die intelligenter is dan u, dan zult u het nog druk krijgen.*'

Voor ik mijzelf kon verdedigen, zei mijn gastheer, nog steeds op de toon van de jonge officier: 'Nu blijkt echter dat ik me daarin heb vergist. De ste-delingen zijn furieus vanwege deze behandeling van de man die ze als hun boegbeeld hebben omarmd, hoezeer ze hem ook als individu verachten. En dus komt er later diezelfde dag een woedende menigte de immuniteit oplo-pen die wil gaan pogen hem te bevrijden. En zo moet ik opnieuw mijn mannen bevelen het vuur te openen en deze keer raken er meerdere mensen gewond. Ik besef dat de bevolking een tweede en grotere aanval zal onder-nemen en dat mijn mannen daarbij het onderspit zullen delven. Nu vraag ik u, sir, wat zou ik kunnen doen?'

'Dat is inderdaad een lastig dilemma. Wat doet u?'

'Ik moet een manier zien te vinden om de proost uit de weg te ruimen, maar dan zo dat het hem te schande maakt bij zijn stadsgenoten. Ik weet dat hij door hen wordt geminacht om zijn hebzucht en corruptie, en van nog iets ergers wordt verdacht in de zaak Burgoyne. Daaraan dien ik ze te herin-neren. Op de een of andere manier moet ik de publieke figuur Freeth, die een symbool van het verzet is, zien te scheiden van de privé-persoon, aan wie men een hekel heeft. Hij moet publiekelijk te schande worden gemaakt voor zaken waarvan algemeen bekend is dat hij er gemakkelijk voor be-zwijkt. Ik weet dat Hollingrake, de thesaurier, een wrok tegen hem koestert vanwege een eerdere samenwerking die is verzuurd. Een vroegere bondge-noot is, net als een vroegere minnaar, altijd het meest verbitterd en daarom het meest bereid tot wraak. Ik liet hem in het geheim naar mij toe komen. *Mijnheer de thesaurier,*' zei hij plotseling tegen Austin, die opschrok, '*ziet u hoe Freeths daden een gevaar vormen voor de gehele Stichting? In zijn zucht naar aanzien en rijkdom zal hij vermoedelijk de toorn van het parlement op jullie aller hoofd doen neerkomen.*'

Enigszins tot mijn opluchting staarde Austin de oude heer alleen maar met open mond aan. Ik bracht het er beter vanaf dan hij. 'O, nee toch,' protesteerde ik. 'U wilt toch niet suggereren dat Hollingrake er ook bij betrokken was?'

Hij hield zijn blik op Austin gevestigd: '*De kathedraal en alle charitatieve instellingen worden roekeloos op het spel gezet door deze gokker, deze man zonder scrupules die zijn eigen familie heeft beroofd.*'

Austin staarde zijn gastheer aan met onversneden angst op het gelaat en ik begon me af te vragen of hij uiteindelijk geen betere vertoning ten beste gaf dan ik. En waar sloeg de opmerking op dat Freeth zijn eigen familie had beroofd? Daar had ik nog nooit van gehoord.

'*Ik vraag u mij te helpen deze man een lesje te leren.*'

'Suggereert u dat er een complot was?' riep ik uit.

Onze al wat oudere gastheer vestigde een koude, jeugdige blik op mij: '*De situatie rechtvaardigt het. Dit is een stad die midden in een staat van Burgeroorlog verkeert, en er bestaat gevaar dat er vele mensen zullen sterven als ik de openbare orde niet kan handhaven. En dat de stad verloren zal gaan voor de parlementaire zaak. Onder zulke omstandigheden is het geoorloofd één mens van het leven te beroven.*'

Ik huiverde, zo kil als hij deze koudbloedige woorden uitsprak.

'Maar als je dat principe zou toepassen, kun je eindeloos doorgaan,' protesteerde ik. 'Er is altijd wel een rechtvaardiging te bedenken voor de dood van een individu in het belang van de massa.'

'En soms is dat terecht,' zei de oude man rustig.

Ik was zeer verbaasd over deze opmerking. Hij leek te beseffen wat voor uitwerking zijn bewering op mij had gehad.

'Voor ons, die zulke veilige, comfortabele levens leiden aan het eind van de negentiende eeuw, voor ons is het vermoedelijk moeilijk voorstelbaar dat je zo resoluut kunt optreden,' zei hij. 'Als u in de situatie had verkeerd van de jonge officier, dr Courtine, zoudt u dan de gebeurtenissen hun loop hebben laten nemen waardoor de stad verloren zou gaan voor uw kamp? Of zoudt u de teerling hebben geworpen en het uiterste hebben gewaagd?'

'Ik weet het niet.'

'Alles op het spel zetten, dat is het onvergelijkbaar grootse avontuur van het leven. Dan pas wéét je dat je leeft... Anders ben je dood nog voor je in je graf ligt.'

Terwijl hij deze woorden uitsprak was zijn blik strak op Austin gericht, die nu langzaam knikte.

'Besefte Hollingrake waaraan hij werd gevraagd mee te doen?' vroeg ik.

De oude heer draaide zich om en staarde me verrukt aan, alsof ik een nieuwe wending aan het spel had gegeven. Toen tolde hij rond en sprak mijn vriend aan: 'Wat zegt u ervan, Fickling? U speelt hem, dus u zou hem beter moeten begrijpen dan Courtine en ik. Wist u dat u betrokken raakte bij iets wat zou leiden tot het afslachten van een mens?'

Austin antwoordde met loodzware stem: 'Ja, dat wist ik. Al lukte het me om het op de een of andere manier niet echt tot me door te laten dringen.'

'Speel dan ook de rol die u op zich hebt genomen, man!' snauwde de oude man. Daarna werd hij in een oogwenk weer de jonge officier en zei minachtend: '*Doe gewoon wat u gezegd wordt, dan hoeft u niks van doen te krijgen met de daad zelf.*'

Austin staarde naar hem als een konijn naar een slang.

'*Hoe dan ook,*' vervolgde de jonge officier, '*zijn boeken moeten worden afgesloten.*'

'Zijn boeken moeten worden afgesloten,' herhaalde ik, en ik keek heel even naar Austin die nog steeds zijn kwelgeest zat aan te staren. 'Dat is een merkwaardige zin.'

Austin knikte traag met zijn hoofd.

'Wat was het complot?' vroeg ik. Ze draaiden zich allebei naar me toe en keken me aan.

'O, nee,' riep de oude heer. 'U moet nog even in het ongewisse blijven. Maar ik beloof u dat u er heel snel achter zult komen!'

Op dat moment maakte de grote staande klok in de hoek van de kamer een geluid alsof hij zijn keel schraapte en sloeg toen zwaar dreunend het eerste kwartier.

Onze gastheer keek naar Austin.

'Loopt die goed?' riep Austin en hij trok zijn horloge te voorschijn.

'Nee, die klok loopt voor,' zei mr Stonex. 'Ik weet niet waarom, want alle andere klokken in huis lopen precies op tijd.'

Austin wendde zich tot mij: 'Hoe laat is het volgens jou?'

Ik pakte mijn uurwerk: 'Een minuut of twee voor vijf.'

'Dat is het ook precies op mijn horloge.' Hij keerde zich naar de oude heer. 'Ik zou onder geen beding de hele avonddienst willen missen. Courtine heeft het orgel nog niet gehoord en dit is zijn laatste kans, want vanavond wordt er voor het laatst op gespeeld.'

'Als jullie hier om halfzes weggaan, halen jullie het slot van de dienst nog wel,' zei onze gastheer. Daarna hief hij een hand op en liet zijn stem zakken. 'Het is nu halfelf op de noodlottige morgen. Ik ben de keukenjongen.' Bij deze woorden leek hij te krimpen en zelfs nog jonger te worden dan de officier die hij zojuist had gespeeld, en in zijn ogen kwam een blik van verschrikte simpelheid. Hij timmerde plotseling op tafel, waardoor het vaatwerk omhoog vloog. 'Onverwacht klinkt er een hard gebons op de voordeur.' Als huisknecht schrok hij van het geluid en liep bedeesd naar de deur toe.

Toen hij daar aankwam, rechtte hij zijn rug en was hij weer de officier. Ik begon me meer te interesseren voor de verteller dan voor het verhaal dat hij opdiste, want ik kon dit flamboyante, mededeelzame individu absoluut niet in overeenstemming brengen met de eenzame vrek zoals Quitregard me die had geschetst.

'*Jongen, waar zijn mijn soldaten?*'

Hij deinsde achteruit en stamelde: '*In de keuken, met uw welnemen, Edelachtbare.*'

'*Ga ze halen.*'

Als keukenjongen holde hij naar de deur naar de keuken. Toen keerde hij zich om en leek langer en dikker te worden en hij schuifelde de kamer in met een enigszins gluiperige uitstraling, terwijl hij zijn mond afveegde met één hand en aan een lok op zijn voorhoofd trok. '*Tot uw dienst, sir.*' Op wonderbaarlijke wijze toverde hij een metgezel te voorschijn, kleiner maar even dronken als hijzelf.

De officier blafte: '*Waar is de derde man?*'

De soldaat keerde zich naar zijn onzichtbare metgezel, haalde zijn schouders op en zei toen: '*Hij staat bij het achterhek, Edelachtbare, net als uwe Edelachtbare had opgedragen.*'

'*Uitstekend. Luister goed, mannen. Er is een royalistisch leger in aantocht dat op het punt staat onze stellingen aan te vallen.*'

'Was dat een bedenksel?' vroeg ik.

'Van A tot Z verzonnen,' klonk het over zijn schouder. 'Maar in de geruchtenstroom is er al zo'n leger ontstaan en daarom zal er wel geloof aan zijn gehecht.' Toen ging hij door: '*We hoeven er niet op te hopen te stad te behouden en trekken ons onmiddellijk terug naar een dorp een paar mijl verderop, waar de enige brug over de rivier in de verre omtrek ligt. Als we die kunnen houden, heeft het parlement een gerede kans morgen Thurchester te heroveren. Het dorp heet Compton Monachorum.*' De oude heer wachtte even en wierp mij een veelbetekenende blik toe.

'Waar het landhuis van de proost lag!' riep ik.

Hij ging verder niet in op mijn commentaar, maar zijn gelaatstrekken namen een uitdrukking van domme concentratie aan. '*Wat moeten we met de eerwaarde proost doen, sir?*'

'*We nemen hem mee als ruilobject bij eventuele onderhandelingen.*'

Ik wendde me nu tot hem: 'Is uw beschrijving ontleend aan het manuscript waarnaar u op zoek was?'

'Jazeker. Behalve dan dat dat alleen beschrijft wat de keukenjongen zag. Een getuige begrijpt niet altijd wat hij ziet, en in deze kwestie was dat beslist niet het geval.'

'Neemt u mij niet kwalijk,' onderbrak ik hem, 'dat ben ik helemaal niet met u eens. Ons hele juridische stelsel is gebaseerd op het idee dat getuigen naar waarheid kunnen vertellen wat ze hebben gezien.'

'Dat bestrijd ik ook niet,' antwoordde de oude heer bits. 'Wat ik beweer, is dat ze het regelmatig verkeerd interpreteren. Ik heb mijn verstand en mijn kennis van de latere gebeurtenissen gebruikt om te bedenken wat er werkelijk is voorgevallen. Kijk toe en oordeel zelf. Terwijl de soldaten in deze kamer bleven, glipte de jongen weg om zijn meester te zoeken.'

Met lange passen sloop hij naar de tweede deur die het huis in voerde, een keer of wat angstig over zijn schouder spiedend. Toen rechtte hij zijn rug en zei tegen mij: 'In de vestibule voor de studeerkamer treft hij u aan in een toestand van algehele paniek. U hebt alles gehoord – wat ook de bedoeling was – en u begrijpt dat het leven van u en uw vrouw en kinderen aan een zijden draadje hangt. Maar hoe kunt u ontsnappen en hen naar een veilige plek brengen? Om de achterdeur te bereiken moet u door deze kamer vol soldaten. En zelfs als u bij de achterdeur kon komen, staat daar de wacht bij het hek naar de immuniteit.'

Hij deed de deur open en stapte de vestibule in.

'Op dat moment wordt er op het raam getikt. U doet open.'

Ik aarzelde en hij herhaalde zijn aanwijzing: 'U doet open.'

Ik deed alsof ik het raam opendeed, waarbij me opviel dat het venster in werkelijkheid vastgespijkerd zat. Ik herinnerde me wat Quitregard had gezegd over de uitgebreide maatregelen die de oude heer tegen inbraak had genomen.

'Daar staat Hollingrake achter het raam,' zei onze gastheer vief en hij knikte naar Austin om hem in het spel te betrekken. 'Hij draagt een hoge hoed en een felrode mantel met een hoge kraag. U bent dolblij hem te zien. Op slag is al uw wantrouwen verdwenen. Hoe snel vergeten we niet het onrecht dat we anderen hebben aangedaan als wij hun hulp nodig hebben! U vraagt hem u te helpen ontsnappen en Hollingrake zegt dat hij precies om die reden naar u toe is gekomen.' Hij zweeg en wachtte tot Austin iets zei. Mijn vriend stond hem echter angstig aan te staren. In het geheel niet van zijn stuk gebracht, vervolgde onze gastheer: 'Hollingrake klimt door het raam naar binnen en zegt iets tegen u wat u ten zeerste verheugt.' Hij wachtte even, maar Austin reageerde niet op zijn aanwijzingen.

'Hij zegt tegen u dat hij een plan heeft voor uw ontsnapping. Hij wijst erop dat de wacht aan het achterhek hem zojuist heeft laten passeren en er niet aan zal denken hem tegen te houden als hij weer weggaat. U snapt onmiddellijk wat de thesaurier bedoelt, dus Hollingrake geeft u zijn zo opvallende hoed en jas, en hij en de jongen helpen u het raam uit te klimmen. Het laatste wat u denkt is: wat zijn die zware voorwerpen in de jaszakken? De jongen ziet u het achterhek uitspoeden langs de nietsvermoedende soldaat. Nog geen dertig seconde later ziet hij mij – de officier – en de soldaten het huis uit rennen en achter u aangaan. Wij hadden op u staan wachten!'

'En ik ben in de val gelopen!' zei ik grimmig.

'Ongeveer twee minuten later hoort de jongen geweerschoten. Hij holt de immuniteit op en vindt u bij de poort naar de kruisgang languit op de grond liggen, omringd door soldaten. Vlakbij staat een aantal stadsbewoners met afschuw toe te kijken. Ik doorzoek de zakken van uw overjas en – schande en ontzetting! – ik vind een aantal grote juwelen en wat kleinere stukken van het gouden vaatwerk uit de kathedraal. Ik kan mijn ogen niet geloven. Ik laat ze aan de omstanders zien en die herkennen ze en zijn ontzet. U ligt daar zonder iets te kunnen zeggen, maar ziet hoe u te schande bent gemaakt terwijl u langzaam doodbloedt.'

'Arme Freeth,' liet ik mij ontvallen. Wat hij ook had gedaan of nagelaten in zijn leven, zo'n infame en onrechtvaardige dood verdiende medelijden. Om daar te liggen terwijl zijn levensbloed uit hem wegvloeide en te beseffen dat hij alleen zou worden herinnerd als een laffe dief.

De oude heer glimlachte. 'Zelfs de keukenjongen, die de voornaamste getuige was, begreep niet wat er werkelijk gebeurd was.'

'Maar er bestaan andere verslagen die verschillen van dit verhaal,' protesteerde ik, en ik vertelde hem van de brief van de oudheidkundige. 'Pepperdines ooggetuige beweert dat Freeth soldaten de bibliotheek zag plunderen en dat hij daar toen naar toe holde om ze tegen te houden. Daarom stierf hij als een dappere geleerde die zijn boeken probeerde te redden.'

Mijn gastheer liet een hoog, spottend lachje horen. 'Kapitale onzin! Hij kon de bibliotheek niet eens zien vanuit dit huis!'

'Weet u dat zeker?'

'Kom mee, dan zal ik het u laten zien. De eetkamer heeft het beste uitzicht op de immuniteit, dus als u de bibliotheek van daaruit niet kunt zien, kunt u er zeker van zijn dat dat ook geldt voor elke andere kamer in huis.'

Toen hij de vestibule inliep, schreeuwde Austin zowat: 'Waar gaat u heen? U kunt daar niet naar binnen! U kunt niet de eetkamer bedoelen!'

Mr Stonex keek hem aan zonder ook maar iets van zijn kalmte te verliezen. 'Die bedoel ik wel degelijk.'

'Het kan niet anders of u bedoelt de studeerkamer,' protesteerde Austin.

'Zeer zeker niet.' Hij glimlachte naar mij. 'Die kijkt uit op de straat.'

'Was dat de studeerkamer van de proost?' vroeg ik, terwijl ik op een deur achter ons wees.

Hij knikte.

'Mag ik die eens zien? Ik zou uw hypothese willen testen dat de proost de officier bevel heeft horen geven hem te gijzelen, en uiteindelijk vermoedelijk ook te vermoorden.'

'Met alle plezier,' zei hij en hij stak zijn hand in een van zijn broekzakken. 'Die kamer is altijd afgesloten.' Er verscheen een verontschuldigende uitdrukking op zijn gelaat. 'Jammer genoeg blijk ik de sleutels niet bij de hand te hebben. Ik zou ze van boven kunnen halen als ik u daarmee een plezier zou doen.'

'Dat zou werkelijk te veel moeite zijn,' zei ik ietwat verbaasd, want ik herinnerde me de jonge Quitregard te hebben horen zeggen dat hij zijn sleutels altijd aan een ketting bij zich droeg.

Onverschillig trok hij even zijn schouders op alsof het hem om het even was, draaide zich om en leidde ons een paar treden af de gang door. Toen opende hij een deur en liet ons voorgaan in de eetkamer. Deze was groot, maar laag en donker, en er brandde slechts één lichtje aan het andere eind. De muren waren bedekt met eikenhouten panelen en middenin stond over bijna de gehele lengte een lange tafel. Aan het uiteinde van de tafel, het dichtst bij het raam, stond in een kandelaar één enkele kaars, die weliswaar nog brandde maar op het punt stond te doven. Ik keek uit het raam en zag dat de kathedraal pal voor ons lag, reusachtig groot en bijna alles aan het oog onttrekkend.

Ergens in de verte naast de kathedraal kon ik in de dichte schemer nog net een stuk van de bibliotheek onderscheiden, even voorbij het punt waar het kapittelhuis naar voren stak.

'De deur van de bibliotheek ligt te ver naar links om nog te kunnen zien. Hij gaat verborgen achter het kapittelhuis,' zei de oude man naast mijn schouder.

Ik moest toegeven dat hij gelijk had. Ik keek de immuniteit rond en constateerde dat ik net een van de bovenramen van Austin kon zien. Dat moet de woonkamer zijn, besefte ik.

Op dat moment knetterde de kaars op tafel en doofde.

Onze gastheer stak het gas aan in een gasarm en toen het licht opflakkerde, werd mijn blik gevangen door een portret dat vlak naast me hing. Toen hij me ernaar zag kijken, zei hij: 'Dat is mijn vader als jongeman.'

De afgebeelde was een jongeman in een kostuum uit het begin van de eeuw. Het gezicht was fijngetekend, zelfs vrouwelijk, en wekte de indruk of het model een liefhebber van het goede leven was, maar blijkens de lippen die iets waren teruggetrokken van zijn tanden, als bij een grommend dier, had hij ook minachting voor eenieder die hem in de weg stond. Ik meende op dat moment een gelijkenis te zien met het gezicht van mijn gastheer, ondanks het verschil in leeftijd.

'Het was een knappe man,' zei ik.

'Hij heeft inderdaad heel wat damesharten gebroken,' zei de oude heer lachend. 'Hij had een erg wilde jeugd en raakte in vele moeilijkheden verzeild. Hij streed menig duel met woedende broers en vrijers en hij joeg er bijna zijn hele erfenis doorheen. Maar hij keerde precies op tijd terug op het rechte pad en sloot een goed huwelijk en leidde verder een rustig bestaan, werkend op de bank van zijn vader. Jammer genoeg stierf hij jong – de prijs die hij moest betalen voor zijn vroegere losbandigheid.'

'Kunt u hem zich nog herinneren?'

Hij knikte. 'Ik was erg jong toen hij stierf, maar ik heb vele herinneringen aan hem. Hij was altijd een en al vrolijkheid. Toen hij nog leefde was het hier in huis altijd vol bedrijvige bedienden en muziek, en er waren gasten in prachtige jurken, lichten, feesten, kaartavondjes en diners. Van 's ochtends vroeg tot 's avonds laat was het een komen en gaan van elegante rijtuigen.'

Hij schudde zijn hoofd en ik vroeg me af hoe zijn leven, dat met zo veel gezelligheid en warmte was begonnen, had kunnen verschrompelen tot wat het nu was – hij een eenzame oude man in een groot leeg huis met niets dan herinneringen en verhalen over het verre verleden. Ik kreeg het opeens erg koud.

Onze gastheer voerde ons terug naar de woonkeuken, waar hij ons dringend verzocht weer te gaan zitten. Ik zei opgewekt: 'Mijn enige bezwaar is nu weerlegd en ik moet toegeven dat uw versie van de moord op de proost erg aannemelijk klinkt.'

'Ik weet niet waarom u dat woord in de mond neemt,' zei de oude heer. 'Freeth is niet vermoord – hij is geëxecuteerd. Zijn dood was noodzakelijk om te voorkomen dat er nog meer levens verspild zouden worden.'

'Het lijkt me nooit juist om de waarde van een mensenleven zo pragmatisch te beoordelen,' protesteerde ik en ik keek naar Austin voor bijval. Hij schudde alleen met zijn hoofd alsof hij zijn standpunt liever voor zich hield.

'Dat is een religieus standpunt dat zich beroept op absolute morele uitspraken,' antwoordde de oude man zonder een spoor van emotie. 'Ik hang de humanistische visie aan dat menselijke belangen altijd tegen elkaar kunnen worden afgewogen en dat daarbij het heil van de velen ten koste mag gaan van de weinigen.'

'Ik noem mijzelf eveneens humanist,' zei ik verontwaardigd. 'Maar uw standpunt wijs ik absoluut van de hand. Ieder mensenleven is heilig.'

'Heilig?' zei de oude heer spottend. 'U durft dat woord te bezigen en uzelf humanist te noemen?'

Nog voor ik een antwoord kon bedenken, sprak Austin: 'Courtine heeft gelijk. Moord is het ultieme kwaad en wie zich daaraan schuldig maakt, hoeft er niet op te hopen aan de eeuwige verdoemenis te zullen ontkomen.'

Mr Stonex tolde rond en wierp hem een merkwaardige blik toe, die ik niet kon duiden. Op dat moment sloeg de klok naast de deur het laatste kwartier.

'Het moet halfzes zijn,' zei Austin. 'We mogen het slot van de avonddienst niet missen. Kijk eens op jouw horloge, Courtine.'

Ietwat verbaasd voldeed ik aan dit verzoek. 'Ja, je hebt gelijk.'

'Waarom loopt die klok toch zo slecht?' zei Austin plotseling tegen de oude heer. 'Zit iets het mechaniek in de weg?'

'In de weg?'

'Iets wat de gewichten blokkeert?'

Onze gastheer glimlachte, liep de kamer door en trok snel de kast van de klok open. Met zijn rug naar ons toe stak hij zijn hand naar binnen en zei: 'Nee, er zit niks.'

Toen hij zich omkeerde meende ik hem iets in zijn zak te zien steken, en ik nam aan dat dat de sleutel van de kast was, al had ik hem die niet in het slot zien omdraaien.

'Bedankt, Fickling,' zei hij. 'Dat was een heel slim idee.'

Op dat moment maakte het gebeier van de kathedraalklok een eind aan elke verdere discussie over de juiste tijd. Wat de tijd ook mocht zijn op mijn grootstedelijk uurwerk, in Thurchester was het halfzes.

'We moeten gaan,' zei Austin resoluut. 'Anders missen we de dienst helemaal.'

Al leek het wat onbeleefd om zo ineens op te breken, ik herinnerde me dat onze gastheer om zes uur terug moest zijn op zijn werkplek en het daarom vermoedelijk niet erg zou vinden ons te zien weggaan. We stonden op en liepen via de keuken naar de achterdeur, waar we afscheid namen. Net toen ik de hand van mijn gastheer schudde, werd er op de voordeur geklopt. De oude heer zei: 'Hij is stipt op tijd.' Toen hij mij verwonderd zag kijken, legde hij uit: 'Dat is de kelner van de herberg aan de overkant. Hij brengt me een pint bier.'

Het verbaasde me dat Quitregard dat niet had vermeld in zijn opsomming van de dagelijkse routine van de oude bankier. We bedankten hem nogmaals voor zijn gastvrijheid en verlieten het huis. We waren iets langer dan drie kwartier binnen geweest.

Donderdagnamiddag

We haastten ons naar de kathedraal en zagen bij binnenkomst dat de avonddienst juist ten einde liep, dus in plaats van een plek te zoeken bleven we
achterin staan en luisterden naar het orgel dat het laatste deel van een toccata
en fuga van Bach speelde. De geur was nu zelfs nog nadrukkelijker aanwezig
dan de dag ervoor, en hoewel het in de kerk erg koud was, leek de reuk in
mijn neusgaten juist warm aan te voelen. Ik was erg opgelucht dat we niet
lang zouden blijven.

De voorganger, de misdienaren en het koor liepen achter elkaar het koor
uit en de kleine congregatie vertrok. Toen we een minuut of wat later
zachtjes met elkaar stonden te praten, dook er plotseling een man naast ons
op. Hij moest stilletjes en ongemerkt vanaf de oostzijde naar ons toe zijn
gekomen.

'Dit is Slattery,' zei Austin. 'Martin Slattery.'

Hij was lang, zo'n vijftien jaar jonger dan wij, en had een zeer markant
gezicht – knap, verwend en veeleisend. Zijn steile zwarte haar was glad omlaag gestreken, met een glans als van een pels, en hij deed me sowieso wel
denken aan een of ander wild beest. Er schoot me een ordinaire uitdrukking
te binnen die ik eens had horen gebruiken in een beschrijving van een jachthond: hij had het soort gezicht dat altijd ergens naar liep te 'snuffelen'. Het
leek of zijn starende blauwe ogen mijn gezicht afzochten naar iets wat hem
van nut kon zijn of een bedreiging vormde. Ik voelde intuïtief dat hij zeer
innemend kon zijn, maar hij had ook iets over zich wat me deed vermoeden
dat hij tot alles in staat was. Uiteraard had ik al eerder alle reden gehad om
een vriend van Austin te wantrouwen.

Slattery was een grote man en toch was de hand die hij nu nonchalant
naar mij uitstak opvallend fijngebouwd. Zijn handdruk was ferm en ik was
blij dat hij mijn hand snel weer losliet.

'Het spijt me dat ik u slechts een paar minuten heb horen spelen,' zei ik.

'Ik speelde abominabel,' antwoordde hij met een innemende glimlach. 'U hebt niets gemist.'

Zijn gezicht kwam me bekend voor. Ik had het onlangs nog gezien, al kon ik me niet herinneren waar.

'Ik weet zeker dat dat niet waar is,' mompelde ik zonder erbij na te denken.

'Ik geef u mijn woord dat ik nog nooit zo slecht heb gespeeld in deze kathedraal. Ik kon niets aanvangen met mijn handen. Ze leken een eigen wil te hebben.' Hij hield ze voor zich uit alsof hij ze voor inspectie opstelde en bekeek ze met iets van ironisch respect, hetgeen mij op een vreemde manier verontrustte. 'Een vermaledijd afscheid van het orgel.'

'Ik weet zeker dat u er nog vaak op zult spelen als het weer in gebruik is genomen,' zei ik.

'Ik betwijfel het.' Bij deze woorden glimlachte hij naar Austin, die hem sinds zijn komst was blijven aanstaren, maar nu zijn ogen neersloeg. Op dat moment zag ik Gazzard, de oude koster, een paar meter van ons vandaan staan en onze kant op kijken. Hij keek afkeurend in mijn richting en toen ik knikte, draaide hij zich om.

'Zullen we naar een café gaan?' vroeg Austin.

We stemden hiermee in en volgden hem de kathedraal uit. Austin en ik liepen voorop en pas toen we de immuniteit uitliepen keek ik even om naar onze metgezel en zag dat hij een wat zwierige, hobbelende gang had. Op dat moment realiseerde ik me dat hij de kreupele gedaante was geweest die ik de avond ervoor op de immuniteit had gezien. Vandaar dat ik het gevoel had dat ik hem kende, al zat er ergens in mij nog een herinnering die er niet in slaagde boven te komen. Als hij degene was die ik in de steeg had zien verdwijnen, dan moest hij ook degene zijn geweest die ik op de orgelgalerij had gezien. Maar hoe was hij dan naar beneden en op de immuniteit gekomen, zonder dat ik hem had gezien? Er moest nog een trap zijn. Ik hield mijn pas in zodat Slattery ons kon inhalen en liet hem en Austin vooruitlopen.

Ik was weliswaar opgelucht dat er nu een rationele verklaring bestond voor iets waarvan ik bijna aanvaard had dat het een bovennatuurlijke ervaring was geweest, maar ik werd verontrust door de herinnering aan het gevoel van boosaardigheid dat er van de gedaante was uitgegaan. En wat had hij daar te zoeken gehad op dat uur? Ik bedacht dat een orgelgalerij in elk geval een logische plek was voor een organist. Ik vroeg me af of hij me had herkend van onze ontmoeting, maar ik dacht van niet, want hij had er geen enkele blijk van gegeven.

Austin en zijn vriend voerden op gedempte toon een gesprek terwijl ze een paar passen voor mij uit liepen, hun hoofden dicht bij elkaar. Op een gegeven moment greep Slattery Austin bij zijn arm en hield hem even vast. Een minuut of twee later liepen we een café in – The Angel Inn in Chancery Street.

Austin ging naar de bar, terwijl Slattery en ik plaatsnamen in een alkoof met uitzicht op straat.

'Geeft u graag les, mr Slattery?' vroeg ik, naarstig op zoek naar een onderwerp dat ons beiden zou kunnen interesseren. 'Ik hoorde van Fickling dat u muziekles geeft op de koorschool en privé-leerlingen hebt in de stad.'

'Of ik het graag doe? Ik beschouw het als een gevangenisstraf. Ik doe het omdat ik als kind al een passie voor muziek had en me er verder in heb ontwikkeld. En omdat die dronken schoft van een vader van mij niet alleen verhinderde dat ik iets leerde waarmee ik in mijn eigen onderhoud zou kunnen voorzien, maar me bovendien kreupel sloeg in een van zijn dronken woedeaanvallen, was ik ertoe veroordeeld er mijn vak van te maken. Daardoor is mijn animo min of meer om zeep geholpen.'

Zonder te laten merken hoe verbluft ik was door dit antwoord, ging ik hardnekkig door: 'Maar de koorknapen zijn toch getalenteerde zangers? Het moeten dankbare leerlingen zijn.'

'Als de koordirigent zijn vak verstond, misschien wel. Maar aangezien hij geen verstand van muziek heeft, selecteert hij de knapen op alles behalve hun stem en hun muzikale vermogens.' Hij glimlachte stralend en zei toen: 'En stukje bij beetje merk ik dat ik me aanpas aan de middelmatigheid – het enige wat je kunt verwachten in een duivels gat als dit.'

Op dat moment kwam Austin aanlopen met de glazen. Hij keek even naar zijn vriend – bezorgd, dacht ik – toen hij diens laatste woorden opving.

'Woont u hier al lang?' vroeg ik.

'Een jaar of acht, negen. Ik kwam hier aanvankelijk omdat ik hier familie heb…' Hij maakte de zin niet af en wierp een blik op Austin voordat hij zei: 'Of juister gezegd, ik had hier familie wonen. Alleen door mijn verdomde luiheid ben ik hier blijven hangen. Ik ben als een wulk die in een hoek van een getijdepoel wegkruipt en daar blijft zitten, niet omdat hij enige affiniteit heeft met zijn omgeving, maar omdat hij zo'n lampoot is.'

'Zijn wulken lampoten?' vroeg ik, glimlachend bij het idee.

'Hebben ze poten?' pareerde hij, en hij nam grijnzend een slok uit zijn glas.

'Er zijn ergere plekken om te wonen dan een Engelse kathedraalstad,' opperde ik.

'En betere. Plekken waar op straat wordt gelachen, waar muziek klinkt, waar de zon schijnt.'

'Bedoelt u Italië?'

Hij knikte.

'Bent u daar goed bekend?' vroeg ik.

'Niet zo goed als ik het hoop te worden. Ik heb daar het gelukkigste jaar van mijn leven doorgebracht. Om maar één ding te noemen, er wonen daar de meest fascinerende Engelsen. Bijvoorbeeld iedereen die niet past in de hokjes waar het protestantisme ons in wil hebben, namelijk paren die bestaan uit een man die wettig getrouwd is met een vrouw. Daar heb ik Fickling ook ontmoet.'

'Werkelijk? Ik nam aan dat u elkaar van hier kende.'

'Nee hoor, we hebben elkaar in Italië leren kennen. Het lag precies andersom, want het was Fickling die me aan het baantje bij de kathedraal heeft geholpen. We werden aan elkaar voorgesteld door gemeenschappelijke vrienden in Florence die wisten dat wij beiden een band met deze stad hadden. Ik had namelijk toevallig laten vallen dat ik kort ervoor een kort en nogal teleurstellend bezoek aan een familielid van mij hier ter stede had gebracht. U kunt zich dus wel voorstellen dat ik veel gelukkige herinneringen aan Italië bezit. Ze houden zo vreselijk veel van muziek, de Italianen. En ze begrijpen die ook zo goed. Terwijl hier, hier speel ik met de dag slechter omdat er niemand is die mijn spel echt kan beoordelen. En omdat ik, hoe slecht ik ook speel, nooit iemand beter hoor spelen. Ik ben nu al zover dat ik een hekel heb aan mijn eigen spel.'

'De congregatie vindt het nog erger,' zei Austin.

'In dat geval zullen alle partijen even verheugd zijn dat het orgel een paar weken buiten gebruik is.' Toen voegde hij er zachtjes aan toe: 'Niet dat het waarschijnlijk is dat ik er ooit nog op zal spelen, trouwens.'

'Gaat de reparatie zo veel tijd kosten?' vroeg Austin.

'Zal ik eens wat vertellen,' zei Slattery die de vraag negeerde, maar Austin een glimlach schonk waarmee hij ook mij in vertrouwen nam, 'ik ben van die idioot van een Bulmer, de opzichter van de kerkfabriek, te weten gekomen hoe het komt dat de werklieden die hele toestand hebben veroorzaakt. Dinsdagavond opperde een of andere bemoeizuchtige bezoeker tegen die vervelende oude Gazzard dat als ze hun oorspronkelijke plan zouden uitvoeren, ze meer schade zouden aanrichten dan wanneer ze het traject namen dat nu zo desastreus is gebleken. Gazzard – vervloekt zij die bedilzieke oude domkop – gaf dat advies door aan Sisterson, aangezien Bulmer toevallig weer eens elders was, op de begrafenis van een van zijn familieleden. Vandaar dat de sacristein, onnozele hals die hij is, de mannen opdracht gaf om het anders te doen, waarmee hij die hele toestand over zichzelf afriep.'

'Ik vermoed dat het advies niet helemaal correct is opgevolgd,' zei ik. 'En als men had vastgehouden aan het oorspronkelijke plan zouden de gevolgen weleens veel ongelukkiger geweest kunnen zijn.'

'Het is moeilijk voorstelbaar hoe zelfs een stomkop als Bulmer een nog beroerdere situatie had kunnen veroorzaken. Nu moeten ze stukken van de vloer en de muur in het transept gaan stutten en alleen de duivel weet hoe dat zal aflopen. Misschien stort uiteindelijk het hele verdomde bouwwerk op hun achterlijke koppen neer. Maar wat kan mij het ook schelen?'

Hij lachte en nam een grote slok bier. Ik ving Austins blik op en hij keek een andere kant op.

'Bezit u een van die aardige huisjes in de immuniteit, mr Slattery?' informeerde ik, hopend het gesprek daarmee in minder polemische wateren te brengen. 'Ze zijn heel pittoresk.'

'Helaas niet. Ficklings ellendige krot is een bisschoppelijk paleis vergeleken met het mijne. Ik woon op kamers in een armoedig straatje vlakbij.'

Een eigen gedachtegang volgend, zei ik op de gok: 'Uw vrouw zal het wel jammer vinden dat uw baan u geen recht geeft op een van die mooie oude huisjes naast de kathedraal.'

'Mijn vrouw?' Hij glimlachte verbaasd en hief toen zijn hoofd op en lachte. *'La dame n'existe pas.'*

Austin hield zijn ogen neergeslagen. Had ik het gesprek dat ik in de bar had opgevangen verkeerd begrepen? Ze hadden toch echt gezegd dat Slattery een vrouw had.

'Ik snap het al,' zei Slattery terwijl hij zijn vossentanden in een glimlach ontblootte. 'U hebt mensen over mij horen praten. U hebt iets van de venijnige achterklap opgevangen waar dit stadje van leeft. Wat zeiden ze?'

Ik vorm mij zelden een haastig oordeel, maar nu kwam ik tot de conclusie dat ik Slattery in het geheel niet mocht. Hij had het air van iemand die veel in cafés vertoeft en dat beviel me allerminst. Hij zwalkte heen en weer tussen grootspraak en achtervolgingswaanzin en leek te denken dat hij recht had op een comfortabel bestaan zonder daarvoor te hoeven werken. Ik had heel wat studenten gekend die op hem leken – verbitterde jongste zoons of telgen uit families die hun vermogen hadden verloren. Het stemde mij treurig dat zo'n man een goede vriend van Austin was.

'Kap ermee, Martin,' zei Austin.

'Wie was het? Heeft dat oude wijf van een Locard iets gezegd? Fickling vertelde me dat jullie het prima met elkaar kunnen vinden.'

De jongeman was onuitstaanbaar. 'Nee, ik verzeker u, mr Slattery, ik heb met niemand over u gesproken. Waarom zou ik? Ik wist tot voor kort amper van uw bestaan.'

'Deze stad zit vol met de giftigste lasteraars en u hebt er ten minste drie van ontmoet: Locard, zijn kruiperige schandknaap Quitregard en die murmelende beek van een Sisterson.'

'In elke gesloten gemeenschap wordt er geroddeld, maar niet al dat gepraat is kwaadaardig,' zei ik zachtjes. 'En je kunt het ook negeren. Je kunt in feite heel veel dingen leren negeren. Vindt u niet ook dat je eigenlijk maar heel weinig nodig hebt om tevreden te zijn? Boeken, concerten, een paar goede vrienden?'

'Nee,' zei hij. 'Dat vind ik helemaal niet. Er moet dramatiek en vervoering in het leven zitten. De meeste mensen leiden in half wakende toestand een leven zonder de geringste hartstocht, zonder het geringste risico. Ze hadden net zo goed dood kunnen zijn.'

Zonder precies te weten waarom, merkte ik dat ik kwaad werd. 'Ik vind alle vervoering die ik behoef in de literatuur, in de geschiedenis, in de muziek.'

Hij keek me alleen maar aan met wat ik interpreteerde als een stilzwijgend hoonlachje.

'Zijn de gewoonste dingen in het leven niet interessant genoeg voor mensen met een beetje verbeeldingskracht?' vervolgde ik. 'Het veiligste leven – een leven dat volgens anderen verachtelijk gewoontjes is – kan vol ongeziene dramatiek zitten.'

'Bestaat er zoiets als een veilig leven?' vroeg hij. 'We lopen toch allemaal over een pad in de mist en soms veegt een windvlaag de lucht even open en zien we dat we op een bergkam staan met aan weerszijden een afgrond van honderden meters diepte.'

Verbluft keek ik hem aan. Nog voor ik kon antwoorden, zei Austin: 'Jullie zeggen beiden hetzelfde.'

We keerden ons verrast naar hem toe. 'Jij zegt, Courtine, dat onder het oppervlak van ieders leven vervoering en dramatiek is te vinden. Slattery heeft het over niets anders.'

Ik stond op het punt te antwoorden, toen er enige commotie ontstond. Er kwam een man de bar binnen geheld die naar zijn vrienden in de verste hoek riep: 'Er is hier tegenover iets aan de hand, bij het huis van die ouwe vent.'

Hij en twee van zijn maten liepen naar het raam naast het onze. We keken naar buiten en zagen dat er zich een man of vijftien had verzameld rond de deur van een huis aan de overzijde van de straat. Ze stonden deels op de rijbaan en zouden de doorgang hebben geblokkeerd van passerende voertuigen, als die er waren geweest. In de menigte bevonden zich twee agenten, waarvan er één met zijn knokkels op de deur bonkte.

'Ik vraag me af wat er aan de hand is,' zei Slattery lijzig.

Terwijl we zaten te kijken kwam er een man aanhollen met een houten hamer.

'Het wordt steeds gekker,' becommentarieerde Slattery. Toen zei hij tegen Austin: 'Is dat niet het huis van die zotte oude snuiter? Hoe heet hij ook weer?'

Austin schudde zijn hoofd alsof hij geen idee had waar zijn vriend op doelde.

'Zeg,' zei Slattery, zijn stem verheffend terwijl hij in zijn stoel achterover-leunde in de richting van de mannen aan het andere raam. 'Van wie is dat huis aan de overkant?'

'Van de oude mr Stonex, de bankier, sir,' zei een van de drie mannen die uit het andere raam keken.

'Die bedoelde ik,' zei Slattery tegen ons.

Natuurlijk! Het was de voorgevel van het huis dat wij zopas hadden verla-ten. Ik had het niet herkend omdat ik alleen de achterkant had gezien. Ik keek naar Austin die een slok nam.

'We waren daar nog geen uur geleden,' zei ik.

'Meent u dat? Krijg nou wat. Hebt u enig idee wat er aan de hand zou kunnen zijn?'

'Niet in het minst.'

Opeens klonk er kabaal en ik zag dat een van de agenten de voordeur probeerde in te slaan met de houten hamer, op instigatie van de ander – een brigadier, naar ik nu zag.

'Vind je niet dat we met de agenten moeten gaan praten?' vroeg ik Austin. 'Misschien kunnen we helpen.'

Hij schudde zijn hoofd om aan te geven dat hij aarzelde, of dat hij er geen mening over had. Maar Slattery zei: 'Ik denk dat jullie daar goed aan zouden doen. Het zou wel verrekte raar staan als jullie je pas later zouden melden.'

Terwijl we onze halflege bierglazen achterlieten, togen we naar buiten en staken de straat over naar de kleine menigte. Ik drong me tussen de omstan-ders door en liep op de brigadier af, die stond te kijken hoe de agent de deur probeerde open te breken. Ik legde de brigadier uit dat Austin en ik nog geen uur geleden in het huis waren geweest en hij was hoogst geïnteresseerd. Ik draaide me om, gebaarde naar mijn twee metgezellen en stelde hen voor. De politieman knikte en zei: 'Ik ken mr Fickling uiteraard. En ik had het genoegen afgelopen dinsdagavond met u kennis te maken, is het niet, mr Slattery?'

Slattery boog diep en keek de politieman met een innemende glimlach aan: 'Het genoegen was geheel aan mijn kant, brigadier, al was de gelegen-heid minder plezierig dan ik zou hebben gewenst.'

'Het was bij kanunnik Sheldrick thuis,' legde de politieman aan mij uit. 'Het betrof een ongelukkig voorval waarbij een aantal miniaturen werd ont-vreemd.'

'Daar heb ik van gehoord,' zei ik tegen Austin, die zijn blik afwendde.

'Zijn ze teruggevonden, brigadier,' vroeg Slattery, 'dankzij uw indruk-wekkende professionele inspanningen?'

De politieman keek hem koel aan en zei: 'Eerlijk gezegd niet, mr Slattery. Al heb ik een scherp vermoeden wat ermee gebeurd is.'

'Scherpte is wat ik bij iemand als u zou verwachten,' zei Slattery met zijn meest innemende glimlach.

Het gesprek werd voortdurend onderbroken door het gedreun van de hamer.

'Waar is mr Stonex?' vroeg ik.

'Dat is de vraag, sir,' antwoordde de brigadier.

Een oude vrouw die de hele tijd naast hem had gestaan, begon te praten: 'Zoiets heb ik nog nooit van m'n leven meegemaakt. Mijnheer is altijd zo stipt in heel z'n doen en laten.'

'Dit is mrs Bubbosh,' zei de brigadier. 'Ze komt elke dag koken en schoonmaken.'

'En ik kwam nu net zoals ik altijd doe, om het avondeten te maken voor de oude heer, maar hij deed de deur maar niet open, al bleef ik net zolang bonken tot m'n vuisten d'r pijn van deden. Dat is van m'n leven nog nooit gebeurd.'

'Hoe laat was dat?' vroeg de brigadier.

'Nou, even voor zessen, ik kom altijd even voor zessen. Dus ik dacht dat er misschien wat gebeurd was op de bank en dat ze hem waren wezen halen, dus toen ben ik daarheen gegaan en heb ik met mr Wattam gesproken' – ze knikte naar een keurig geklede man naast haar –, 'maar die zei van niet.'

'Mr Stonex kwam immer strijk-en-zet om een paar minuten over zes terug op de bank, in al die jaren dat ik er nu werk,' zei de man. 'En dat zijn er nu al bijna dertig. Ik ben mr Wattam, heren, en heb het genoegen de bureauchef te zijn van de Thurchester and County Bank.'

De brigadier en wij drieën schudden hem de hand en mr Wattam vervolgde: 'Ik was zo gealarmeerd door hetgeen deze beste vrouw me vertelde dat ik met haar mee terug ben gegaan. We klopten een tijdlang op de deur en liepen toen om naar de achterdeur, maar ontdekten dat ook die op slot zat. Daarop stuurden we een jongen naar het politiebureau om de agenten te halen.'

Tijdens het gesprek was de menigte aangegroeid en nu stonden er zo'n twintig omstanders toe te kijken.

'Nu weet u evenveel als ik, sir,' zei de brigadier tegen mij.

Op dat moment slaagde de agent met de houten hamer erin om door een van de panelen van de voordeur te slaan. Hij bleef ertegenaan trappen tot er genoeg ruimte was om iemand door te laten. De brigadier bukte zich en ging door het gat naar binnen, terwijl hij zijn collega opdracht gaf niemand toe te laten tot hij terugkwam.

'Dit is wel heel vreemd,' zei ik tegen mijn metgezellen. 'Hij verkeerde in prima gezondheid toen we afscheid van hem namen. Nietwaar, Austin?'

Mijn vriend knikte ernstig.

Slattery glimlachte. 'Ik ga ervan uit dat hij plotseling voor zaken is weggeroepen. Als hij terugkomt en ziet dat er in zijn huis is ingebroken en dat er een menigte bemoeizuchtige niksnutten de weg staat te blokkeren, durf ik te voorspellen dat zelfs zijn legendarische goede humeur het laat afweten.'

'Heeft hij zo'n goedgehumeurde reputatie?' begon ik, toen ik besefte dat het ironisch bedoeld was. En toch had de oude heer in de loop van de middag een allervriendelijkste indruk gemaakt.

Op dat moment verscheen het gezicht van de brigadier – duidelijk bleek weggetrokken nu – enigszins misplaatst ongeveer ter hoogte van mijn middel terwijl hij door het ingeslagen paneel naar buiten kroop. Hij kwam overeind en sloeg het stof van zijn knieën. De agent liep op hem af alsof hij nadere orders verwachtte, maar de brigadier leek hem niet te zien terwijl hij naar ons omkeek. Bijna per toeval, leek het wel, viel zijn blik op mr Wattam. 'Haal een dokter,' stamelde hij zachtjes. De klerk bleef aarzelend staan alsof hij overwoog nog iets te vragen. 'Snel, man,' zei de brigadier zacht, en mr Hattam spoedde zich weg.

'Is de oude heer onwel geworden?' vroeg ik.

De brigadier schudde enkel zijn hoofd. Hij haalde diep adem en liet zich plotseling op het stoepje zakken. Als om de ontsteldheid van zijn meerdere aan het gezicht te onttrekken, begon de agent de omstanders te gebaren weg te gaan bij de deur. 'Doorlopen, alstublieft,' maande hij. 'Niet de straatweg blokkeren.'

Onwillig schuifelde de menigte van voornamelijk mannen en jongens weg en bleef een paar meter verderop op de stoep staan, en allen deden of ze daar om geheel andere redenen toevallig stonden. Even later wenkte de brigadier de agent. Ze fluisterden kort met elkaar. Ik zag het gezicht van de jongeman verslappen en zijn mond openzakken. Toen knielde hij neer en maakte aanstalten door het verbrijzelde paneel naar binnen te kruipen.

'Dick,' riep de brigadier zacht, 'ga allereerst kijken of de achterdeur nog op slot zit.' De agent knikte en verdween door de opening.

'Zijn die twee de enige deuren die er zijn?' vroeg de brigadier aan mrs Bubbosh – door zijn geschokte zenuwen liet zijn grammatica hem enigszins in de steek. Ze knikte.

Mrs Bubbosh ving mijn blik op en ik meende aan haar gezicht te kunnen aflezen dat het tot haar doordrong dat dit een ernstiger aangelegenheid was dan de nogal plezierige ervaring die haar korte tijd in het middelpunt van de belangstelling had geplaatst. Austin had zijn handen voor zijn gezicht geslagen en zijn hoofd afgewend. Ik zag dat Slattery hem bij zijn arm had gegrepen en het leek of hij hem heen en weer schudde terwijl hij in zijn oor fluisterde.

Op dat moment kwamen er twee jonge agenten aanlopen en een van hen riep: 'We kregen uw boodschap, brig'dier, en zijn zo snel mogelijk gekomen.'

De woorden bestierven hem op de lippen toen hij zijn collega in het oog kreeg die wat wankel overeind kwam en beide politiemannen terzijde wenkte.

De menigte, die nu uit zo'n dertig man bestond, liet luid van zich horen, misschien gepikeerd omdat ze op afstand werden gehouden. Wij daarentegen hielden ons stil, dat wil zeggen diegenen onder ons in het groepje nabij de deur die het gevoel hadden daar zo'n beetje in semi-officiële hoedanigheid aanwezig te zijn – mrs Bubbosh, de man die de houten hamer had gebracht, Slattery, Austin en ikzelf – en we keken naar de drie politiemannen en spitsten onze oren om iets op te vangen van hun gedempte conversatie. Ik stond op het punt te eisen dat ons zou worden verteld wat er aan de hand was, toen de agent die met Dick was aangesproken door de deur naar buiten kroop. Terwijl hij zich bij zijn collega's voegde, hoorde ik hem zeggen: 'De achterdeur zit op slot, brigadier. En ik kan geen sleutels vinden.'

De brigadier knikte en zei tegen de man die de houten hamer had gehaald: 'In 's hemelsnaam, sla de rest ook stuk, wil je?'

De man pakte het werktuig op en begon te beuken tegen wat er restte van de deur. De sponning begon al mee te geven nog voor de panelen eindelijk versplinterden.

Op dat moment kwam er in gezelschap van mr Wattam een magere jongeman met een zwarte tas aangesneld die kort praatte met de brigadier. Daarop betraden zij getweeën het huis, terwijl de drie agenten achterbleven om de deur te bewaken. De brigadier kwam een minuut later weer naar buiten en stuurde een van de jongere politiemannen naar het treinstation om een telegram te versturen.

Toen deze wegsnelde, nam de brigadier mrs Bubbosh bij de elleboog en leidde haar in de richting van de deur. Terwijl hij dit deed, draaide hij zich naar de rest van ons toe: 'Zoudt u ook mee willen komen, heren?'

'Wij allemaal?' vroeg ik.

'Graag. U drieën schijnt dit huis als laatsten te hebben bezocht.'

'Deze heer niet,' zei ik en ik wees naar Slattery, die geen enkele blijk had gegeven het misverstand uit de wereld te willen helpen.

'U was vanmiddag niet met deze heren hier in huis, mr Slattery?' vroeg de brigadier.

'Nee, geen sprake van.'

'Waar was u dan wel, sir?'

'Even nadenken. Van ongeveer halfvijf tot vijf speelde ik piano bij de koorrepetitie. En daarna speelde ik drie kwartier op het orgel in de kathedraal. Heel wat mensen hebben mij bij beide gelegenheden horen spelen.'

'Ach ja, u speelde tijdens de plechtigheid voor het nieuwe orgel,' zei de brigadier.

'Nee, die zou morgen plaatsvinden. Alleen is het uitgesteld. Ik speelde tijdens de avonddienst, zoals elke middag om vijf uur.'

'Ik begrijp het volkomen, sir. Uw gangen kunnen volledig worden nagetrokken, net als afgelopen dinsdagavond.'

Slattery boog met een ironische glimlach.

'In dat geval,' vervolgde de brigadier, 'hoeven alleen dr Courtine en mr Fickling mee te komen.'

Slattery groette ons met een ondoorgrondelijke grijns, waarna we hem en mr Wattam op de stoep achterlieten met de twee agenten. Mrs Bubbosh schrok zichtbaar toen ze de overhoop gehaalde woonkeuken inliep en riep uit: 'Zoiets heb ik van m'n leven nog nooit gezien!' Tot mijn opluchting – want ik wist niet goed wat ik kon verwachten – zag de kamer er nog net zo uit als ik hem amper een uur geleden had gezien, maar ik veronderstelde dat zij verrast was door het feit dat de kamer bijna helemaal overhoop was gehaald. Het viel me op dat de brigadier ons nauwlettend in het oog hield toen we binnenkwamen en om ons heen keken. In een merkwaardige herhaling van de situatie eerder die middag namen we opnieuw rond de tafel plaats, al ging ik deze keer op de plek zitten waar onze gastheer had gezeten – of liever gezegd, had nagelaten te gaan zitten, aangezien hij vrijwel de hele maaltijd was blijven staan. Austin nam wel dezelfde plek in als bij de eerdere gelegenheid, het hoofd gebogen over zijn met kruimels bezaaide bord, en mrs Bubbosh, die stil was gevallen, nam plaats op wat mijn plek was geweest.

De politieman stond midden in de kamer met zijn notitieboekje en potlood in de hand. Toen zei hij: 'Ik ben brigadier Adams. Ik vrees dat ik u een paar vragen zal moeten stellen.'

'Voordat u dat doet, brigadier, zoudt u zo vriendelijk willen zijn om ons te vertellen wat er gebeurd is?' vroeg ik.

'Daar probeer ik achter te komen, sir.'

'Ik bedoel, is mr Stonex hier in huis?'

'Ik zeg liever niets voor ik met dokter Carpenter heb gesproken,' zei hij.

'Dan neem ik aan dat de dokter nu bij hem is?'

'Inderdaad. En terwijl we wachten, zou ik u graag het een en ander willen vragen. Goed, mrs Bubbosh, naar wat u mij een paar minuten geleden hebt verteld, zag u mr Stonex voor het laatst om twaalf uur vanmiddag toen hij thuiskwam van de bank?' Ze knikte. 'U had hier de hele ochtend gewerkt en toen hij thuiskwam, verliet u de woning?' Ze knikte. 'En dat was niet anders dan anders?'

'Zeker niet, sir. O, wat een vreselijke toestand.'

Brigadier Adams wachtte een ogenblik tot ze zich weer enigszins hersteld had.

'U was hier vanaf zeven uur, toen hij u binnenliet?'

Ze knikte.

'En nadat hij naar de bank was gegaan, is er niemand meer het huis in gekomen?'

'Dat zou niemand gelukt zijn, sir. Allebei de deuren zitten op slot en ik heb geen sleutel. Er is maar één sleutelbos en die heeft hij altijd bij zich. Hij draagt 'm aan een ring om z'n riem.'

'En de ramen?'

'Die zitten allemaal dichtgespijkerd.'

'Weet u zeker dat er niemand in het huis verscholen zat?'

'Hoe kan dat nou? Ik heb bij de schoonmaak iedere centimeter van dit onzalige huis onder handen gehad.'

'Uw vragen, brigadier,' onderbrak ik hen, verbolgen dat hij geweigerd had uitleg te geven en steeds ongeruster door mijn vermoedens, 'moeten wij daaruit concluderen dat... dat er iets vreselijks is voorgevallen?'

Voordat de brigadier kon antwoorden, kwam de jonge dokter haastig de kamer inlopen en wisselde een blik met de brigadier, waarna deze zich bij hem voegde in de deuropening. Ze stonden een paar minuten te fluisteren, waarna de brigadier de kamer weer inliep en vriendelijk zei: 'Zo, mrs Bubbosh, zoudt u met de dokter mee willen gaan. Ik geloof dat hij u eerst even iets wil vertellen.'

Met een paniekerige uitdrukking op haar gezicht liet ze zich naar de deur leiden, waar de jongeman haar bij de arm nam. Het was nu zonneklaar wat dit alles te betekenen moest hebben.

'Brigadier,' riep ik, 'ik sta erop dat u ons vertelt wat er is gebeurd! Heeft de oude heer een hartaanval gehad? Is hij van de trap gevallen?'

'Ik begrijp wat er door u heengaat, heren,' zei de brigadier. 'Maar hoe minder ik nu zeg, hoe beter. Ondertussen zou ik graag van u vernemen wat er vanmiddag is voorgevallen.'

En dus verklaarden Austin en ik – al was ik voornamelijk aan het woord – dat wij om tien over halfvijf bij de achterdeur aankwamen en iets over halfzes weer vertrokken.

'Dat is heel bruikbaar, werkelijk heel bruikbaar,' zei de politieman, terwijl hij in zijn boekje schreef. 'Waar ik nu achter moet zien te komen is wat er gebeurd is tussen toen en zes uur, toen mrs Bubbosh aan de voordeur verscheen.'

Op dat moment kwam de jonge agent binnenstormen die naar het station was gestuurd.

'Hij komt eraan, brig'dier,' meldde hij. 'Hij telegrafeerde meteen terug.'

Brigadier Adams fronste zijn wenkbrauwen, nam hem apart en ze bespraken iets met brommerige stemmen. Toen gaf hij aan dat zijn collega plaats moest nemen op een stoel tegen de muur, en zette de ondervraging van Austin en mij voort.

'Zo, en ontving de oude heer nog ander bezoek terwijl u hier was, of zei hij dat hij iemand verwachtte?'

'Nee, ik geloof het niet. Ik weet eigenlijk wel zeker van niet.'

Austin keek op. 'Het bier.'

'Het bier?' vroeg ik.

'Herinner je je niet dat er op de deur werd geklopt toen we weggingen?'

'Natuurlijk. En de oude heer vertelde ons dat dat de kelner met het bier moest zijn.'

'Welke kelner mag dat zijn geweest?' vroeg de brigadier.

'Waarschijnlijk dezelfde die altijd zijn middageten komt brengen,' zei ik, me herinnerend wat Quitregard had verteld. Toen voegde ik eraan toe: 'Die altijd zijn middageten kwám brengen.'

'Wat is zijn naam, sir? Noemde hij zijn naam?'

Austin en ik keken elkaar aan. 'Ik heb geen idee,' zei ik, en Austin schudde zijn hoofd om aan te geven dat hij het evenmin wist.

'Wat betreft het gedrag van de oude heer, maakte hij op u een nerveuze of angstige indruk?'

'Helemaal niet,' zei ik. 'Hij was heel vriendelijk en spraakzaam.'

'Is dat zo? Vriendelijk en spraakzaam?' Hij schreef driftig in zijn boekje. 'Zou u hetzelfde zeggen, mr Fickling?' Austin gaf geen antwoord. 'Alles goed, mr Fickling?'

'Natuurlijk, alles is goed,' zei Austin snel.

De brigadier wachtte even en keek hem aan: 'Ik vrees dat ik u zal moeten vragen naar de oude heer te gaan kijken.'

'Waarom dat?' riep Austin uit.

'Dat gaat nu eenmaal altijd zo, sir,' zei de brigadier.

'De oude vrouw kan hem beter identificeren dan ik,' zei Austin. 'Ik heb hem maar een paar keer ontmoet.'

'Desondanks, sir, had ik graag dat u hem zag. Ik wil dat alles volgens de regels wordt afgehandeld.'

Op dat moment werd mrs Bubbosh de kamer binnengeleid door de dokter en voorzichtig op haar stoel gezet. Ze hield een zakdoek voor haar gelaat. De brigadier glimlachte meelevend: 'Mrs Bubbosh, kunt u mij zeggen hoe de kelner heet die mr Stonex altijd zijn middageten bracht?'

Ze liet de zakdoek zakken en keek verrast op. 'Waarom wilt u dat weten? Dat is Perkins. De jonge Eddy Perkins. De zoon van de ouwe Tom Perkins.'

Brigadier Adams keek even om naar zijn collega. 'Jij en Harry gaan hem halen.' De agent stond snel op en verliet het huis.

'Mr Fickling, zoudt u dokter Carpenter willen volgen?'

Austin kwam onzeker overeind. De dokter glimlachte hem bemoedigend toe en samen verlieten ze de kamer.

'Ik moet u vragen of u het niet erg zoudt vinden hier te willen wachten, sir,' zei de brigadier tegen mij.

'In orde,' antwoordde ik.

Hij stond op, liep achter de twee anderen aan en liet mij en mrs Bubbosh in de woonkeuken achter. Tot mijn verbazing moest ik meer dan veertig minuten wachten. Mrs Bubbosh en ik voerden aanvankelijk een wat onsamenhangend gesprek, maar al snel hadden we al onze gemeenschappelijke interesses uitgeput. Ze bleef maar zeggen: 'Wie had dat nou toch kunnen denken? Wie had dat nou toch kunnen denken?' Ik vroeg me af waar Austin was en wat hij en brigadier Adams te bespreken hadden. Het gesprek tussen de agent en Slattery had mij veel stof tot nadenken gegeven en er schoten me verschillende curieuze mogelijkheden door het hoofd.

Eindelijk kwam de brigadier weer binnen en zei: 'Zoudt u met me mee willen komen, sir?'

Ik volgde hem de vestibule in. Hij sloot de deur, nam me bij de arm en zei zachtjes: 'Ik moet u waarschuwen dat u van streek kunt raken door wat u te zien zult krijgen.' Toen opende hij de deur van de studeerkamer en nodigde me binnen.

De dokter zat midden in het kamertje neergeknield, maar kwam overeind en deed een stap achteruit toen ik naderde. Het eerste wat ik zag was dat er een bijl op de vloer lag waarvan zowel het lemmet als de steel onder een dikke laag bloed zaten. Het lichaam lag met het gezicht van mij afgewend. Ik liep eromheen en paste op niet in de plassen en spetters bloed te stappen waar de vloer mee bezaaid was. Ik keek er vanaf de andere kant naar en heel even dacht ik flauw te zullen vallen. Ik heb sindsdien uit mijn hoofd proberen te krijgen wat ik toen zag, dus laat me enkel zeggen dat het een genadeloze herinnering was aan de nietigheid van ons stoffelijk omhulsel.

'Is dit de man die u het laatst om halfzes hier in huis hebt gezien, sir?' vroeg de brigadier.

Ik knikte, uit vrees dat mijn stem het zou laten afweten.

'Hoe weet u dat zo zeker, sir, gezien het feit dat…?' Hij maakte tactvol zijn zin niet af.

'De kleren,' wist ik uit te brengen. 'Ik herinner me de kleren.'

De brigadier nam me bij de arm en voerde me mee naar de vestibule. Ik dacht dat we terug zouden gaan naar de woonkeuken, maar hij leidde me de gang door en met een: 'Hierheen, alstublieft,' ging hij mij voor de eetkamer in. Toen deed hij de deur achter zich dicht en bleef staan.

Nu ik merkte met hem alleen te zijn, schoot er opeens iets door me heen waar ik – gegeven mijn gespannen zenuwen – om moest lachen. Brigadier Adams keek me nieuwsgierig aan en nodigde me uit te gaan zitten. Ik had moeten lachen omdat het bij me was opgekomen dat ik weleens een verdachte kon zijn. Daarbij was me het beeld voor ogen gekomen van mijzelf, urenlang vastgehouden in deze kamer onder een spervuur van vragen van de brigadier en zijn politiemannen, totdat ik instortte en bekende.

'Gaat het, sir?'

'Uitstekend, brigadier Adams. Alleen wat van streek.'

'Zeer begrijpelijk, sir.'

Ik nam plaats aan de grote oude tafel en nadat hij eerst de gasvlam had opgedraaid ging hij tegenover mij zitten, met zijn rug naar het raam.

'Is er iets wat u mij zou willen vertellen nu we alleen zijn, sir?'

De vraag leek zo naadloos aan te sluiten bij mijn eigen gedachtegang, dat ik ongewild glimlachte. 'Vraagt u mij te bekennen?'

Hij glimlachte niet. 'Ik vraag u alles te vertellen wat enig licht zou kunnen werpen op deze treurige zaak. Zo is er bijvoorbeeld iets wat mij blijft bezighouden, sir, en dat is de tijd. Ben u echt volkomen zeker van het tijdstip waarop u en mr Fickling dit huis verlieten? Er lijkt nauwelijks genoeg tijd over te zijn voor wat er daarna is gebeurd. Weet u zeker dat u pas om halfzes vertrok?'

'Ja, heel zeker. We hadden het nog over de tijd toen we weggingen. Waarom vraagt u dat?'

'U had het nog over de tijd,' herhaalde hij. 'Zoudt u dat willen uitleggen?'

'Nee, brigadier, ik denk van niet. Dit is volkomen belachelijk. Ik heb net een schokkende ervaring achter de rug en ik heb echt geen zin om een heleboel zinloze vragen te moeten beantwoorden.' Hij staarde me onverstoorbaar aan, en na een ogenblik zei ik: 'We hadden het er gewoon over hoe accuraat onze horloges waren in vergelijking met de klok in de woonkeuken, want die liep voor. Mr Fickling wilde bijzonder graag het slot van de avonddienst halen, want dan kon ik mr Slattery nog horen spelen.'

Hij maakte een aantekening. 'Nu moet ik u vragen of u mij iets kunt vertellen over de toestand van de kamers die u hebt gezien. Is er iets aan ze wat u nu opvalt?'

'Helemaal niets. Zover ik kan zien, liggen ze er precies zo bij als eerst.'

'U bedoelt, sir, afgezien van het feit dat de kamer doorzocht is?'

'Nee, brigadier, ik bedoel precies wat ik zei – dat doe ik altijd. Ik let er stipt op dat ik zeg wat ik bedoel en bedoel wat ik zeg. Het zou dit gesprek in niet geringe mate bespoedigen als u zo goed zoudt willen zijn dat in gedachten te houden.'

Het ergerde me dat hij me onverstoorbaar kalm bleef aanstaren. Na een korte stilte zei hij: 'De kamers bevonden zich in de huidige staat toen u hier arriveerde, sir?'

'Precies. Om er geen misverstand over te laten bestaan, deze kamer en de woonkeuken – de enige kamers die ik gezien heb – zien er in mijn ogen exact zo uit als toen ik hier vanmiddag om tien over halfvijf binnenkwam.'

'Maar de rommel in de andere kamer, de opengetrokken lades, de rondslingerende papieren en zo?'

'Wat ik zei, brigadier, zo zag het eruit toen ik binnenkwam.'

'Welke verklaring gaf mr Stonex hiervoor?'

'Hij gaf een heel logische verklaring. Hij vertelde ons dat hij ergens naar had lopen zoeken.'

'Waarnaar?'

'Naar een document.'

'Een juridisch document?' zei hij snel.

'Nee. Een handgeschreven verslag van de moord op proost Freeth.'

De brigadier fronste zijn wenkbrauwen. 'De moord op wie?'

Het kostte enige tijd om dat uit te leggen, aangezien de brigadier niet bekend was met de moord op Freeth en even had gemeend dat ik een veel recentere moordzaak had bedoeld.

'Dus volgens hem had hij voor de komst van mr Fickling en u de lades opengetrokken en hun inhoud op de vloer uitgestort, precies zoals het er nu nog bijligt?'

'Ja, volgens mij wel. Hoewel het er nu erger uitziet. Nee, eigenlijk weet ik niet helemaal zeker of het toen net zo'n bende was als nu.'

Hij maakte uitgebreid aantekeningen. Toen zei hij opeens: 'Hoe lang bent u al te gast bij mr Fickling?'

'Vanaf dinsdagavond.'

'Kent u hem al lang?'

'Mr Fickling is al ruim twintig jaar een vriend van mij.'

'Hebt u hem hier eerder opgezocht?'

'Nee.' Met tegenzin legde ik uit: 'Ik had hem vóór afgelopen dinsdag twintig jaar niet gezien.'

'Heeft hij u iets verteld omtrent zijn persoonlijke problemen?'

'Mr Fickling heeft mij helemaal niets verteld over persoonlijke problemen die op enige wijze relevant zouden kunnen zijn in deze treurige zaak.'

De brigadier vervolgde op dezelfde toon: 'En Slattery? Hoe lang kent u die al?'

'Ik ontmoette *mr* Slattery voor het eerst van mijn leven, ongeveer een halfuur voordat ik u leerde kennen.' Het was vreemd hoe gemelijk ik was gaan klinken. Het gaf me het gevoel dat ik zat te liegen. De strekking van de vragen van de brigadier beviel me ook steeds minder.

'U had hem nooit eerder gezien of ontmoet?'

'Nooit.' Toen herinnerde ik me de gedaante die ik 's nachts had gezien. 'Dat is te zeggen… Nee. Nooit.'

'U schijnt te aarzelen, sir.'

'Nee, ik heb mr Slattery nooit eerder ontmoet.'

'Heeft mr Fickling over hem gesproken?'

'Nee. Dat is te zeggen, ik geloof van niet. Misschien heeft hij de organist wel genoemd, voordat ik me realiseerde dat hij het over een vriend van hem had.'

'De organist? U bedoelt mr Slattery?'

'Zeker.'

'Mr Slattery is de assistent-organist.'

'In dat geval denk ik niet dat hij hem heeft genoemd. Ik dacht eigenlijk dat mr Slattery de organist was.'

'Een begrijpelijke vergissing, sir. Mr Slattery heeft in feite de taken van de organist waargenomen voor de duur van de ernstige ongesteldheid van de oude heer die die positie inneemt. Maar hij heeft geen vaste aanstelling bij de kathedraal.'

'Ik begrijp het. En nu ik erover nadenk, geloof ik dat mr Fickling daar wel degelijk iets over heeft gezegd. En mr Slattery zelf verwees er ook naar.' Ik zweeg. Wat een merkwaardige situatie. Ik zat hier vragen van een volstrekte vreemde te beantwoorden over wat er tussen mij en een oude vriend was voorgevallen. En dat allemaal vanwege iets wat er aan het andere eind van de gang op de vloer lag. Toen de herinnering aan wat ik zojuist had gezien zich ongevraagd aan mij opdrong, nam ik mijn hoofd in mijn handen. 'Ik kan niet geloven dat iemand dat gedaan heeft. Ik kan niet geloven dat er zo veel slechtheid bestaat.'

'Het is ook moeilijk te geloven, sir. Het is een van de ergste gevallen die ik ooit heb gezien.'

'Heeft hij familie? Is er iemand die zich dit aantrekt?'

'Om eerlijk te zijn, sir, ik weet op dit moment nog niet of er familieleden in leven zijn.'

'Hij moet toch neven en nichten hebben? Hij had het over een broer en een zus.'

'Dat zal allemaal wel aan het licht komen in de komende paar dagen, stel ik me zo voor, sir. De nalatenschap zal niet gering zijn en dat is een garantie dat al zijn familie zal opduiken. Enfin, mag ik u vragen hoe het zo kwam dat u op de thee was bij mr Stonex?'

Ik legde uit dat ik hem bij het achterhek van het huis had ontmoet toen ik de inscriptie stond te lezen die geacht werd verband te houden met de moord op kanunnik Burgoyne.

'Nog een moord,' merkte de brigadier droogjes op. 'Het schijnt nogal het thema van de afgelopen dagen te zijn geweest, sir.'

'Mr Stonex en ik spraken over die affaire en daarna over het geval van proost Freeth, en toen nodigde hij mij uit om een paar dagen later bij hem op de thee te komen.'

Brigadier Adams liet zijn aantekenboekje zakken en keek me aan. 'Dat is nogal verrassend, sir, gezien het teruggetrokken leven dat de oude heer leidde.'

'Hij kwam op het idee om mij uit te nodigen omdat we ons beiden interesseerden voor de dood van Freeth.'

'Dus de uitnodiging om op de thee te komen werd op woensdag gedaan?'

'Inderdaad.'

'Wist mr Slattery van de uitnodiging voor hedenmiddag?'

'Voor zover mij bekend niet. En waarom zou hij ook? Maar mr Fickling kan hem hebben gezegd dat we op de thee zouden gaan bij mr Stonex, toen hij met hem afsprak om hem na de avonddienst te ontmoeten.'

De brigadier bleef een hele tijd schrijven en uiteindelijk vroeg ik: 'Ik hoop dat ik nu mag vertrekken?'

'Uiteraard, sir. Maar ik zou u zeer dankbaar zijn als u hier nog een paar minuten zoudt willen wachten.'

Ik stemde daar met tegenzin mee in. Hij verliet de kamer en ik wachtte. Uiteindelijk verstreken er twintig minuten voordat hij terugkwam, en terwijl ik zo in het schemerdonker en de stilte zat – want uit het hele huis kwam geen enkel geluid – raakte ik er met de kracht van een openbaring van doordrongen dat iemand dit had gedaan, iemand die zich vermoedelijk nog altijd ophield op een paar minuten lopen van de plek waar ik nu zat. Ik probeerde niet te denken aan wat ik zojuist had gezien. Deze uitbarsting van geweld, die zo onverwacht in mijn leven was binnengedrongen, bezorgde me een duizelig gevoel – het kwam me voor of de kamer waarin ik zat niet echt bestond. Sinds mijn schooltijd had ik geen bloed meer zien vloeien als gevolg van geweld. De vragen van de brigadier over Austin stemden me zorgelijk. Hij had zich de afgelopen dagen zeer zeker vreemd gedragen, maar ik had geen reden om aan te nemen dat er enig verband bestond met deze gruwelijke daad. Hij maakte op mij de indruk even geschokt te zijn als ik.

De brigadier kwam terug, ging weer zitten en zei: 'Bent u echt zeker dat de kamer zich in de huidige staat bevond als toen u hier voor het eerst kwam, sir?'

'Voor de tweede keer, brigadier, ik weet het heel zeker.'

'Goed, sir. Mr Fickling heeft bevestigd dat mr Stonex zich druk maakte over de tijd. Gaf hij op enigerlei wijze te kennen waarom dat zo was?'

'Nee.'

'Ik hoop dat u het niet verkeerd opvat, sir, als ik vraag of mr Fickling zich in enig opzicht vreemd heeft gedragen sinds u bij hem te gast bent?'

'Zo'n vraag wens ik niet te beantwoorden, brigadier. Hebt u mr Fickling soortgelijke vragen over mij gesteld?'

'Ik heb de andere heer het soort vragen gesteld dat ik noodzakelijk acht, sir.'

'De hele zaak is volstrekt absurd. Ik weiger nog langer vragen te beantwoorden over privé-aangelegenheden. Die kunnen onmogelijk verband houden met deze zaak.'

'Ik begrijp u volkomen, sir,' zei hij op een hoogst irritante gelaten toon. 'Er is nog één ding. U vertelde dat u de overledene hebt ontmoet bij het achterhek van dit huis. Dat was gistermiddag, nietwaar?'

Ik knikte.

'En de uitnodiging was voor wanneer?'

'Wanneer?'

'Toen ik u daar een halfuur geleden naar vroeg, sir, zei u dat de oude man u had uitgenodigd om "een paar dagen later" op de thee te komen. Als dat dus gisteren gebeurde, was de uitnodiging dan oorspronkelijk bedoeld voor morgen of voor vandaag?'

'Ik snap waarop u doelt. U hebt volkomen gelijk, brigadier. Het was voor morgen, vrijdag. Maar toen wijzigde hij dat.'

'Weet u ook waarom?'

'Dat moet u mr Fickling vragen. Hij was degene die me dat vertelde.'

'Om eerlijk te zijn heb ik dat ook aan mr Fickling gevraagd. Ik vroeg me alleen af of u er iets van wist.'

'Als u mr Fickling er al naar gevraagd hebt, begrijp ik niet waarom u nog de moeite neemt mij erover door te vragen, brigadier.'

'Ik hoopte gewoon dat u zich getweeën meer zou herinneren.'

'Ik houd helemaal niet van de manier waarop u zo heen en weer loopt tussen ons tweeën, alsof u op zoek bent naar tegenstrijdigheden in onze verklaringen.'

'In het geheel niet, sir. Ik heb ondervonden dat als ik getuigen gezamenlijk ondervraag, ze de neiging hebben details over het hoofd te zien. Als de een zich een voorval net iets anders herinnert dan de ander, kan die het pijnlijk vinden om daarvoor uit te komen – en toch kan zijn herinnering juist zijn.'

Ik stond op. 'Als ik word verzocht te getuigen bij het gerechtelijk vooronderzoek, zal ik alle relevante vragen beantwoorden die mij worden voorgelegd door de rechter van instructie, maar tot die tijd wens ik niets meer te verklaren. Ik hoop dat ik nu mag vertrekken?'

Hij glimlachte en kwam zelf ook overeind. 'U kunt vertrekken wanneer u maar wilt, sir. Niet alleen ben ik niet bevoegd u hier tegen uw wil vast te houden, maar ik heb ook niet de geringste behoefte daartoe. Ik ben u zeer erkentelijk voor de tijd en de hulp die u mij hebt gegeven. Alleen is de hoofdinspecteur onderweg hiernaar toe en ik weet zeker dat hij u graag nog even zou willen spreken, dus ik zou u buitengewoon dankbaar zijn als u tot die tijd zoudt willen blijven.'

'Waar is mr Fickling?'

'Hij is zo vriendelijk in de andere kamer op de hoofdinspecteur te wachten, sir.'

Ik trof Austin aan op een stoel achter de tafel, zijn gezicht bleek weggetrokken.

'Wat een afschuwelijke toestand,' merkte ik op.

Hij zei niets, maar leunde achterover in zijn stoel, zijn ogen op het plafond gericht.

Donderdagavond

Na enige tijd hoorde ik een rijtuig halt houden in de straat. De deur ging open en er stormden twee mannen binnen. Een van hen was een agent in uniform, de ander een fors gebouwde man van rond de zestig met een militair voorkomen, een bijna donkerrood aangelopen hoofd, licht uitpuilende ogen en een grote witte snor. Toen de brigadier het rijtuig hoorde, kwam hij vanuit de vestibule de woonkeuken inlopen. 'Ah, Adams, ben je daar,' bulderde de nieuwkomer. Ze schudden elkaar de hand en de brigadier mompelde iets en de grote man keek even naar ons. Toen draaide hij zich om en zei: 'Ik ben hoofdinspecteur Antrobus. Het spijt me bijzonder dat u zo veel ongemak hebt ondervonden, heren. Maar mag ik u verzoeken nog een ogenblik te blijven wachten?'

Austin en ik verklaarden ons daartoe bereid en de hoofdinspecteur haastte zich met de brigadier de woonkeuken uit. Ik trok mijn horloge te voorschijn. Het was halfnegen. Ik was verbijsterd dat er al zo veel tijd was verstreken en bedacht dat ik toch trek zou moeten hebben, maar dat was niet het geval.

Ik bloos nu ik dit opschrijf, maar ik kan volkomen eerlijk zijn, aangezien ik dood zal zijn tegen de tijd dat iemand dit verslag leest. De verbijsterende waarheid is dat ik terwijl ik daar zat aan het manuscript bleef denken – hoe graag ik naar de bibliotheek terug wilde om het te lezen. Het was waanzin geweest om zelfs maar de gedachte te koesteren het heimelijk mee te nemen en ik kon nauwelijks geloven dat ik daar, al was het maar voor een minuut, werkelijk aan had zitten denken. Het probleem waar ik mij nu voor gesteld zag, was wat ik moest zeggen als dr Locard mij zou vragen waar en hoe ik het had gevonden – en dat zou hij naar alle waarschijnlijkheid doen. Het zou vervelend zijn te moeten erkennen dat ik zijn advies in de wind had geslagen, en ik kon uiteraard niet vermelden dat Quitregard mij in de juiste richting had gewezen, want daarmee zou ik hem in moeilijkheden brengen.

Austin staarde naar de vloer. Waar dacht hij aan? Het feit dat wij nog steeds niets tegen elkaar hadden gezegd begon gênant te worden. Uiteindelijk verbrak ik de stilte. 'Het is moeilijk te geloven dat hij daarnet nog leefde. Het is een gruwelijke waarschuwing aan ons allemaal. In de bloei van het leven…'

'Houd je kop, wil je,' snauwde hij.

Het was duidelijk dat de gebeurtenissen van vanmiddag voor hem minstens zo schokkend waren geweest als voor mij. Na twintig minuten ging de deur open en kwam de hoofdinspecteur binnen met de brigadier en dokter Carpenter.

'Dat kan niet kloppen,' zei de hoofdinspecteur net. 'U zegt zelf dat het niet met zekerheid is vast te stellen.'

'Nee, maar het lijkt wel aannemelijk,' antwoordde de jonge arts.

'Aannemelijk! Het lijkt hoogst onaannemelijk. Wat zeg ik, volstrekt onmogelijk! Vier uur geleden was hij nota bene hier in deze kamer nog aan het thee schenken.' Hij keerde zich van de dokter af alsof hij hem uit zijn gedachten wenste te bannen en richtte zich tot Austin en mij: 'Ik betreur het ten zeerste dat u zo lang hebt moeten wachten, heren, en ik zal u niet langer ophouden dan strikt noodzakelijk is. Ik begrijp dat u hier al vanaf halfzeven bent en dat u in die periode is verzocht het lijk te aanschouwen – waarvan de aanblik een van de onplezierigste was uit mijn gehele loopbaan – en dat u beiden uitvoerig bent ondervraagd?'

'Dat klopt,' zei ik. 'Maar ik ben volkomen bereid om behulpzaam te zijn – dat is niet meer dan mijn burgerplicht. Ik weet zeker dat uw ondergeschikte heeft gedaan wat hij dacht dat juist was.'

'We zijn u zeer erkentelijk, sir,' zei de hoofdinspecteur. Toen draaide hij zich om naar de oudere huishoudster.

'Zo, mrs Bubbosh, mijn brigadier hier vertelt me dat u beweert dat u even voor zessen bij de voordeur kwam en dat u er toen niet in kon. Heeft iemand gezien dat u bij de deur arriveerde en ontdekte dat deze op slot zat?'

De oude vrouw keek doodsbenauwd. 'Ik weet het niet, sir.'

'Niemand die zeggen kan of mr Stonex u niet toch binnenliet nadat u had aangeklopt, zoals hij dat in de afgelopen vijfentwintig jaar elke dag om zes uur heeft gedaan?'

'Dat kon toch niet, sir? De arme mijnheer lag dood in die kamer.'

'Dat is dus de vraag, mijn beste mevrouwtje.' De hoofdinspecteur glimlachte naar Austin en mij. 'Was hij dood op het moment dat u op de deur klopte? Of opende hij de deur voor u en uw handlanger?'

Ze keek ons om beurten vol ontzetting aan.

'Kom, kom, mijn beste mevrouwtje. Laten we hier geen tijd verspillen.

Ik werd verzocht hierheen te komen terwijl ik een genoeglijke avond met mijn gezin doorbracht. Verdikkeme, overmorgen is het kerstavond. Weest u nu maar eerlijk. Wat weet u hiervan? Hebt u zonen, kleinzonen, neefjes? Hebt u jongelieden in de familie die in geldnood zitten?'

Hij draaide zich om en wierp Austin en mij een veelbetekenende blik toe alsof hij wilde zeggen: ik weet nu bijna hoe de vork in de steel zit.

'Niemand van ons heeft een cent te makken, sir. Maar d'r is geen man of jongen bij ons die d'r zelfs maar van zou durven dromen zoiets slechts te doen.'

'O, is het werkelijk? Ik kan u garanderen dat er zeer grondig navraag zal worden gedaan naar alle mannelijke leden van uw familie. Uitermate grondig.'

'En u zal heus niks vinden dat het daglicht niet kan verdragen. Behalve m'n broer Jim dan, die is opgepakt voor stropen. Maar dat was alleen die ene keer maar. En daar heeft hij twee jaar voor gezeten.'

'Aha,' riep de hoofdinspecteur uit. 'Nu komen we ergens. Heeft deze broer van u zich van geweld bediend toen hij poogde te ontsnappen? Is dat soms de reden dat hij zo zwaar werd gestraft?'

'Nee, sir, daar lag het niet aan. De rechter was een vriend van de heer die het land bezat waarop ze hem te pakken kregen. Daarom werd hij zo hard aangepakt.'

'Een verbitterde en door de wol geverfde bajesklant! En waar kunnen we die broer van u vinden, mijn beste mevrouwtje?'

'Op het kerkhof, sir. Hij is al tien jaar dood.'

De glimlach van de hoofdinspecteur verstijfde: 'Dat zal allemaal worden nagetrokken, dat beloof ik u. Maar het blijft een feit dat u op geen enkele manier kunt bewijzen dat u niet om zes uur werd binnengelaten.'

Ik vroeg me af welke omslachtige strategie de hoofdinspecteur hier volgde, want tegen de hypothese dat mrs Bubbosh en haar handlanger om zes uur het huis waren binnengegaan, kon wel het een en ander worden ingebracht – met name dat er bijzonder weinig tijd overbleef voor het misdrijf. Het leek erop dat de brigadier hetzelfde had bedacht, want hij nam zijn meerdere terzijde en ze hielden fluisterend een onderonsje.

Toen wendde de hoofdinspecteur zich tot Austin en mij: 'Heren, naar ik begrijp werd er toen u het huis om halfzes verliet op de voordeur geklopt en vertelde de overledene u dat dat de kelner was, Perkins, die zijn bier kwam brengen?'

'Dat is juist,' zei ik.

De hoofdinspecteur draaide zich razendsnel om en stak een priemende vinger naar mrs Bubbosh: 'U kent deze Perkins, nietwaar?'

Ze keek verbluft. 'Ik ken Eddy al vanaf dat-ie klein was. En zijn vader nog van daarvoor. Maar ik snap niet waarom u dat zo zegt, sir, alsof d'r iets mis mee was.'

'Wel beleefd blijven, mijn beste mevrouwtje. Als ik u iets vraag, verwacht ik dat u mij antwoordt zonder verdere uitwijdingen. Ik wil een simpel antwoord op een simpele vraag.'

'Wat was de vraag, sir?'

'Kwamen u en Perkins hier om halfzes aan de deur?'

'Nee, van m'n leven niet. En ik geloof d'r ook niks van dat Perkins toen kwam.'

'Beschuldigt u deze heren van een leugen?' onderbrak de hoofdinspecteur haar.

Ze draaide zich om en keek ons in verwarring aan. 'Nee, helemaal niet, sir. Als zij zeggen dat hij toen kwam, dan kan ik alleen maar zeggen dat dat dan wel voor het eerst was. En ik hoop dat u permitteert dat dat er nog steeds niet in wil bij mij, want als hij op dat uur aan de deur kwam, zou de oude mijnheer hem nooit open hebben gedaan, volgens mij dan. Hij deed de deur alleen voor Eddy open als die om vier uur z'n eten kwam brengen. Verders deed hij alleen de deur maar open voor mij.'

'Hij deed de deur alleen maar open voor u,' riposteerde de hoofdinspecteur. 'Geeft u daarmee niet praktisch al toe dat u hier om halfzes met Perkins bent gekomen? U bent de enige die hier binnen zou zijn gelaten.'

'Nee, dat geef ik niet toe! En 't is je reinste onzin om te doen alsof ik het wel toegeef. Mr Stonex deed de deur alleen om zeven uur 's ochtends voor mij open, en dan nog een keer om zes uur 's avonds. Op elk ander uur had ik m'n knokkels tot bloedens toe op de deur kunnen stukslaan en dan nog zou hij niet hebben opengedaan. Zo bang was-ie om te worden beroofd.'

'Gaat u maar,' zei de hoofdinspecteur tegen haar. 'Ik heb u voor het moment niet meer nodig. Maar ik wil wel dat u naar huis gaat en daar blijft.'

Ze draaide zich om en zag er kwaad en verschrikt uit.

'Voor u vertrekt, mrs Bubbosh,' zei de brigadier, 'zou ik willen dat u de hoofdinspecteur vertelt wat u tegen mij hebt gezegd: hoe verbaasd u was over de toestand waarin deze kamer verkeert.'

'Het is al die troep,' zei ze terwijl ze om zich heen keek. 'Nou, en het was hier om door een ringetje te halen toen ik tussen de middag wegging.'

'En de thee?' hielp de brigadier haar herinneren.

'Ik heb dat gebak van m'n leven nog nooit gezien. En er is in al die jaren dat ik nu al bij hem ben ook nog nooit iemand thee wezen drinken.'

De hoofdinspecteur keek verbaasd van haar naar de brigadier.

'Dus wat u zegt,' hielp de brigadier haar vriendelijk, 'is dat mr Stonex u niet heeft verteld dat hij deze heren op de thee had gevraagd? En dat u niet voor de etenswaren hebt gezorgd?'

'Da's wat ik zeg, sir. Ik wist d'r helemaal niks van.'

De brigadier keek even naar zijn meerdere. ''t Is goed, ga nu maar,' zei de hoofdinspecteur en hij keek toe hoe ze vertrok. Toen de deur achter haar was dichtgevallen, draaide hij zich om naar Austin en mij: 'Die vrouw liegt. De zaak is zo simpel als wat. Het criminele brein is per definitie beperkt in zijn vermogens. De moordenaar was waarschijnlijk deze Perkins of een familielid van mrs Bubbosh en zij liet hem binnen toen de oude heer Stonex als gewoonlijk om zes uur de deur voor haar opendeed.'

'Met alle respect, hoofdinspecteur,' onderbrak brigadier Adams hem, 'als de moordenaar pas om zes uur het huis binnenkwam, dan denk ik niet dat hij genoeg tijd had om de moord te plegen. Ik werd zelf om even voor half-zeven verzocht hierheen te komen en in die tijd moet mrs Bubbosh dus mr Wattam hebben gehaald en moeten zij getweeën hierheen zijn gekomen en moet hij iemand naar het politiebureau hebben gestuurd om mij te gaan halen.'

'Dat zegt niets,' zei de hoofdinspecteur. 'De handlanger was al die tijd in het huis. Hij en dat vrouwtje Bubbosh waren zo slim om af te spreken dat zij alarm zou slaan terwijl hij hier bleef. Dat gaf hem nog minstens dertig minuten. En het zouden er nog meer kunnen zijn. U kwam het huis binnen om ongeveer tien voor zeven, nietwaar? De handlanger kan ook toen pas zijn weggegaan, want zoals u mij bekende hebt u nagelaten de achterdeur in de gaten te houden.'

'Dat is waar, sir. Ik kon niet vermoeden dat de oude heer meer dan onwel was geworden. Maar het feit dat ik geen politieman naar de achterkant van het huis heb gestuurd maakt geen verschil, want toen ik een paar minuten later de achterdeur liet controleren zat die op slot – dus via die deur kan er niemand zijn ontsnapt.'

De hoofdinspecteur bromde wat. 'Zo, zo, maar de voordeur zat ook op slot en hij moet toch op de een of andere manier zijn weggekomen! Hebt u naar de sleutels gezocht?'

'We hebben het lichaam gefouilleerd en het hele huis doorzocht, sir.'

'Zo, zo, zoekt u dan nog maar eens, brigadier.'

De brigadier verliet de woonkeuken. De hoofdinspecteur schudde zijn hoofd. 'Het was een grove nalatigheid dat hij niet onmiddellijk iemand bij de achterdeur heeft geposteerd. Zijn aanpak van deze eenvoudige zaak is verre van voorbeeldig.'

'Ligt de zaak dan zo eenvoudig?' vroeg ik.

'Doodeenvoudig. De dief, of meerdere dieven, slaagde, of slaagden, erin binnen te dringen in het huis van een rijke man van wie algemeen werd aangenomen dat hij thuis baar geld en kostbaarheden bewaarde. Vervolgens vermoordde hij de eigenaar en haalde het huis overhoop op zoek naar het geld. Adams heeft zijn best gedaan de boel te vertroebelen, maar het lukt altijd wel om een zaak ingewikkelder te maken dan ze eigenlijk is. De kunst van de recherche ligt hierin, zoals ik al vaak heb gezegd, dat je een schijnbare complexiteit terugbrengt tot een eenvoudige waarheid.' Hij wendde zich glimlachend tot mij: 'Zo vertelt de brigadier me bijvoorbeeld dat u hebt gezegd dat het huis overhoop leek te zijn gehaald toen u hier vanmiddag rond theetijd kwam?'

'Ja, dat heb ik inderdaad gezegd.'

'Bedoelt u dat het hier echt ondersteboven leek te zijn gehaald, of eenvoudigweg dat de oude heer een paar lades had opengetrokken toen hij naar dat verhaal zocht dat hij u wilde laten zien?' Zonder op antwoord te wachten, wendde hij zich tot Austin: 'Mr Fickling, ik begrijp dat u van mening was dat de woonkeuken sporen droeg van een wat slordige zoektocht?'

Austin knikte. Ik keek hem verbaasd aan.

'Maar verschillen uw meningen nu echt zoveel?' Hij richtte zich weer tot mij: 'U zegt toch niet dat de rommel die u nu ziet precies hetzelfde is als toen u hier vanmiddag aankwam?'

'Ik kan uiteraard geen eed doen op ieder afzonderlijk voorwerp hier.'

'Goed. Dan is het duidelijk dat de dieven het huis overhoop hebben gehaald en dat ze daardoor de troep die er al was nog erger hebben gemaakt. Nu komen we ergens.' Op dat moment liep de brigadier de woonkeuken weer binnen. De hoofdinspecteur tolde rond op zijn hakken: 'En, Adams?'

'Ik heb ze niet kunnen vinden, sir.'

'Laat een paar van je beste mannen het hele huis doorzoeken zodra het morgen licht wordt. Die sleutels moeten ergens in huis zijn.'

'Met alle respect, sir,' zei brigadier Adams. 'Degene die dit heeft gedaan, moet de sleutels hebben gebruikt om de deur achter zich op slot te draaien.' De hoofdinspecteur knikte en de brigadier vervolgde: 'In dat geval kunnen ze overal zijn. Hij zal zich er zo snel mogelijk van ontdaan hebben, want als iets zijn schuld zou bewijzen...'

'Laat het achtererf doorzoeken zodra het licht genoeg is. En als ze niet worden gevonden, moeten je mannen elke millimeter van deze hoek van de immuniteit uitpluizen.'

Toen hij was uitgesproken, werd er op de voordeur geklopt en deed Adams open voor twee agenten die binnenkwamen met een geboeide jongeman tussen hen in. Hij zag er doodsbenauwd uit, zijn kleren waren gescheurd en zijn gezicht vertoonde blauwe plekken.

'Aha,' riep de hoofdinspecteur. 'De befaamde Perkins, de kelner. Hoe kom je aan die butsen en bulten?'

'Hij probeerde te ontsnappen, sir,' zei een van de agenten.

'Werkelijk? Had hij iets bij zich?'

'Niets, sir.'

'Geen geld? Geen sleutels?'

'Nee, sir.'

'Brigadier, ga naar zijn huis en haal de spullen op die hij hier heeft gestolen. En zoek ook naar de sleutels.'

Adams knikte ter afscheid naar ons en spoedde zich weg.

De hoofdinspecteur draaide zich terug naar de gevangene: 'Heb ik het goed begrepen dat u een oude bekende bent van mrs Bubbosh?'

De man stond daar met open mond en de hoofdinspecteur snauwde: 'Wel verdomme, je kent haar toch, man.'

'Iedereen kent tante Meg, sir.'

'Wat gebeurde er toen u vanmiddag om halfzes bij dit huis kwam?'

Hij liep rood aan en keek naar de grond. 'Dat heb ik nooit gedaan. Ik kom altijd om vier uur. Klokslag vier, gelijk met de klok van de kathedraal. De oude heer was daar heel strikt in.'

'Mr Stonex verzocht je hem om halfzes een pot bier te brengen.'

'Nee, sir. Dat heeft hij nooit gedaan!' Hij had een rood hoofd en hield zijn blik op zijn voeten gericht. Het was duidelijk dat hij niet de waarheid vertelde, en juist zijn onvermogen om te liegen deed bij mij het vermoeden rijzen dat hij onschuldig was.

'Je liegt,' schreeuwde de hoofdinspecteur. Hij keerde zich deels naar ons: 'Deze beide heren hebben mr Stonex horen zeggen dat hij dat wel degelijk heeft gedaan. En ze hoorden u op dat tijdstip op de deur kloppen.'

Hij wendde zijn angstige gezicht naar ons. 'Ik snap het niet. Dat kan niet. Dat is niet waar.'

'Daarover zal ik nog meer van je willen horen. Breng hem naar de eetkamer.'

'Ik zeg toch niks,' zei de jongeman toen hij werd weggeleid.

De hoofdinspecteur draaide zich naar ons toe en glimlachte. 'Mijn dank, heren. Ik hoef u niet langer op te houden. U kunt nu gaan en ik ben u zeer erkentelijk voor uw assistentie.'

'Aarzelt u alstublieft niet als ik u op enigerlei wijze nog van dienst kan zijn,' zei ik. 'Ik logeer bij mr Fickling.'

'Hoe lang bent u van plan in de stad te blijven?'

'Nog maar twee dagen. Ik vertrek zaterdagochtend.'

'Ik vrees dat u zult moeten getuigen bij het gerechtelijk vooronderzoek. U beiden, heren,' zei hij, zich ook tot Austin wendend.

'Uiteraard,' zei ik. 'Weet u wanneer dat plaats zal vinden?'

'Morgen, hoop ik.'

'Dan zal het geen enkel probleem opleveren,' zei ik.

Na het uitwisselen van verdere beleefdheden, en terwijl de herhaalde verontschuldigingen van de hoofdinspecteur voor al het geleden ongemak nog naklonken in ons hoofd, verlieten Austin en ik het huis. Toen we buitenkwamen, merkte ik dat Austin stond te trillen en ik greep hem bij zijn arm.

'We moeten wat eten,' zei ik. 'Het is al laat en we hebben nog niets gehad.' We stonden voor de herberg waar we een paar uur eerder nog hadden zitten drinken, maar ik wilde daar niet weer naar binnen. Een van de redenen was dat ik bang was dat Slattery misschien nog in die kroeg rondhing. 'The Dolphin?' opperde ik. Austin knikte zonder iets te zeggen.

Een paar minuten later zaten we in de verlaten eetzaal. Met tegenzin had de kelner – die juist had gedacht dat zijn werk er voor die avond opzat – toegestemd om voor ons wat koud gebraden vlees en gekookte aardappels uit de keuken te halen.

'Wat een toestand,' zei ik nogal banaal toen de stilte ongemakkelijk begon te worden.

Hij gaf geen antwoord en dat verbaasde me niets, want sinds de misdaad was ontdekt leek hij in een soort trance te verkeren.

'Ik vond de manier van doen van de brigadier hoogst onaangenaam,' zei ik. 'Hij leek ervan uit te gaan dat een van ons tweeën zat te liegen. En hij stelde enkele hoogst impertinente vragen.'

Austin keek op. 'Werkelijk? Wat wilde hij weten?'

'Ik heb geweigerd hem iets te vertellen dat geen verband hield met de gebeurtenissen van de afgelopen middag. Hij scheen het veelzeggend te vinden dat de oude heer Stonex de uitnodiging een dag naar voren had geschoven. Dat is hij jou toch ook gaan vragen?'

Austin knikte. Er viel opnieuw een stilte, die werd verbroken toen de kelner twee borden voor ons neerkwakte met droge stukken vlees overgoten met ingedikte jus, en een schaal vlekkerige, lauwe aardappels.

'Adams lijkt er een theorie op na te houden,' vervolgde ik, 'dat de oude heer nog ander bezoek verwachtte.'

'Verder speculeren heeft geen zin,' zei Austin. 'De hoofdinspecteur heeft gelijk. Het is allemaal heel eenvoudig.'

'Volgens mij heeft hij het mis als hij denkt dat mrs Bubbosh er iets mee te maken heeft.'

'Perkins heeft het gedaan,' zei Austin. 'Met of zonder hulp van die oude vrouw.'

'Zonder. En toch moet ze hebben gelogen over dat gebak, denk je niet?'

'Zeker.'

'Maar waarom? Wat voor reden zou ze kunnen hebben om zo onnodig en over zoiets onnozels te liegen?'

'Wie zal het zeggen? Met zo iemand weet je dat maar nooit. Het verandert echter niets aan het feit dat Perkins het heeft gedaan.'

'Weet je dat zeker?'

Austin legde zijn mes en vork neer. 'Het is heel simpel. Toen mr Stonex vroeg om hem om halfzes bier te komen brengen – iets wat hij nog nooit eerder had gedaan – besefte Perkins dat dit zijn kans was om hem te beroven. Hij zou binnen worden gelaten zonder dat iemand het zou weten. Maar wat hij niet kon weten, was dat hij die middag bezoekers had en dat mr Stonex hun vertelde dat hij bier had besteld.'

Ik knikte. 'Dus het was een impulsieve daad?'

'Ja, maar hij kan er maanden op hebben lopen broeden. En natuurlijk moest hij hem vermoorden.'

Ik huiverde.

'Maar, Austin, waarom heeft hij… Waarom heeft hij dat op die manier gedaan?'

'Op welke manier?' vroeg hij bijna geërgerd.

'Jij hebt het toch ook gezien? Dat had hij toch niet hoeven doen?'

Hij haalde zijn schouders op. 'Wie zal het zeggen? En wat doet het ertoe?'

We beëindigden de maaltijd en liepen naar huis, zonder nog veel te zeggen. Tegen de tijd dat we thuis kwamen, was het al ver na middernacht en we gingen direct naar bed. Als Perkins maar iets meer een boeventronie had gehad, dan zou ik het hele geval minder verontrustend hebben gevonden, maar om te moeten bedenken dat die jongensachtige knaap – met net zo'n fris hoofd als mijn studenten – zoiets kon hebben gedaan met een weerloze oude man die hij al jarenlang kende…! En dan te bedenken hoeveel bloed er moest zijn rondgespat, en toch had hij keer op keer op hem ingeslagen. En te bedenken hoe het bot moest zijn versplinterd, hoe breekbaar de ogen moeten zijn geweest. Te moeten bedenken wat hij allemaal gedaan moest hebben om zo veel schade aan het hoofd, aan het gezicht te berokkenen. Ik kon het nauwelijks geloven. Ik kon nauwelijks nog iets goeds geloven omtrent onze soort. Waren wij dit – hardvochtige apen die kleren droegen en onze lichamen wasten en parfumeerden?

Ik dacht aan Gambrill die zijn rivaal had vermoord door hem uit de toren van de kathedraal te duwen, en vervolgens aan de jonge Limbrick die jaren achtereen liep te broeden over de noodzaak om zijn vader te wreken, daartoe aangespoord door zijn verbitterde moeder, terwijl hij tegelijkertijd zijn haat verborgen moest houden en gunsten moest aannemen van de man die hij op een dag hoopte te vermoorden. En had Gambrill iets vermoed van deze verborgen haat en had hij geprobeerd hem te paaien door hem promotie te geven?

Maar ik dacht vooral aan het manuscript – het betreurend dat dit alles de aandacht daarvan afleidde – en aan het probleem hoe ik kon garanderen dat het niet zou worden misbruikt om de belangen van een ander te dienen, want het behoorde eerder de geschiedenis toe dan een individu, of zelfs een instituut. En ten slotte viel ik in een lichte sluimer, van het soort dat vermoeiender is dan slapeloosheid. Tegen het ochtendgloren had ik de gruwelijkste droom van mijn hele leven en ik schrok wakker met een bonzend hart en het zweet op mijn voorhoofd. Het was een van die dromen – een nachtmerrie – die een lange schaduw over de rest van de dag werpt, alsof een deel van je bewustzijn je er voortdurend in probeert terug te trekken.

Vrijdagmorgen

Een gevolg van de broeierige somberheid waarmee ik ontwaakte, was dat Austin en ik nauwelijks met elkaar praatten bij het ontbijt. Ik wilde bovendien ook liever niets zeggen, want om de problemen die ik voorzag voor me uit te schuiven, wilde ik nu nog niet onthullen dat ik het manuscript had gevonden. Ik hoopte daarom dat hij nog altijd even ongeïnteresseerd zou zijn in mijn onderzoek en niet naar mijn plannen voor die ochtend zou vragen. Toen we op het punt stonden het huis te verlaten, informeerde hij echter: 'Waar ga jij heen?'

'Weer naar de bibliotheek.'

'Je vergeet toch niet het gerechtelijk vooronderzoek, hè?'

'Is dat vandaag?'

'Dat neem ik aan. Maar wanneer het ook is, je moet er wel bij zijn. Jouw verklaring is van groot belang.'

'Werkelijk?'

'Je hoeft alleen maar te beschrijven wat je allemaal hebt gezien en gehoord. Een getuige van jouw statuur zal kunnen afrekenen met alle idiote theorieën waar Adams mee aankomt om zich slimmer voor te doen dan hij is.'

Ik knikte terwijl ik mijn jas aantrok.

Even later zei hij: 'Je ziet Locard vandaag zeker?'

'Ik betwijfel het.' Ik dacht eraan dat hij zijn afspraak niet was nagekomen en ook de beloofde assistentie had ingetrokken.

'Nou, als je hem ziet, zeg hem dan vooral niets over deze hele kwestie.'

'Waarom niet?'

'Hij is een onruststoker. Hij zal alles wat je zegt zo verdraaien dat het in zijn straatje past.'

'Wat voor belangen zou hij in deze kwestie kunnen hebben?'

'Heel grote. Er gingen altijd al geruchten dat Stonex zijn fortuin zou nalaten aan de Stichting. Locard wil niets liever dan daar de hand op leggen.'

'Als er een testament van die strekking wordt gevonden, zal hem dat ook wel lukken. Anders niet.' Ik zei eigenlijk maar wat, overtuigd als ik was dat Austin reageerde vanuit zijn obsessie met dr Locard in verband met het beleid van het kapittel. Ik ging ervan uit dat hij geschokt was door het feit dat kanunnik Sheldrick door dr Locard was verslagen op de kapittelvergadering van gisterochtend. Dat was niet alleen een nederlaag voor de Low Church-factie geweest, maar zou naar alle waarschijnlijkheid ook tot het ontslag van zijn vriend Slattery leiden.

Ik stond zo te popelen om vroeg naar de bibliotheek te gaan, dat ik het huis uit snelde nog voor Austin vertrok, waardoor ik gehaaster afscheid van mijn vriend nam dan ik achteraf bezien zou hebben gewild.

Ik arriveerde precies op het moment dat de jonge Quitregard de deur van het slot deed. Hij begroette me met een glimlach en terwijl hij me liet voorgaan, zei hij: 'Ik maak koffie en ik zou het een eer vinden…'

'Nee, dank u, vanochtend niet,' zei ik terwijl ik me langs hem spoedde.

'Maar hebt u het nieuws gehoord over mr Stonex?' riep hij me na.

'Ja, dat heb ik!' riep ik terug. 'Ik heb gisteren bijna de hele avond de politie bijgestaan.'

'Dat weet ik, sir, en het spijt me heel erg dat u en mr Fickling betrokken zijn geraakt bij de kwestie.'

Ik hield halt en draaide me om. 'Hoe weet u dat?'

'O, in deze stad bestaan er geen geheimen. Maar ik bedoel, hebt u het laatste nieuws van vanochtend al gehoord?' Ik schudde mijn hoofd en hij draalde nog even genietend voor hij zei: 'De kelner, Eddy Perkins, is in staat van beschuldiging gesteld.'

'Dat verbaast me absoluut niet. Heeft hij bekend?'

'Niet in zo veel woorden, maar er is gisteravond laat zeer belastend materiaal bij hem thuis gevonden toen de agenten daar huiszoeking deden.'

'Wat dan?'

Hij trok een gezicht. 'Dat weet ik niet. Maar hij heeft toegegeven dat hij het uit mr Stonex' huis had meegenomen. Dat kon hij blijkbaar onmogelijk ontkennen.'

'Dus hij hééft bekend?'

'Nee, want hij houdt vol dat hij niets van de moord afweet.'

'Beweert hij nog steeds dat hij niet bij hem is geweest om halfzes?'

'Hij heeft nu toegegeven dat hij toen wel is teruggekomen. Maar alleen omdat er een getuige is opgedoken die hem daar rond die tijd heeft gezien.'

'Een getuige? Weet u ook wie?'

'Nee, sir. Maar is het niet allemaal verschrikkelijk spannend?'

Ik glimlachte. 'En ondanks al die bewijzen tegen hem houdt hij vol dat hij de oude heer niet heeft vermoord?'

'Inderdaad.'

'Dat lijkt me geen bijster logische bewering. Ik vermoed dat de man niet al te snugger is.'

'Niet al te snugger en een bruut, gelet op het bewijsmateriaal. Wat afschuwelijk toch allemaal. En wat moet het ook voor u een schok zijn geweest. Te moeten vernemen dat iemand die u een uur of twee daarvoor nog hebt gezien op beestachtige wijze is vermoord.'

Zijn vriendelijke gezicht was zo meevoelend dat ik ertoe neigde zijn aanbod aan te nemen en zijn nauwelijks te onderdrukken nieuwsgierigheid te bevredigen, maar de verleiding van mijn vondst was te sterk. Met een dankbare uitdrukking op mijn gezicht om zijn medeleven, klom ik de trap op naar de bovenverdieping.

Ik luisterde nog even om er zeker van te zijn dat hij me niet achterna kwam en haalde toen het manuscript van de plek waar ik het de middag ervoor had weggezet, en legde het voor me op tafel. Alleen al het zien ervan was balsem voor de ziel. Dit was echt, dit was werkelijk belangrijk. Hier – in het toepassen van wetenschappelijke methoden en technieken – heersten orde en rede en waarheid. Toen ik het vervaagde handschrift begon te vertalen, werd het me duidelijk dat mijn eerste indruk gisteren juist was geweest: ik had inderdaad een manuscript voor me dat rond het jaar 1000 was geschreven, aanzienlijk eerder dan de revisie van Grimbalds *Leven* uit 1120. En toch, toen ik het begon te lezen werd mijn overtuiging dat het bewees dat het boek al bestaan had voordat Leofranc het herzag, aan het wankelen gebracht door bepaalde anomalieën. Wat ik voor mij had liggen was ongetwijfeld een versie van het verhaal van het beleg van Thurchester en het martelaarschap van Sint-Wulflac – al werden de betreffende koning en bisschop niet met name genoemd – maar het verschilde sterk van de versie in de revisie uit 1120. De gebeurtenissen waren globaal hetzelfde, maar de motieven van de betrokkenen werden compleet anders geïnterpreteerd.

Ik had er ongeveer een uur aan zitten werken, toen ik snelle voetstappen op de trap hoorde. Ik had amper tijd om het manuscript onder een van de folianten op tafel te schuiven, toen Pomerance binnen kwam stormen. 'Ze hebben een lijk gevonden!' schreeuwde hij. 'Ze hebben een lijk gevonden.'

'Lieve God!' riep ik terwijl ik overeind kwam. 'Wie nu weer?'

In een fractie van een seconde zag ik verschillende mogelijkheden: ik had een bizar visioen van mrs Bubbosh die op de grond lag, gestikt in een van haar theedoeken die over haar hoofd was getrokken, snel gevolgd door een beeld van Austin die plat op zijn rug lag met een doorgesneden keel, met een scheermes naast hem.

'Het is in de kathedraal,' stootte hij uit. 'Ik ga kijken.'

In de kathedraal! Wat had dat te betekenen?

Pomerance draaide zich op zijn hielen om en stevende weer op de trap af. 'Wacht even!' riep ik.

'Kan niet!' schreeuwde hij over zijn schouder. 'Ik kwam alleen naar boven omdat het moest van Quitregard.'

Hij holde de trap af. Verbijsterd liep ik hem achterna en stopte alleen even om mijn overjas en hoed aan te trekken. Ik zag de jongeman de deur uit snellen en toen ik buiten kwam trof ik op de trap Quitregard die naar de kathedraal stond te turen.

'Wat ik er niet voor over zou hebben om erheen te kunnen,' zei hij. 'Maar ik kan de bibliotheek niet onbeheerd achterlaten.'

'Wat is dit voor een nieuwe gruweldaad?' vroeg ik.

'Ik weet het niet,' zei hij bijna jammerend. 'Komt u alstublieft terug om alles te vertellen.'

'Dat zal ik doen,' zei ik en ik haastte me over de immuniteit naar het zuidertransept, waar ik een aantal mensen voor de deur zag staan – de enige deur die open was op dit tijdstip van de dag. Ze werden tegengehouden door een politieagent en een van de hulpkosters. Ik zag Pomerance tussen de toeschouwers staan en hij wierp mij een verwachtingsvolle blik toe toen ik naderbij kwam, alsof ik hem naar binnen kon loodsen. Ik herkende de politieman van het duo dat gisteravond Perkins naar Stonex' huis had gebracht en toen hij mij zag begroette hij me en deed een stap opzij om me door te laten, alsof ik een speciaal toegangsrecht tot dode lichamen had.

Ik kon een groep mensen onder de kruisingstoren zien staan, en toen ik dichterbij kwam realiseerde ik me dat ze naast het Burgoyne-monument stonden, nu een gapend gat van gehavend metselwerk dat deels aan het oog werd onttrokken door een steiger. Daarvóór lag een touw en blok, terwijl de enorme platte steen die het zichtbare deel van het monument had gevormd ernaast op de grond was gezet. Ik ontdekte een eindje verderop Gazzard, mijn oude vriend de koster, en liep naar hem toe. Hij begroette me met een naargeestige hoffelijkheid, en ik vroeg wat er aan de hand was.

'Wel, ze ontdekten dat de stank daarvandaan kwam en daarom hebben ze het vanochtend opengebroken.'

'Ik vermoed dat door het verzakken van de plavuizen het metselwerk is ontwricht, waardoor er een gat is ontstaan in de omlijsting.'

Hij haalde zijn schouders op. 'Zodra ze een paar van die bakstenen weghaalden, werd de stank ondraaglijk.'

'Ik begrijp het niet. Het is alleen een gedenksteen, geen graf.'

'Nou, ze hebben ontdekt wat de stank veroorzaakte. Ze hebben het daar liggen. Mij krijgen ze met geen moker een stap dichterbij, sir.'

Ik bedankte hem en liep er een stukje naar toe, al was de stank ondraaglijk. Twee van de mannen, zag ik nu, waren dokter Carpenter en dr Sisterson, maar de derde kende ik niet. Voor de tweede keer in evenveel dagen zag ik de jonge dokter over een lijk gebogen. Het zag eruit als van een erg oude man – het gezicht was weggeteerd, met lippen die zo sterk waren ingekrompen dat de tanden in een grijns blootlagen – en het lichaam was dermate verschrompeld dat het niet groot genoeg leek voor een volwassen man. Ik zag dat het linnen ondergoed van antieke snit droeg. Opeens schoten mij de woorden van de inscriptie te binnen: *Want als de aarde schudt en de torens trillen, zal het graf haar geheimen prijsgeven en alles bekend worden.*

'Achteruit, alstublieft,' zei de onbekende tegen mij.

Dr Sisterson keek echter op en zei verheugd: 'Maar ik ken deze heer.' Hij liep naar me toe, schudde me de hand en zei: 'Wat fijn u weer te zien.' Hij wendde zich tot de andere man: 'Dit is mr Bulmer, de opzichter van de kerkfabriek. En deze heer, Bulmer, is de eminente historicus dr Courtine.'

'Ja, ik weet wie u bent,' zei Bulmer zonder te glimlachen terwijl hij mijn hand schudde. Hij was een korte, forsgebouwde man van ongeveer vijftig, met een forse kaaklijn en een vrijwel geheel kaal hoofd.

'Ik ken dokter Carpenter al,' zei ik, toen dr Sisterson ons aan elkaar wilde voorstellen.

De dokter knikte terloops.

Dr Sisterson glimlachte: 'Nu hebben we alle beroepsgroepen die we nodig hebben: een medicus die ons kan vertellen hoe de arme man is gestorven, een architect die kan uitleggen hoe hij in de muur terecht is gekomen, en een historicus om te verklaren wat er werkelijk is gebeurd.'

'En een theoloog,' merkte de jonge dokter nogal sarcastisch op, 'om te vertellen wat uiteindelijk de betekenis van dit alles is.'

De sacristein zei met een glimlach: 'Dit moet u als historicus fascineren, dr Courtine. Het lijkt erop dat het lichaam hier onmiddellijk na overlijden luchtdicht is ingemetseld. Daardoor is het in de zuurstofloze ruimte volmaakt geconserveerd, totdat er een paar dagen geleden een scheur in de omlijsting ontstond.'

'Ontstond, ik herhaal het nog maar eens,' kwam Bulmer kwaad tussenbeide, 'omdat mijn instructies achteloos van tafel werden geveegd.' Terwijl hij sprak stootte hij zijn kin omhoog in mijn richting en staarde me een paar seconden lang aan op een wijze die ik bepaald alarmerend vond.

'Ja, mr Bulmer,' zei dr Sisterson. 'Daar heb ik mijn verontschuldigingen voor aangeboden en ik neem de volledige verantwoordelijkheid op me. De voorman volgde enkel en alleen mijn opdracht.'

'Alleen is hij niet luchtdicht opgeborgen na zijn dood, dr Sisterson,' zei dokter Carpenter die zwijgend naar het lijk was blijven kijken. 'De beklagenswaardige man werd in het monument gestopt terwijl hij nog leefde.'

'Hoe weet u dat?' vroeg ik.

Hij vouwde een stuk stof om zijn eigen handen, knielde neer en tilde een van de handen van het lijk op. 'Kijk. De nagels zijn afgesleten en de beenderen van de hand zijn opgezwollen, wat betekent dat hij zich uit het graf heeft pogen te krabben en slaan. Het moet een paar uur of misschien zelfs een paar dagen hebben geduurd voordat hij stikte.'

De gedachte alleen al sneed me de adem af, vooral ook omdat de stank zo verstikkend was. Ik werd vervuld van afgrijzen toen ik me voorstelde hoe de man zich uit zijn stenen grafkist had pogen te krabben, schreeuwend zolang zijn longen nog lucht vonden en met zijn vuisten op het koude marmer beukend.

'Dus het mysterie is eindelijk opgelost – tweehonderdvijftig jaar na dato,' was het commentaar van dr Sisterson.

'Ja,' zei ik. 'We weten nu waarom Gambrill verdwenen is. De arme man is niet gevlucht. Hij is zelf vermoord. En de reden waarom de steen net even uit de muur steekt is nu ook duidelijk.'

'Maar nu zitten we met een ander raadsel,' zei de sacristein. 'Wie heeft hém vermoord?'

Bulmer wisselde een blik met de jonge dokter. 'Zoudt u zo goed willen zijn ons ook in te wijden?' zei hij. 'Over wie hebt u het?'

Elkaar aanvullend vertelden de sacristein en ik de geschiedenis van Burgoyne. Toen het verhaal uit was, grijnsde de opzichter en zei nogal bars: 'Als opvolger van Gambrill kan ik het me levendig voorstellen dat hij een van de kanunniken wilde vermoorden.'

Dr Sisterson glimlachte zonder erin te slagen zijn gêne geheel te verbergen, maar de dokter lachte en vroeg: 'Maar had hij er een speciale reden voor?'

'Dat is nogal raadselachtig,' zei ik. 'Ze hadden ruzie over het gebrek aan animo van de kanunnik om de torenspits te restaureren. Zoals u vermoedelijk weet,' zei ik terwijl ik me tot Bulmer richtte in een poging de ruzie bij te leggen, 'is het schip na de ontbinding van het parlement – dus ten tijde van het Persoonlijk Bewind – meer dan honderd jaar lang niet gebruikt vanwege het instortingsgevaar van de torenspits, als gevolg waarvan…'

'Daar weet ik allemaal niets van. En om het maar eens ongezouten te zeggen, dr Courtine, het kan me niet schelen hoe en waarom de bouwers vroeger iets deden. Als praktisch mens heb ik uitsluitend belangstelling voor de vraag of het er straks nog zal staan.'

Er volgde een ongemakkelijke stilte.

'En daar kwam nog bij dat Gambrill meende dat Burgoyne op het punt stond hem te ontmaskeren wegens verduistering,' mompelde dr Sisterson in een poging de situatie te redden.

'Ik hoorde dat de juiste term in dezen "malversatie" is,' zei ik indachtig mijn eerste gesprek met de oude bankier. De sacristein keek me verbaasd aan. Ik begon het verschil uit te leggen, toen ik werd geïnterrumpeerd door de jonge arts: 'Ik ben toch wel benieuwd, heren. U zei dat indertijd werd aangenomen dat Gambrill Burgoyne heeft vermoord en op de een of andere mysterieuze manier deze steen op z'n plaats heeft gezet en vastgemetseld, om daarna te verdwijnen. Wat laat deze ontdekking van die theorie heel?'

'Het maakt een heleboel duidelijk,' zei ik. 'Er was een derde persoon bij betrokken. En dat moet iemand zijn geweest die de expertise bezat om Gambrill in te metselen in het graf. Met andere woorden, het moet een steenhouwer zijn geweest.'

Ik wachtte om te zien of de sacristein mijn hint begreep.

'Thomas Limbrick!' riep hij uit.

'Wie was dat?' vroeg dokter Carpenter.

'Een jonge steenhouwer die voor Gambrill werkte,' legde de sacristein uit.

'Het was de zoon van een vroegere handwerksgezel die ooit een collega van Gambrill was geweest,' vervolgde ik. 'Een man die was omgekomen bij een ongeval op de toren, waarbij Gambrill een van zijn ogen verloor. Zijn weduwe beschuldigde hem van moord.' Toen ik dat zei, herinnerde ik me dat ik de opzichter wilde vragen naar de toestand van de torenspits en of ik niet de torentrap op zou mogen die, naar Gazzard me verteld had, was afgesloten.

'En na de verdwijning van Gambrill,' vervolgde de sacristein, 'nam de jonge Limbrick zijn onderneming over.'

'Plus zijn weduwe,' zei ik.

'Dus hij had allerlei motieven om Gambrill te vermoorden,' zei de sacristein. 'Maar waarom wilde hij de kanunnik vermoorden?'

De dokter had zich weer naar het lichaam gekeerd en zat ernaast geknield terwijl hij naar ons luisterde. 'Als hij dat al heeft gedaan,' zei ik.

'Neem me niet kwalijk, heren,' zei de opzichter. 'Dit is allemaal erg boeiend, maar jammer genoeg betaalt de Stichting me niet om hier over oude geschiedenis te staan praten. Ik moet weer aan het werk.'

'Voordat u weggaat, mr Bulmer,' zei ik, 'zou ik u iets willen vragen over de torenspits. Ik zou om een speciale reden de toren op willen om hem te kunnen bekijken. Is het er echt te gevaarlijk?'

'Pardon?' zei hij terwijl hij zich snel omdraaide en me aankeek. 'Ik snap niet waarover u het hebt.'

'Ik heb gehoord dat de toren gesloten is voor bezoekers vanwege de slechte bouwkundige staat. Ik vroeg me af of er in mijn geval een uitzondering kon worden gemaakt.'

Hij staarde me met grote ogen aan: 'Ik kan u verzekeren dat die toren volkomen veilig is. Eerlijk gezegd is de suggestie dat het anders zou zijn zulke ernstige kritiek op mijn professionele competentie dat ik met stomheid geslagen ben.'

'Ik moet het verkeerd hebben begrepen,' zei ik.

Ik zag dat er een ader op zijn grote blote voorhoofd klopte. 'Dat is heel goed mogelijk, dr Courtine.' Hij herhaalde langzaam en met bijzondere nadruk: 'Heel goed mogelijk. Laat me u echter één ding duidelijk maken. Ondanks de uitstekende staat van de toren krijgt u onder geen beding toestemming hem te beklimmen.' Hij wierp een veelbetekenende blik op het gapende gat in de muur, en voegde er eerder tegen dr Sisterson dan tegen mij aan toe: 'De kathedraal kan zich niet nog meer schade veroorloven.'

Hij knikte naar ons drieën en met een kort: 'Gegroet, heren', haastte hij zich door het schip naar de deur aan de westzijde.

'Ik ben bang dat ik hem heb beledigd,' zei ik tegen de sacristein. 'Ik denk dat hij mij de schuld geeft van deze ramp in de kathedraal. Maar in de tijd van Burgoyne bestond er voor de torenspits en de toren werkelijk instortingsgevaar.'

'Het is een vreemde kwestie. Momenteel verkeren ze in uitstekende staat, maar niemand snapt helemaal hoe dat kan.'

'Niemand snapt hoe dat kan?' lachte ik. 'Kunt u uitleggen wat u bedoelt?'

'Na het herstel van de monarchie ging de Stichting over tot het herstellen van de schade die het gebouw had opgelopen tijdens de volksopstand. Tegen alle verwachtingen in bleken de toren en de torenspits helemaal niet te hoeven worden gerestaureerd. En ongeveer veertig jaar geleden wees onderzoek uit dat beide op bepaalde punten tussen ongeveer 1600 en 1660 heel slim en doeltreffend waren versterkt. Toch bestaat er geen schriftelijke vermelding van dergelijk werk.'

'Waarom is de toren dan afgesloten?'

'Er staat daarboven een of andere oeroude machinerie die buitengewoon gevaarlijk kan zijn als je er te dichtbij komt.'

Ik was buitengewoon geïntrigeerd. Het verslag van de dood van Limbrick senior had melding gemaakt van een *Machine* en er diende zich een mogelijke verklaring aan toen ik me de woorden uit de inscriptie voor de geest haalde: *Alle dingen wentelen en de mens die bestemd is om in het zweet zijns aanschijns te werken wentelt met hen mede.*

'Wat is het dan?'

'Niemand die het precies weet.'

'Werkelijk? Zelfs Bulmer niet?' vroeg ik met een glimlach.

'Hij heeft me bekend dat het hem een volkomen raadsel is.'

'Weet hij veel omtrent de bouw van kathedralen?'

'Om eerlijk te zijn, niet al te veel. Hij is een prima bouwkundige, dat weet ik zeker. Hij bouwde bruggen voordat hij door het kapittel werd aangenomen.'

'Zit er een groot rad in?' Hij staarde me aan alsof ik gek was geworden. 'De machinerie in de toren. Zit er een groot rad aan vast?'

'Zoals in een tredmolen voor gevangenen?' zei hij.

Ik glimlachte. 'Precies. Zij het dan wat minder groot. Ongeveer anderhalfmaal de lengte van een mens.'

'Ik moet bekennen dat ik nooit boven ben geweest. Ik houd niet van grote hoogten. Maar ik geloof wel dat het zo'n rad heeft.'

Ik meende te weten wat het was, en als ik gelijk had zou daarmee een aantal ontbrekende delen van de puzzel op z'n plaats vallen. Het was echter duidelijk dat ik de opzichter zo tegen de haren in had gestreken dat het uitgesloten was dat hij me naar boven zou laten gaan.

Op dat moment kwam dokter Carpenter op ons af. 'De mannen van de begrafenisondernemer komen zo en ik laat ze het lichaam meenemen naar het mortuarium.'

'Ik heb de bevoegde autoriteiten op de hoogte gebracht,' zei de sacristein. 'En ik neem aan dat er een gerechtelijk vooronderzoek zal komen.'

'Nu we het daar toch over hebben,' zei de dokter tegen mij, 'wist u dat het vooronderzoek over mr Stonex vanmiddag plaatsvindt?'

'Een afschuwelijke zaak,' zei dr Sisterson hoofdschuddend. 'Het spijt me zo dat u daar zonder uw toedoen in verzeild bent geraakt, dr Courtine.'

Ik dankte hem en wendde me tot de dokter: 'Dat wist ik niet. Al heeft de hoofdinspecteur me gewaarschuwd dat het vandaag zou kunnen plaatsvinden.'

'Om twee uur in het stadhuis,' zei hij. 'Misschien weet u al dat de politie bankbiljetten heeft gevonden die in het huis van Perkins verstopt waren?'

'Dan neem ik aan dat zijn schuld nu wel vaststaat?'

'Vermoedelijk wel,' zei hij en hij wendde zich naar de sacristein terwijl hij een sleutelbos ophield: 'Wat zal ik hiermee doen?'

'Zijn die op het lichaam gevonden?' vroeg ik.

'Ernaast,' zei dokter Carpenter.

'Ik zal ze aan dr Locard geven,' zei de sacristein toen de dokter ze aan hem overhandigde. Ik zag dat het twee stel sleutels betrof, beide aan een metalen ring. 'Als bibliothecaris neemt hij altijd dat soort zaken onder zijn hoede.'

'Het verbaast me dat hij er niet is,' zei ik.

'Hij is uiteraard wel gewaarschuwd,' zei de sacristein, 'zodra deze ongelukkige ontdekking werd gedaan, maar hij heeft op dit moment andere verplichtingen.'

'Ik weet dat hij zeer geïnteresseerd is in deze geschiedenis,' zei ik. 'Het zal hem zeer veel genoegen doen te horen dat het mysterie is opgelost.'

'Ik weet eigenlijk niet zo zeker of dat wel het geval is,' zei dokter Carpenter terwijl hij zich naar mij toe wendde. 'Zegt u mij eens, dr Courtine, wat denkt u dat er die nacht precies is gebeurd?'

'Burgoyne is vermoord toen Gambrill de steiger op hem liet neerstorten – daarbij mogelijk bijgestaan door Limbrick. Maar daarna is hijzelf overmeesterd door zijn gezel en is zijn lichaam ingesloten met de bedoeling hem te laten sterven.'

'Heeft hij de steen in zijn eentje naar het gat gehesen?' zei dr Sisterson hoofdschuddend.

'Ja, en dat is ook mogelijk.' Ik legde mijn theorie nog niet uit, want ik wilde wachten tot ik er bewijs voor had.

'Dat klinkt allemaal best overtuigend,' zei dokter Carpenter. 'Alleen is het jammer genoeg gebaseerd op een onterechte aanname.'

'Wat bedoelt u?' vroeg ik verontwaardigd.

'Begreep ik het goed dat u zei dat Gambrill een oog kwijt was?'

'Inderdaad.'

'Dan kan dit niet zijn lijk zijn, want dit heeft beide ogen nog.'

Ik staarde hem verbaasd aan. 'Dat kan niet waar zijn.'

'Als u twijfelt aan mijn medisch oordeel, misschien zoudt u zelf dan eens uw mening kunnen geven?' vroeg de dokter glimlachend.

Ik huiverde bij de gedachte nog dichter bij het lijk te moeten komen. En ik was verontwaardigd over de wijze waarop deze schrandere jongeman ervoor had gezorgd dat ik mijzelf belachelijk had gemaakt.

Ik stond op het punt iets te zeggen waarvan ik spijt kon krijgen, toen er drie gestalten door de zuiddeur binnenkwamen – de mannen van de begrafenisondernemer. Na een haastig afscheid van mijn metgezellen spoedde ik mij het gebouw uit.

De jonge Pomerance stond nog altijd in de kleine menigte op de trappen toen ik naar buiten kwam en hij pakte me bij mijn mouw en vroeg me hem te vertellen wat er aan de hand was. Ik bracht hem in het kort op de hoogte van de ontdekking en snelde terug naar de bibliotheek. Quitregard had net koffie gezet en vroeg of ik een kopje wilde. Ik antwoordde beamend, want ik wist dat hij dolgraag wilde horen wat ik te vertellen had, en na de akelige ervaring van daarnet was ik zelf ook genegen om er met iemand over te spreken. En daarom ging ik zitten, hoe graag ik ook terug had gewild naar mijn manuscript, en vertelde hem wat ik te weten was gekomen. Het was duidelijk dat hij zeer opgetogen was over het mysterie.

'Het is mogelijk,' concludeerde ik, 'dat er nog meer boven water komt tijdens het gerechtelijk vooronderzoek, maar raadselachtig is het wel.'

Quitregard streek over zijn voorhoofd. 'Over vooronderzoek gesproken, toen u weg was kwam er een politieman langs namens het kantoor van de rechter van instructie, om te zeggen dat het gerechtelijk vooronderzoek inzake de arme mr Stonex hedenmiddag plaatsvindt.'

'Dat zei dokter Carpenter ook al tegen me. Het is in het stadhuis. Waar is dat?'

Hij gaf me een routebeschrijving van de weg. 'Wist u dat zijn nalatenschap wordt geschat in de honderdduizenden ponden?'

'En is dat nagelaten aan de koorschool?'

'Nou, nee, sir. Ik bedoel, blijkbaar was dat wel zijn bedoeling, maar er is geen testament gevonden. Zijn notaris had het niet in zijn bezit, naar ik hoorde. En tot nu toe heeft een zoektocht in zijn huis en de bank nog niets opgeleverd.'

'Als hij intestaat is gestorven valt de erfenis toe aan zijn nabestaanden – ervan uitgaande dat die nog in leven zijn. Is er iets bekend over hen?'

'Hij heeft een zus, maar ze zijn al vanaf haar jeugd met elkaar gebrouilleerd. Zo'n veertig of vijftig jaar.'

'En een broer,' vulde ik aan.

De jongeman staarde me aan. 'Nee hoor, geen sprake van. Dat wil zeggen, neem me niet kwalijk, maar u vergist zich.'

'Maar ik herinner me toch duidelijk dat hij het gistermiddag over hem had. Hij sprak over zijn kindertijd in de Nieuwe Proosdij en de spelletjes die hij toen speelde met zijn zus en, naar hij zei, met zijn broer.'

Hij keek me hoogstverbaasd aan. 'Ik heb nog nooit van een broer gehoord. Ik weet dat hij gebrouilleerd was met zijn zuster, die veel jonger was dan hij, en dat zij nog voor haar twintigste de stad heeft verlaten. Ik herinner me dat ik mijn grootouders over haar heb horen spreken, want zij wisten nog alles van het schandaal. Het schijnt dat ze verliefd was geworden op een Ierse toneelspeler uit een rondtrekkend gezelschap dat in de schouwburg optrad. Ze wilde met hem trouwen en toen haar broer weigerde toestemming te geven, is ze er met hem vandoor gegaan. Dat is het laatste wat de stad van haar heeft gehoord. Ik heb opgevangen dat zijzelf ook...'

'Is het niet mogelijk dat er nog een broer was, die misschien is overleden of zelf de stad al op heel jonge leeftijd heeft verlaten?'

'Het zou kunnen, maar ik denk dat ik daar dan toch wel van gehoord zou hebben. Mr Stonex en zijn aangelegenheden zijn in de stad een veelbesproken onderwerp, zoals u zich wel kunt voorstellen. Zou het niet gewoon een verspreking kunnen zijn geweest?'

Ik glimlachte. 'U bedoelt dat hij "broer" zei toen hij "zus" bedoelde? Dat lijkt me bijna niet mogelijk. Het is hoogst merkwaardig. Zou ik u mogen verzoeken uw grootouders te vragen of ze ooit van een broer hebben gehoord?'

Hij glimlachte triest. 'Jammer genoeg leven die niet meer.'

'Dat spijt me zeer. Natuurlijk was het allemaal lang geleden. Ik vraag me af of er nog iemand leeft die zich de oude mr Stonex herinnert. Ik bedoel de vader van de overledene. Zijn portret was zeer markant.'

'Zoudt u hem oud noemen, sir?' vroeg de jongeman schalks. 'Hij was in de veertig toen hij overleed.'

Ik lachte. 'Dat zou je oud kunnen noemen, al zou ik het eerder tragisch jong noemen. En nu ik er zo over nadenk, de oude heer had het gisteren nog over de dood van zijn vader en uitte toen ook zijn verdriet daarover.'

'Wonderlijk. Mijn grootvader vertelde me dat vader en zoon elkaar niet konden luchten of zien. De vader vond zijn erfgenaam kil en berekenend.'

'Herinneringen worden milder met de jaren,' zei ik. 'Daar kom je wel achter als je zo oud bent als ik. En je kunt iemand haten en toch diep getroffen worden door zijn of haar dood.'

'Ik weet zeker dat u gelijk hebt, sir. Maar mijn grootvader zei altijd dat mr Stonex een heel ongelukkige jeugd heeft gehad, omdat zijn vader hem verfoeide en hem een slome domkop vond die niet van het leven wist te genieten. Daarom groeide de jongen op met een grote haat tegen hem. De zus daarentegen was zijn oogappel en zij aanbad haar vader.'

'Dat is dan misschien een van de redenen dat ze ruzie kregen na zijn dood. Zo'n man roept sterke emoties op. Uit wat de oude heer gisteren over hem vertelde, kwam hij naar voren als een charmant, egoïstisch, wie-dan-leeft-wie-dan-zorgt soort mens.'

'Hij had onmiskenbaar een wilde en onbesuisde jeugd,' zei de jongeman enigszins opgelaten.

'Maar hij keerde terug op het rechte pad, vertelde de oude man me, toen zijn eigen vader overleed. Hij ging weer in de stad wonen en werkte hard om een succes te maken van de bank.'

'Dat is het gebruikelijke verhaal, sir. Maar mijn grootvader zag dat allemaal wat anders en zei altijd dat hij enkel terugkwam om de bank te kunnen plunderen, die ook werkelijk op het punt stond failliet te gaan toen hij overleed. Zijn zoon, de oude heer, heeft dertig jaar nodig gehad om de schade te herstellen die zijn vader in vijf jaar tijd had weten aan te richten.'

'Wat vreemd. Ik vraag me af wat er waar van is. Ik neem aan dat we het nooit zullen weten.' Ik zuchtte. 'Zo veel onopgeloste raadsels.'

'Ik heb nog nooit zo veel spannends meegemaakt,' zei de jongeman. 'Die arme mr Stonex, het lijk in het Burgoyne-monument, de rel rond dr Sheldrick gisteren, en dan nog de diefstal uit zijn huis dinsdag.'

'Zou er enig verband kunnen bestaan?' vroeg ik.

Quitregard keek naar de grond. 'Ik zou niet weten hoe, sir. Maar mensen zeggen de raarste dingen over de inbraak bij dr Sheldrick.'

'Wordt er iemand verdacht?'

'De mensen zeggen dat het gestolene heel gevaarlijk zou kunnen zijn in handen van de verkeerde mensen.'

'Gevaarlijk voor dr Sheldrick?'

'En voor de goede naam van de Stichting. Dat is tenminste wat er gezegd wordt.'

'Hoe kan een stel miniaturen nu gevaarlijk zijn?'

Hij keek op en bloosde. Het kwam me voor dat ik nogal onnozel gereageerd had. Ik leegde mijn koffiekop en stond op. 'Als dr Locard komt, zoudt u dan zo vriendelijk willen zijn hem te vragen of ik hem even kan spreken?'

Ik had besloten dr Locard niet langer onwetend te houden van mijn ontdekking. Hij moest op de hoogte worden gebracht en dat kon ik net zo goed nu doen.

'Dr Locard is er al,' antwoordde de jongeman verrast. 'Hij kwam kort voor u binnen en is naar de bovenverdieping gegaan.'

De schrik sloeg me om het hart, want ik realiseerde me plotseling dat ik het manuscript op tafel had laten liggen, nauwelijks verborgen onder één enkel boek. Als dr Locard het had gevonden, zou hij zich afvragen waarom ik hem mijn ontdekking nog niet had gemeld, en ik vreesde dat hij zou denken dat ik het voor hem verborgen had willen houden.

Ik snelde de trap op en tot mijn ontzetting trof ik daar dr Locard aan die gebogen over de tafel stond, precies op de plek waar ik had gezeten. Toen ik naderbij kwam, keek hij op met een scheef glimlachje. 'Ik mag u wel feliciteren, Courtine. U hebt een hoogst opmerkelijke ontdekking gedaan.'

Het manuscript lag voor hem.

'Ik vond het net voordat Pomerance me het nieuws over het lijk in de kathedraal kwam vertellen,' zei ik opgelaten. 'Ik stond op het punt het u te vertellen, toen dat elke andere gedachte naar de achtergrond drong.'

'Het is een buitengewoon opwindende dag geweest,' was zijn droge commentaar. 'Al bijna even dramatisch als gisteren.'

In een gebaar omvatte hij de boekenplanken rondom ons. 'Hebt u het hier gevonden?'

'Geheel per toeval. Ik stuitte op de verslagen van het Hof van de Kanselarij van de Vrijheid van St. John, en toen ik die doorkeek vond ik het tussen de bladzijden geschoven.' Ik gebaarde naar het boek dat nog open lag op de plek waar het manuscript had gelegen.

'Wat een opmerkelijk toeval,' merkte hij op.

Ik geloofde helemaal niet dat er sprake was van toeval, maar ik besloot te verzwijgen dat ik een onderzoek had ingesteld naar de dood van Limbricks vader, zoals ook Pepperdine dat meer dan tweehonderd jaar geleden moest hebben gedaan. 'Ik heb er alleen even vluchtig naar kunnen kijken,' zei ik, 'maar het lijkt precies wat ik hoopte te vinden: een deel van de oorspronkelijke versie van Grimbalds *Leven*.'

'Ik heb er zelf amper twintig minuten naar kunnen kijken,' zei dr Locard. 'Maar het viel me op dat er geen namen in vermeld staan. Zelfs de invallers worden alleen maar *pagani* genoemd, terwijl de stad wordt aangeduid als *civitas*. Bovendien lijken er meerdere opvallende anomalieën in te staan en dat heeft me op een idee gebracht. Maar zullen we eens bekijken wat we er samen van kunnen maken?'

Ik voelde me als een kind wiens kerstcadeau is ingepikt en opengemaakt door een oudere broer. Maar ik had weinig keus en dus ging ik naast hem zitten, en als twee schooljongens die samen uit één lesboek lazen aan een schoolbank, vertaalden we de tekst die tussen ons lag:

Ooit waren de koning en de martelaar goede vrienden geweest, maar dat waren ze niet langer omdat de laatste zijn vroegere leerling had bekritiseerd vanwege zijn tekortkomingen. Met name verweet hij hem dat hij de troon niet afstond aan zijn neef, nu de jongeman oud genoeg was. De martelaar wees de koning er in aanwezigheid van zijn raadsheren op, dat de jongeman als zoon van de oudste broer van de overleden koning, de legitieme vorst was. Het was bovendien algemeen bekend dat de koning zijn vader en zijn oudste broer had vermoord. Onder de aanwezigen waren velen die de neef van de koning steunden, omdat ze geloofden dat hij een sterkere en betrouwbaarder koning zou zijn dan zijn oom.

'Intrigerend,' zei dr Locard. 'Het was ook eigenlijk hoogst onwaarschijnlijk dat Alfred de troon zou bestijgen, nietwaar?'

'Maar er bestaat geen enkel bewijs dat hij familieleden zou hebben vermoord,' zei ik verontwaardigd. Dr Locard had beweerd geen gedetailleerde kennis over de betreffende tijd te bezitten en desondanks had hij niet alleen de artikelen van mij en Scuttard gelezen, maar kende hij duidelijk ook een aantal andere bronnen. Viel dat louter te verklaren uit het feit dat hij een briljant geleerde was, of had Austin dr Locard er terecht van verdacht een beroepsmatige belangstelling te ontwikkelen voor de geschiedenis van Engeland voor de Normandische verovering?

'Nee, en zulk bewijs zal ook vast niet bestaan, denk ik zo, want het was in de eerste plaats de koning die bepaalde wat er wel en niet over hem werd geschreven en wat er dus aan ons is overgeleverd. Maar laten we doorlezen.'

De koning werd gered toen een plotseling gevaar het koninkrijk van buitenaf bedreigde: een omvangrijk heidens leger viel het land binnen, en raasde al verwoestend, plunderend en brandschattend door het land. De koning gaf de martelaar het bevel over de stad, die op de route van de aanstormende heidenen lag, en zei dat hij tegen hen ten strijde zou trekken. In werkelijkheid leidde hij uit angst voor zijn eigen veiligheid zijn leger in tegenovergestelde richting weg. Als gevolg van de lafheid van de koning nam de vijand de stad in en werd de martelaar in gijzeling genomen.

'Gefeliciteerd, u hebt uw gelijk bewezen,' zei dr Locard met een glimlach. 'Dit is onmiskenbaar een authentiekere versie van het verhaal, en vermoedelijk zijn dit Grimbalds woorden voordat Leofranc erin ging zitten knoeien.'

'Wat brengt u op die gedachte?'

'Het klinkt zoveel aannemelijker dan het absurd heroïsche beeld van de koning in de latere versie.'

'Dat ben ik niet met u eens,' zei ik ietwat stroef. 'Dat lijkt me een arbitrair en riskant uitgangspunt voor historisch onderzoek.'

'Vanzelfsprekend is het feit dat de koning niet wordt geïdealiseerd op zich geen bewijsmateriaal voor de authenticiteit, maar ik denk dat we zo nog wel wat aanvullend bewijs zullen tegenkomen. Laten we doorlezen,' zei hij terwijl hij zijn hoofd weer over het manuscript boog.

Toen het nieuws hierover de koning bereikte, werd hij door zijn raadsheren gedwongen terug te keren en de stad te belegeren. Omdat de koning te bang was om dit te doen, wierp zijn neef zich op om te bemiddelen met de vijand. De aanvoerder van de heidenen zei dat hij de martelaar zou vermoorden, tenzij de koning hem zijn goud zou geven. Toen de neef hem meedeelde dat de schatkist naar een veilige plek was gebracht, zei hij dat de koning zichzelf als gijzelaar moest aanbieden in de tijd dat de schatkist zou worden opgehaald. Toen de koning dit hoorde, weigerde hij het goud te laten halen alsook zichzelf over te geven. De vijandelijke aanvoerder zei dat hij de martelaar de volgende dag zou vermoorden als zijn eisen niet zouden worden ingewilligd. De neef van de koning drong er bij de raadsheren op aan dat de koning moest doen wat de heiden hem vroeg. Als het goud eenmaal was overgedragen en de koning was vrijgelaten, konden ze de vijand aanvallen en de schatkist heroveren. De koning vertrouwde zijn neef niet en weigerde. Daarop zei de neef van de koning dat hij zichzelf zou aanbieden in ruil voor de martelaar, en de raadsheren bejubelden zijn moed. Derhalve keerde hij terug naar de vijand en daar werd hij bij hun aanvoerder gebracht, terwijl de martelaar uit zijn gevangenis werd gehaald. Toen de neef zijn aanbod deed, lachte de aanvoerder en verwierp het, zeggende dat hij een dapper man was, maar dat het hem om zijn oom te doen was. Hij had het plan de koning te dwingen zijn voorwaarden te accepteren door de martelaar boven de hoofdpoort van de stad aan een touw te hangen. Nu was de martelaar een wijs en geleerd man, en hij wist daarom dat er een zonsverduistering op komst was. Hij wist ook dat de koning zulke hemelse verschijnselen kende, want toen hij vele jaren eerder zijn leraar was geweest, had hij samen met hem

Plinius gelezen en vertaald. En derhalve probeerde hij de koning hiervan op de hoogte te brengen, door de neef een boodschap mee te geven die voor de toehoorders geen enkele betekenis had – zelfs niet voor de neef, die meer soldaat dan geleerde was – maar die wel door de koning zou worden begrepen. Terwijl de neef terugkeerde naar het belegeringsleger, werd de martelaar voor ieders oog met touwen onder zijn armen aan de stadsmuren opgehangen.

De neef van de koning keerde terug naar zijn oom en vertelde hem en zijn raadsheren dat zijn missie mislukt was. Hij bracht ook de boodschap van de martelaar over en de koning begreep de betekenis, maar deed net of die hem ontging. Hij wilde dat de martelaar snel zou worden vermoord om een eind te maken aan de situatie, want hij vreesde dat zijn raadsheren samenspanden om hem uit te leveren aan de vijand. Hij dacht ook dat als de martelaar zou zijn vrijgelaten, zijn raadsheren zouden weigeren het goud af te staan, waarna hij, de koning, zou worden vermoord en zij hem konden vervangen door zijn neef. Zijn verdenkingen werden bevestigd toen hij ontdekte dat zijn lijfwachten in feite zijn bewakers waren geworden. Daarop besloot hij te vluchten. De koning werd echter nauwlettend in de gaten gehouden, en wist daarom dat het bijna onmogelijk voor hem was te ontsnappen. En toen kreeg hij een idee hoe het wel zou lukken – al was zijn plan ook oneervol en vernederend. Diep in de nacht schoor hij in het geheim zijn baard af en vermomde zich in de kleren van een van de vrouwen uit zijn gevolg. Aldus kwam hij langs de wachten zonder te worden herkend en bereikte hij de stallen. Daar besteeg hij zijn eigen paard, maar het dier herkende hem niet in zijn vrouwelijke vermomming en omdat de koning een onervaren ruiter was, werd hij op de grond geslingerd toen het paard bokte. In deze smadelijke toestand werd hij aangetroffen door een staljongen, die hem ondanks zijn vrouwenkleren herkende en het op een schreeuwen zette. De koning poogde nogmaals het dier te bestijgen, maar de jongen hield het hoofdstel van het paard vast en schreeuwde tot de lijfwacht kwam en zijn meester gevangen nam.

'Dit klinkt stukken waarschijnlijker,' mompelde dr Locard. 'De koning vlucht weg van het gevaar en niet ernaar toe.' Hij keerde zich tot mij. 'Vindt u deze versie van het verhaal van het paard en de staljongen niet veel overtuigender dan het sentimentele verslag bij Leofranc?'

'Nee,' zei ik ongelukkig. 'Ik vind Leofrancs versie net zo aannemelijk.'

'Intrigerend,' zei hij, terwijl hij zijn lippen hoogst onaangenaam op elkaar perste. 'Bent u dan van mening veranderd, dr Courtine, en stelt u nu dat dit manuscript niet authentiek is, dat het niet uit het oorspronkelijke *Leven* van Grimbald afkomstig is, niet ouder is dan Leofranc en ook niet diens bron was?'

'Ik ben nog niet tot een eindconclusie gekomen,' antwoordde ik met alle waardigheid die ik nog kon opbrengen.

Ik was vertwijfeld. Het manuscript dateerde duidelijk van voor Leofrancs tijd en de onderlinge overeenkomsten waren zo groot dat, vooral gezien het feit dat het hier in Thurchester was gevonden, nauwelijks nog kon worden ontkend dat Leofranc er zijn eigen tekst op had gebaseerd.

'Laten we eens kijken hoe het verdergaat,' zei dr Locard.

Nu bezat de koning door deze lafhartige daad geen enkel gezag meer. De neef en de andere grote lords besloten hem in ruil voor de martelaar uit te leveren aan de vijand en de schatkist te laten halen. De dag was net aangebroken. Het belegeringsleger werd opgesteld om toe te zien hoe de koning zou worden uitgeleverd, en toen de zon boven de horizon verscheen kon men de martelaar boven de poort zien hangen, en hij was zichtbaar de dood nabij. Nu herinnerde de koning zich de boodschap van de martelaar en hij zei tegen zijn neef en de andere lords dat als zij hem zouden uitleveren aan de vijand, God de zon zou wegnemen als straf voor deze gruwelijke daad van trouweloosheid. Ze lachten en maakten zich op om hem naar de stad te escorteren. Op dat moment begon de zon te verdwijnen en werd het land donkerder en donkerder totdat er complete duisternis heerste. De neef van de koning en de lords bleven verbijsterd staan en toen de koning hun zei dat de zon zou terugkeren als zij hem zouden vrijlaten en weer het volledige gezag zouden geven, accepteerden zij deze voorwaarden onmiddellijk. Ondertussen meende de vijandelijke aanvoerder, die boven op de hoofdpoort stond, dat de martelaar de zon had laten verdwijnen met zijn magische krachten. Hij gaf daarom het bevel de touwen waarmee hij was vastgebonden door te snijden. De oude man stortte zijn dood tegemoet, juist toen de duisternis weer begon op te trekken. De koning was opgetogen en wist dat hij gered was en zijn schatkist niet meer hoefde af te staan. De raadsheren van de koning en de lords meenden dat de koning eerst de zon had bevolen te verdwijnen en hem daarna had teruggebracht. Toen hij hun beval zijn neef te doden, steunden de meesten hem daarom in zijn voornemen. Er brak een gevecht uit en de neef werd afgeslacht. Zodra de heidenen echter zagen dat hun vijanden onderling in gevecht waren geraakt, voerden ze een plotselinge en razende aanval uit op de troepen van de koning en brachten hun een volledige nederlaag toe. De koning was genoodzaakt zijn schatkist over te dragen in ruil voor het vertrek van de invallers uit zijn koninkrijk, maar hij was hiertoe nu ook bereid omdat zijn rivaal dood was, en aangezien hij al zijn andere neven had vermoord, was er niemand meer die aanspraak kon maken op de troon. Omdat hij bovendien zo weinig ontzag had voor de vermoorde bisschop…

'En daar breekt het midden in een zin af. U hebt werkelijk een buitengewone ontdekking gedaan, dr Courtine. Als dit is wat u hoopte te vinden, zal de geschiedenis van de negende eeuw inderdaad herschreven moeten worden.

Ik weet niet of het u is opgevallen dat het Scuttards stelling onderbouwt dat Alfred verslagen werd door de Denen, zich overgaf en hun Danegeld betaalde?'

Ik knikte, maar durfde nog niet op mijn stem te vertrouwen.

'Het lijkt mij hoogst waarschijnlijk dat iemand in de tijd van Alfred – laten we voor het gemak zeggen dat het Grimbald was – een verslag schreef van het bewind van de koning, dat veel materiaal bevatte waarmee Alfred in diskrediet werd gebracht. Tweehonderd jaar later herzag Leofranc de tekst met het doel Alfred te verheerlijken, omdat dat zijn eigen belangen diende, die hieruit bestonden dat hij van Wulflacs tombe een heiligdom voor heel Europa wilde maken. Lijkt u dat geen redelijke hypothese?'

'Het zou kunnen,' zei ik radeloos. Ik wilde niet dat hij mijn teleurstelling zou zien. Was dit dan de waarheid over Alfred – dat hij moorddadig, laf en achterbaks was? Zou mijn grote ontdekking nopen tot een fundamentele herwaardering van de tijd van Alfred de Grote – zoals ik ook gehoopt had –, maar dan op een manier die mij intens pijn zou doen?

'Het Latijn is natuurlijk erbarmelijk,' zei dr Locard. 'Er zit ook een vermoeiende stilistische hebbelijkheid in die me ergens aan doet denken, alleen weet ik even niet waaraan. Misschien schiet het me nog te binnen.' Hij stond op. 'Ik moet eigenlijk even naar de sacristein om te horen wat er met Gambrills lijk is gebeurd.'

'Het is Gambrills lijk niet,' zei ik, niet zonder een zeker genoegen hem op een fout te kunnen betrappen. 'Het heeft beide ogen nog.'

'Werkelijk?' Hij staarde me aan. 'Hoe boeiend.'

'Wiens lichaam denkt u dat het is?'

Hij dacht een ogenblik na en ging weer in zijn stoel zitten. 'Er is maar één mogelijkheid. Er zijn die nacht twee mensen doodgegaan.'

'Burgoyne? Maar zijn lijk is toch gevonden?'

'Zou het? Het lichaam onder de steiger is alleen geïdentificeerd aan de hand van zijn kleding.'

'Maar als het Gambrills lijk was, zou men het toch herkend hebben omdat er een oog ontbrak.'

'Dat denk ik niet, want het gezicht was onherkenbaar verminkt. Beide mannen waren lang en ongeveer even oud. Het was een voor de hand liggende conclusie. Voor de hand liggend, maar verkeerd, zoals zo vaak het geval is met voor de hand liggende conclusies. Dat heeft mijn ervaring als historicus me wel geleerd.'

Zijn woorden herinnerden me aan mr Stonex en brachten een hele gedachtestroom op gang waar ik nu even geen tijd voor had. Ik dwong mezelf mijn aandacht bij de onderhavige kwestie te houden en zei: 'Als u gelijk hebt, wie heeft dan Burgoyne en Gambrill vermoord? En met welke motieven?'

'Ze zijn niet vermoord door dezelfde man. Gambrill vermoordde Burgoyne, en de zwartgallige humor zal hem er niet van zijn ontgaan dat het lijk werd verstopt in het familiemonument – dat onding dat voor zo veel tweespalt tussen beide heren had gezorgd.'

'Dokter Carpenter verzekerde me zojuist dat hij er levend in is gestopt en toen gestikt is.'

Dr Locard trok één wenkbrauw op. 'Een wel erg wrede grap. Maar dat was nog niet het einde van de grap, want onmiddellijk daarna werd hijzelf vermoord toen de steiger op hem neerstortte.'

'Dat was dan vermoedelijk Limbricks werk?'

'Dat was wel degelijk Limbricks werk. En de twee moorden hangen met elkaar samen. Want vergeet niet dat Gambrill werd gekweld door schuldgevoel omdat hij een afschuwelijke misdaad had begaan, zoals ook al bleek uit zijn gedrag toen hij dacht dat Burgoyne hem dreigde te ontmaskeren.'

'En achter dat schuldgevoel van Gambrill school dat hij de vader van Limbrick had vermoord?'

Hij keek me verbaasd aan. 'U weet daarvan?'

'Hoe denkt u dat Burgoyne daar achter is gekomen?'

'Ik denk dat Gambrill het hem heeft opgebiecht toen ze nog goed bevriend waren. Nu ze vijanden waren geworden, vreesde hij dat Burgoyne het openbaar zou maken.'

'En daarom vermoordde hij hem,' stemde ik met hem in. 'Maar wat hij niet wist was dat Limbrick nog veel gevaarlijker was. Hoe kwam dat dan?'

Dr Locard glimlachte. 'Limbrick was nog een kind toen zijn vader stierf, maar als er sprake is van een dodelijk conflict tussen twee mannen, volg ik altijd het oude Franse adagium: *chercher la femme*. Ik ga ervan uit dat Limbricks moeder haar zoon tegen Gambrill heeft opgestookt door hem steeds maar weer dat verhaal te vertellen.'

'Dus al die jaren koesterde Limbrick een grief en wachtte hij op een gelegenheid om zijn meester te vermoorden,' knikte ik.

'En die deed zich voor in de nacht dat Gambrill Burgoyne vermoordde.'

'Het is wel ironisch dat Burgoyne al deze gebeurtenissen zelf in gang zette door te dreigen Gambrill te zullen ontmaskeren.'

Dr Locard glimlachte. 'Dat is tenminste wat Gambrill dacht dat hij van plan was.'

Ik aarzelde. 'U denkt dat hij zich vergiste?'

'De betrokkenen kenden niet het hele verhaal. Er speelden in die tijd ook nog andere dingen. Weet u dat dit alles zich voltrok in de nacht van de Grote Storm?'

Ik knikte.

'En weet u dat de storm iemand gedood schijnt te hebben die in het oude poorthuis sliep?'

'Ik herinner me dat dr Sisterson daar iets over zei toen we het hoofdstuk van dr Sheldrick bespraken.'

Dr Locard toonde een onaangenaam glimlachje. 'Ach ja, de befaamde geschiedenis van de Stichting. Ik stel me zo voor dat dr Sheldrick geen melding maakt van dat voorval?'

'Nee, vreemd genoeg niet.'

'Vertelde dr Sisterson u wie er die nacht stierf?'

'Nee.'

'Het was een van de koorknapen – een jongen die op het koorinternaat zat. Hij vond de dood toen een deel van het dak op hem neerstortte. Vreemd genoeg liep het gebouw zelf weinig schade op. Iemand zei ook dat het eerder leek of hij dood was geslagen dan dat hij onder neerstortend puin was bezweken. Zijn bed lag bezaaid met omlaaggestorte balken, maar niet één daarvan leek zwaar genoeg voor een doodklap.'

'En niemand zag het dak instorten?'

'Nee. En niet één van de andere jongens heeft er ook maar iets van gehoord. Hij sliep in zijn eentje op een kamertje pal onder het dak.'

'Ziet u een verband tussen dit voorval en de andere gebeurtenissen die nacht?'

'Zoudt u het niet erg toevallig vinden als er geen enkel verband bestond?' Hij keek me een ogenblik bedachtzaam aan.

'Als er een verband bestaat,' zei ik, 'moet ik bekennen dat mij dat ontgaat.'

'Als er een misdaad wordt onderzocht, is de uitleg waar men uiteindelijk voor kiest niet degene die het best alle omstandigheden verklaart, maar degene die het best de doelstelling dient van degenen die het onderzoek verrichten.'

Ik dacht hier een ogenblik over na. 'Het kwam iedereen op dat moment het beste uit om te denken dat Gambrill Burgoyne vermoordde, maar dat is niet waar. Is dat wat u suggereert?'

'En al wisten sommige mensen dat er nog wel meer achter stak, ze hadden goede redenen om hun mond te houden.' Hij wachtte even. 'De tragedie van gisteren is daar ook een voorbeeld van. Het komt de politie het beste uit het als een eenvoudig geval van roofmoord te beschouwen.'

'U gelooft niet dat de kelner de oude heer heeft vermoord?'

'Integendeel, ik ben er vrij zeker van dat hij het heeft gedaan. Maar ik denk niet dat de politie begrepen heeft waarom. Het is duidelijk dat hij wist dat als hij mr Stonex wilde beroven, hij hem ook zou moeten vermoorden om niet te worden aangewezen als de dader. Is het denkbaar dat hij tot zo'n grove misdaad zou besluiten als hij niet heel zeker wist dat hem dat heel veel zou opleveren?'

'Hij dacht vermoedelijk dat er geld in huis was. En ik geloof dat hij dat ook heeft gevonden.'

'Twintig pond, meer niet.'

'U bent goed geïnformeerd, dr Locard. Maar dat is een enorm bedrag voor iemand in zijn omstandigheden. Meerdere malen zijn maandloon.'

'Niet genoeg om zo'n groot risico te rechtvaardigen.'

'Als we het oordeel daarover even opschorten, wat is uw verklaring dan?'

'Volgens mij is hij voor de moord betaald.'

'Betaald? Door wie?'

'Door degene die profijt heeft bij de dood van de oude heer.'

'En wie is dat?'

'Als hij intestaat stierf, zijn nabestaande.'

'Stierf hij intestaat? Ik had gehoord…' Ik zweeg. Ik bedacht me dat ik beter niet kon vertellen dat Quitregard me had gezegd dat de overledene een testament had gemaakt ten faveure van de Stichting.

'Ik denk niet dat hij zonder testament is overleden,' zei dr Locard. 'Alleen is het niet gevonden.'

'Dat begrijp ik niet.'

'Ik geloof dat Perkins niet alleen voor de moord op mr Stonex is betaald, maar dat hij ook het testament moest vinden.'

'Dan is het vermoedelijk vernietigd.'

'Waarschijnlijk wel. Maar het zal nog niet meevallen om dat te bewijzen.' Ik vroeg me af wat hij daarmee bedoelde, toen hij zei: 'Ik hoop alleen dat Perkins zal bekennen en alles zal toegeven als eenmaal bij het gerechtelijk vooronderzoek is besloten dat hij een proces krijgt.'

'U bent er zeker van dat dat de uitkomst zal zijn?'

'Zolang de jury niet op een dwaalspoor wordt gebracht.'

'Er zit inderdaad een aantal verwarrende aspecten aan de zaak.'

'Maar het moet de jury goed duidelijk worden gemaakt dat Perkins na de moord het huis overhoop heeft gehaald.'

Ik keek hem verrast aan.

'Mij is ter ore gekomen dat u de politie hebt verteld dat het huis al danig overhoop was gehaald toen u en mr Fickling daar aankwamen.'

'Inderdaad, ja.'

'Dat is nou precies het soort informatie dat de jury verwarrend zal vinden en op een dwaalspoor zal brengen.'

'Het is heel eenvoudig. Mr Stonex had al zijn papieren doorgekeken voordat Fickling en ik kwamen. Hij zocht namelijk naar een document dat hij mij wilde laten zien.'

'Een document?' zei hij snel.

'Ja, en dat zal u interesseren: het was nóg een ooggetuigenverslag van de dood van Freeth…'

'Een of ander juridisch document?'

'Nee, nee. Het was bewijsmateriaal dat de moord op Freeth beraamd was door de officier die de stad in naam van het parlement bezet hield.'

'Werkelijk? Dat klinkt hoogst onwaarschijnlijk.'

Ik gaf in het kort het verhaal weer dat de oude heer aan Austin en mij had verteld.

'Dat is nonsens,' zei dr Locard beslist. 'Het is in absolute tegenspraak met de meest betrouwbare versie, en dat is de versie die via het kapittel is overgeleverd. Die is nooit onthuld aan buitenstaanders, omdat het de kanunniken in zo'n kwaad daglicht stelt.' Hij glimlachte. 'Ik zal u er echter deelgenoot van maken. Het verhaal is afkomstig van een van de kanunniken, Cinnamon. Hij zag hoe de soldaten de thesaurie begonnen te plunderen en vervolgens zag hij Freeth uit de Nieuwe Proosdij komen hollen en het gebouw binnengaan. Daarop haastte Cinnamon zich er zelf heen en toen hij daar een paar minuten later aankwam, zag hij de proost verwikkeld in een fysieke confrontatie met een van de andere kanunniken.'

'Hemel! Met wie?'

'Met Hollingrake, de bibliothecaris.'

'Hoe is het mogelijk!' riep ik uit, en ik herinnerde me dr Locards eigen aantijging dat de twee mannen gezamenlijk de akte hadden vervalst. 'Was hij op dat moment niet thesaurier?'

'Precies! Wat er gebeurde was dat Freeth probeerde een lamp om te slaan en de thesaurie in brand te steken.'

'Freeth probeerde brand te stichten? Dat is niet te geloven!'

'U kunt zich voorstellen waarom het verhaal geheim is gehouden. Hij slaagde er ook werkelijk in brand te stichten en Cinnamon probeerde die te blussen. Hollingrake worstelde zich los van Freeth en terwijl Cinnamon de proost in bedwang hield, liep hij naar een kast, draaide die van het slot en haalde er iets uit wat op een document leek. Zodra Freeth dat zag, wierp hij zich op Hollingrake, en de twee mannen begonnen erom te vechten. Freeth sloeg Hollingrake en schold hem de huid vol. De kanunniken moesten het gebouw uit vluchten omdat het nu in brand stond. Zodra ze buiten waren, kwamen de soldaten tussenbeide en trokken Freeth en Hollingrake uit elkaar, maar Freeth stormde weer op Hollingrake af en verkocht hem een trap toen hij op de grond lag, en op dat moment schoot een van de soldaten hem jammer genoeg neer.'

Ongewild liet ik mij ontvallen: 'Ik vind het verbijsterend dat u mr Stonex' versie van het verhaal afwijst, en dat u dit wel gelooft!'

'Ik geloof het, dr Courtine, juist omdát het zo onwaarschijnlijk is en zo beschamend voor het kapittel. Het feit dat men het heeft onthouden en tot in onze tijd heeft doorverteld, geeft het extra gewicht.'

'Volgens die logica zou je aan de schandaligste versie van een verhaal dus altijd het meeste geloof moeten hechten.'

'Waarom zou Cinnamon liegen? Wat zou daar voor hem in hebben gezeten?'

'Wie zal het zeggen? Maar zei hij dat Freeth naar de thesaurie holde en niet naar de bibliotheek?' Ik herinnerde me dat mr Stonex het verslag van Pepperdines ooggetuige had verworpen omdat je door het eetkamerraam de bibliotheek niet kon zien.

'Wat indertijd de thesaurie was, is nu deel van de bibliotheek. De thesaurie was zo ernstig beschadigd dat die in een ander gebouw is ondergebracht.'

Dan had Pepperdines ooggetuige wellicht toch gelijk gehad! Dat bracht me op een spoor en ik vroeg: 'Was Cinnamon toevallig de koorleider?'

'Inderdaad, ja. Denkt u dat dat een rol speelde?'

'Misschien.' Ik had nu daadwerkelijk een theorie over wat er zich had afgespeeld, en wel omdat ik me de gang van zaken binnen het kapittel destijds had proberen voor te stellen door te bedenken hoe, ook binnen mijn eigen faculteit, rancuneuze gevoelens en misverstanden jarenlang kunnen doorwoekeren binnen een afgesloten gemeenschap van mannen met tamelijk abstracte belangen.

Op dat ogenblik sloeg de kathedraalklok het volle uur en kwam dr Locard overeind. 'Helaas, ik heb verplichtingen elders.' Boven aan de trap keerde hij zich om: 'Ik hoop dat uw getuigenverklaring de jury er niet van weerhoudt de waarheid te vinden: dat Perkins het huis overhoop heeft gehaald toen hij naar het testament zocht.'

'Ik moet beschrijven wat ik gezien heb, dr Locard. Daartoe is een getuige verplicht.'

Hij aarzelde even en zei toen: 'Ik begrijp dat Fickling uw verklaring tegenspreekt?'

'De rommel was hem minder opgevallen dan mij. Dat is alles.'

'Toch, lijkt het u niet een beetje beschamend als u elkaar zou tegenspreken in de rechtszaal?'

Hij nam afscheid met een laatste: 'Goedemorgen,' en daalde toen de trap af. Terwijl zijn voetstappen in het oude gebouw wegstierven als echo's, bleef ik zitten en staarde naar het manuscript. Hij had me al mijn enthousiasme ervoor ontnomen, en dat nam ik hem heel erg kwalijk. Het ergerde me ook dat hij mij had gesard met zijn superieure kennis en inzicht in het verhaal rond Burgoyne. Ik had het gevoel dat hij met me had lopen spelen als een hengelaar met een vis. Wat betekende het dat de jongen in dezelfde nacht was gestorven als Burgoyne? Was er een verband tussen de twee sterfgevallen, en zo ja, welk? Ik snapte niet waarop de bibliothecaris doelde. En door mijn hoofd spookte aldoor maar het beeld van de proost die gebouwen in zijn eigen immuniteit in brand stak en heftig vocht met een andere kanunnik, kort voor hij de dood zou vinden. Als het echt zo was gebeurd, welke waarheid school daar dan achter?

Als ik op tijd bij het gerechtelijk vooronderzoek wilde zijn, moest ik nu gaan lunchen. Bij het verlaten van de bibliotheek keek ik over de immuniteit en ik kon net de Nieuwe Proosdij zien. Dus Pepperdines getuige had zich niet vergist en zijn versie van de gebeurtenissen kon niet zomaar worden afgeschreven. Ik ging weer naar dezelfde herberg, terwijl ik bedacht dat het vreemd was dat ik het eten en de bediening er maar zozo vond, en er toch telkens weer heenging. Ik liet mij waarschijnlijk leiden door de gedachte dat een bekend kwaad tenminste nog iets vertrouwds heeft, of door de angst dat het ergens anders nog slechter zou zijn. Ik vroeg me af waar Austin was en op welke manier de uitkomst van de strijd binnen het kapittel zijn leven zou kunnen beïnvloeden.

Tijdens het eten bedacht ik dat Cinnamon, als de kanunnik die verantwoordelijk was voor de muziek, Freeth moest hebben gehaat om wat deze gedaan had. Ervan uitgaande dat hij de waarheid sprak, waar hadden de kanunniken dan ruzie over gehad? Opeens herinnerde ik me iets wat dr Locard eergisteren had gezegd: *Het beste bewijs dat iets een vervalsing is, is het origineel waarop de vervalsing is gebaseerd.* Als Hollingrake het origineel van de akte bezat die hij en Freeth hadden vervalst om te voorkomen dat Burgoyne het koorinternaat zou opheffen, dan had hij een enorme macht over de proost. Hij had het vermoedelijk achter slot en grendel bewaard in de thesaurie. Zou het kunnen dat toen Freeth de soldaten de thesaurie zag binnengaan, hij zijn kans schoon zag om een eind te maken aan de chantage door ongemerkt de originele akte te vernietigen terwijl de soldaten aan het plunderen waren?

Ik betaalde de rekening en vertrok richting stadhuis.

Vrijdagmiddag

Ik moest in een grote, tochtige zaal zijn met een donkere eikenhouten lambrisering, op deze sombere middag slechts spaarzaam verlicht met enkele gaslampen. Aan de muren hingen enorme schilderijen van voormalige burgemeesters – potsierlijk uitgedost in militaire uniformen als leden van de plaatselijke vrijwilligerskorpsen of, nog idioter, gezeten op een paard. Het grootst was een doek met een bezoek van de vorige koning waarop de burgemeester te zamen met het gehele college op rij geknield voor Zijne Hoogheid stond afgebeeld.

Ik was aan de late kant en op de voorste rijen zat al een aantal mensen waaronder, zag ik, brigadier Adams en hoofdinspecteur Antrobus. Ik vond net achter hen een plek en hoopte eigenlijk dat ze me niet zouden opmerken. Een paar minuten voor het gerechtelijk vooronderzoek een aanvang zou nemen, kwamen Austin en Slattery binnen. Ze schenen me niet te zien en namen plaats aan de andere kant van het gangpad. Een ogenblik later werd de jury van vijftien stemmig geklede mannen binnengeleid door een suppoost en naar de jurybank gebracht. En toen kwam de rechter van instructie binnen – een kleine man die een paar jaar jonger was dan ik, met scherpe gelaatstrekken en een enigszins rode huidskleur – en nam plaats tegenover het publiek. Op dat moment snelde dr Locard binnen, vergezeld van een kale man van rond de vijftig. Hij zag mij, glimlachte en kwam tot mijn verbazing naast mij zitten, met zijn metgezel aan de andere kant naast hem.

'Dit is mr Thorrold,' fluisterde hij. 'De notaris van wijlen mr Stonex.' We gaven elkaar een hand voor dr Locard langs, maar hadden geen tijd nog iets te zeggen voordat het vooronderzoek begon. Ik vroeg me af wat dr Locard hier deed met de executeur-testamentair van mr Stonex, totdat me te binnen schoot wat Quitregard had verteld over de oude heer en zijn belangstelling voor de koorschool.

De rechter begon met de mededeling dat hij en de jury die ochtend naar het mortuarium waren geweest om het lijk te bekijken en de Nieuwe Proosdij hadden bezocht om een indruk op te doen van de plaats van het misdrijf. Het lichaam was in hun aanwezigheid geïdentificeerd door de bureauchef van de overledene – mr Alfred Wattam. Een verklaring aangaande de doodsoorzaak zou pas hedenmiddag worden gegeven door dokter Carpenter, die helaas was weggeroepen voor een spoedgeval en daarom zijn getuigenverklaring later dan gebruikelijk zou afleggen.

Als eerste werd hoofdinspecteur Antrobus opgeroepen. Hij ging zelfverzekerd in het getuigenbankje staan, zijn grote handen rustend op de leuning.

'Hoofdinspecteur, in welke staat trof u bij uw komst het huis aan?' vroeg de rechter van instructie.

'Het was overhoop gehaald en het was mij onmiddellijk duidelijk dat het motief voor de moord diefstal was. De getuigenverklaringen van de beide heren die eerder die middag thee waren wezen drinken bij mr Stonex, bewezen dat het misdrijf moest hebben plaatsgevonden tussen halfzes en zes uur. De twee getuigen verklaarden tegen mij dat zij de kelner, Perkins, bij de voordeur hadden gehoord toen zij door de achterdeur vertrokken, precies om halfzes – het tijdstip waarop hem door de overledene was gevraagd bier te komen brengen. Om die reden liet ik twee politiemannen Perkins halen en toen ik hem later diezelfde dag ondervroeg, ontkende hij ook maar iets van het misdrijf af te weten. Hij zei dat hij zoals gewoonlijk om vier uur naar het huis was gegaan, maar een briefje op de deur had aangetroffen waarop stond dat hij naar binnen moest gaan, waarna bleek dat de deur niet op slot zat – hetgeen allemaal nog nooit eerder was voorgekomen. Maar hij zei dat hij zich net als altijd van zijn taak had gekweten: hij zette het eten klaar en nam de vuile vaat van de dag ervoor mee en vertrok. En hij ontkende ten enenmale dat hij om halfzes terug was gekomen.'

'Verklaarde hij dat de overledene hem had opgedragen terug te keren?'

'Dat ontkende hij. Er meldde zich echter later op de avond een getuige die zei dat hij hem precies om halfzes bij de voordeur had zien staan.'

'Is die getuige hier vandaag aanwezig?'

'Jazeker. Dat is mr Appleton, de bovenmeester van de kathedrale koorschool.'

'Confronteerde u Perkins met dit bewijs dat hij loog?'

'Inderdaad, en hij gooide zijn hele verhaal om en bekende dat hij toch om halfzes terug was gegaan.'

'Om bier te brengen?'

'Nee. Hij verklaarde dat de oude heer een boodschap had achtergelaten waarop simpelweg stond dat hij terug moest komen voor nadere orders. Op dat moment ben ik naar Perkins' huis gegaan – het was toen bijna middernacht – en trof daar een pakje aan dat in een kast was verborgen.'

'Is dit wat u vond?' De rechter wees naar een pakje van bruin papier dat voor hem op tafel lag.

'Jawel. Bij openmaking bleek het bankbiljetten te bevatten met een totale waarde van twintig pond. De biljetten waren besmeurd met bloed.'

Men schrok hoorbaar in de jury en het publiek, en iedereen rekte zijn hals om dit gruwelijke object te kunnen aanschouwen.

'Welke verklaring gaf Perkins hiervoor?'

'Hij veranderde andermaal van verhaal en zei dat, toen hij die middag het middagmaal van de oude heer had afgeleverd, hij het pakje op de tafel in de woonkeuken had gevonden en dat er een boodschap naast had gelegen.'

'En wat stond daarop?' vroeg de rechter met een sarcastische grijns.

De hoofdinspecteur keek in zijn notitieboekje: 'Ik heb zijn woorden letterlijk opgeschreven. Volgens hem stond er: *Ik heb het druk. Stoor me niet. Dek de tafel zoals altijd. Het pakje is voor u. Houd het bij u en vertel niemand erover. Als er vanmiddag een man bij u naar komt vragen, moet u het hem geven. Zo niet, kom het dan vanmiddag om precies halfzes terugbrengen, dan krijgt u een beloning van mij.*'

'Wat deed u vervolgens?'

'Ik plaatste hem onder arrest, op verdenking van moord.'

'Kan het zijn dat hij is vertrokken zonder de moord te hebben gepleegd en dat in de resterende dertig minuten of daaromtrent iemand anders het misdrijf heeft begaan?'

'Dat is vrijwel onmogelijk gezien het feit dat de overledene zo bezeten van angst was te worden beroofd, dat hij de deur alleen op gezette tijden opendeed voor de mensen die hij verwachtte. Dat is de reden dat ik met stelligheid durf te beweren dat hij in eigen persoon de moordenaar moet hebben binnengelaten.'

'Kan iemand een sleutel hebben bemachtigd?'

'Nee, mr Attard. Hij bezat slechts één exemplaar van de beide sleutels voor de twee deuren van het huis. Die droeg hij te allen tijde bij zich aan een ring.'

'Is die sleutelring gevonden?'

'Nog niet, sir, maar op dit moment is mijn brigadier bezig het huis van Perkins grondig uit te kammen, omdat wel vaststaat dat de moordenaar de sleutels heeft meegenomen.'

'Hoe weet u dat zo zeker?'

'Omdat zowel de voordeur als de achterdeur van het huis op slot zaten. Door welke deur hij het huis ook heeft verlaten, hij moet hem achter zich op slot hebben gedraaid.'

'Wat een sluwe vos! Vermoedelijk wilde hij dat het misdrijf pas later zou worden ontdekt. Dank u voor uw verklaring, hoofdinspecteur Antrobus.'

Kort voordat de hoofdinspecteur was uitgesproken, was dokter Carpenter haastig komen binnenlopen en gaan zitten. Hij nam nu plaats in de getuigenbank en verklaarde dat hij de huisarts van mr Stonex was en dat hij het lichaam had onderzocht toen hij rond zeven uur bij het huis was gearriveerd. Hij had later die avond een volledige lijkschouwing verricht.

'En wat, dokter Carpenter, was volgens uw bevindingen de doodsoorzaak?' vroeg de rechter.

'Ik ontdekte dat het tongbeen was verbrijzeld en concludeerde dat de overledene is omgebracht door wurging.'

Het publiek schrok hoorbaar. De rechter zei: 'Niet door de slagen op het hoofd en in het gelaat?'

'Nee, sir. Die slagen werden toegebracht toen de dood al was ingetreden.'

'Weet u dat heel zeker?'

'Er bestaat op dat punt geen enkele twijfel.'

'Hoe werd het letsel aan het gelaat toegebracht?'

'Ik denk dat er een lap over zijn hoofd is geworpen – niet ver ervandaan werd daadwerkelijk een met bloed doordrenkte overjas gevonden – en vervolgens werd meermalen op het gelaat ingeslagen met de bijl die eveneens naast het lichaam werd aangetroffen.'

'Hoeveel slagen werden er toegebracht?'

'Ik schat zo'n zeven à acht. Het waren zeer krachtige slagen die de neusbrug, de bovenkaak en de tanden volledig verbrijzelden en beide ogen dislokeerden.'

'Kwam de moordenaar hierdoor onder het bloed te zitten?'

'Degene die zijn gelaat insloeg,' formuleerde de dokter voorzichtig, 'kwam hierdoor niet onder het bloed te zitten, aangezien het slachtoffer reeds dood was. Daardoor vloeide het bloed niet zo rijkelijk als het geval zou zijn geweest wanneer het slachtoffer nog in leven was. Dit gegeven – in combinatie met de afwezigheid van kneuzingen – vormt het bewijs voor mijn stelling dat de dood reeds was ingetreden.'

'Als de slagen niet bedoeld waren om te doden, waarom werden ze dan toegebracht?'

'Daarover kan ik enkel gissen. Als er meer geweld is gebruikt dan noodzakelijk is om iemand te doden, dan wijst dat er meestal op dat de moord is begaan door een familielid, een geliefde of een goede vriend.'

Dit was hoogst interessant. Hij had geen goede vrienden, een geliefde was moeilijk voorstelbaar, en dus begon ik te speculeren over zijn broer. Ik was ervan overtuigd dat de sleutel tot deze moord was gelegen in het motief, en Perkins leek tot nu toe geen geschikt motief te hebben – tenzij hij in een dwaze impuls zou hebben gehandeld. Wat de dokter zojuist had gezegd, in combinatie met het feit dat bij ontstentenis van een testament de nalatenschap aan de naaste bloedverwanten zou vervallen, suggereerde dat de moordenaar in deze richting moest worden gezocht.

'Op welk tijdstip trad de dood in?' vroeg de rechter.

'Toen ik het lichaam om zeven uur onderzocht, was mr Stonex al ten minste twee uur dood, waarschijnlijk zelfs drie.'

Ik leunde voorover in mijn stoel. Ik was onder de indruk gekomen van de bekwaamheid van de jonge arts – zo niet door zijn manier van optreden – maar dit was klinkklare onzin. De rechter was duidelijk dezelfde mening toegedaan. 'Al twee of drie uur dood? Dat kan niet waar zijn.'

Dokter Carpenter zei bedaard: 'En toch, mijn schatting door eenvoudige palpatie is dat de overledene rond vier uur is gestorven. Ik weet mij in deze conclusie gesteund door experimenten die een paar jaar geleden zijn uitgevoerd in Guy's Hospital door twee zeer vooraanstaande chirurgen.'

'Dit is volstrekt belachelijk,' riep de rechter uit. 'De overledene is minstens tot halfzes gezien en tot die tijd is er zelfs nog met hem gesproken.'

'Ik kan alleen mededelen wat ik heb waargenomen,' zei de dokter kalm. 'Mijn schatting werd bevestigd tijdens het postmortale onderzoek dat ik gisteravond laat verrichtte. De rigor mortis zette in om tien uur, wat impliceert dat de dood rond of voor vier uur is ingetreden.'

'U suggereert toch niet dat de oude heer met wie dr Courtine en mr Fickling thee hebben gedronken een geest was?' De jonge dokter staarde terug in een nukkig en mijns inziens hautain stilzwijgen, terwijl het publiek giechelde. Toen het lachen verstomde, vroeg de rechter: 'Waar en wanneer haalde u uw artsexamen, dokter Carpenter?'

'Twee jaar geleden op de St. Thomas-universiteit.'

'En hoeveel lichamen hebt u in de tussentijd gezien die door geweld om het leven waren gebracht?'

'Twee.'

'Bevond zich daar een geval van wurging bij?'

'Nee. Een ervan was neergestoken en de ander gedood door een jachtgeweer. Ik had echter het geluk dat ik tijdens mijn medische studie zes maanden lang zaal mocht lopen als verbinder van dokter Tallentire, die regelmatig om advies wordt gevraagd door Scotland Yard. In die periode heb ik een aanzienlijke kennis opgedaan van forensische pathologie.'

'Tijdens uw medische studie?' informeerde de rechter sarcastisch. Zonder op antwoord te wachten, zei hij: 'Dank u voor uw verklaring, dokter Carpenter.'

De jongeman liep rood aan vanwege de toon van de rechter en verliet de getuigenbank. Mr Attard vroeg daarop naar mr Thorrold en deze kwam naar voren, nam plaats in de getuigenbank en liet zich de eed afnemen. Hij verklaarde dat hij de notaris van de overledene was en dat hij ongeveer twintig jaar geleden diens testament had opgemaakt. Onder deze bepalingen verviel zijn gehele nalatenschap aan de Stichting van de Kathedraal van Thurchester, om te worden aangewend ten gunste van de kathedrale koorschool, waar hij als jongen op had gezeten.

'Is het testament gevonden?'

'Nee.'

'Wie had het in beheer?'

'De overledene zelf. Hij bewaarde het gewoonlijk in zijn eigen kluis op de bank, maar recentelijk sprak hij erover om er een codicil aan toe te voegen en waarschijnlijk heeft hij het mee naar huis genomen om het op zijn gemak te kunnen bestuderen. Zowel de bank als zijn huis zijn doorzocht. Ik kan wel zeggen dat mijn cliënt de gewoonte had om zijn spullen op vreemde plekken op te bergen, en de zoektocht zal daarom worden voortgezet.'

'Wat zal er met de nalatenschap gebeuren als het testament niet wordt gevonden?'

'Indien moet worden geconstateerd dat mr Stonex intestaat is overleden, zullen zijn naaste bloedverwanten als erfgenaam worden aangemerkt.'

'En wat is er van hen bekend?'

'Het enige familielid dat hij schijnt te bezitten is een zuster. Zij zou de erfenis krijgen of, in geval zijzelf is overleden, haar erfgenamen.'

Het verbaasde me dat mr Thorrold niet vermeldde dat de oude heer een broer had. Was men diens bestaan vergeten? Quitregard had ook al nooit van hem gehoord.

'Is er iets over haar bekend?'

'Ze heeft de stad op zeer jonge leeftijd verlaten en er is, voor zover mij bekend, de afgelopen dertig jaar niets meer van haar vernomen. Mr Stonex noemde haar slechts eenmaal in mijn aanwezigheid. Ongeveer acht jaar geleden vertelde hij dat zij haar zoon naar hem had toegestuurd om bij hem – zoals hij het uitdrukte – om geld te komen zeuren. Ik kreeg de indruk dat hij dat verzoek had afgewezen, en hij heeft nadien nooit meer met mij over de zaak gerept.'

Mr Thorrold ging weer naast dr Locard en mij zitten, en nu werd de brigadier opgeroepen. Terwijl hij naar voren liep, zat ik na te denken over wat ik zojuist had gehoord. Het werd steeds lastiger om de hypothese te verwerpen dat, als Perkins niet de moordenaar was, het iemand moest zijn die in nauwe relatie stond tot het slachtoffer en de nalatenschap zou erven als de oude heer intestaat zou overlijden.

'Hebt u de sleutels gevonden in het huis van Perkins, brigadier?'

'Nee, sir.'

'Hij heeft ze vermoedelijk weggegooid nadat hij het huis had verlaten, aangezien ze onherroepelijk zouden bewijzen dat hij schuldig was.'

'Als hij schuldig was,' zei de brigadier rustig.

In reactie hierop brak er alom gemompel los onder de toeschouwers en juryleden.

'Hebt u reden om aan te nemen dat hij dat niet was, brigadier?'

'Er is een aantal dingen dat niet helemaal met elkaar te rijmen valt, sir. De overledene had nog nooit eerder mensen bij hem thuis uitgenodigd. Bovendien vertelde dr Courtine me dat het huis grondig leek te zijn doorzocht toen hij en mr Fickling er aankwamen. En hij zei me ook dat mr Stonex zich erg druk maakte over de tijd. Dit alles suggereert dat er meer achter deze zaak steekt, en ik meen dat het mogelijk is dat de oude heer bezoek verwachtte en dat hij iets had lopen zoeken voor die bezoeker.'

De suggesties van de brigadier stemden geheel overeen met de richting waarin mijn eigen gedachten gingen. De oude man had die middag een onnatuurlijk opgewekte en geanimeerde indruk op mij gemaakt en het was heel goed mogelijk dat dat kwam omdat hij belangrijk bezoek verwachtte. En opeens drong zich het idee bij me op dat hij misschien naar zijn testament had gezocht en alleen maar had gedaan alsof hij het ooggetuigenverslag van de moord op Freeth zocht. Maar waarom moest hij het testament zo nodig vinden? En wat vreemd dat hij zich niet kon herinneren waar hij het had gelaten.

De rechter was niet onder de indruk: 'Dat lijken me bijzaken, brigadier.'

'Er is meer, sir. Mr Stonex verschoof op korte termijn de uitnodiging voor de theevisite. Die had oorspronkelijk vandaag zullen plaatsvinden. Het kan zijn dat hij dat deed omwille van zijn bezoeker.'

'Wat gaf hij als reden voor die verandering?'

'Mr Fickling en hij liepen elkaar toevallig woensdagavond tegen het lijf en mr Stonex vertelde hem dat hij het wilde verschuiven omdat de ceremonie voor de inwijding van het orgel was afgelast.'

'Dat is heel merkwaardig,' mompelde ik voor ik er erg in had.

'Pardon?' zei dr Locard op gedempte toon.

'Excuus,' fluisterde ik terug. 'Dat had ik niet hardop willen zeggen.' Austin moest in de war zijn. Dat was conform zijn gedrag van de afgelopen paar dagen en viel eventueel te verklaren als de verstrooidheid van een man die hevig verliefd was. Maar ik kon moeilijk ontkennen dat zijn gedragingen niet af en toe verontrustend waren in het licht van wat er gebeurd was. Zo was er dat vreemde gedoe toen we om halfvijf bij de Nieuwe Proosdij aankwamen en hij er opeens van overtuigd was dat de oude heer ons nog niet verwachtte, al was het wel het tijdstip waarop we hadden afgesproken. En het feit dat hij beweerde dat het hem niet was opgevallen dat het huis ondersteboven was gekeerd toen we daar aankwamen. Dat wees op meer dan geestelijke afwezigheid alleen.

'Dan is er nog het vreemde feit,' vervolgde de brigadier, 'dat de huishoud-ster, mrs Bubbosh, volhoudt dat zij de thee met bijbehoren niet heeft ge-maakt en ook niets afwist van een theevisite. Daarom heb ik geprobeerd te achterhalen waar mr Stonex de etenswaren heeft gekocht. Ik heb navraag gedaan bij alle bakkerijen in de stad en geen van hen heeft het gebak gele-verd dat mr Stonex zijn gasten voorzette.'

'Het belang hiervan ontgaat mij.'

'Het bevestigt mijn mening dat er iets vreemds aan de hand was; dat mr Stonex er zorg voor droeg dat zijn activiteiten geheim bleven.'

'Wilt u beweren dat hijzelf heeft staan bakken?' Er klonk discreet gelach in het publiek om deze kwinkslag. 'Dit zijn allemaal vermoedens, brigadier, zonder enig concreet bewijs.'

'Maar dat geldt evengoed, met alle respect, sir, voor de aanname dat Per-kins de oude heer heeft vermoord.'

'Als Perkins het niet heeft gedaan, hebt u enig idee wie dan wel?'

Het publiek leek collectief de adem in te houden. Het gezicht van de brigadier betrok en hij liet zijn blik langzaam over de gezichten van de toe-schouwers glijden. 'Nee, sir, dat heb ik niet,' zei hij uiteindelijk.

'Dan hoeven we volgens mij niet langer om de hete brei heen te draaien,' zei de rechter en hij zond de politieman onmiddellijk heen.

Ik vroeg me af of de brigadier op de hoogte was van het bestaan van een broer en of hij dezelfde gedachtegang had gevolgd als ik: de reden voor de zoektocht van het slachtoffer naar het testament, zowel als voor de verdwij-ning daarvan, was de bezoeker, ofwel de mysterieuze broer. En het feit dat het gezicht van het slachtoffer zo was toegetakeld, bevestigde dat hij was omgebracht door iemand die in nauwe relatie tot hem stond. En toch waren er een paar tegenstrijdigheden. Waarom had de oude heer naar zijn testament gezocht? Was dat omdat hij aan zijn broer wilde laten zien dat hij al zijn be-zittingen naliet aan de Stichting? Was zijn broer toen in woede ontstoken en had hij hem gewurgd en als toegift zijn gezicht verbrijzeld? En had hij daarna het testament meegenomen? En was er voor dat alles tijd genoeg geweest tussen halfzes en zes?

Maar misschien wilde mr Stonex zijn testament juist vinden uit angst voor zijn broer, omdat hij wist dat deze alles zou erven als hij intestaat zou overlij-den en wilde hij het op een veilige plek opbergen. Had hij het in dat geval ergens verstopt, nog voor de moordenaar kwam?

De volgende die in de getuigenbank werd geroepen, was mr Appleton, een lange, magere, kromme man met een langwerpig en gespannen gezicht, die bevestigde dat hij even na halfzes Perkins voor de deur van het huis van het slachtoffer had gezien.

'Hoe kunt u zo zeker zijn van het tijdstip?' vroeg de rechter.

'Dat is nogal makkelijk. Ik kwam uit de kathedraal waar de avonddienst om vijf uur was begonnen. De koordirigent had mij vlak voor aanvang van de dienst verteld dat een koorknaapje niet was komen opdagen. Deze jongen had al verschillende malen gespijbeld. Toen ik hem nergens kon vinden, ging ik naar de Nieuwe Proosdij.'

'Waarom dat?'

'Mij was ter ore gekomen dat mr Stonex zo'n beetje vriendschap met hem had gesloten, en uiteraard vroeg ik me af wat een oudere heer in zo'n jochie zag.' Er klonk gemompel in het publiek en hij zei: 'Ik zag het als mijn taak deze kwestie te onderzoeken. Ik naderde het huis vanaf de immuniteit en toen ik er achterlangs liep, zag ik daar een oude vrouw, die ik vroeg of zij een jongetje had gezien in het uniform van de koorschool. Ze zei dat ze er eentje voor het huis had zien staan toen ze daar een minuut of twee eerder langs was gekomen. Dus liep ik om, en al kon ik de jongen niet vinden, wel zag ik daar de kelner van The Angel Inn staan – de man die ik nu ken als de gevangene, Perkins – die op de voordeur stond te kloppen. Op dat moment keek ik weer op mijn horloge, omdat ik terug wilde zijn in de kathedraal als de avonddienst afliep om de koordirigent te spreken voordat deze vertrok. Ik zag dat ik nog maar vier minuten had voor de dienst zou eindigen.'

'Dus dat was om precies zes over halfzes?'

'Inderdaad.'

'Wie was die vrouw? Is zij als getuige opgeroepen?'

'Ik had haar nooit eerder gezien, en nadien ook niet meer, en daardoor was ik niet in staat haar identiteit te onthullen aan de autoriteiten.'

'Dank u, mr Appleton.'

De gevangene, Perkins, werd nu naar de getuigenbank geleid door twee politieagenten, die tijdens zijn verklaring aan weerszijden van hem bleven staan.

'Ik heb u toegestaan om laat te getuigen,' zei de rechter, 'zodat u alle feiten tegen u kunt aanhoren en weerleggen, als dat mogelijk is. Ik moet u waarschuwen dat de zaak er slecht voor u uitziet. U staat hier niet terecht – mijn voornaamste doel is vast te stellen hoe mr Stonex is gestorven. Maar als de jury tot de uitspraak komt dat bewezen is dat u daarvoor verantwoordelijk bent, dan wordt u op die grond in beschuldiging gesteld en moet u voor de rechter verschijnen. Hebt u dat begrepen?'

'Ja, sir.'

'Als u nu alles kunt ophelderen door de waarheid te vertellen, dan pleit dat voor u, want ik moet zeggen dat de manier waarop u telkens uw verhaal verandert bepaald een verdachte indruk maakt. Zo, ik wil teruggaan naar het moment dat u de oude heer zijn middageten bracht. U vertelde de hoofdinspecteur dat u een boodschap van mr Stonex vond betreffende het pakje dat men later verstopt in uw huis aantrof. Houdt u nog steeds vol dat dit zo is?'

'Ja. Maar het was niet verstopt, alleen in de kast gelegd om het veilig te bewaren en ik heb het nooit opengemaakt en ik weet niks van dat bloed.'

'Vertel de jury wat er gebeurde toen u om vier uur naar de Nieuwe Proosdij ging.'

'Het eerste gekke was dat hij de voordeur niet opendeed toen ik aanklopte. Er hing een briefje met "Kom binnen" erop. Ik duwde tegen de deur, en verdomd, die zat niet op slot. Ik was heel verbaasd, want dat was nog nooit eerder voorgekomen. Hij was altijd heel precies met de deursloten, mr Stonex.'

'Dus u ging naar binnen. Wat gebeurde er toen?'

'Ik zette net als altijd zijn eten klaar op tafel. En toen zag ik die boodschap.'

'Ha, de befaamde boodschap. Laten we hierover even duidelijk zijn. Toen u de eerste keer werd ondervraagd, hebt u daar niets over verteld en u ontkende dat u om halfzes opnieuw naar het huis was gegaan. Toen vervolgens mr Appleton de politie inlichtte dat hij u rond die tijd bij de voordeur had gezien, bekende u dat u toch was teruggegaan, maar u zei dat dat was vanwege een boodschap die u om vier uur had gevonden. U zei nog steeds niets over het pakje. Toen uw huis werd doorzocht en het pakje werd gevonden, bekende u dat u dat had meegenomen, maar nu zei u dat in de boodschap had gestaan dat u dat moest doen. Heb ik de feiten zo correct weergegeven?'

'Ja, sir. Het was dom en verkeerd van mij dat ik niet meteen de waarheid heb verteld, maar ik dacht dat niemand me zou geloven. Het maakte zo'n slechte indruk.'

'Alles hangt af van die boodschap. Hebt u die bij zich?'

Zijn mond viel open. 'Bij me?'

'Ja, kerel. Hebt u die beroemde boodschap in uw bezit? Hebt u hem meegenomen toen u het huis verliet?'

'Nee, sir. Dat kon ik toch niet doen, sir?'

'Dacht u er niet aan om de boodschap mee te nemen als bewijs dat u geacht werd eigendommen van de oude heer weg te nemen?'

'Dat kon niet, sir. Het stond met krijt op een lei geschreven.'

'O, werkelijk? Met krijt op een lei geschreven? Leerde mr Stonex soms lezen en schrijven?'

De jury en de toeschouwers lachten, maar ik niet. Ik had me plotseling een voorval herinnerd dat ik tot op dit moment volslagen vergeten was. Toen we aan onze thee begonnen, had onze gastheer terloops een lei schoongewreven die op de zijtafel lag. Als dit zo was, was dan de rest van Perkins' verhaal ook waar?

Ik had nu alle puzzelstukjes voor me liggen, maar ik kreeg ze niet in elkaar gepast. Ik had tot nu toe gedacht dat ik de rol van de onbekende broer had doorzien, maar die hypothese verklaarde niet het gedoe met die boodschap en het pakje. De boodschap in krijt en het pakje wekten bijna de indruk alsof mr Stonex zelf een val voor Perkins had opgezet. En daartoe kon hij ook best in staat zijn geweest, want ik herinnerde mij de koelbloedige rechtvaardiging van moord die de oude heer had gegeven vlak voordat we weggingen. Alleen was hij degene die vermoord was, en wie de moordenaar ook was, zijn gevoelens waren hevig genoeg geweest om hem het gezicht van het lijk onherkenbaar te laten verminken.

Onherkenbaar! Er kwam mij een verbijsterende hypothese voor ogen. Het verklaarde het feit dat het gezicht van het slachtoffer uit broederlijke haat was verbrijzeld. En het verhelderde ook de aard en het doel van de val waarin Perkins gelokt was. Bovendien, besefte ik, verklaarde het waarom het zo belangrijk was dat het testament werd gevonden – want ik wist nu zeker dat mr Stonex daarnaar had gezocht.

De rechter vervolgde met onverholen minachting: 'Dus het is waar dat u om halfzes terugkeerde?'

'Ja, sir. Maar hoe lang ik ook bleef kloppen, niemand die de deur opendeed, en deze keer zat-ie op slot. Dus nam ik het pakje mee terug naar huis. Toen ik hoorde dat de oude heer was vermoord, wilde ik er niks over zeggen. Ik was bang. Maar ik verstopte het pakje niet. Ik legde het alleen op een veilige plek in de keuken.'

'Waar was u vanaf het moment dat u het huis verliet tot tien over zes?'

'Ik ging regelrecht naar huis, sir. Ik was bij mijn vrouw, en zij zal dat beamen als u het haar vraagt.'

'Dat zal wel, ja. En nu we het toch over uw vrouw hebben, hoe lang bent u met haar getrouwd?'

'Bijna vier jaar, sir.'

'Hoeveel kinderen hebt u?'

'Vier.'

'U zult wel in geldnood zitten.'

'Het zijn zware tijden, sir.'

'Sinds wanneer bracht u mr Stonex zijn middageten?'

'Sinds een jaar nu, sir.'

'Hebt u mensen horen zeggen dat hij rijk is?'

'Ja, sir.'

'En weet u dat hij uitgebreide maatregelen trof om te voorkomen dat er bij hem zou worden ingebroken?'

'Ja, sir.'

'Kent u die vrouw, mrs Bubbosh?'

'Iedereen kent tante Meg, sir.'

'Hebt u het weleens met haar over mr Stonex gehad?'

'We hebben weleens over hem en zijn vreemde gewoonten gepraat, sir.'

'En hebt u besproken hoe zij het huis in kon komen zodat u de oude heer kon bestelen?'

'Nee, sir.'

'Neem hem mee, agenten,' zei de rechter, alsof hij de man opeens beu was.

Ik werd als volgende opgeroepen en toen ik naar de getuigenbank liep, wierp Slattery mij een hoogst innemende glimlach toe en staarde Austin me aan met een bleek weggetrokken, doodongelukkig gelaat.

Toen ik een aantal vragen had beantwoord en de rechter me had bedankt, zei ik: 'Met uw permissie, mr Attard, ik geloof dat ik u een hypothese kan geven die een verklaring biedt voor alle verwarrende feiten in deze kwestie.'

De rechter keek verbaasd, maar zei hoffelijk: 'Ik weet zeker dat de jury en ik zeer dankbaar zullen zijn voor de hulp van een geleerde van uw formaat, dr Courtine.'

'Dank u, mr Attard. Ik geloof dat de suggestie van de brigadier juist is dat mr Stonex gistermiddag bezoek verwachtte. Ik ga daarbij uit van het feit dat mr Stonex me vertelde dat hij als kind samen met zijn broer in dat huis had gespeeld.'

Er klonk gemompel in de zaal en de rechter zei: 'Ik heb mijn hele leven in deze stad gewoond en ik heb nog nooit gehoord dat de overledene een broer had.'

'Precies. Daarom is die opmerking zo belangrijk en ik weet zeker dat mr Stonex er ook niets over had willen zeggen. Het ontglipte hem omdat hij erover liep te piekeren.'

'Bedoelt u,' zei de rechter alsof hij enigszins in verlegenheid was gebracht, 'dat hij een natuurlijke broer had?'

'Nee, edelachtbare. Ik denk dat het een wettige broer was – zij het wellicht een halfbroer uit een eerder en geheim huwelijk. Ik neem aan dat hij ouder was dan de overledene en hun zuster.'

'Het is welbekend dat de vader een ongeregeld leven leidde,' zei de rechter ernstig.

Ik knikte en dacht aan het portret van mr Stonex' vader en aan hetgeen de oude man over diens losbandige bestaan had verteld. 'Ik vermoed dat deze broer hem op de een of andere wijze in zijn macht had en hem chanteerde.'

'Bedoelt u dat de overledene hem zijn erfenis had ontfutseld?'

'Dat zou kunnen. Maar als de oudere broer wist dat zijn moeder nog leefde toen zijn vader een soort huwelijk aanging met de moeder van de twee jongste kinderen, dan kon hij aantonen dat deze laatsten voortkwamen uit een bigamisch huwelijk, in welk geval hij vermoedelijk meer recht kon laten gelden op de nalatenschap van de vader. Misschien chanteerde hij de overledene al jaren. Hoe dat ook zij, ik vermoed dat hij onverwacht aankondigde op zeer korte termijn te zullen langskomen, waarmee hij een crisis bespoedigde.'

'Dus dat is de reden dat mr Stonex zijn uitnodiging aan u opeens een dag verschoof?' opperde de rechter.

'Inderdaad. Bovendien geloof ik dat de oude heer, nog voordat zijn broer zou komen, iets moest terugvinden wat was zoekgeraakt in zijn huis en dat hij daarom kwam aanzetten met het verslag van de moord op proost Freeth – waarnaar hij beweerde te hebben gezocht – om het feit te verklaren dat hij het huis ondersteboven had gehaald.'

'Dat is hoogst ingenieus en zeer overtuigend,' zei de rechter en ik had de voldoening om instemmend gemompel in het publiek en de jury te mogen beluisteren. Ik zag Slattery naar mij glimlachen en dr Locard oplettend voorovergebogen op zijn stoel zitten.

'Ik herinner me nog iets wat dit ondersteunt. Vlak voor we weggingen, rommelde mr Stonex in de kast van een grote staande klok. Hij trok er iets uit te voorschijn wat ik niet kon zien, en achteraf denk ik dat hij op dat moment vond waarnaar hij had lopen zoeken.'

'En wat was dat volgens u?'

'Ik neem aan dat het zijn testament was.'

Toen ik deze woorden uitsprak zag ik vanuit mijn ooghoek dat dr Locard geestdriftig begon te fluisteren tegen de rechtsgeleerde naast hem.

'Het lijkt me wat vreemd dat hij zijn huis overhoop moest halen om zijn eigen testament te vinden.'

'Hij was al oud en misschien vergeetachtig geworden.'

'Maar waarom moest hij zo nodig zijn testament vinden?'

'Mag ik mijn hypothese verder uiteenzetten en dat gegeven binnen de juiste context verklaren?'

'Ga uw gang, dr Courtine,' zei de rechter met een hoffelijk knikje. 'Zoals u ziet, u hebt de volle aandacht van het hof voor, als ik zo vrij mag zijn, een indrukwekkende demonstratie van uw forensische kundigheid.'

'Dank u, mr Attard. Om uit te leggen wat er volgens mij gebeurde, moet ik terug naar de met krijt op een lei geschreven boodschap waarvan Perkins tegen de hoofdinspecteur zei dat hij hem had gelezen. Ik kan voor de waarheid daarvan instaan, want ik heb hem met eigen ogen gezien.'

Er klonken verraste kreten op van de toeschouwers.

'Hebt u de boodschap gelezen, dr Courtine?'

'Helaas niet. Ik zag alleen dat mr Stonex wat afwezig enkele woorden uitveegde. De reden dat ik hier niet eerder over ben begonnen, is dat ik het volledig was vergeten totdat het me weer te binnen schoot toen de gevangene er een halfuur geleden over begon.'

'Suggereert u nu dat Perkins de waarheid vertelt?'

'Inderdaad. Ik geloof dat mr Stonex zelf het pakje heeft gemaakt en er met de in krijt geschreven boodschap voor zorgde dat Perkins het meenam.'

'Aha!' riep de rechter uit. 'Ik begin te snappen waar u heen wilt. Hij deed dat zodat zijn broer – de mysterieuze man van wie in die boodschap melding werd gemaakt – het bij Perkins kon ophalen!'

'Nee, edelachtbare. Waarom zou hij dat doen? Als hij zijn broer later die middag verwachtte, waarom gaf hij hem dan niet gewoon zelf het pakje?'

'Ik snap niets meer van zijn gedrag. Maar wat me nu duidelijk wordt, is dat u suggereert dat mr Stonex werd vermoord door deze mysterieuze broer.'

'Dat suggereer ik in het geheel niet, edelachtbare. Ik heb een nog vreemdere verklaring.'

Ik had het genoegen verbaasde kreten uit het publiek te horen.

'U verbaast me, dr Courtine. Ik dacht dat uw hypothese alles verklaarde. Als de oude heer werd vermoord door een wettige broer, dan was het motief uiteraard de nalatenschap.'

'Als historicus heb ik geleerd om wat evident lijkt met enige argwaan te bezien, edelachtbare. Uw theorie is mij uiteraard ook door het hoofd geschoten, maar het verklaart niet de belangrijkste raadsels, te weten het feit dat mr Stonex het pakketje met de met bloed besmeurde bankbiljetten aan Perkins gaf, dat het gelaat van het lijk onnodig was verminkt, dat de oude heer eerder die middag naar iets liep te zoeken, dat hij geobsedeerd was door de tijd en dat hij de theevisite op zo korte termijn een dag verschoof. Van al deze dingen is wel het vreemdst dat het gelaat zo is verminkt, en ik geloof dat ik dat op zo'n manier kan verklaren dat de andere raadsels zichzelf oplossen.' Ik wachtte tot het volkomen stil was geworden – een retorische truc die ik tijdens mijn jaren als leraar had vervolmaakt. 'Daar kan maar één motief voor zijn geweest: de wens om de identiteit van het lijk te verhelen.'

Ik zag de leden van het publiek en de jury verbluft naar elkaar kijken.

'Maar het lijk is geïdentificeerd als mr Stonex,' zei de rechter.

'Het staat buiten kijf dat het lijk diens kleren draagt en dat het van een man is van dezelfde leeftijd en lengte, en met min of meer hetzelfde voorkomen. En toch, als het gezicht werd ingeslagen om de identiteit te verhelen, volgt daaruit dat het lijk niet van mr Stonex was.'

De rechter staarde me verbaasd aan. Toen het gemurmel van het publiek aanzwol, moest hij zijn hamer gebruiken. Ik zag hoe Slattery Austin bij zijn arm greep en hem iets toefluisterde.

'Wie is het dan wél in 's hemelsnaam?'

'Wie anders dan iemand van dezelfde leeftijd en met hetzelfde voorkomen: zijn broer.'

Een groot deel van de toeschouwers schrok hoorbaar.

'Gaat u alstublieft door, dr Courtine,' zei de rechter hoofdschuddend. 'Ik moet bekennen dat ik nu volledig in het duister tast.'

'De broer arriveerde nadat mr Fickling en ik waren vertrokken. Hij kwam mogelijk via de achterdeur binnen terwijl de ongelukkige Perkins op de voordeur klopte. Volgens mij heeft mr Stonex hem door wurging om het leven gebracht.'

Een moment lang viel er een verbijsterde stilte en toen brak er een storm van commentaar los onder de toeschouwers. De rechter hamerde om stilte en na een ogenblik kon ik vervolgen: 'Mr Stonex trok het dode lichaam vervolgens zijn kleren aan en verbrijzelde het gezicht.'

'Maar dr Courtine, ik begrijp eenvoudigweg niet wat voor motief hij kan hebben gehad.'

'Dan kom ik nu terug op het testament. Hij moest het vinden en vernietigen om te voorkomen dat de nalatenschap aan de Stichting zou vervallen. Als er geen testament werd gevonden, zou zijn naaste bloedverwant de erfenis opstrijken.' Ik zweeg triomfantelijk.

'Ik zal wel wat traag van begrip zijn, maar ik kan u niet volgen.'

'Die naaste bloedverwant, wie was dat anders dan zijn broer? Daarom wilde hij de identiteit van zijn broer aannemen en zo de nalatenschap opeisen.'

Het bleef stil. Iemand in het publiek giechelde nerveus, maar het geluid werd snel onderdrukt. Mr Attard staarde me aan: 'Hij wilde vermomd als zijn broer terugkomen?'

'Precies,' zei ik. Nog terwijl ik het uitsprak, hoorde ik al hoe belachelijk het klonk. En toch verklaarde het een boel. Ik wist zeker dat er iemand in dit verhaal de rol van een ander had gespeeld.

Ik hoorde iemand in het publiek een grinnik onderdrukken.

'En hoe zit het dan met zijn zus? Die kan toch zeker meer rechten laten gelden dan deze broer?'

'Ik neem aan dat ze dood is. En als de oudere broer de bewijzen bezat dat zijn jongere halfbroer en halfzus onwettig waren, dan kan mr Stonex die gebruiken om haar uit te sluiten van de nalatenschap.'

De rechter staarde me verbijsterd aan.

Op dat moment stond mr Thorrold op: 'Als executeur-testamentair van de overledene...' Hij zweeg en glimlachte naar mij: 'De vermoedelijke overledene, moet ik zeggen, aangezien er op dat punt twijfels zijn geuit – voel ik mij genoodzaakt op te merken dat ik weliswaar nog niets heb gehoord wat mijn geloof ondermijnt dat het gisteren ontdekte lichaam wel degelijk dat van wijlen mijn cliënt is, maar toch meen ik dat dit punt zodanig dient te worden opgehelderd dat verdere discussie is uitgesloten, en ik stel daarom voor dat zijn huisarts over deze kwestie uitsluitsel geeft.' Hij ging weer zitten.

'Ik stond op het punt om dat te gaan doen, mr Thorrold,' zei de rechter nogal kregelig. 'Het gerechtelijk vooronderzoek dient in de allereerste plaats om de identiteit van de overledene vast te stellen.'

De notaris kwam overeind en boog. 'Ik wilde u geenszins in de wielen rijden, edelachtbare. Ik bracht het enkel naar voren omdat er hier een zeer aanzienlijke nalatenschap in het geding is.'

De rechter knikte naar hem en zei toen: 'Is dokter Carpenter nog aanwezig?'

De jonge dokter stond op.

'Bestaat er enige twijfel bij u, dokter Carpenter, dat het lichaam dat u hebt onderzocht en later aan een lijkschouwing hebt onderworpen dat van mr Stonex was?'

'Hoegenaamd niet. Ik heb hem twee jaar als patiënt gehad en hem voor uiteenlopende kwalen behandeld. Tijdens de lijkschouwing herkende ik een aantal opvallende kenmerken, waaronder littekens en huidverkleuringen. Het idee dat het lichaam van mr Stonex' broer zou kunnen zijn – of zelfs van een identieke tweelingbroer! – is eerlijk gezegd ronduit bespottelijk.' Bij het uitspreken van deze woorden keek hij even naar mij en terwijl het publiek om zijn opmerking lachte, voelde ik mijzelf blozen.

'Dank u, dokter Carpenter,' zei de rechter. Hij keek naar de notaris: 'Bent u hiermee tevreden, mr Thorrold?'

Hij stond weer op. 'Op dit punt geheel, edelachtbare. Maar er is nog een ander punt. De getuige had het over een voorval waarbij volgens hem het testament van de overledene werd gevonden, en ik had graag uw toestemming om hem daar iets over te vragen.'

'Zeker. Maar eerst wil ik u graag iets voorleggen. U hebt gezegd dat van de overledene alleen bekend was dat hij een zuster had, die misschien nog in leven is en mogelijk een zoon heeft. Hoe zit het met de suggestie dat de overledene een oudere broer of halfbroer had?'

Mr Thorrold glimlachte. 'Ik heb er nooit iets over gehoord. Mijn vader en grootvader traden op namens de vader van wijlen mr Stonex en ik weet zeker dat zij niets afwisten van een wettige broer.'

'Kan er een natuurlijke zoon zijn geweest?' vroeg mr Attard.

De notaris glimlachte nogmaals. 'Dat is heel wel mogelijk, alleen zou die geen rechten hebben. Wat ik echter naar voren wil brengen, is dat het testament dat ikzelf heb opgesteld nog niet is teruggevonden en dat het daarom van het allergrootste belang is om vast te stellen wat ermee gebeurd is.'

'Waarom dat, mr Thorrold?' vroeg de rechter.

'Het is te vroeg om daar nu over te spreken, maar als de overledene het vlak voor zijn dood in zijn bezit had, terwijl het verdwenen was toen men ontdekte dat hij was beroofd en vermoord, dan is het redelijk om te veronderstellen dat het is vernietigd door degene die hem heeft vermoord.'

'En welke gevolgen kan dat hebben?'

'Zeer vérstrekkende gevolgen. In het Engelse recht is een uiterste wilsbeschikking letterlijk een wilsbeschikking – dat wat de erflater wilde. Het hoeft zelfs niet opgetekend te zijn, zolang het maar aan bepaalde voorwaarden voldoet. Het is belangrijk om vast te stellen wat de laatste intenties van de erflater waren, en als dan bewezen kan worden dat hij zijn testament niet wilde herroepen en dat het gestolen werd en onwettig vernietigd, kan er alsnog naar worden gehandeld.'

'Naar worden gehandeld? Hoe dan?'

'Ik denk dat ik me de bepalingen nog zeer precies kan herinneren, zowel uit mijn geheugen als aan de hand van aantekeningen die ik indertijd maakte.'

'Ik begrijp wat u bedoelt. Wat wilde u de getuige verder nog vragen?'

De notaris richtte zich tot mij. 'Het zou erg helpen, dr Courtine, als u zich iets kon herinneren wat zou bewijzen dat het document dat u zag, ook werkelijk de wilsbeschikking van mr Stonex was.'

'Ik vrees dat ik u alles al verteld heb: hij stopte iets in zijn zak wat hij volgens mij in de klokkast had gevonden.'

Mr Thorrold hield zijn hoofd een beetje schuin en liet zijn woorden vergezeld gaan van een innemende glimlach: 'Hij borg het zorgvuldig weg in zijn zak, alsof hij het wilde koesteren en niet alsof het iets onbenulligs was?'

'Ik kan niet meer zeggen dan ik al heb gedaan,' antwoordde ik.

De notaris bedankte me zeer vriendelijk, ging weer zitten en overlegde zachtjes met dr Locard.

Op dat moment stond brigadier Adams op en de rechter vroeg hem: 'Wilt u de getuige iets vragen?'

'Ja, sir. Ik heb met grote belangstelling zitten luisteren, dr Courtine, en ik geloof dat u wellicht de ware toedracht voor een deel hebt achterhaald. Maar een aantal belangrijke zaken is nog steeds niet opgehelderd. Waarom liet mr Stonex volgens u de in krijt geschreven boodschap met die instructies achter voor Perkins?'

'Hij had iemand nodig die de schuld in de schoenen kon worden geschoven. Vandaar dat hij van plan was het pakje zelf op te halen, maar dan vermomd als een mysterieuze vreemdeling. Maar om de een of andere reden moest hij dit deel van zijn plan laten varen.'

'Ja, ja. En waarom stopte hij er bankbiljetten in die besmeurd waren met bloed?'

'Als hij het niet kwam ophalen, zou Perkins zelf van de moord worden verdacht.'

'Ik dacht al dat u dat zou zeggen, sir, en mijn eigen vermoedens gingen ook die kant op.' Hij zweeg even alsof hij zich schaamde voor wat hij ging zeggen. 'Als laatste, dr Courtine, kunt u enig licht werpen op dokter Carpenters overtuiging dat de overledene rond vier uur is gestorven?'

Ik werd zelf in verlegenheid gebracht door deze vraag, want ik had bedacht dat de dokter omgekocht moest zijn om die opmerkelijke verklaring af te leggen – al zou ik, gezien zijn arrogantie die ochtend in de kathedraal, gedacht hebben dat hij veel te trots was om zijn integriteit te compromitteren voor geldelijk gewin. 'Ik kan alleen maar veronderstellen,' waagde ik, 'dat dokter Carpenters vertrouwen in zijn kundigheid deze ene keer – zoal niet vaker – ietwat prematuur is gebleken.'

Ik werd beloond met het gegiechel van enkele toeschouwers en een mager glimlachje van de rechter. Adams ging met een teleurgestelde gezichtsuitdrukking weer zitten.

'Dank u, brigadier,' zei mr Attard en hij wendde zich tot mij: 'En u ook bedankt, dr Courtine. Ik geloof niet dat wij u nog langer hoeven ophouden. Uw verklaring heeft het hof veel stof tot nadenken gegeven.'

Terwijl ik uit de getuigenbank stapte, dacht ik nog na over de laatste vraag van de brigadier en wilde eigenlijk dat ik mijn gevatheid niet had botgevierd op de jonge arts. En toch moest hij het mis hebben. En precies op dat ogenblik begon zich in mijn hoofd een vreemde gedachte te vormen – nog vreemder zelfs dan degene die ik aan de rechter had uitgelegd – en ik voelde hoe mijn gezicht brandde van opwinding terwijl ik de consequenties ervan overpeinsde. Als ik gelijk had, dan wist ik nu waarom mr Stonex de theevisite had verschoven: dat was omdat hij mij en Austin daar als getuigen wilde hebben.

Ik zat hier nog steeds over te piekeren, toen Austin werd opgeroepen en in het getuigenbankje schuifelde, wankelend en trillend als een oude man.

'Zag u donderdagmiddag in de Nieuwe Proosdij iets wat u onbetamelijk of verdacht voorkwam?' vroeg mr Attard hem.

'Niets.'

'Hebt u dan nog iets toe te voegen aan hetgeen dr Courtine verteld heeft?'

'Alleen dat ik niets zag wat erop wees dat het huis overhoop was gehaald toen wij daar binnenkwamen. De oude heer vertelde ons inderdaad dat hij naar het manuscript over de dood van Freeth had gezocht, maar hij was zeker niet verantwoordelijk voor de wanorde die ik zag toen ik er later op de dag terugkwam.'

Zijn antwoord verraste me. De woonkeuken was een chaos toen wij daar binnenkwamen. Hij was duidelijk zichzelf niet, want hij sprak traag en zeer bedachtzaam.

'Viel het u op dat de overledene iets uit de kast van een grote staande klok haalde?'

Austin glimlachte: een afschuwelijke grijns die geamuseerdheid moest uitdrukken. 'Zulk merkwaardig gedrag zou ik mij zeer zeker herinneren. Maar nee, dat is niet het geval.'

Dit was wel heel vreemd! Hij had nota bene zelf gesuggereerd daar te kijken!

'En de boodschap op de lei die de overledene uitveegde?'

'Dat heb ik evenmin gezien. Dat wil zeggen, ik heb de lei wel gezien, maar in mijn herinnering stond er zeer zeker niets op geschreven. Mr Stonex pakte het alleen maar op en streek er afwezig met zijn hand over.'

'En de verklaring van dr Courtine dat de overledene over een broer sprak?'

'Dat heb ik niet gehoord. Ik denk dat dr Courtine de oude heer niet goed heeft verstaan. Hij had het wel over zijn zuster.'

'Dank u wel, mr Fickling. U mag weer gaan zitten.'

Voor de hypothese die zich in mijn hoofd begon te vormen, was het van belang om helderheid te krijgen over een kwestie die de brigadier verkeerd moest hebben begrepen van Austin. Ik stond op.

'Wilt u mr Fickling een vraag stellen?' vroeg de rechter me verbaasd.

'Graag, mr Attard. Ik zou iets willen vragen naar aanleiding van wat de brigadier heeft gezegd.' Ik draaide me naar Austin: 'Je vertelde hem dat je mr Stonex woensdagavond toevallig was tegengekomen en dat hij je toen meedeelde dat hij onze theevisite naar gisteren wilde verschuiven?' Austin knikte voorzichtig. 'Je zei dat hij als reden opgaf dat de inwijding van het orgel was afgelast?' Hij knikte weer. 'Kun je dat nader uitleggen?'

'Hij zei dat zijn bank vrijdagmiddag had zullen sluiten, maar nu het was afgelast, zou hij die dag gaan werken.'

Dat kon niet juist zijn. 'Hoe laat kwam je hem woensdag tegen?' vroeg ik.

Austin weifelde. 'Het moet vroeg in de avond zijn geweest.'

Ik was verbijsterd. Austin was duidelijk erg in de war. 'Je moet je vergissen. Ik was degene die je over het orgel vertelde, en dat was heel laat op de avond.' Hij deed zijn mond open alsof hij op het punt stond iets te zeggen, maar er volgde niets. 'Weet je dat niet meer?' ging ik verder. 'Het gesprek dat jij en ik die avond hadden?'

'Het gesprek?'

'De discussie over de gebeurtenissen van twintig jaar geleden?'

Hij knikte.

'Herinner je je dan niet dat ik je daarna vertelde dat ik na het avondeten de kathedraal was binnengelopen en had gehoord van het uitstel van het orgel?'

Austin bleef me een paar seconden aanstaren. 'Ja, dat moet wel kloppen. Ik vergiste me in de tijd, maar de gebeurtenis zelf staat me nog helder voor ogen. Het was na ons gesprek. Ik kon niet slapen die avond en daarom ben ik een wandelingetje voor de spijsvertering gaan maken nadat jij al naar bed was gegaan. Toen kwam ik mr Stonex tegen.'

'Waar kwam je hem tegen?' vroeg ik.

'Toen ik het huis uitkwam en achter de Nieuwe Proosdij langsliep, waar hij juist naar binnen wilde gaan.'

Hij loog. Hierin kón hij zich niet vergissen. Hoeveel hij die avond ook had gedronken. Of vandaag, eerder op de dag. En als hij loog, had hij daar een reden voor en dat schiep enkele verontrustende mogelijkheden. Het was niet uit vergeetachtigheid of dronkenschap dat hij de voorvallen ontkende die ik had beschreven. Ik voelde opeens een sterke drang om koste wat het kost de waarheid boven tafel te krijgen. 'En waar ging je daarna heen?' vroeg ik. Ik wist dat hij ernstig in verlegenheid werd gebracht door deze openlijke toespeling op zijn middernachtelijke bezoek.

'Dr Courtine,' onderbrak de rechter me, 'ik kan me nauwelijks indenken dat dit relevant is.'

'Ik stel deze vraag met een reden, edelachtbare, en als u nog even geduld met me wilt hebben, denk ik dat het duidelijk zal worden.'

Mr Attard knikte. Austin staarde terug en zijn handen klemden om de leuning van de getuigenbank. 'Waar ik heenging? Nergens. Ik liep twintig minuten lang zomaar wat door de stad en ging toen weer naar huis.'

'Je bent nergens naar binnen gegaan?'

Hij keek me vol ontzetting aan. 'Nee. Nee, nergens.'

'Dat is heel merkwaardig. Want weet je, ik kon die nacht ook niet slapen en toen ik jou de trap af hoorde lopen, ben ik eveneens naar buiten gegaan.' Ik kon aan zijn gezicht zien dat hij daar geen idee van had gehad en dat deze onthulling hem een vreselijke schrik aanjoeg. 'Ik had je willen inhalen, maar je was me te snel af en verdween in dat steegje van de immuniteit naar Orchard Street.'

Het was doodstil in de zaal.

Austin was bang. Ik had die woensdagnacht iets gezien wat hem zeer verontrustte, dat was duidelijk. Ik wilde dat ik kon bedenken wat het was, maar ik zag het verband niet: de mysterieuze vrouw die Appleton had gezien, de broer van het slachtoffer, het huis dat overhoop was gehaald. Ik bedacht dat er in deze zaak nog een tweede mysterieuze vrouw meespeelde – degene die donderdagochtend in de kleine uurtjes in het huis in Orchard Street was geweest – maar ik kon niet bedenken wat zij te maken kon hebben met Austins evidente angst.

Ik wendde me tot mr Attard: 'Edelachtbare, ik geloof dat ik begrijp hoe de moord is gepleegd – en wel zo dat wij allen in de war zijn gebracht omtrent het tijdstip waarop het gebeurd is. Ik denk dat het slachtoffer veel eerder is vermoord dan werd aangenomen.'

Austin staarde me lijkbleek aan. Ik zag dat brigadier Adams voorovergebogen zat en me aandachtig aanstaarde, terwijl de rechter naar me keek met zijn pen doodstil nog in de lucht.

Ik richtte me weer tot Austin: 'Ik denk dat het slachtoffer al dood lag in een kamer van dat huis, nog voor jij en ik er thee kwamen drinken.'

Onder de toeschouwers brak geroezemoes los. Het geruis was zo luid dat ik dacht dat ik als enige Austin hoorde uitroepen: 'En wie heeft ons dan thee geschonken?'

Ik was verbluft over zijn opmerking. Die raakte kant noch wal. Toevallig viel mijn blik op Slattery: hij staarde Austin griezelig geconcentreerd aan en vormde met zijn lippen woorden die ik niet kon ontcijferen.

'Ik snap wel waar je mee bezig bent!' schreeuwde Austin. 'Maar ik had er niks mee te maken. Ik heb de hele middag les gegeven – tientallen getuigen kunnen dat bewijzen. Ik stond tot vier uur voor de klas en daarna was ik in jouw gezelschap, vanaf dat de bibliotheek sloot totdat het lichaam door de politie werd gevonden.'

'Heren, alstublieft,' zei de rechter. 'Mr Fickling, beheerst u zich, alstublieft.'

Austin richtte zich tot hem: 'Deze man koestert al meer dan twintig jaar een wrok tegen mij.'

'Dat is niet waar,' riep ik uit. 'Als ik je niet al jaren vergeven had, was ik je nooit komen opzoeken.'

'Je hebt me vergeven,' herhaalde Austin spottend. 'Wat is dat toch edelmoedig van je.'

Ik keek naar zijn snerende, dronken gezicht, waar een en al venijn uit sprak en ik vroeg me af hoe ik mezelf er ooit van had kunnen overtuigen dat ik hem had vergeven. Of dat hij ooit ergens anders op uit was geweest dan mij kwaad te berokkenen.

'U kunt weer gaan zitten, mr Fickling,' zei de rechter.

Fickling schuifelde terug naar zijn stoel, terwijl mr Attard zich tot mij wendde en zei: 'Dr Courtine, ik begrijp niet wat u bedoelde toen u zojuist zei dat het slachtoffer al dood was voordat u en mr Fickling het huis betraden.'

'Ik opperde,' zei ik, 'dat mr Stonex zijn broer had vermoord nog voor Fickling en ik arriveerden. Zijn lichaam lag in de studeerkamer.'

'Dokter Carpenter heeft al verklaard dat dat onmogelijk is,' zei de rechter. 'Er bestaat geen twijfel over dat het lijk aan mr Stonex de bankier behoort, en niet aan een of andere hypothetische broer.'

Ik deed mijn lippen van elkaar om te zeggen dat de dokter klaarblijkelijk was omgekocht, maar zag daar bij nader inzien van af.

'Vandaar,' vervolgde de rechter, 'dat ik de jury zal aanraden om dit valse spoor te negeren. Desondanks bedankt, dr Courtine.'

Ik ging weer zitten en keek ondertussen naar de plek waar Fickling en Slattery zaten. Laatstgenoemde glimlachte tegen zijn vriend, die nog steeds geschokt en bleek was, maar knikte. Het was duidelijk dat ik zojuist iets had gezegd wat hen niet zozeer verontrust als wel gerustgesteld had. Ik moest de waarheid bijna achterhaald hebben, maar net niet helemaal. Er wachtte me nog een verrassing, want op dat moment keerde dr Locard zich om en glimlachte me bemoedigend toe.

De rechter verklaarde dat er geen getuigen meer waren en dat hij direct zou overgaan tot zijn adres aan de jury.

'Een aantal getuigen die u hebt gehoord,' begon hij, 'heeft gepoogd om een eenvoudige zaak ingewikkeld te maken. Maar uit mijn lange ervaring als rechter van instructie weet ik dat er in elke zaak dingen zijn die nooit helemaal duidelijk worden. Dat is met name in deze zaak onvermijdelijk, want we hebben hier te maken met het perverse brein van een mens die in staat is in koelen bloede een moord te begaan. Daarom is het verkeerd om naar de verlichte rationaliteit te zoeken waardoor verhevener vertegenwoordigers van ons ras zich laten leiden. Ik adviseer u daarom de zaak in al haar evidente – doch brute – eenvoud te bezien. U dient de verklaring van dokter Carpenter over het tijdstip waarop de dood zijn intrede heeft gedaan, met de nodige scepsis te beschouwen. Eveneens dient u de ingenieuze theorie van dr Courtine terzijde te leggen, die meer weg heeft van een plot voor een sensationele roman dan van een bewijsvoering voor een rechtbank. Elk feit waarop men zich kan verlaten, lijkt Perkins als de moordenaar aan te wijzen: de verklaring dat mr Stonex hem zelf binnenliet om halfzes, de met bloed besmeurde bankbiljetten die in zijn huis verstopt waren, en het feit dat hij elke keer dat er nieuw bewijs tegen hem werd gevonden, zijn relaas van de gebeurtenissen veranderde. Voorzitter van de jury, bestaat er bij u overeenstemming om hier en nu een besluit te nemen, of wenst u zich terug te trekken in de kamer die daarvoor ter beschikking is gesteld?'

De juryleden overlegden kort en toen zei de voorzitter, een forse man met een rood hoofd die eruitzag als een welvarende kruidenier: 'We hoeven ons niet terug te trekken, edelachtbare. We zijn tot een besluit gekomen.'

'Goed. Hoe luidt uw bevinding?'

'Wij hebben bepaald dat de overledene onwettig is gedood, en wel door de gevangene, Edward Perkins.'

Er klonk een smartelijke kreet alsof er iemand lichamelijk geweld was aangedaan. We keken allemaal naar de gevangene en zijn van afschuw en angst vertrokken gelaat. De rechter gaf bevel hem vast te zetten tot zijn zaak voorkwam, en we keken zwijgend toe hoe de rechter overeind kwam om zich terug te trekken terwijl de gevangene werd afgevoerd.

Ik stond op en liep naar het einde van de rij stoelen, maar daar kwam ik niet verder omdat de gezette figuur van de hoofdinspecteur het gangpad blokkeerde, en dus draaide ik mij om en wilde de andere kant oplopen, maar daar trof ik dr Locard in gesprek met de notaris. Achter hen ontwaarde ik brigadier Adams die me aankeek alsof hij me wilde spreken, maar net als ik stond hij klem. Terwijl ik daar zo stond, onopgemerkt en niet echt op mijn gemak, hoorde ik de bulderende stem van de hoofdinspecteur achter mij antwoorden op een vraag die ik niet had opgevangen: 'Een formaliteit, gegarandeerd. Met die bewijzen kan geen enkele jury hem vrijspreken. Hij hangt nog voor Pasen.'

Ik liep in de richting van dr Locard en hoorde hem afspreken dat hij later die middag zou langskomen op het kantoor van mr Thorrold en daarop zag ik de notaris zich wegspoeden. Tot mijn opluchting ontwaarde ik vanuit mijn ooghoek dat Fickling eveneens vertrok – in gezelschap van Slattery.

Tot mijn verrassing draaide dr Locard zich naar mij om, glimlachte en zei: 'Dr Courtine, mijn vrouw en ik blijken onverwachts vrij te hebben vanavond. U zou ons zeer vereren als u bij ons zou willen komen dineren. Ik zou graag enkele zaken met u bespreken.'

Ik kon niet snel genoeg een overtuigende reden bedenken om te weigeren en daarom aanvaardde ik de uitnodiging, en we spraken een tijdstip af.

We schudden elkaar de hand en toen liep hij voor een praatje naar de hoofdinspecteur en mr Wattam. Voor ik me uit de voeten kon maken, stond Adams naast me en blokkeerde mijn pad. 'Wat u zei was hoogst interessant, dr Courtine. Werkelijk hoogst interessant. Ik moet bekennen dat ik niet geloof dat uw idee juist is dat mr Stonex zijn broer vermoordde, maar toch denk ik dat u niet ver naast de waarheid zit.'

'Ik weet het niet, brigadier Adams,' zei ik. 'Ik weet het echt niet.'

Hij dempte zijn stem en keek om zich heen, terwijl hij zei: 'Viel u op wat mr Fickling op het laatst zei?'

'Excuus. Ik heb geen tijd om dit nu te bespreken.'

'U zou dat huis in Orchard Street kunnen terugvinden, denkt u niet, sir?'

'Laat u mij alstublieft langs, brigadier.'

'Wilt u morgen naar het politiebureau komen? Hoe laat u maar wilt. Ik ben er de hele dag.'

'Ik betwijfel of ik daar voor mijn vertrek nog tijd voor kan vinden.'

'Ik heb uw adres in Cambridge, dr Courtine. Ik zou bij u langs kunnen komen op een tijdstip dat het u schikt.'

'Neemt u mij niet kwalijk,' zei ik terwijl ik me langs hem heen perste richting deur. Ik verliet het gebouw en liep snel naar de immuniteit.

Er viel geen minuut te verspillen. De brigadier had gelijk: ik was dicht bij de waarheid gekomen. En toch was ik er nog steeds niet in geslaagd alles te begrijpen. Waarom had Fickling zich zo snel verdedigd met een alibi, terwijl ik hem nergens van had beschuldigd? Wat had hij gevreesd dat ik zou zeggen? Maar terwijl ik doorstapte kreeg ik vooral die merkwaardige woorden niet uit mijn hoofd, de woorden die ook de brigadier hadden geïntrigeerd: *en wie heeft ons dan thee geschonken?*

Ik wilde snel terug naar het huis van Fickling, mijn spullen pakken en ontsnappen voordat hij terugkeerde. Ik haastte mij door de stille straten in de hoop dat hij en Slattery er niet naar terug waren gegaan. Het werd al donker en de gaslantaarns werden ontstoken, hoewel de immuniteit, die ik via de noorderpoort betrad, nog steeds onverlicht was. Waarom deed dr Locard opeens zo aardig? Waarom had hij niet gewalgd van mijn openlijke confrontatie met Fickling? Een schandaal was immers wel het allerlaatste wat hij wilde.

Toen ik het huis inliep, leek er niemand thuis te zijn. Ik wilde niet de aandacht vestigen op mijn aanwezigheid en daarom draaide ik niet het gas op in het portaal, maar stak ik met de waakvlam alleen een kaars aan. Ik liep direct door naar mijn kamer en begon snel mijn tas te pakken.

Fickling was betrokken bij de moord. Dat wist ik nu wel zeker. En in mijn geest begon zich een idee te ontwikkelen over wat er werkelijk was gebeurd. Mijn theorie over de broer was fout, al naderde hij de waarheid dicht genoeg om hem angst aan te jagen. Ik wist zeker dat Perkins onschuldig was en ik moest daarom bewijzen zien te vinden die mijn nieuwe hypothese staafden. De sleutels van het huis van het slachtoffer zouden het beste bewijs vormen, want die konden niet worden vernietigd en moesten ergens zijn achtergelaten of verborgen.

Toen ik de trap afliep, viel mijn oog op de grote staande klok die schaamteloos de verkeerde tijd aangaf. Ik herinnerde me dat hij altijd fout liep. *Net als die van mr Stonex!* Ik zette mijn tas en de kandelaar neer, opende de klokkast en tastte naar de gewichten. Aan een daarvan was iets vastgemaakt. Ik lichtte het op en zag dat het een sleutelbos was. Op dat moment dacht ik de moordzaak te hebben opgelost. Hier waren de sleutels waarmee de moordenaar gistermiddag het huis van het slachtoffer had verlaten en de deur op slot had gedraaid. Ik werd ook overmand door angst en afschuw bij de gedachte aan wat ik op het punt stond te ontketenen. Dit betekende het einde van Fickling en verscheidene andere mensen, maar het zou een onschuldige man redden van de strop. Ik merkte dat ik gelaten bleef bij het vooruitzicht van de schande en de straf die Fickling te wachten stonden. Hij had me zonder enige schaamte verraden, gebruik van me gemaakt, onze vroegere vriendschap uitgebuit – onze jongensachtige liefde. Hij had me behandeld als een onbenul. Ik betwijfelde of hij zou worden opgehangen voor wat hij had gedaan, en ik hoopte nog net niet dat dat zou gebeuren. Maar hij had iets afschuwelijks gedaan – of was daar in elk geval medeplichtig aan – en het recht moest zijn beloop hebben. Ik pakte de sleutels en bekeek ze in het vage schijnsel van de kaars. Het waren twee sleutels aan een ring en de grootste was duidelijk een huissleutel. Ik pakte de kaars op, holde de trap af en stak de sleutel in het slot van de deur. Hij draaide rond. Het was dus niet de sleutel van de Nieuwe Proosdij. Teleurstelling welde in mij op. Natuurlijk, het was ook onzin dat de moordenaar de sleutels zou hebben gehouden. Hij moest zich er zo snel mogelijk van hebben ontdaan nadat hij de Nieuwe Proosdij had verlaten.

De andere sleutel was te klein om op een deur te passen en was waarschijnlijk van een kast. Een kast! Opeens herinnerde ik me het moment op dinsdagavond toen ik Fickling de trap had zien oplopen terwijl ik uit mijn kamer naar beneden kwam. Zou hij toen de sleutel weer op zijn vaste plek hebben verstopt na dat mysterieuze pakje te hebben weggeborgen? Ik holde, bijgelicht door de kaars, de trap op naar de woonkamer. De sleutel paste op de grote kast en de deur zwaaide onmiddellijk open. Er lagen verschillende spullen in, waarvan er één wel iets weghad van het pakje. Ik maakte het open en verwijderde verschillende lagen pakpapier tot ik de inhoud bij het licht van mijn kaars kon bestuderen. Aanvankelijk was ik verrast over de aard ervan, maar toen maakte zich ontzetting van mij meester. Wat ik zag was vanuit een bepaald standpunt bezien charmant en geheel onschuldig, en toch wist ik door bepaalde aanwijzingen en toevallig opgevangen gespreksflarden dat het dat allesbehalve was. Waar het precies om ging ben ik niet voornemens uit de doeken te doen, behalve dat het fotografische platen waren. Allerlei zaken die ik had gehoord, opgevangen, meegemaakt en zelfs had gegist, werden nu duidelijk of bevestigd. Ik had niet veel tijd om te beslissen wat ik moest doen. In zekere zin had ik niet het recht ze mee te nemen, maar Fickling zelf had ze evenzeer al tamelijk onrechtmatig in zijn bezit. De eigenaar ervan had evenmin het recht ze terug te krijgen, aangezien dergelijke foto's nooit genomen hadden mogen worden. Als Fickling ontdekte dat ze verdwenen waren, zou hij weten dat ik ze had meegenomen, maar die gedachte weerhield me er niet van. Alleen, wat moest ik in vredesnaam met ze aanvangen?

Ik maakte het pakje weer dicht, griste een potlood van de tafel en schreef op de buitenkant: 'Ter attentie van de proost, persoonlijk'. Al had ik slechts een vage notie van alle verwikkelingen in deze kwestie, toch nam ik aan dat als de proost ze eenmaal in bezit had, hij zijn handen vrij zou hebben en gemakkelijker het recht zijn beloop kon laten hebben. Toen sloot ik de kast af en liep de trap af naar het trapportaal. Ik had net de sleutels in de klok teruggehangen toen ik de voordeur hoorde opengaan en het geluid van stemmen opving.

Omdat ik het gas niet had opgedraaid, realiseerden ze zich niet dat ik in huis was! Zonder nadenken blies ik de kaars uit. Tot mijn opluchting hoorde ik ze de voorkamer inlopen. Ik deed het pakje in mijn tas, pakte die op en sloop in het donker de trap af.

Toen ik langs de deur kwam, keek ik de voorkamer in en zag ik ze. Ze hadden mij niet in de gaten, want ze waren met iets anders bezig. Ik was zo perplex van wat ik zag dat ik verstijfde. Als man van de wereld die zijn hele volwassen bestaan op de universiteit had doorgebracht, had ik uiteraard van dit soort dingen gehoord. Maar om er zo opeens aan den lijve mee te worden geconfronteerd was bepaald verontrustend, om het zachtjes uit te drukken. Maar dan, wat was liefde welbeschouwd? Als het in zichzelf goed was, deed het er dan toe welke vorm het aannam? Kon het ooit pervers en onnatuurlijk worden genoemd? In de klassieke oudheid had men vele vormen van liefde geaccepteerd en alleen de enge, kwezelige, bekrompen geest van de joods-christelijke traditie had zich er zo opdringerig tegen verzet.

Er werd me nu zoveel duidelijk. Er bestond geen onbekende minnares waar Fickling woensdagavond laat heen was gegaan en het waren Slattery's handen die ik door het raam had gezien. Maar wie was dan de vrouw die ik had horen praten?

Ik moet daar tien seconden als aan de grond genageld hebben gestaan, en toen keek Slattery, die met zijn gezicht naar de deur stond, over Ficklings schouder en zag me staan.

Slattery glimlachte en zei: 'U zult wel diep geschokt zijn, dr Courtine.'

Fickling draaide zich razendsnel om en keek me aan, en ik zag de pure haat en angst in zijn gezicht. 'Wat doe jij hier, verdomme?'

Ik keek even naar mijn tas. 'Ik had gehoopt dat we elkaar niet meer zouden ontmoeten.'

'Mijn idee.'

'U zegt dat ik geschokt ben,' zei ik tegen Slattery. 'Wat mij schokt is wat jullie tweeën de afgelopen dagen samen hebben bekonkeld. Ik weet nu waarom jij loog over die ontmoeting woensdagavond met mr Stonex, die arme oude ziel,' zei ik tegen Fickling. 'Ik heb het nu helemaal door.'

'In dat geval…' begon Fickling, maar Slattery greep hem bij zijn arm op een verontrustend intieme manier en zei zachtjes: 'Wat hebt u door, dr Courtine?'

'Jullie kijken toe hoe een onschuldige jongeman zal worden opgehangen voor een moord die jullie mede op je geweten hebben. Jullie allebei.'

Ficklings ogen waren op de vloer gericht, maar op het gezicht van Slattery verscheen een uitdrukking van totaal doortrapte verbazing: 'Ik was bij de koorrepetitie en heb de hele middag orgel gespeeld, en Fickling was bij u. Hoe kan een van ons er dan in vredesnaam iets mee te maken hebben gehad?'

'Wat ik al zei, mr Slattery,' zei ik kortaf, 'ik snap nu hoe dat kunstje is geklaard. Degene die ons thee heeft geschonken was niet het slachtoffer.'

'Gaat u de autoriteiten proberen te overtuigen van uw zoveelste opmerkelijke theorie?' zei hij, nog altijd glimlachend.

Ik zei niets.

'Is dit je wraak?' zei Fickling.

'Wraak waarvoor?' vroeg ik. Hij zei niets. 'Wat heb jij gedaan waarvoor ik wraak zou willen nemen?'

Hij glimlachte rancuneus. 'Je zei zelf dat je me had vergeven.'

Terwijl hij die woorden uitsprak, voelde ik zo'n gewelddadige drang om hem aan te vliegen en zijn hoofd tegen de muur te beuken en hem te wurgen, dat ik lichtjes wankelde en me aan de rugleuning van een stoel moest vastgrijpen.

Toen ik mezelf weer in de hand had, zei ik zo kalm mogelijk: 'Je hebt hem geholpen haar van mij weg te kapen, nietwaar?'

'Van jou wegkapen?' herhaalde hij spottend. 'Hij kaapte haar helemaal niet weg. Wat een belachelijk idee. Zij kaapte hém weg. Maar het is waar dat ik hem aan haar heb voorgesteld omdat ik dacht dat hij weleens degene kon zijn die haar zou kunnen redden.'

'Haar zou kunnen redden?'

'Ze zei dat ze alleen maar met jou was getrouwd om bij haar moeder weg te komen. Ze vond je onuitstaanbaar saai. En fysiek afstotelijk.'

'Je liegt. Ze hield van mij. Toen we trouwden, waren we allebei verliefd.'

'Je begrijpt het echt niet, hè? Jij bent wel het ergste soort oplichter – iemand die zichzelf bedriegt. Je bent een sentimentele zak. Je sust jezelf met leugentjes.'

'Jij bent hier de leugenaar. Een leugenaar en een bedrieger. Jij spande samen om je beste vriend te bedriegen en zijn geluk te vernietigen. En nu loop je daarover op te scheppen.'

'Bedriegen,' sneerde hij. 'Je wilt dat mensen jou bedriegen, want dat bevestigt je in je gevoel van morele superioriteit.'

'Dan moet ik nu zeker gelukkig zijn omdat jij me om die reden hebt uitgenodigd, nietwaar? Om me nogmaals te bedriegen. Je wilde me gebruiken. Mijn goede naam gebruiken om jou en je handlangers een alibi te verschaffen. Je vertelde me alleen maar over Burgoyne zodat ik de inscriptie zou gaan lezen – die niets met hem te maken heeft! – en dan die man achter de Nieuwe Proosdij zou ontmoeten.'

'Bedoelt u mr Stonex?' zei Slattery met een niet-begrijpende blik.

'Ik ben geen volslagen idioot, mr Slattery,' zei ik. 'Ik erken dat ik hier regelmatig traag van begrip ben geweest, maar soms ook redelijk scherpzinnig.'

'Nou, dat ben ik wel een beetje met u eens,' zei hij met een hatelijk lachje.

Door zijn woorden voelde ik me geroepen te zeggen: 'De persoon die ik woensdagmiddag tegenkwam, was niet mr Stonex, want die zat op dat moment een paar meter verderop van zijn middageten te genieten.'

Slattery sloeg zich tegen het voorhoofd. 'Maar natuurlijk! Het was zijn broer.'

Ik keerde me vol verachting van hem af. Ik had op die ene verspreking een verkeerde hypothese gebaseerd en ik schaamde me nu ik eraan dacht. Maar toch had ik in elk geval bepaalde tegenstrijdigheden ontdekt die anderen waren ontgaan, al was ik ook met mijn poging om alles in elkaar te passen op een dwaalspoor beland.

Fickling trok zijn lippen in een slap, venijnig en dronken lachje en zei: 'Zijn tweelingbroer. Houd ze uit elkaar, Martin.'

'Niet zijn broer. Dat had ik mis. Zijn schoonbroer. Dat was de verspreking die me opviel, al begreep ik het toen verkeerd.'

Ik had gedacht dat ze mijn onthulling verbijsterend zouden vinden, maar al keken ze elkaar schichtig aan, verpletterd waren ze niet door mijn woorden. Betekende dit dat ik nog steeds niet de volledige waarheid had achterhaald?

'En wat ga je nu doen?' vroeg Slattery met niet meer dan vage nieuwsgierigheid.

'Ik weet het niet. Jullie schijnen iedereen te hebben bedot. Al denk ik dat de brigadier het meeste wel heeft doorzien. Ik vermoed dat er ook nog wel anderen zijn, maar die hebben zo hun eigen redenen om jullie aandeel te verzwijgen. Ik weet nu namelijk hoe en waarom jullie werden beschermd door de kanunniken. Maar ik waarschuw jullie dat jullie niet lang meer veilig zijn.'

Tot mijn grote genoegen zag ik dat ik ze eindelijk van hun stuk had gebracht. Fickling schrok en zelfs Slattery was duidelijk geschokt door wat ik had gezegd. Nu ik eindelijk mijn doel had bereikt, trok ik snel de deur open en verliet het huis. Ze verdienden het. Ik voelde geen wroeging bij wat ik nu ging doen. Ficklings woorden waren hard aangekomen. Ik geloofde hem nu. Zij had niet van mij gehouden. Zij had me onappetijtelijk gevonden.

Ik liep over de stille en verlaten immuniteit naar de proosdij, waar ik voorzichtig het pakje door de brievenbus duwde. Toen liep ik door naar High Street en nam een kamer in The Dolphin. Ik was zo ontdaan en neerslachtig dat ik bijna besloot me bij dr Locard te laten verontschuldigen en de uitnodiging voor het diner af te slaan. Ik gruwde bij het vooruitzicht nogmaals te worden ondervraagd over de moord op Stonex, of nog meer politieke spelletjes te moeten bijwonen met het lot van het manuscript als inzet. Maar toen bedacht ik hoezeer het me zou spijten als ik de kans miste nog eenmaal met mrs Locard te praten, en ik besloot alsnog te gaan.

Vrijdagavond

Dr Locards woning – het bibliothecarishuis – was een ruim, comfortabel oud pand aan de lage kant van de immuniteit. Het dienstmeisje dat de deur opendeed nam mijn hoed en jas aan en vertelde me dat ze opdracht had mij naar de studeerkamer van mijnheer te brengen, en daar trof ik even later mijn gastheer aan, gezeten aan zijn bureau in de erker, met een knapperend vuur in de haard. Hij kwam overeind en begroette me hartelijk.

'Ik zat het manuscript nog eens te bekijken,' zei hij, op zijn bureau wijzend.

'Hebt u het hier?'

'Het is een van de weinige voorrechten van mijn ambt,' zei hij glimlachend, 'dat ik stukken mag meenemen om ze thuis te bestuderen. Maar wilt u niet plaatsnemen, zodat we er samen nog eens naar kunnen kijken?'

'Heel graag!'

'Ik denk dat het u wel zal interesseren,' zei hij, 'dat ik de bron ervan heb gevonden.'

'De bron?' Ik staarde hem verbaasd aan.

'Toen we het manuscript vanochtend bekeken, was er iets wat mij vaag bekend voorkwam.'

'U had het over een vermoeiende hebbelijkheid van de schrijver, maar ging daar niet nader op in.'

'Een overmatig gebruik van superlatieven. Ik wist zeker dat ik dat al eens eerder was tegengekomen en toen herinnerde ik me dit hier.' Hij pakte een boek van zijn bureau en sloeg het open. 'Het is de *Vita Constantini*, en dat is, zoals u waarschijnlijk wel weet, het leven van een Frankische heilige uit de tiende eeuw, geschreven in de elfde.'

'Maar hoe kan dat nu de bron zijn als het van een eeuw of twee na Grimbald dateert?'

'Hebt u alstublieft nog even geduld met me, dr Courtine. Ik zal een aantal zinnen voorlezen vóór het cruciale punt in de tekst, en ik dien daarbij uit te leggen dat de schrijver vertelt hoe dapper Sint-Constantinus zich teweerstelde tegen de heersers van zijn tijd.' Hij las de tekst in het Latijn voor, om de paar zinnen vertalend: *'Koning Hagebart toonde weinig respect voor geestelijken, zoals overduidelijk blijkt uit zijn gedrag tegenover de geleerde bisschop Gregorius, de martelaar.'*

'Doctissimus en *apertissime!'* riep ik uit. 'Daar heb je twee van die afschuwelijke superlatieven van u.'

'En dat in een en dezelfde zin,' vulde hij rillend aan. 'En hier is dan de interessante zin: *De koning was als jongen een leerling geweest van bisschop Gregorius toen de geleerde oude man les had gegeven aan de zonen en neven van de oude koning, de vader van Hagebart, dus begroef hij hem niet met de eer of zelfs maar het fatsoen dat hem betaamd had waar het zo'n geleerd en heilig man betrof.'*

Hij keek me triomfantelijk aan.

Ik staarde terug. 'Wat is daar zo veelzeggend aan, dr Locard?'

'De ellips.'

'Ik ben bang dat ik u niet kan volgen.'

'Het is niet logisch dat de koning vroeger een leerling van de oude leraar was geweest en hem dús geen waardige begrafenis gaf.'

'Daar hebt u gelijk in. Tenzij men natuurlijk een uitgesproken sombere kijk heeft op de relatie tussen leraar en leerling.'

Zonder mijn grapje op te merken, vervolgde hij: 'Maar als we het folioblad dat u hebt gevonden hier tussen plaatsen, midden in deze raadselachtige zin, zien we dat de aldus ontstane zin op beide punten volkomen logisch is. En nu illustreert het verslag van de dood van de bisschop de bedoeling van de schrijver. Dus de eerste zin van het manuscript dat u vanmorgen hebt gevonden, moet luiden: *De koning was als jongen een leerling geweest van bisschop Gregorius toen de geleerde oude man les had gegeven aan de zonen en neven van de oude koning, de vader van Hagebart, dus ooit waren de koning en de martelaar goede vrienden geweest.* En de laatste zin zou moeten zijn: *Omdat hij bovendien zo weinig ontzag had voor de vermoorde bisschop begroef hij hem niet met de eer of zelfs maar het fatsoen dat hem betaamd had waar het zo'n geleerd en heilig man betrof.'*

Toen ik het een paar maal had overgelezen en erover nadacht, moest ik wel concluderen dat hij het bij het rechte eind had.

'Iemand heeft de bladzijde die u hebt gevonden uit het manuscript de *Vita Constantini* verwijderd,' zei dr Locard. 'En door toeval of opzet is dat de enige kopie van de *Vita* die is overgeleverd. Daardoor is dit verhaal uit de tekst weggevallen en bleef er slechts een onzinnige zin over, die aangaf dat er iets ontbrak.'

Ik probeerde mijn teleurstelling te verbergen. 'Ik feliciteer u met dit schitterende staaltje eruditie, dr Locard.'

'Bovendien,' vervolgde hij alsof hij mijn compliment niet had gehoord of niet de moeite waard had gevonden, 'heb ik nóg een bewijsstuk gevonden dat deze interpretatie staaft. De gebeurtenissen die op dit punt in de *Vita Constantini* worden beschreven vonden plaats in 968. Nu heb ik verschillende annalen die betrekking hebben op deze periode doorgekeken, en in de *Chronicon de Ostberg* trof ik deze aantekening aan onder het genoemde jaartal: 'Tot grote ontsteltenis aller mensen, vluchtte de zon verscheidene minuten uit de hemel, iets na twaalven op den tweeëntwintigste dag in december van dit jaar.'

Hij keek opgetogen op.

'Ja, dat geeft de doorslag,' zei ik. 'Dan neem ik aan dat het wel zeker is dat Leofranc deze bladzijde uit het Frankische manuscript heeft gescheurd en het als bron gebruikte voor zijn *Leven*.'

'En het herschreef ter meerdere glorie van Alfred en Wulflac,' vulde hij aan.

Verre van de authenticiteit van Grimbalds *Leven* te bekrachtigen, had mijn ontdekking vrijwel zeker bewezen dat Leofranc het verzonnen had. En het had ernstige twijfel gezaaid over het bestaan van Wulflac. Dr Locard had mijn hoop op een fundamentele herwaardering van Alfred de grond in geboord, en dat terwijl hij maar een amateur was. Ik voelde me vernederd. Ik hield mezelf voor dat ik net zo'n goede historicus was als hij, ook al had hij blijkbaar alles over mijn onderwerp gelezen en bezat hij een verbijsterend goed geheugen en linguïstisch talent. In mijn ogen was hij iemand die redeneerde als een kapmes, een verwoester in plaats van een schepper, zo kil en logisch en gespeend van iedere verbeeldingskracht dat het verleden voor hem niet tot leven kwam. En hij bleef walgelijk kalm onder zijn triomf. Toen ik naar hem opkeek bedacht ik dat ik hem op dat moment bijna haatte omdat hij niet genoot van zijn overwinning op mij. Het was of hij zo ver boven mij verheven was, dat het hem geen plezier deed mij zo totaal te hebben verpletterd. Mijn enige troost was, dat iets wat aanvankelijk een verslag had geleken van het achterbakse en laffe gedrag van Alfred, nu niets met hem van doen bleek te hebben. Eén belangrijke vraag diende nog beantwoord te worden.

'Wat zijn uw plannen wat betreft de publicatie, dr Locard?'

'Dit is zo belangrijk dat de wetenschappelijke wereld er zo snel mogelijk weet van moet hebben. Het bewijst praktisch dat de complete Grimbald als bron moet worden afgeschreven. Idealiter vraagt dit om een wetenschappelijke uitgave van het manuscript in combinatie met de relevante bronnen. Een reeks uitgaven, om precies te zijn.'

'Zeker,' beaamde ik opgetogen. 'Maar zo'n onderneming zou bezwaarlijk duur worden, zelfs voor een van de universitaire uitgeverijen.'

'Het manuscript is in deze bibliotheek gevonden, waar het bijna achthonderd jaar heeft gelegen,' zei hij met de beheerste passie van een archivaris. 'Leofranc was hier bisschop. Ik zou graag zien dat een dergelijk project zou worden ondersteund door het kapittel. De *Annales Thurcastrienses*.'

Ik staarde hem verbaasd aan. 'Is dat een reële optie?'

Hij nam me mijmerend op. 'Misschien. Op dit moment wordt er van verschillende kanten aanspraak gemaakt op de financiële middelen van de Stichting, maar mocht daar verandering in komen, dan zouden bepaalde gelden vrijkomen.'

Het bleef even stil.

'Voor zo'n uitgave,' zei ik behoedzaam, 'is een geleerde nodig met een grondige kennis van het tijdvak en de bronnen.'

'Iemand zou toezicht moeten houden op het geheel – en dat zou zeer wel een fellow van Oxford of Cambridge kunnen zijn, want hij behoeft niet heel vaak in Thurchester te zijn omdat hij hier een of meer assistenten aan het werk zou hebben. U bent een van de drie of vier best gekwalificeerde wetenschappers op dit terrein, en aangezien het grotendeels aan u te danken is geweest dat het manuscript is gevonden, bent u de voor de hand liggende kandidaat. Die beslissing zou uiteraard niet alleen aan mij zijn. En men kan zich omstandigheden voorstellen waarin mij de beslissing uit handen zou worden genomen door de proost en de rest van het kapittel.'

'Omstandigheden?' waagde ik.

Hij keek me bedachtzaam aan. 'Ik zal eerlijk zijn. Alles hangt af van het proces tegen Perkins en de gevolgen daarvan voor het legaat aan de Stichting.'

'Zijn er nieuwe ontwikkelingen?'

'Een vrouw die beweert de zuster van Stonex te zijn, heeft vanuit Yorkshire naar Thorrold getelegrafeerd.'

'En is ze werkelijk wie ze beweert te zijn?'

'Dat zal uiteraard worden onderzocht, maar het lijkt er wel op. Ze heeft vele jaren als huishoudster in Harrogate gewerkt, maar heeft onlangs een beroerte gehad waardoor ze niet meer in staat is te werken.'

'Dus de Stichting verliest het legaat?'

'Tenzij kan worden bewezen dat het testament is vernietigd tegen de zin van de erflater. Uw verklaring dat hij ernaar heeft gezocht is van doorslaggevend belang, dr Courtine. Thorrold verzekert me dat enkel dient te worden bewezen dat mr Stonex over het testament heeft gesproken zonder de indruk te wekken het te willen herroepen. In dat geval zou het opnieuw kunnen worden opgesteld aan de hand van het klad dat Thorrold gelukkig heeft teruggevonden.'

'Fickling zal blijven ontkennen dat het voorval met de staande klok heeft plaatsgevonden.'

'Na zijn optreden van hedenmiddag is hij zijn geloofwaardigheid als getuige wel kwijt.'

'Hij loog in elk geval over zijn eigen aandeel. Degenen die dit op hun geweten hebben, moeten voor het gerecht worden gebracht.'

'Uw theorie over een broer...'

'Ik besef dat ik het mis had. Die heeft nooit bestaan.'

Hij keek me verrast aan. 'Dus u denkt ook dat Perkins door de zuster is betaald om de oude man te vermoorden en het testament mee te nemen?'

'Als dat zo is,' antwoordde ik met voorbijgaan aan zijn vraag, 'wie heeft hem dan namens haar ingehuurd, als zij in Yorkshire zit?'

'Wat doet het er ook toe,' zei hij bruusk. Hij leek te beseffen hoe onbeschoft hij had geklonken en zei, met zorg zijn woorden kiezend: 'Wat ik bedoel, is dat het onderzoek naar deze kwestie moet worden overgelaten aan de geëigende autoriteiten, te weten Thorrold en de politie. Van hen mag worden verwacht dat zij naar behoren zullen handelen. Het zou hoogst onverstandig van u zijn als u zich nog verder met de zaak bemoeit, dr Courtine. Als u beschuldigingen tegen Fickling gaat uiten, volgen er ongetwijfeld onverkwikkelijkheden waar iedereen onder zal lijden. En u in het bijzonder, als zijn vriend.'

'Onze vriendschap is ten einde. Hij is niet meer degene die ik in Cambridge kende. Toen was hij recht door zee en fatsoenlijk. Behalve dan dat hij zich regelmatig overgaf aan wat hij "bambocheren" noemde – drinkgelagen van meerdere dagen lang, die vermoedelijk tot zijn huidige toestand hebben geleid.'

'Hij is op het verkeerde pad gebracht. Hij staat slecht bekend in de stad. Men heeft hem regelmatig uit de goot gehaald en naar huis moeten slepen. En zijn vriendschap met Slattery heeft voeding gegeven aan geruchten van hoogst onaangename aard.' Hij aarzelde even en zei toen: 'Ze hebben meermalen in het openbaar dronkemansruzies gehad en bij één zo'n gelegenheid heeft hij naar verluidt Slattery trachten te vermoorden. Laten we hier verder maar over zwijgen.'

Op dat moment werd er op de deur geklopt en verscheen het dienstmeisje weer. 'Mevrouw zegt dat het diner gereed is, sir. Ze wacht op u in de eetkamer.'

'Hemeltjelief! Is het al zo laat!' Hij wendde zich tot mij: 'Mijn oprechte verontschuldigingen. Wat vreselijk onbeleefd van mij. Ik was van plan geweest u naar de salon te brengen om u voor te stellen aan mijn vrouw.'

Terwijl we de kamer uitliepen herinnerde ik hem eraan dat ik reeds het genoegen had gehad mrs Locard te mogen ontmoeten. Hij ging me voor naar de eetkamer – een ruime kamer aan de voorkant van het huis – en daar troffen we zijn vrouw aan die op ons zat te wachten.

'Robert heeft het de afgelopen paar dagen zo druk gehad dat ik hem amper heb gezien,' zei ze glimlachend terwijl we elkaar een hand gaven.

'Ja, natuurlijk,' zei ik. 'Zo druk als het al was, is daar nu ook nog die kwestie van het lijk in het monument bij gekomen.'

'En wat is daar het verhaal achter volgens u?' vroeg ze.

Dr Locard was in gesprek met het dienstmeisje over het opdienen van de eerste gang. 'Uw man heeft zeer vernuftig uitgelegd dat het het lichaam moet zijn van kanunnik Burgoyne en dat deze is vermoord door de bouwmeester van de kathedraal, Gambrill.'

'Wat vreselijk! En wat zat daar achter?'

'De kanunnik stond op het punt hem te beschuldigen van moord.'

'Hemel!'

'Daar geloof ik niets van,' zei haar man, zich afwendend van zijn gesprek over de temperatuur van de soep.

Ik bloosde. 'Ik dacht dat u dat zei tijdens ons gesprek van vanochtend.'

'Ik ben er klaarblijkelijk niet in geslaagd mij volkomen helder uit te drukken,' zei hij met een omslachtig soort beleefdheid dat ik kwetsender vond dan wanneer hij bot had gedaan. 'Ik zei dat volgens mij Gambrill méénde dat Burgoyne op het punt stond publiekelijk bekend te maken dat hij Limbricks vader had vermoord. Maar ik denk niet dat Burgoyne werkelijk van plan was dat te gaan zeggen.'

'Wat ingewikkeld allemaal,' mompelde mrs Locard, in mijn richting glimlachend.

'Maar de inscriptie in de muur van de Nieuwe Proosdij,' begon ik, 'suggereert toch dat Gambrill…'

'De inscriptie!' viel hij uit. 'De inscriptie heeft niets te maken met de moord op Burgoyne. Die is pas aangebracht rond 1660 en heeft bovendien betrekking op de moord op Freeth.'

'Werkelijk? Het is hoogst onduidelijk waarnaar de tekst precies verwijst.'

Dr Locard zei: 'De bewoordingen zijn dubbelzinnig omdat het werd aangebracht in de tijd dat de Burgoynes nog veel macht bezaten. Het aanbrengen was het werk van de kanunniken, en dan met name van Champniss, de sacristein.'

'Champniss was de ooggetuige van wie Pepperdine meer dan twintig jaar later het relaas hoorde. Ik had me niet gerealiseerd dat hij de sacristein was. Maar u wilt toch niet beweren dat hij dezelfde persoon was als de man die belachelijk werd gemaakt door Burgoyne en Gambrill en daar een zenuwinzinking van kreeg? Die moet toen toch allang dood zijn geweest?'

'Die bedoel ik wel degelijk. Verrassend genoeg overleefde hij de meeste andere kanunniken. Hij was een trouwe vriend van Freeth en diens dood greep hem erg aan, en daarom was de inscriptie in feite een aanklacht wegens moord, gericht tegen de familie Burgoyne.'

'En had hij daarin gelijk?'

'Na het beleg werd de officier die het bevel voerde over de stad en derhalve in zekere zin verantwoordelijk was voor de dood van Freeth...'

'Excuses dat ik u onderbreek,' zei ik, 'maar dat verhaal ken ik.'

'Dan weet u ook dat die officier William Burgoyne was, de neef van de thesaurier, en dan begrijpt u ook waarom de kanunniken hem als de verantwoordelijke persoon beschouwden.'

Ik knikte. Maar uiteraard was ik verbijsterd over dit nieuwe gegeven. In dat geval was de uitleg die ik gistermiddag had gehoord onjuist: de bevelhebbende officier had niet in koelen bloede gehandeld om de stad te redden, maar om een familie-onrecht te wreken. Ik herinnerde me dat Champniss in het verslag van Pepperdine deze officier op een haar na had beschuldigd van de moord op Freeth. Zelfs na de nederlaag van de Rondkoppen zou het nog gevaarlijk zijn geweest zo'n machtige familie als de Burgoynes openlijk aan de kaak te stellen. Het was dus niet onwaarschijnlijk dat de kanunniken de bedekte beschuldiging hadden geformuleerd die schuilging achter de dubbelzinnige bewoordingen van de inscriptie.

Het bleef een tijdje stil terwijl het meisje de soepborden afruimde.

'Maar wie wilde Burgoyne dan wel aanklagen, als het Gambrill niet was?' vroeg ik.

De bibliothecaris glimlachte mysterieus. 'Herinnert u zich dat een van de koorknapen stierf tijdens de Grote Storm?' Ik knikte. 'Dat was een neefje van Gambrill.'

'Was dat toeval?' Ik herinnerde me dat dr Locard de mogelijkheid had geopperd dat de jongen was vermoord. 'Wilt u hiermee suggereren dat hij is vermoord door Burgoyne?'

'Hoe zou ik kunnen weten wat er die nacht is gebeurd? Ik kan alleen maar gissen, en dat kunt u even goed als ik. Vermoedelijk beter.'

Als Burgoyne de jongen had omgebracht, moest hij daar een motief voor hebben gehad. Een bijzonder sterk motief. Wat zou dat geweest kunnen zijn? Opeens besefte ik waarop dr Locard had gezinspeeld.

Ik keek snel even naar mrs Locard, die iets besprak met het meisje. 'Ik geloof dat ik begrijp wie Burgoyne op het punt stond aan te klagen.'

Hij knikte. Op dat moment wendde zijn vrouw zich weer tot ons en zei: 'Neemt u mij niet kwalijk, dr Courtine. U zei dat de arme kanunnik werd vermoord door de bouwmeester. Maar wie heeft hém dan vermoord?'

'Een heel goede vraag,' zei ik.

'Limbrick,' zei dr Locard. 'Zijn handwerksgezel.' Toen hij mijn sceptische

blik zag, vroeg hij: 'Als Gambrill geen hulp zou hebben gehad van een tweede man, hoe zou het hem dan zijn gelukt om de steen op z'n plek te krijgen
waarmee Burgoyne levend in zijn graf werd opgesloten?'

Ik haalde mijn schouders op: 'Zouden ze die klus zelfs met hun tweeën
hebben kunnen klaren?'

'Dat moet geen enkel probleem zijn geweest met behulp van de katrol die
voor dat doel klaar hing aan de steiger. De steen werd in evenwicht gehouden met loden contragewichten, waardoor ze hem langzaam naar beneden
konden laten zakken en op de juiste plek konden krijgen.'

'Dat moet zelfs voor twee man moeilijk zijn geweest,' mompelde ik.

'Hebt u een betere verklaring, dr Courtine?' zei hij met een strak glimlachje.

'Ik kan me alleen maar te buiten gaan aan een hypothese. Ik geloof dat ik
me kan voorstellen wat er die nacht is gebeurd...'

'We dienen ons wel aan de feiten te houden,' onderbrak de bibliothecaris
mij. 'Gegeven de bewijzen die we hebben, moet het als volgt zijn gebeurd.
Toen Burgoyne die nacht de sleutel ophaalde en de kathedraal inliep, werd
hij gevolgd door Gambrill en Limbrick. Ze vielen hem aan, sloegen hem
bewusteloos en misschien dachten ze wel dat ze hem hadden vermoord.
Toen tilden ze hem op de steiger, duwden hem in het monument en sloten
dat af met de steen.'

'Een karwei dat vijf à zes man zelfs nog moeite zou hebben gekost,' onderbrak ik hem. Zijn hypothese kwam me veel fantastischer voor dan de
mijne.

Dr Locard knikte om aan te geven dat hij mijn tegenwerping had gehoord, maar er geen aandacht aan zou schenken. 'Limbrick vermoordde
vervolgens Gambrill door de steiger op hem te laten neerstorten.'

'Waarom trokken ze Burgoynes bovenkleding uit en trok Gambrill die
aan?'

'Dat is slechts een detail.'

'Om echt overtuigend te zijn moet een uitleg alles verklaren.'

Terwijl hij opstond om het vlees te snijden dat het dienstmeisje op tafel
had gezet, zei mijn gastheer: 'Dat is een onrealistische verwachting en, als ik
zo vrij mag zijn, ook een beetje vreemd uit de mond van een historicus.'

Die opmerking stak me, maar ik bedacht dat mijn wraak zou liggen in het
vinden van het bewijs dat hij het mis had. Zijn kapmes-redenering liet het
element van het onbekende buiten beschouwing, want daarvoor diende men
over verbeeldingskracht te beschikken.

Ik forceerde een glimlachje. 'Dan zitten we met twee nogal uiteenlopende
opvattingen. Naar mijn mening is een hypothese pas echt sterk als ze ook de
onregelmatigheden verklaart. Het is niet moeilijk om er een te verzinnen die

zo'n beetje de grote lijnen van een raadsel kan duiden. Maar als dat ten koste gaat van de weerbarstige elementen, kan zo'n hypothese niet als afdoende worden beschouwd.'

'Wat zou dan wel aan uw eisen voldoen, dr Courtine?'

'Een verhaal dat op sommige punten misschien bizar klinkt, maar wel een verklaring biedt voor elke onregelmatigheid. En om zo'n verhaal te bedenken, dient er een beroep te worden gedaan op de verbeeldingskracht.'

Dr Locard perste afkeurend zijn lippen op elkaar. 'Dat is niet de taak van een historicus.'

'Maar het alternatief is een destructieve aanpak die even hachelijk is. Wanneer er tegenstrijdigheden of ongerijmdheden voorkomen, worden die afgedaan als een gevolg van misvattingen of leugens. Maar in historische documenten is vaak een omstandigheid of motief onvermeld gebleven waarmee schijnbare tegenstrijdigheden verklaard hadden kunnen worden. Het enige wat ik wil zeggen, is dat een historicus het ontbrekende stukje van de puzzel moet zien te vinden.'

'Dat ben ik niet met u eens. Het is de plicht van de historicus zich aan de bekende feiten te houden en niet voor de dag te komen met hersenschimmen uit zijn eigen verbeelding. In het onderhavige geval weten we dat Limbrick een reden had om Gambrill te haten en dat hij later met diens weduwe trouwde. Dat is voldoende om de eenvoudige en voor de hand liggende verklaring te accepteren dat de twee mannen Burgoyne doodden en dat Limbrick vervolgens zijn werkgever vermoordde. Het zou onlogisch zijn — zo niet ronduit pervers — om dat niet te willen zien.'

Ik wendde me tot mrs Locard. 'Ik neem wat dit betreft een minderheidsstandpunt in. De rechter van instructie zei vanmiddag vrijwel hetzelfde toen hij de jury waarschuwde geen geloof te hechten aan een theorie van mij.'

Het dienstmeisje overhandigde mij de schaal met het vlees dat zojuist was aangesneden door de heer des huizes. 'Ik erken het bestaan van enkele onbeduidende onregelmatigheden,' zei dr Locard, 'in de uitleg aangaande de moord op de oude heer die de rechter de jury voorhield...'

Ik moest hem wel in de rede vallen: 'Het tijdstip waarop de dood intrad? De onmenselijke verminking van het gezicht van het slachtoffer? Onbeduidend?'

Alsof ik niets had gezegd, vervolgde de bibliothecaris: 'In essentie is het allemaal zo eenvoudig. Perkins werd aangezet tot deze moord. Hij werd betaald om de oude heer om te brengen en diens testament te zoeken.'

'Bent u het daar niet mee eens, dr Courtine?' vroeg mrs Locard.

'Ik weet zeker dat de jongeman onschuldig is.'

'Het verbaast me oprecht dat u dat zegt,' zei haar man. 'Desondanks heb ik nog hoop dat tegen de tijd dat hij moet voorkomen het bewijs zal kunnen worden geleverd dat er een connectie bestaat tussen hem en mr Stonex' zuster.'

'Het testament is dus nog niet teruggevonden?' vroeg zijn vrouw. 'En zij krijgt de erfenis?'

'Perkins moet zijn betaald voor de moord,' zei dr Locard. 'Ik verwacht dat het bewijs daarvoor wel zal worden gevonden.'

'Nee,' antwoordde ik mrs Locard. 'Het testament is nog niet teruggevonden.' Het verbaasde me dat haar man haar dat niet had verteld.

'En dat zal ook niet meer gebeuren,' zei dr Locard. 'Perkins heeft het gevonden toen hij het huis ondersteboven haalde. Dat feit zal zeker aan het licht komen. En daarom, dr Courtine, zou het raadzaam zijn als u in uw getuigenverklaring tijdens zijn proces deze kwestie niet onnodig compliceert door te zeggen dat het huis reeds was doorzocht. Dat zaait alleen maar verwarring bij de jury.'

'Het is niet meer dan een onbeduidende onregelmatigheid,' opperde ik.

Hij keek me even scherp aan. 'Precies. En probeer ook andere zaken te vermijden die de boel vertroebelen, bijvoorbeeld dat de oude man de boodschap van de lei veegde, met welk verhaal u opeens kwam aanzetten terwijl u er tegen de politie geen melding van had gemaakt.'

'Mijn geheugen speelde mij parten en het schoot mij echt pas op dat moment weer te binnen.'

Dr Locard zei uiterst behoedzaam: 'U hebt zich zoveel herinnerd dat ik hoopvol gestemd ben dat u zich nog meer zult herinneren.'

'Dat is zeer wel mogelijk,' zei ik. 'Het geheugen is een wonderlijk iets.'

We waren net begonnen te eten, maar nu legde hij zijn mes en vork neer en zei: 'Er wordt maar heel weinig van u gevraagd. Thorrold verzekert me dat een verklaring onder ede van u voldoende zou zijn om het testament van mr Stonex te bekrachtigen. Hij heeft het opnieuw opgesteld op grond van zijn aantekeningen.'

'Thorrold? De executeur-testamentair van Stonex?'

'Hij vertegenwoordigt eveneens het kapittel.' Ik was verbijsterd. Was het belachelijk kritisch van mij om te vinden dat er hier bij de rechtsgeleerde duidelijk sprake was van belangenverstrengeling? 'Zo'n zet zou uiteraard worden aangevochten door de zuster, maar Thorrold denkt dat het een redelijke kans maakt te worden geaccepteerd. Zeker als Perkins wordt veroordeeld.'

'En wat zou ik me dan moeten herinneren?'

'Alleen maar dat mr Stonex melding maakte van het feit dat hij het testament had gevonden in de klokkast en zei dat hij het ergens veilig wilde opbergen – misschien bij zijn notaris of op de bank.'

'Fickling zou dat tegenspreken. Hij zou me van liegen beschuldigen.'

Hij duwde zijn bord van zich af. 'Laat ik volkomen eerlijk zijn. Deze zaak heeft vertakkingen naar Fickling, Slattery, ten minste één van mijn medekanunniken en nog een aantal individuen, waar u als buitenstaander volgens mij absoluut geen benul van hebt. Indien Thorrolds reconstructie van het testament wordt aanvaard en bekrachtigd, hoeft geen van deze verdere implicaties openbaar te worden gemaakt, aangezien de zuster van de overledene – of wie Perkins ook het geld gaf – niets zou winnen bij zijn veroordeling of een eventueel ontslag van rechtsvervolging. De nalatenschap zou worden verdeeld overeenkomstig de bepalingen in het testament, ongeacht de vraag wie de erfgenaam van mr Stonex is. Als het gereconstrueerde testament echter niet wordt geaccepteerd, zullen er tijdens het proces tegen Perkins onvermijdelijk bepaalde feiten boven water komen. Ik hoop van harte dat dit kan worden vermeden, want het zal vele mensen ernstig schaden – maar als dat de prijs is die hiervoor moet worden betaald, dan moet dat maar.'

Er viel een stilte. Mijn blik gleed van het gezicht van mijn gastheer naar dat van zijn vrouw, die enigszins rood was aangelopen en haar ogen had afgewend. Ik koos mijn woorden zorgvuldig: 'Ik aarzel om zo'n verklaring onder ede af te leggen, gegeven het feit dat het leven van een mens op het spel staat in dit proces.'

Dr Locard zei op zachte, gespannen toon: 'Als u een verklaring onder ede aflegt waardoor het testament kan worden nageleefd, dan kunt u tijdens het proces verder zeggen wat u wilt. Het zou dan immers niets meer uitmaken of Perkins wordt veroordeeld of niet.'

'Maar als ik dat niet onder ede verklaar, zou dan het proces een hoogst onaangename ervaring worden?'

'Dat is onvermijdelijk. Want Fickling zou dan in diskrediet moeten worden gebracht door bepaalde omstandigheden bekend te maken, en dat zou ook uiterst onprettig voor u zijn.'

Ik antwoordde niet. Door het pakket met de fotografische platen die van Sheldrick waren gestolen, af te leveren bij de proost, had ik hem, bedacht ik nu, een wapen in handen gegeven dat onder bepaalde omstandigheden kon leiden tot de dood van Perkins. En ik betreurde de impulsieve naïviteit die mij daartoe had gebracht.

Dr Locard vervolgde: 'Geen erger venijn dan kwade tongen, en niemand zou gespaard blijven. Begrijpt u mij, dr Courtine?' Ik staarde hem aan zonder iets te zeggen. 'Eén consequentie zou zijn dat ik mijn medekanunniken er onmogelijk van zou kunnen overtuigen u de publicatie van het manuscript toe te vertrouwen, want iedere vroegere kennis van Fickling zou onder verdenking staan. U bent ongetrouwd, is het niet?'

'Ik heb geen vrouw.'

Hij keek even naar zijn vrouw en wendde zich toen weer tot mij: 'Een

ongetrouwde vriend van Fickling zou, om het ronduit te zeggen, buitengewoon kwetsbaar zijn voor roddels van de meest boosaardige soort.'

Mrs Locard sloeg haar ogen neer.

'Ik heb niets te verbergen.'

'Daar twijfel ik niet aan, dr Courtine. U bent misschien bereid dat risico
voor uzelf te aanvaarden, maar kunt u dit uw familie en vrienden aandoen?'

'Ik heb geen familie.'

'Echt niemand?' riep mrs Locard uit, in een poging het gesprek een andere
wending te geven. 'Wat treurig nu. Geen broers of zusters?'

Dr Locard keek met een geïrriteerde blik weg.

'Ik had maar één zus – ze is vier jaar geleden overleden. Haar dochter is
de enige familie die ik nog heb. Ik ga naar haar en haar man toe voor de
feestdagen.'

'Hebben ze kinderen?'

'Twee meisjes. Mijn tas zit vol cadeautjes voor ze.'

'Ik zie dat u een toegewijde oom bent – voor haar en de meisjes. Maar u
hebt zelf geen kinderen?'

'Wat ik al zei, ik heb geen vrouw.'

Ik had kribbiger gesproken dan mijn bedoeling was geweest en zag dat ze
daardoor was aangeslagen.

Op dat moment kwam het dienstmeisje binnen en ze overhandigde haar
werkgever een briefje. Zich bij mij verontschuldigend, opende en las hij het.
'Het spijt me vreselijk, maar ik word verzocht naar de proosdij te komen.'

'Zo laat nog?' liet zijn vrouw zich ontvallen.

'Er heeft zich iets voorgedaan dat de proost met mij wenst te bespreken'

'Maar Robert, je hebt nauwelijks iets gegeten.'

'Neem me niet kwalijk, alstublieft,' zei dr Locard tegen mij. 'Ga vooral
verder met het dessert, ik hoop mij zeer spoedig weer bij u te voegen in de
salon.'

Zodra hij ons verlaten had, zei ik: 'Ik moet u mijn excuses aanbieden voor
mijn botheid van daarnet. Ik weet niet waarom ik zo kortaf deed.'

'Ik had u zoiets niet mogen vragen,' zei ze.

'Natuurlijk wel. De schuld ligt geheel aan mijn kant. Ik ben nog steeds in
de war van wat er zich in de afgelopen twee dagen allemaal heeft voorgedaan.'

'Het spijt me zo verschrikkelijk dat u in die vreselijke toestand met mr
Stonex verwikkeld bent geraakt. Het moet zeer schokkend voor u zijn geweest.'

'En daar komt nog bij dat ik zojuist een van de meest onaangename ervaringen van mijn leven heb gehad. Te moeten ontdekken dat een oude
vriend... helemaal geen vriend is.'

Ik keek even op en zag haar grijze ogen op mij rusten. 'Ik had zo'n angstaanjagende nachtmerrie vannacht. Vanmorgen, moet ik eigenlijk zeggen. Ik werd wakker met een duister gevoel van wanhoop dat me vandaag niet meer verlaten heeft. Vreemd eigenlijk dat ik het meest geschokt ben door iets wat niet echt is gebeurd.'

'Het verbaast me niets dat u een nachtmerrie had. U bent in de afgelopen twee dagen zozeer in de nabijheid geweest van de dood – een gewelddadige dood.'

'En toch leek de droom daar niets mee van doen te hebben. Ik geloof dat het kwam door de herinnering aan een verhaal dat ik onlangs heb gelezen – iets onzinnigs wat me van mijn stuk bracht, al zou ik werkelijk niet weten waarom. Ik geloof dat de dood me niet zo verontrust, want toen ik vanmorgen naar het lijk van Burgoyne keek vond ik het enkel treurig en ontroerend. Hetzelfde geldt voor mr Stonex. Hij stierf een gruwelijke dood, maar rust nu in vrede. Wat mij van streek heeft gemaakt, is het besef van het kwaad.'

'Dat beiden zijn vermoord?'

'Moord maakt er deel van uit. Maar het kwaad manifesteert zich niet alleen in moorden. En de hemel weet dat niet alle moorden voortkomen uit het kwaad.' Bij het zien van haar niet-begrijpende blik zei ik: 'Bijvoorbeeld, als Perkins mr Stonex had vermoord, zou dat eerder uit hebzucht en domheid zijn dan uit kwaadaardigheid.'

'Maar u gelooft niet dat hij het heeft gedaan?'

'Nee. Ik weet zeker dat hij is vermoord uit pure boosaardigheid, en dat heeft me zo geschokt.' Ik was absoluut niet van plan haar een beschrijving te geven van het beestachtig verminkte gelaat van de oude man. 'De overtuiging dat ik mij in aanwezigheid van het kwaad heb bevonden.'

'Mensen bedoelen zulke verschillende dingen met dat woord.'

'Voor mij betekent het plezier beleven aan het pijn doen van anderen, of aan het zien van de pijn van anderen.'

'Maken we ons daar niet allemaal weleens schuldig aan?' Die woorden, uit haar mond, shockeerden me.

Misschien omdat ik zo verbaasd was, zei ik tegen wil en dank: 'Ik heb dat vandaag inderdaad bij mijzelf moeten constateren, en ik denk dat dát me nog de meeste schrik heeft aangejaagd.'

Ogenschijnlijk onbewogen onder mijn bekentenis, zei ze: 'Als we eerlijk zijn, herkennen we dat allemaal in onszelf. Ons geloof leert ons kwaad met goed te vergelden. Maar dat is moeilijk.'

Ik wilde haar niet vertellen dat haar geloof niet het mijne was. En had ik het christelijk bijgeloof wel werkelijk afgeworpen als ik nog steeds kon spreken van 'het kwaad'?

'Het is vooral moeilijk als degene die wreed is, vroeger je vriend is geweest,' zei ik, 'en daardoor weet hoe hij je het ergst kan kwetsen.'

'En toch, denkt u niet dat alleen mensen die zelf ongelukkig zijn, anderen pijn willen doen?'

'Ik vermoed van wel, ja. Maar ik ben diep geschokt door de kwaadaardigheid die hij tegenover mij aan de dag legde, zijn woede en zijn intense verlangen mij pijn te doen. En dat joeg me zo'n angst aan in mijn nachtmerrie – het besef van het kwaad.'

'Wilt u mij er niet over vertellen? Bij mij helpt het vaak om de gevolgen van een nachtmerrie te verdrijven door er met iemand over te spreken.'

'Het lijkt me egoïstisch u ermee op te zadelen.'

'Ik ben oprecht geïnteresseerd. Ik zou het graag horen, dr Courtine. Maar laten we naar de salon gaan en daar onze koffie drinken.'

Een paar minuten later zaten we op de brede sofa in de helder verlichte kamer, met voor ons een vrolijk knappend haardvuur. Mijn gastvrouw drong erop aan mijn belofte gestand te doen.

'Welnu, het was heel vreemd,' begon ik. 'Ik hield mijn armen geklemd rond een of ander wezen – iets wat de meest weerzinwekkende stank verspreidde. Mijn ogen waren gesloten. Het leek of ik ermee vocht. Ik bevond me ergens hoog in een gebouw. Ik denk dat ik op een bed lag. Er krijsten vogels buiten het raam. Wat mij zo schokte was mijn overtuiging dat het monsterlijke gedrocht op een bepaalde manier aanspraak op mij kon maken. Het was bijna een deel van mijzelf. In wanhoop en om mijzelf te redden, rukte ik het een arm af – of beter gezegd, zoiets als een arm, al leek het meer op een vleugel of een tentakel – en ik voelde pijn in mijn linkerarm. Toen werd ik wakker – in mijn droom bedoel ik, al dacht ik werkelijk te zijn ontwaakt – en ik bemerkte op de sofa in mijn kamer op de faculteit te liggen. Ik was bevangen door een afschuwelijk, diepzwart gevoel van wanhoop. Er was een periode in mijn leven dat ik op die sofa sliep. Dat was niet de gelukkigste tijd van mijn leven. Toen werd ik echt wakker en vond ik mijn eigen platgedrukte arm onder mij. Ik had erop liggen slapen en alle gevoel was eruit verdwenen.'

Ze huiverde meelevend. 'Nachtmerries zijn net gieren die op ons komen azen zodra we op ons zwakst zijn.'

'Ik heb hier sinds mijn aankomst slecht geslapen. Ik zal blij zijn de stad te verlaten.' Morgen zou ik een lange treinreis maken, van de ene naar de andere plek waar ik niet welkom was. 'Excuus. Dat was nogal onbeleefd van me.'

'Helemaal niet. U zult wel uitzien naar de kerstdagen, en de kinderen zullen opgetogen zijn bij het vooruitzicht hun oom weer te zien.'

'De waarheid is dat ik er vreselijk tegen opzie.'

Als mijn woorden haar verrasten, liet ze daar niets van blijken en ze wachtte op wat ik verder zou zeggen met een uitdrukking waaruit zo duidelijk sympathie sprak en die zo verschilde van platte nieuwsgierigheid, dat ik vervolgde: 'Ze zijn zo gelukkig met hun nieuwe baby en zo verliefd op elkaar, dat ik niet weet of ik wel welkom ben. Ze vragen me elk jaar omdat ze het sneu vinden dat ik alleen ben met de kerst.'

'Ik weet zeker dat ze u graag bij zich hebben. Ik weet het zeker.'

'Waarom zouden ze?'

'U komt me voor als een zeer vriendelijk iemand. Met goede intenties, eerbaar. Excuseert u me dat ik zo vrijmoedig spreek, maar ik kan niet geloven dat u geen vrienden hebt die van u houden.'

Ik glimlachte. 'Een paar oude makkers op de faculteit, net zo dor en saai als ik. Ik denk niet dat de uitdrukking "houden van" helemaal correct is om onze wederzijdse gevoelens te beschrijven. Ik had net als altijd bij hen op de faculteit moeten blijven en me niet moeten opdringen aan mijn nicht. Het is afschuwelijk als je je treurig voelt om het geluk van anderen. En je krijgt zo'n schuldbesef omdat je ze hun geluk misgunt.'

'Het is niet meer dan normaal dat te voelen,' zei ze. 'Maar het is niet hetzelfde als ze kwaad toewensen.'

'Nee, nee. Ik wens niemand kwaad toe. Ik zou er alleen zelf wat beter aan toe willen zijn. In mijn jeugd had ik nooit kunnen raden dat ik rond m'n vijftigste zo weinig het mijne zou kunnen noemen. Ik dacht dat alles wat ik wilde gewoon zou gebeuren. Ik heb mijn enige kans verspeeld.'

Ik had meteen spijt van mijn confessie, en misschien omdat ze dat aanvoelde, zei ze: 'Ik denk dat je nog eenzamer kunt zijn wanneer je niet alleen bent.'

De eerlijkheid van deze bekentenis verraste me. Ik had voldoende meegekregen van de wijze waarop haar man haar behandelde om me een idee te vormen van hun leven samen. Op dat ogenblik kwam mij ongevraagd een levendig beeld voor ogen van wat ik twee uur eerder in de voorkamer had gezien, en opeens scheen het mij toe dat ik een leven had geleid zonder enige moed of lef. Dat hadden Burgoyne en Fickling tenminste wel gedaan.

'Vooral,' zei ze, 'als er geen kinderen zijn.'

'Daarover voel ik veel wroeging,' zei ik en ik herinnerde me wat Fickling had verteld over het verlies van mrs Locards kind. 'Dat voel ik steeds sterker naarmate ik ouder word.'

Ze glimlachte triest naar me: 'Ik heb oudere heren dan u gekend die nog trouwden en kinderen kregen.'

'Wat het huwelijk betreft, heb ik mijn enige kans al gehad.'

'Maar ik dacht dat u zei dat u geen vrouw hebt.'

'Ik kan niet trouwen. Ik was daarnet niet alleen kortaf, ik sprak ook niet de hele waarheid. Ik zei tegen u dat ik geen vrouw heb. Maar de waarheid is…' Ik zweeg.

'U hoeft me niets te zeggen,' zei ze zachtjes.

'Ze heeft me verlaten. Dat heeft me gebroken. Ik was er volledig kapot van. Het is gemakkelijker om de indruk te wekken dat ze dood is. Ik heb lange tijd proberen te doen of ze dood is. Maar ik weet nu dat dat verkeerd is. Niet zij was al die jaren dood, maar ik.'

'Ik begrijp wat u bedoelt. Als je van iemand houdt, vertrouw je diegene je gevoel van eigenwaarde toe en als je dan wordt afgedankt, denk je diep in je hart en met alles in je, dat de werkelijke reden is dat jij waardeloos bent. Dat is een vorm van doodgaan.'

'Dat drukt precies uit wat ik voelde. Mag ik u het hele verhaal vertellen?'

'Weet u zeker dat u dat wilt?'

'Ja, al heb ik er nog nooit met iemand over gesproken. Er is genoeg gelogen en verzwegen en ik zou nu graag de waarheid vertellen. Als u het tenminste niet erg vindt om een afgezaagd verhaal aan te horen.'

'Ieder verhaal is uniek.'

'Twintig jaar geleden trouwde ik met een vrouw – een meisje nog, ze was tien jaar jonger dan ik. Ze was de dochter van de master van een faculteit in Oxford. Ze was beeldschoon. Heel lief en heel erg mooi. Ik hield van haar en ik dacht, en dat denk ik nog steeds, dat ze ook van mij hield – aanvankelijk. En we waren in het begin ook gelukkig. In het begin! Maar het ging allemaal zo snel. Onze tijd samen heeft zo kort geduurd – slechts een paar maanden. De eerste keer dat ik haar zag was ze vijftien. Toen werd ze echter naar het buitenland gestuurd om haar opleiding voort te zetten en ik zag haar pas weer op een kerstdag – vlak nadat ik tot fellow was verkozen aan mijn oude faculteit, Colchester. Ik deed haar in januari een aanzoek en we trouwden in april. Na onze wittebroodsweken – die we doorbrachten op een Schots kasteel van familie van mijn vrouw – betrokken we een huis dat eigendom was van mijn faculteit. We waren gelukkig toen. Ik had een vriend. Een oude vriend uit mijn studententijd. Zijn studieresultaten waren zo teleurstellend dat hij zijn hoop ooit nog fellow te worden had moeten opgeven, maar hij was in de stad blijven hangen en gaf les aan een van de koorscholen. Hij was ad rem en innemend en maakte mijn vrouw aan het lachen en daar kwam nog bij dat hij kon zingen en fluit spelen en zij speelde piano en zong, dus musiceerden ze samen avonden lang. En ik was hem dankbaar, want ik ben bang dat ons leven nogal saai voor haar was. Ze moet eenzaam zijn geweest, want ze kende maar weinig jonge vrouwen in Cambridge. Ik had het erg druk met mijn werk – ik was nu onderdecaan van de faculteit – en met mijn historisch onderzoek, en ik bracht hele dagen door op de faculteit en de meeste avonden in mijn bibliotheek. Toen begon mijn vriend een kennis van hem mee te nemen. Ik was een domoor. Een zelfgenoegzame, zelfingenomen domoor. De rest laat zich eigenlijk wel raden.'

'Vertelt u verder als u wilt,' zei ze heel vriendelijk.

'Ik doorzag tegelijkertijd wel en niet – of ik wilde het niet doorzien – waar mijn vriend mee bezig was. Vele jaren later heb ik het hem pas vergeven. Of beter gezegd, ik dacht dat ik het hem had vergeven, want ik liet mijzelf in de waan dat hij geen kwalijke rol had gespeeld in wat er gebeurde. Ik ben er pas onlangs achtergekomen dat hem wel degelijk viel aan te wrijven waarvan ik hem verdacht. Hij moet me hebben geminacht. Ik neem aan dat hij me mijn geluk benijdde. Ik maakte carrière als geleerde en was gelukkig getrouwd. Hij bevond zich in geen van beide gelukkige omstandigheden. Hij benijdde me daarom, en ik denk dat hij zelfs wat jaloers op mij was. En misschien wilde hij zijn vriend een dienst bewijzen, al ging dat ook ten koste van mij. Die vriend was iemand op wie hij erg gesteld was. Buitengewoon gesteld. Het verhaal is banaal – iets uit een Frans romannetje. Zoals ik al zei was mijn vrouw nog jong, beeldschoon, en ze was zelfs vermogend. Dat had ik nog niet verteld, is het wel? Haar moeder had een grote erfenis gekregen. Mijn vrouw was dus een geweldige partij. Ik was een zeer fortuinlijk man. En in zekere zin was ik me daarvan bewust, en tegelijkertijd ook niet. Mijn vriend, de leraar, kwam steeds minder vaak langs en dan kwam zijn vriend alleen, al moet ik zeggen dat hij nooit een vriend van mij is geworden, want hij had iets wat mij niet aanstond. Hij was knap, innemend, en kon zeer onderhoudend zijn als hij wilde. Hij had in exotische oorden gewoond en ongewone dingen gedaan. Hij had wat geld van zichzelf. Genoeg om zich een zekere stijl te kunnen veroorloven, maar niet voldoende om het soort leven te leiden dat hij werkelijk ambieerde. Hij schreef gedichten en moet een verpletterende indruk hebben gemaakt op een jonge vrouw die enkel dorre universiteitsheren had gekend. Maar hij was haar niet waardig. Ik voelde me zo vernederd dat ze hem boven mij verkoos.'

Even kon ik niets meer uitbrengen.

'De ergste tijd, denk ik, de ergste tijd van alle erge tijden was toen ik wel een vermoeden had, maar nog geen zekerheid. Dat was in de laatste weken van het derde trimester, net voor de zomervakantie. Zo was er die keer dat ik onverwachts thuiskwam, toevallig langs een open raam liep en hen in de salon zag zitten. Ze keken elkaar alleen maar aan, ze glimlachten niet, ze zeiden niets, ze zaten alleen tegenover elkaar op de uiteinden van een sofa en staarden elkaar aan, en daar sprak zo'n gevoelsintensiteit uit dat het bijna tastbaar was. Ze zag er zo lief en onschuldig uit, en toch dacht ik dat ze van plan was mij te bedriegen. Ik begon haar te volgen. Ik schaam me nu zo voor mijzelf. Als ze dacht dat ik op de faculteit was, sloop ik als een dief door de straten rond ons huis om te zien waar ze heenging, wie ze ontmoette. Het vreemdst was wel dat ik doodsbang van haar werd.'

'Doodsbang?'

'Ja, letterlijk bang. Ze kon me zo veel pijn doen. Ik voelde dat ik haar verkeerd had ingeschat. Zij was niet degene op wie ik verliefd was geworden. Het onschuldige, lieve jonge meisje waarvan ik hield had niet zo wreed tegen mij kunnen zijn. Ik denk dat mijn achterdocht haar er in een pervers soort omkering toe heeft aangezet. Ik denk dat ik een vermoeden van de waarheid had nog voor er iets te vermoeden viel, of tenminste lang voordat de situatie hopeloos was geworden. Maar ik zei niets. Ik merkte er niet met haar over te kunnen praten. Toen ik er ten slotte achterkwam... Toen ik achter de waarheid kwam... Want iedereen in Cambridge wist er eerder van dan ik. Ik voelde me zo vernederd. Nee, ik denk dat ik wel weet wat u nu denkt. Maar het was niet de openlijke schande die ik haar niet kan vergeven. Ik bleef nadien immers in Cambridge, terwijl ik net zo goed mijn baan had kunnen opzeggen en had kunnen vertrekken. Maar ik merkte wel dat ik niet langer in dat huis kon blijven. Ik was er doodsbang voor. Ik ging op de sofa in mijn kamers op de faculteit slapen. Na een jaar zei ik het huis op.' Het duurde even voor ik weer iets kon zeggen. 'Pardon, maar ik weet niet meer wat ik u nog wilde vertellen.'

'U was bezig te vertellen hoe u erachter bent gekomen. Maar als u het te pijnlijk vindt, hoeft u niet verder te vertellen.'

'Het escaleerde allemaal in de zomervakantie. We gingen met ons drieën – mijn vrouw en ik en mijn vriend de leraar – naar zee, naar Great Yarmouth om precies te zijn. Ze was heel stil, heel verdrietig. Ik was bang dat ze haar minnaar miste, maar ik wist nog steeds niet zeker wat ze voor hem voelde of wat er tussen hen was voorgevallen. Ik bleef proberen er met haar over te praten, maar ik kon het niet. Toen, op de vooravond van ons vertrek naar Cambridge, lukte het me eindelijk het onderwerp ter sprake te brengen. Tot mijn afschuw – en mijn opluchting, neem ik aan – bekende ze. Ze vertelde me het hele verhaal. Dat ze had gedacht dat ze van mij hield, maar dat ze toen ze deze man had leren kennen, pas echt had begrepen wat hartstocht was. En hij had haar gevoelens beantwoord, zei ze, met een kracht die ze van mij niet kende. Al weet God dat ik haar aanbad. Ik vermoed dat ik niet over het vermogen beschikte om deze gevoelens te uiten, zoals haar nieuwe vriend. Ze vertelde me dat onze vriend, de leraar, van begin af aan zijn vermoedens had gehad en ze zei dat hij hen leek aan te moedigen.' Ik keek naar de grond. Ik voelde dat ik lang genoeg om de hete brei heen had gedraaid. Ik zei: 'Ze waren minnaars geworden, vertelde ze me.' Ik zweeg en verborg mijn gezicht in mijn handen. 'Zij was niet degene op wie ik verliefd was geworden en met wie ik getrouwd was. Zij was niet het onschuldige meisje waarvan ik hield. Dat was het echte bedrog.'

Ik voelde dat mijn arm werd aangeraakt en liet mijn handen zakken. Mrs Locard bekeek me bezorgd. 'Vergeef me dat ik het zeg, dr Courtine, maar misschien lag daarin de oorzaak van het misverstand tussen u beiden. U dacht dat u met een onschuldig jong meisje was getrouwd en misschien vond zij dat ze dat niet langer was – zo ze het al was toen u haar leerde kennen.'

Ik dacht aan Ficklings wrede woorden over het waarom van haar huwelijk met mij.

'Bedoelt u dat ze onder valse voorwendselen met me is getrouwd?'

'Dat niet precies. Of in elk geval niet opzettelijk. Het kan zijn dat ze meer en meer ging beseffen dat u niet begreep wie zij werkelijk was, dat u slechts een deel van haar zag. U wilde dat zij een lief jong meisje bleef, maar zij werd volwassen en ontwikkelde zich en veranderde.'

'En ik was te zeer in mijn werk verdiept om dat te zien? Ja, daar zou enige waarheid in kunnen schuilen.'

'Maar meer nog wilde u dat ze bleef zoals u zich haar had voorgesteld toen u haar leerde kennen. Dus toen ze u vertelde wat er was gebeurd, voelde u zich bedrogen omdat ze volgens u haar ware aard verborgen had gehouden, en dat is heel begrijpelijk omdat ze u vreselijk kwetste met haar gedrag. U denkt dat ze enkel uit egoïstische motieven handelde, maar denkt u ook niet dat ze het gevoel kan hebben gehad dat zij u bedroog – ik bedoel nog voor ze u werkelijk bedroog? Dat ze zich schuldig voelde en tot de overtuiging was gekomen dat het voor u beiden ongelukkig zou aflopen?'

'Iemand anders zei onlangs bijna hetzelfde tegen me. Kan ik op een perverse manier hebben gewild dat ze mij bedroog, zodat ik me superieur zou kunnen voelen? Een heroïsche martelaar?'

'Er zijn mensen die erom vragen te worden bedrogen. Ze stellen hoge eisen aan zichzelf en zien niet hoe hard ze voor anderen zijn. Ze maken het anderen moeilijk hen niet teleur te stellen. En in sommige gevallen scheppen ze er een grimmig genoegen in te worden teleurgesteld. Maar dat wil nog niet zeggen dat ze bedrogen willen worden.'

'Ik dacht dat ik vriendelijk en vaderlijk tegen haar was. Ik was zoveel ouder dan zij.'

'Maar als ik het juist heb, dr Courtine, was dat een deel van het probleem. U behandelde haar niet zoals zij dat wilde. En misschien deed die andere man dat wel door met haar te praten als met een volwassen vrouw en gelijke. Daardoor had ze het gevoel dat haar ware ik met hem was verbonden, terwijl u alleen verbonden was met een onecht beeld van haar.'

Ik wist niet zeker of ik haar begreep. Toen ze mijn verwarring zag, zei ze: 'Mag ik u vragen of ze, toen ze die avond in Great Yarmouth die bekentenis deed, om een scheiding vroeg?'

'Nee. Ze zei dat ze wist dat ze fout was geweest. Ze had iedere omgang met haar minnaar verbroken. Ze wilde dat wij man en vrouw bleven. Ze wilde dat het weer werd zoals vroeger.'

'En u weigerde?'

'Er was geen sprake van weigeren of toestemmen. Ik merkte dat ik haar onmogelijk antwoord kon geven. Ik wist dat wat ze ook zei, alles anders was geworden. Ik kon haar niet meer vertrouwen. Ze was niet het onschuldige, naïeve meisje waar ik mee getrouwd was. Als ze me zo veel verdriet kon aandoen, kon ze niet echt van me houden. En het was nog veel erger. Ik betwijfelde nu of ze eerder wel echt van me had gehouden. Ik vroeg me af of ze niet had gedaan alsof. Had ze me altijd saai en lelijk gevonden? Zo stond de situatie ervoor en amper zonder een woord te wisselen gingen we terug naar Cambridge. Haar minnaar stuurde haar elke dag briefjes. Meermalen per dag. Hij wilde dat ze met hem naar het buitenland ging. Dat was halverwege augustus.'

Toen ik zweeg, zei mrs Locard zachtjes: 'En toen?'

'Toen niets. Ik lag overhoop met mijn gevoelens, en toch kon ik me niet uiten tegenover haar. Ik deinsde terug als ze me probeerde aan te raken. We doolden als twee geesten door het huis. Na tien dagen vertrok ze naar haar minnaar. Sindsdien heb ik haar niet meer gezien of gesproken. De afgelopen jaren heb ik de indruk gewekt weduwnaar te zijn. Dat is niet helemaal gelogen, want voor mij is ze dood, al leeft ze dan nog en is ze nog steeds mijn vrouw. Ze wonen in Florence – tenminste, dat is het laatste wat ik van ze heb gehoord.'

'Maar u bent niet gescheiden?'

Ik schudde mijn hoofd. 'Er is een onderlinge regeling getroffen via onze advocaten. Ze beheert zelf weer haar eigen kapitaal. Daar wilde ik niets van hebben. Haar minnaar kan nu het soort leven leiden dat hij zich altijd had gewenst.'

'Ze heeft niet om een scheiding verzocht zodat ze kunnen trouwen?'

'Dat wel, maar dat heb ik geweigerd omdat ik niet van plan ben een relatie te wettigen die rust op bedrog.'

Mijn stem trilde bij die laatste woorden. Wat klonk ik vreselijk hoogdravend nu ik de woorden die ik zo vaak tegen mijzelf had herhaald, eindelijk hardop uitsprak.

'Ik kan zien hoe pijnlijk dit nog altijd voor u is. Ik heb er verkeerd aan gedaan zo door te vragen.'

'Nee, nee, integendeel. Het is een hele opluchting er eindelijk eens met iemand over te spreken. Ik ben anders helemaal niet zo. Alles wat er de afgelopen paar dagen is gebeurd… En iets waar ik niets van afwist.' Ik wendde mijn blik af en zei: 'Ze hebben een dochter. Ik heb dat nog maar net gehoord en daarmee is alles weer boven gekomen. Ze is nu vijftien. Ze is het kind dat wij hadden moeten hebben. Ik had er geen idee van dat er een kind was. Fickling vertelde het me omdat hij me wilde kwetsen.' Zodra ik die woorden had uitgesproken, besefte ik dat ik bekend had dat Fickling de tussenpersoon was geweest, maar ik vermoedde dat ze dat al wel had geraden.

'Het is heel begrijpelijk dat u daardoor bent aangeslagen. Mr Fickling, de arme man, heeft vele redenen om ongelukkig te zijn en anderen dat te willen maken. Maar ik weet zeker dat u niet gelooft dat ze het kind alleen maar kregen om u te kwetsen.'

'O, nee, zo hoog schat ik mezelf niet in.'

Ze aarzelde even. 'Misschien wordt het iets gemakkelijker voor u als ik nu iets zeg dat wreed klinkt. Ik weet niet of ik het moet zeggen.'

'Alstublieft.'

'Als iemand ons gekwetst heeft door ons af te wijzen, denken we dat ze dat hebben gedaan omdat ze ons wilden krenken, en dat ze dat ook zullen blijven doen. En dat doet pijn. Maar de gedachte aan die kwade opzet is op een vreemde manier ook geruststellend voor ons, omdat het tenminste impliceert dat ze nog steeds in ons geïnteresseerd zijn. In werkelijkheid echter is die pijn haast nooit het eigenlijke doel, maar enkel een bijkomend effect. In werkelijkheid voelt die ander al heel snel niets meer voor ons. De pijn die volgens ons door de ander wordt veroorzaakt, wordt in feite door onszelf gecreëerd, want ze schenkt ook een zekere voldoening.'

Dat was moeilijk te accepteren en toch wist ik dat het waar was. Ik had de herinnering aan haar gekoesterd als een doorn in mijn vlees, omdat dat beter was dan haar helemaal te verliezen. En toen drong het opeens tot me door dat de pijn die ik mezelf had aangedaan, het mij mogelijk had gemaakt me superieur aan hen te blijven voelen.

'Dus u vindt dat ik hun de scheiding moet toestaan?'

'Ik vind dat u zichzelf een scheiding moet toestaan.' Toen ze mijn verbijstering zag, vervolgde ze: 'Zou het voor uzelf niet beter zijn om het allemaal achter u te laten? Om een eind te maken aan de problemen, voor hen en voor u?'

'Voor mij? Het feit dat wij in de ogen der wet nog steeds zijn getrouwd, maakt voor mij geen enkel verschil.'

'Echt niet? Is het niet zoiets als de begrafenis uitstellen na een sterfgeval? Pas als de begrafenis achter de rug is, kan het rouwproces beginnen.'

'Beginnen? Ik rouw al twintig jaar.'

'Maar rouw maakt het uiteindelijk mogelijk het verleden los te laten,' zei ze met een glimlach ter verzachting van haar verwijt. 'En dat hebt u niet gedaan.'

'Je kunt het verleden niet loslaten,' zei ik. 'Je bent je verleden. Dat moet ik als historicus wel geloven.'

Ze scheen naar de juiste woorden te zoeken. 'Maar een scheiding weigeren heeft zowel juridische als emotionele gevolgen. Zij kunnen niet trouwen, maar u ook niet.'

Ik glimlachte verrast. Wat een merkwaardig gesprek was dit.

Ze glimlachte terug. 'Waarom niet? Heren hebben zoveel meer geluk dan wij doordat ze in staat zijn om te trouwen, ja, zelfs kinderen te krijgen op een leeftijd waarop vrouwen geacht worden hun actieve en nuttige leven achter zich te hebben.'

'Ik zou hen dus moeten vergeven – en waarom zouden zij dan alles hebben en ik niets, terwijl de schuld aan hun kant ligt?'

'Wat zij deden – uw vrouw en haar minnaar en uw vriend –, dat was niet goed en u hebt alle recht dat ook te vinden. Maar ik weet uit eigen ervaring dat we onszelf vaak strenger beoordelen dan anderen, en als u al zo over hén denkt, vermoed ik dat u zichzelf nog veel meer de schuld geeft.'

'Mijzelf de schuld geef? Omdat ik niet genoeg op mijn hoede was, bedoelt u?'

Ze keek me vorsend aan.

'Ongetwijfeld was ik zelf niet geheel vrij van blaam. Ik was naïef en vol vertrouwen, waarschijnlijk omdat ik verwaand genoeg was om te denken dat mijn vrouw altijd van mij zou blijven houden.'

Mrs Locard zei niets en na een ogenblik vroeg ik: 'Vindt u dat ik haar had moeten vergeven en haar terug had moeten nemen?'

'Dr Courtine, zo'n soort oordeel zou ik nimmer durven vellen. Maar zoals u die tijd beschreef, komt het me voor dat u niet veel keus had. U zei dat u gewoon niet met haar kon praten.'

'Ik lag zo overhoop met mijn gevoelens.'

Terwijl ik die woorden uitsprak voelde ik hoe ontoereikend ze waren. Ik wilde meer zeggen, mijzelf verklaren, zeggen dat ik niet had kunnen praten omdat ik onmogelijk het meisje waarvan ik hield in overeenstemming kon brengen met de vrouw die me volgens mij bewust had gekwetst, maar op dat moment ging de deur open en kwam dr Locard binnen. Hij had zich ontdaan van zijn jas en hoed, maar droeg een houten kist van zo'n dertig centimeter lengte bij zich. Hij zette hem voorzichtig neer op een zijtafel. Toen hij zich omdraaide nam hij ons nieuwsgierig op en ik vreesde dat aan mij was af te zien hoe aangedaan ik was. Hij schonk koffie in voor zichzelf terwijl hij zich verontschuldigde voor het feit dat hij zo lang was weggebleven.

'Is er iets gebeurd, Robert?' vroeg zijn vrouw.

Hij maakte het zich gemakkelijk voor de haard, nog voor hij iets zei. 'Er is zowel heel slecht als tamelijk goed nieuws. Het slechte nieuws is dat de proost me zojuist heeft verteld dat de ongelukkige Perkins vanavond dood is aangetroffen.'

Zijn vrouw schrok op en verborg haar gezicht in haar handen.

Dr Locard deed ons verslag hoe de jongeman zichzelf had weten te verhangen in zijn cel, en ondertussen wist ik mij enigszins te herstellen. Dr Locard vertelde dat niets erop wees dat zijn dood niet vrijwillig gekozen was.

'Hoe kon de politie zo nalatig zijn?' riep ik uit.

'Hij laat een vrouw en kinderen achter, als ik het wel heb. Hoeveel kinderen moet zijn arme weduwe nu in haar eentje grootbrengen?' vroeg mrs Locard.

'De autoriteiten hebben in deze hele kwestie een uiterst laakbaar gebrek aan inzet getoond,' beaamde dr Locard.

'Ik geloof dat hij vier kinderen heeft,' zei ik tegen mrs Locard.

'Er moet iets voor ze geregeld worden,' zei ze.

'Ja, zeer zeker...' Ik wendde me weer tot haar man: 'Dus nu zullen we nooit achter de waarheid komen.' Ik bespeurde in mijzelf een schuldbewust gevoel van opluchting om het feit dat mij een aantal onaangename consequenties bespaard zou blijven. En ik bedacht dat het feit dat ik de proost het bewijs in handen had gespeeld van Sheldricks wangedrag en van de wijze waarop hij door Slattery en Fickling was gechanteerd, uiteindelijk toch niet in het nadeel had gewerkt van de arme Perkins.

'Het proces gaat niet door,' beaamde hij en hij keek me betekenisvol aan. 'Al bewijst dit wel dat Perkins schuldig was, want een onschuldig iemand pleegt geen zelfmoord. Ik hoop echter dat de waarheid over de vernietiging van het testament nog wel aan het licht zal komen, ook al is hij nu dood.'

'Ik zie niet hoe dat nog zou kunnen.'

'Dat hangt van u af, dr Courtine. Nu meer dan ooit. De mensen die achter deze hele zaak zitten, mogen er niet mee wegkomen, enkel en alleen omdat Perkins niet genoeg durf had om de bittere pil te slikken. Als u onder ede een verklaring aflegt met de strekking die wij eerder bespraken, kan het recht alsnog zijn beloop krijgen.'

Ik zei niets en hij vervolgde: 'U hoeft zich geen zorgen meer te maken over Fickling, dr Courtine, als dat u dwars mocht zitten. Mijn tweede nieuwtje is dat hij en Slattery zijn ontslagen.'

'Dat Fickling is ontslagen verbaast me in het geheel niet. Maar ik ben wel benieuwd naar Slattery. Denkt u dat hij een rol heeft gespeeld in de recente gebeurtenissen?'

Dr Locard keek me listig aan. 'Wat voor rol zou hij kunnen hebben gespeeld?'

'Ik weet het niet zeker, maar voor mijn gevoel heeft hij er iets mee te maken.'

Toen hij zag dat ik niet van zins was nog iets te zeggen, vervolgde hij: 'Onder ons gezegd en gezwegen, dr Courtine, hun ontslag houdt niet direct verband met de moord op mr Stonex, maar eerder met een belofte die een van de kanunniken vanavond aan de proost heeft gedaan, dat hij om gezondheidsredenen volgende maand zal aftreden.'

Zijn vrouw keek op. 'Kanunnik Sheldrick?'

Dr Locard kromp ineen. 'Ik weet zeker dat ik op uw discretie kan rekenen,' zei hij tegen mij. Zijn vrouw bloosde. 'Er is vanavond iets voorgevallen waardoor de proost zonder vervelende consequenties een lastige situatie kon oplossen.'

'Ik zal niet verder aandringen,' zei ik, en ik verkneukelde me om zijn verbazing over mijn gebrek aan nieuwsgierigheid. Ik vroeg me af of hij er evenveel van afwist als ik. Had hij zelfs maar het geringste vermoeden wat mijn aandeel was geweest bij het vernietigen van de macht die Fickling en Slattery over Sheldrick hadden gehad, en daarmee over de rest van de kathedrale gemeenschap?

'Thorrold heeft me zo'n beetje geschetst wat u onder ede zou moeten verklaren,' zei dr Locard terwijl hij in zijn zak tastte.

'Thorrold? Waar hebt u die gezien?'

'In het licht van deze nieuwe ontwikkelingen had hij uiteraard het een en ander te bespreken met de proost.' Hij overhandigde me een vel papier. 'Dit zijn slechts in grote lijnen de dingen die u dient te vermelden. Thorrold adviseert dat het beter is dit met uw eigen advocaat in Cambridge uit te werken om elke schijn van collusie te vermijden.'

'God verhoede,' zei ik met een schuin oog op het document. Ik zag dat Thorrold de exacte formulering had opgeschreven van de woorden waarvan ik onder ede moest verklaren dat ik ze mr Stonex had horen zeggen: *Ik wil deze kopie van mijn testament bij mijn notaris in bewaring stellen.*

'Denkt u alstublieft nog eens na over de verschillende kwesties die we eerder hebben besproken,' zei dr Locard.

'Kan ik tot morgen de tijd krijgen voor mijn beslissing?'

'Beslissing?'

'Ik bedoel de beslissing of ik me wel of niet kan herinneren dat mr Stonex die opmerking heeft gemaakt.'

'Dat staat u geheel vrij.'

Het bleef even stil. 'Ik vrees dat het aftreden van dr Sheldrick je een boel extra werk zal bezorgen, Robert,' zei mrs Locard.

'Ik zal uiteraard verantwoordelijk zijn voor het toezicht op de koorschool totdat er een nieuwe kanselier is aangesteld,' zei hij, en ik keek hem verrast aan.

'De bibliothecaris is een soort vaste invaller voor de kanselier ingeval van incapaciteit,' verklaarde hij nader.

'Ik snap het. Bestaat er zo'n constructie voor elke functie?'

271

'Jazeker. Zo wordt de thesaurier zogezegd geschaduwd door de vice-proost.'

'En de sacristein door de koorleider?'

'Inderdaad.' Hij keek me nieuwsgierig aan.

'Ik moest denken aan het verhaal van de dood van Burgoyne. Ik neem aan dat dit systeem nooit is veranderd?'

'Er wordt nooit iets veranderd totdat het evident misloopt,' zei hij terwijl hij overeind kwam. 'Dat is de grote kracht achter de Kerk van Engeland.' Hij liep door de kamer naar de zijtafel en opende de kist die hij daar had neergezet. 'En nu we het toch over Burgoyne hebben, dit zal u interesseren, dr Courtine. De proost heeft ze me zojuist toevertrouwd. Ze zullen worden tentoongesteld in de bibliotheek.'

'Wat is het, Robert?' vroeg mrs Locard vanaf de sofa, terwijl ik opstond en erheen liep om te kijken.

Haar man haalde twee sleutelbossen uit de kist, elk aan een metalen ring, en legde ze op tafel. Aan de ene zaten slechts twee sleutels vast – allebei groot – en aan de ander zes kleinere sleutels van verschillend formaat. Dr Locard pakte de laatste op. 'Dit zijn naar ik aanneem Burgoynes eigen sleutels, van zijn kantoor, zijn huis, zijn kasten en dergelijke.'

'Dat moet haast wel,' zei ik. Ik wendde me tot mrs Locard: 'Ze zijn aangetroffen bij het lijk dat vanmorgen in de kathedraal is gevonden.' Ik draaide me terug naar haar man. 'Ik herinner me van dr Sheldricks verhaal dat Burgoynes sleutels destijds niet werden aangetroffen op zijn lichaam of wat men daarvoor aanzag, en daarom moesten Freeth en Limbrick inbreken in zijn kantoor.'

'Wat mijn verstand te boven gaat, is de herkomst van deze twee,' zei hij, wijzend op de andere sleutelring.

'Ze zijn erg groot, nietwaar?' beaamde ik. 'Te groot voor een huis.' Maar eigenlijk kon ik wel raden waar één van beide voor was. 'Ik heb toevallig mijn eigen sleutels bij me en één daarvan is net zo groot, aangezien mijn kamers dateren uit het begin van de zeventiende eeuw en de sloten nog origineel zijn.'

Ik haalde mijn sleutels uit mijn zak en legde ze naast de andere. 'Die van Burgoyne zijn zelfs nog groter.'

'Ik vraag me af waarom hij twee sleutelbossen bij zich had,' zei dr Locard, terwijl hij naar het dressoir liep waar de koffiekan stond.

Het bleef een ogenblik stil. Ik voelde opeens de drang om voor één keer in mijn leven doortastend en gedecideerd op te treden, en mijn hart begon te bonzen.

'Hebt u het raadsel opgelost, dr Courtine?' vroeg mrs Locard vanaf haar stoel bij het vuur, waar ze met haar kantwerkje was gaan zitten.

Ik keek even om en toen ik zag dat haar man koffie stond in te schenken, pakte ik de sleutelbos.

'Wilt u nog een kopje, dr Courtine?' vroeg dr Locard.

Ik draaide me om naar mijn gastheer en gastvrouw. 'Nee, dank u. Het was een zeer genoeglijke avond, maar het is al laat en ik kan me voorstellen dat u het morgenochtend druk krijgt. Ikzelf moet nog een hele reis maken.'

'Komt u mij alstublieft nog even opzoeken voor u vertrekt,' zei dr Locard. 'Ik zou bijzonder graag uw beslissing willen horen. Ik ben de hele ochtend in de bibliotheek, vanaf half negen. Ik wil nog wat werken aan het manuscript.'

'Ik weet zeker dat er nog een heleboel uit te leren valt.'

Hij glimlachte: 'Ik hoop dat we morgen kunnen bespreken hoe het kan worden gepubliceerd.'

Ik boog mijn hoofd zonder verder iets te zeggen.

'Tot ziens, dr Courtine,' zei mrs Locard.

'Mag ik u hartelijk danken voor deze avond,' antwoordde ik.

Terwijl ze me een hand gaf, zei ze met een glimlach: 'Ik neem niet aan dat u nogmaals naar Thurchester komt in de nabije toekomst, dr Courtine?'

'Nu er geen proces meer komt, lijkt me dat hoogst onwaarschijnlijk. Maar ik hoop u en dr Locard eens te mogen ontvangen in Cambridge.'

'Dat zou ik erg leuk vinden. Robert reist af en toe naar Cambridge en misschien kan ik hem overhalen mij mee te nemen.'

Haar man zei: 'Ik zal u uitlaten, dr Courtine.'

'Ik hoop heel erg dat het u goed gaat, dr Courtine,' zei ze zachtjes toen hij de hal inliep.

'Ik heb heel veel aan ons gesprek gehad,' zei ik. 'Ik zal het me altijd blijven herinneren.'

Bij de voordeur pakte dr Locard mijn hand en, deze vastklemmend, zei hij: 'Ik zie ernaar uit uw beslissing te vernemen.'

'U zult er hoe dan ook morgen bericht over krijgen.'

Hij liet mijn hand los en ik dook de duisternis van de immuniteit in.

Vrijdagnacht en zaterdagochtend

Dus Fickling was uiteindelijk toch zijn baan kwijt. Ik had geen overwinningsgevoel, al was het dan door mijn toedoen. Hoe dat ook zij, hij zou naar alle waarschijnlijkheid geen armoe lijden. En de beslissing daarover lag vreemd genoeg eveneens in mijn handen. Ik hoefde me niet schuldig te voelen over wat hem was overkomen, want ik zag nu eindelijk in dat hij me naar de stad had gelokt met de belofte van een verzoening, alleen om me voor zijn karretje te kunnen spannen. Hij had niet verwacht dat ik dr Locard zou ontmoeten en iets over de toestanden in het kapittel te weten zou komen, omdat hij had aangenomen dat ik mijn tijd zou doorbrengen op de Woodbury Downs.

Ik dacht aan de woorden van mrs Locard. De mogelijkheid van een huwelijk, als me dat vrij stond, had zich al eens eerder aan me opgedrongen en daarbij had ik meermalen aan de weduwe van een collega gedacht – een vrouw die zo'n tien of vijftien jaar jonger was dan ikzelf – wier echtgenoot een jaar geleden was overleden en haar had achtergelaten met twee kleine kinderen. Ze was een vriendelijke, lieve vrouw en ik meende te weten dat ze me wel mocht. Het zou niet gemakkelijk zijn om met mijn emolumenten zo'n grote verantwoordelijkheid op me te nemen. Met het salaris van een professor zou dat wel kunnen, maar ik wist dat ik geen kans zou maken op de leerstoel als het manuscript aan Scuttard ter publicatie werd aangeboden. Op de een of andere manier zou dr Locard ervoor zorgen dat mij zelfs de eer zou worden onthouden het te hebben gevonden.

Ik bleef staan naast het oude poorthuis, precies op de plek waar de tuinmuur achter Gambrills huis moest hebben gestaan. Ik kon de rijzige, donkere gestalte van kanunnik Burgoyne zien, zoals hij hier al die jaren nacht na nacht had gestaan, piekerend over de 'verborgen misdaad' die tot zijn dood had geleid. Ik wist nu dat hij geen belangstelling had gehad voor de bouwmeester. Het was niet de moord op Robert Limbrick die hij dreigde te onthullen, als hij daar al van wist. Nee, hij probeerde de moed te vinden om een duister, verwerpelijk misdrijf op te biechten dat hijzelf had gepleegd – of had willen plegen. Ik herinnerde me de woorden uit zijn preek: *Hij alleen weet hoe ver hij is afgedwaald naar de smerige en vreemde paden die leiden naar de poel van pestilent verderf.*

Burgoyne moet die weken en dagen door een hel zijn gegaan toen hij zich schrap zette voor zijn ontsnapping aan de verdorven koers die hij was gaan varen. Hij had ontdekt hoe je degene die je liefhebt bijna kunt haten om de macht die jouw liefde je geliefde geeft.

Ook ik was jarenlang een slaaf geweest. Nu besefte ik dat ik vrij was. Hetgeen ik voor mijn vrouw voelde was een gewoonte geworden, een uiterlijke vorm waarvan de inhoud langzaam maar zeker was verdord zonder dat ik het in de gaten had gehad. Ik had haar geïdealiseerd en geromantiseerd, deels om zelf geen nieuw leven te hoeven beginnen. Mrs Locard had me geholpen dat in te zien, maar wat me zekerheid had gegeven was die opmerking van Fickling waarmee hij me had willen kwetsen. Door de wrede woorden van mijn vrouw te herhalen – dat ze alleen maar met me was getrouwd om te ontsnappen aan haar moeder – had hij me bewust gemaakt van haar kleingeestigheid. Ik had haar in mijn verbeelding opgehemeld, maar nu wist ik dat ze kleiner en bekrompener was geweest dan ik me haar had herinnerd. Het spook was verdreven.

Het moeilijkst was nu te moeten toegeven dat ik kinderachtig en sentimenteel was geweest als ik mijn vrouw zou schrijven dat ik zou toestemmen in een scheiding. Maar daarna zou ik aan een nieuw hoofdstuk in mijn leven beginnen. Burgoyne had op een andere manier zijn vrijheid willen heroveren. In zijn geval was het niet zozeer de geliefde geweest die hij haatte, als wel het feit dat hij liefhad – terwijl hij wist dat die liefde schandelijk en verwerpelijk was. *Hij alleen weet wat voor duisternis hij voedt in de verborgen woonstee van zijn ziel.* Twee weken lang had hij zichzelf gedwongen er in het openbaar over te spreken, zij het in versluierende termen. Zijn geweten nam met minder geen genoegen. Morgen zou hij de gehele waarheid opbiechten voor de verzamelde gemeente. Tenzij er nog een andere uitweg was. En toen zag hij een oplossing. Tijdens de storm kwam hij in het holst van de nacht hier naar het oude poorthuis waarin het internaat was gevestigd en liet zichzelf binnen met zijn sleutel. De sleutel die de koorleider hem had gegeven zodat hij het internaat in en uit kon lopen – wat hij naar ik vermoedde wel vaker 's nachts had gedaan.

Hij was ongemerkt de trap opgeslopen te midden van het donderende onweer en de kletterende regen, en een ogenblik lang – een paar minuten of misschien slechts een paar seconden – had hij zichzelf menen te kunnen bevrijden door één enkele, beslissende daad. Gambrill had hem laten zien wanneer een dak op instorten stond en nu kon hij die kennis dankzij de storm in praktijk brengen. Dit was iets gruwelijkers geweest dan al zijn vroegere daden, al had zijn gekwelde geweten het beschouwd als een geringer vergrijp. En wat had hij daarna gedaan?

Ik zou zijn sporen nagaan en op die manier proberen te achterhalen wat er door zijn hoofd moest zijn gegaan. Ik bedacht hoezeer dr Locard deze aanpak zou verafschuwen. Wat zou ik te zien krijgen als ik terug kon gaan naar die nacht en me in de kathedraal verschool? Ik liep het verduisterde gebouw binnen – dat niet op slot was omdat de werklieden nog druk bezig waren met het herstellen van de door hen veroorzaakte schade. Daar had je ze, precies zoals ik ze op mijn eerste avond hier had aangetroffen, zij het ditmaal op een andere plek: ze hakten in de ingewanden van het oude bouwwerk met naast hen een paar lantaarns om ze bij te lichten. De oude Gazzard hield zich als altijd op in de schaduw en toonde zich niet verrast – en evenmin verheugd – om me te zien.

Ik groette hem en vroeg hem recht op de man af: 'Herinnert u zich dat ik hier woensdagavond laat binnenkwam en u en de werklieden aantrof? U probeerde toen te achterhalen waar die stank vandaan kwam.' Hij knikte. 'Kwam er die avond nog iemand anders langs? Ik bedoel, heel veel later, rond een uur of twee?'

Hij fronste zijn wenkbrauwen. 'Nu u het zegt, ja. Dat was mr Slattery. Hij had iets gehoord over de problemen hier en kwam vragen of het gevolgen zou hebben voor het orgel. De voorman zei tegen hem dat er een paar weken niet op gespeeld zou kunnen worden. Dat scheen hem maar zeer matig te bevallen.'

Ik bedankte hem. Dat bevestigde wat ik al lang had vermoed: na van Fickling mijn nieuwtje over de toestand in de kathedraal te hebben gehoord, had Slattery meteen willen weten of hij vrijdag – de oorspronkelijke dag voor de theevisite – nog op het orgel zou kunnen spelen, want dat zou hem een alibi hebben verschaft. Op grond van wat de voorman hem had verteld, besloten de samenzweerders die nacht in zijn huis in Orchard Street om het hele complot een dag eerder uit te voeren.

Toen de oude koster even niet oplette, pakte ik een van de lantaarns die op een grafsteen stond en liep naar de torendeur. Ik had een theorie over wat ik daar zou aantreffen die ik dolgraag wilde toetsen. Ik probeerde een van de sleutels die ik uit dr Locards huis had meegenomen en daar had opgepakt alsof ik ze had aangezien voor mijn eigen sleutels, die ik ervoor in de plaats had laten liggen. Ik bedacht dat ik al een volleerde dief aan het worden was: de foto's, de sleutels en nu de lantaarn. De tweede sleutel paste en draaide in het slot. Ik had al gedacht dat er in de afgelopen eeuwen geen reden zou zijn geweest om het slot te vervangen.

Hier was Burgoyne heengegaan op die driedubbel noodlottige nacht, gehuld in *het uiterlijke kleed van de schijnvroomheid*, en hij had deze zelfde sleutel gebruikt om de deur te openen. (Dankzij dr Locards uitleg over hoe de kanunniken voor elkaar invielen, had ik begrepen dat toen Burgoyne de sleutels van het internaat had geleend, de sleutel van de toren ook aan de ring moest hebben gezeten, want de taken van de sacristein waren tijdens diens ziekte overgenomen door de koorleider.)

Ik liep de smalle trap een eindje op. Rechts van mij bevond zich een afgesloten deur waarvan ik wist dat hij naar de orgelgalerij voerde. Ik vermoedde dat Slattery die gebruikt had toen hij zijn gebruikelijke route naar buiten versperd zag en dat hij aldus de kathedraal donderdagochtend had kunnen verlaten zonder dat ik het in de gaten had gehad. Ik had hem aangezien voor een bovennatuurlijke verschijning. Ik glimlachte om mijn eigen goedgelovigheid.

Ik liep verder de wenteltrap op. Ik probeerde me Burgoynes gevoelens voor te stellen toen hij die nacht de trap was opgeklommen. De storm loeide – dakpannen stortten naar beneden, de donder rolde en de wind huilde als een krankzinnige fagot. En zelf was hij een en al vertwijfeling. Hij had zojuist een grens overschreden die hem eens en voor altijd scheidde van zijn verleden, van andere mensen, van alles wat hij in zijn leven gekend had. Door de jongen te doden had hij zichzelf niet gered maar verdoemd, en dat moest hij binnen een paar minuten na de moord hebben beseft. Hij wist dat hij verdoemd was – letterlijk verdoemd. Ik had datzelfde besef de afgelopen paar dagen van een ander gezicht kunnen aflezen, en ik begreep wat dat betekende voor iemand die de realiteit van redding en verdoemenis volledig aanvaardde.

Nu stond ik boven aan de trap, op het hoogste punt in de toren vlak onder de torenspits. Ik ging de laatste bocht om en daar was het – zoals ik had verwacht: een groot houten rad, meer dan tweemaal zo hoog als een mens, nu een stakerig wrak waarin balken en spaken ontbraken. Het had hier zo lang gestaan dat niemand nog wist wat het was. Maar ik wel: het was een tredrad met een windas en een trommel die was opgebouwd uit over elkaar gekeepte balken plus twee buitenvelgen. In de trommel kon een man lopen, en als hij het rad aldus rondwentelde bracht hij genoeg kracht over op de windas die er doorheen stak, om zo'n twee ton op te takelen.

Het was hier tijdens de bouw van de kathedraal neergezet om materialen omhoog te hijsen. Gambrill had het gebruikt om in het geheim de torenspits te herstellen, en daartoe had hij fondsen aangewend waarvan later werd beweerd dat hij ze verduisterd had om zichzelf te verrijken. Limbrick had na de dood van zijn meester zo zijn eigen redenen gehad om de mensen te laten geloven dat Gambrill zich schuldig gemaakt had aan verduistering. Of om nauwkeuriger te zijn, dacht ik bitter, aan malversaties.

Ik had de gebeurtenissen gereconstrueerd aan de hand van concreet bewijsmateriaal: de inscriptie en de verslagen van het Hof van de Kanselarij. Gambrill had vele jaren eerder gebruikgemaakt van het rad, en dat was op de dag dat hij zijn oog had verloren. Hij liet zich toen op een zware lading naar beneden takelen terwijl Limbrick senior in het tredwiel de lading omlaag aan het 'treden' was, waarbij het touw zich langzaam afwond van de windas. (Zoals de inscriptie het had gesteld: *Alle dingen wentelen en de mens die bestemd is om in het zweet zijns aanschijns te werken wentelt met hen mede.*) Ongeveer vijf meter boven de grond was het touw losgeraakt en was de lading naar beneden gestort, en vanwege de contragewichten die de lading in evenwicht hadden gehouden was de windas met grote snelheid teruggedraaid, en was het tredrad op hol geslagen waardoor de man in het rad was gedood. Zo was hij, in de woorden van de inscriptie, *vermorzeld.* Gambrill zelf was gevallen en daarbij ernstig gewond geraakt – ernstiger dan hij voorzien had, want ik was ervan overtuigd dat hij het touw zelf had doorgesneden.

Dr Locard had het mis. De inscriptie was niet aangebracht door de kanunniken om de familie Burgoyne aan te klagen voor de moord op hun proost, maar door de jonge Limbrick die aldus duidelijk had willen maken dat Gambrill zijn vader had vermoord en daarvoor was gestraft.

Ik tuurde omlaag door de daksparren en keek boven op het onderliggende gewelf, net als Burgoyne die nacht had gedaan. In zijn tijd hadden er in het metselwerk gaten gezeten die groot genoeg waren om zware lasten door te laten. Of een mensenlichaam. Burgoyne had de voorafgaande zondag aangekondigd dat hij een week later op diezelfde plek de zondaar te pronk zou stellen. Zijn lichaam zou door het gewelf omlaag storten en veertig meter lager gevonden worden aan de voet van de kanseltrap. Precies zoals hij het had voorspeld *zal zijn goddeloosheid worden blootgelegd voor het oog van de mensen. Ja, zelfs in de duisternis zullen zijn zonden worden rondgebazuind.*

Ik draaide me om en keek, leunend op een richel, door de galmborden omhoog. De enorme klokken tekenden zich hoog boven mij af. Onder me lag de stad in deze rustige nacht vredig te slapen – de daken en gevelspitsen stonden kriskras door elkaar als de donkere golven van een bevroren zee. Aan mijn voeten lag het doolhof van kleine straatjes rond de kathedraal, daarachter de rivier waarop het maanlicht glinsterde en de heuvel waar ik nog maar twee nachten geleden in paniek tegenop was gehold. Ik moest glimlachen om mijn bijgelovige angsten toen. Er waarde geen kwade macht door het universum. Mensen deden slechte dingen omdat ze, zoals mrs Locard had gezegd, zó ongelukkig waren dat ze een verbitterd genoegen schepten in de pijn van anderen.

Ik zou aan de advocaten van mijn vrouw schrijven dat ik al het mogelijke zou doen om een scheiding te bespoedigen. Fickling had gelijk. Ik had het haar al te gemakkelijk gemaakt mij te bedriegen. Nu begreep ik wat mrs Locard had willen zeggen. Ook ik had schuld aan wat er was gebeurd. En toch leek 'schuld' niet het juiste woord, want ik voelde me niet schuldig. Nee, ik voelde me nu in staat verantwoordelijkheid te nemen voor mijn eigen doen en laten.

Ik had nog een beslissing genomen, en die was veel gemakkelijker geweest. De koehandel die dr Locard me die avond had voorgesteld, was erg verleidelijk geweest. Het had me tenminste de ogen geopend voor het feit dat mijn minachting voor werelds succes tot op zekere hoogte een pose was.

Die nacht, zo'n tweehonderdveertig jaar geleden, had Burgoyne precies op dezelfde plek gestaan als ik nu – wellicht de moed zoekend om zich naar beneden te storten – toen Gambrill stilletjes achter hem aan de trap op was gekomen. Was er iets tussen hen voorgevallen? Had Burgoyne bekend dat hij de jongen, Gambrills neef, had vermoord? Besefte Burgoyne dat de andere man op het punt stond hem te vermoorden? En als dat zo was, was hij daar blij mee omdat hij dan geen zelfmoord hoefde te plegen?

Hoe dat ook zij, Gambrill had hem gewurgd. En daarna had hij het lijk – althans, hij dacht dat het een lijk was – met behulp van het tredrad omlaag getakeld.

Ik daalde de torentrap weer af, deed de deur beneden weer op slot en liep naar het Burgoyne-monument. Eenmaal beneden ontdeed Gambrill om de een of andere reden het lichaam van de kanunnik van diens bovenkleding. Daarna had hij zijn gehate vijand in het gat hoog in de muur gestopt dat bedoeld was voor de gedenksteen.

Om dat enorme stuk gebeeldhouwd marmer op zijn plaats te krijgen, had hij geen bovennatuurlijke hulp nodig gehad en evenmin de assistentie van Thomas Limbrick. Hij had de katrol boven op de steiger in combinatie met het tredrad plus windas gebruikt om het meeste gewicht op te vangen. Hij moest een keer of tien de torentrap op en neer zijn gelopen, waarbij hij iedere keer de windas een paar stappen verder zwengelde, het rad vastzette met een blokkeerpal en een pen, en zich dan weer naar beneden haastte om op de steiger te klimmen en de grote steen in de juiste positie te manoeuvreren. Dat moest hem een paar uur hebben gekost. Daarna had hij de steen luchtdicht afgesloten met specie.

Maar waarom had hij daarna Burgoynes kleren aangetrokken? En de sleutel afgepakt die Burgoyne van Claggett had geleend en aan hem terug had moeten geven? Had móeten geven. Want opeens snapte ik wat er werkelijk was gebeurd. De oude koster was stervende en eerder die avond had Burgoyne de sleutel gekregen van zijn jonge dienstmeid, *die te verlegen was om een heer in het gelaat te kijken.* Gambrill trok Burgoynes kleren aan omdat hij van plan was geweest zich voor hem uit te geven wanneer hij de sleutel terugbracht! Als men dacht dat Burgoyne vroeg in de ochtend de sleutel had teruggebracht en daarna was verdwenen, terwijl Gambrill vanaf dat tijdstip door getuigen zou worden gezien, dan zou hij een waterdicht alibi hebben. Ik begreep precies hoe het hele plan voor de moord in elkaar stak. Als er immers iemand was die het kon snappen, was ik het wel.

Het was een ingenieus plan geweest. En had hij dan vervolgens een domme vergissing gemaakt waardoor hij zelf onder de steiger bedolven was geraakt? Dat was nauwelijks aannemelijk. De reden dat de steiger instortte was de volgende. De zware steen aan de katrol werd in evenwicht gehouden door loden contragewichten. Toen de steen eenmaal op zijn plek in de muur zat had hij die contragewichten op de grond moeten laten zakken met behulp van de blokkeerpal op de katrol. Omdat hij dit naliet kwam er zo'n spanning op het touw te staan dat het afbrak, waardoor de loden contragewichten met volle kracht tegen de katrol aansloegen en het hele bouwsel instortte, precies op het moment van zijn triomf.

Het moment van zijn triomf! Natuurlijk. *Dan zullen de Schuldigen worden vermorzeld zoals zijzelf de Onschuldigen door hun eigen Machines tot Verwoesting hebben gebracht, juist op het Moment der Triomf.* Limbrick was stilletjes door de openstaande deur de kathedraal binnengeslopen en had staan kijken naar de man die volgens hem zijn vader had vermoord. Hij had zijn leven lang op wraak gezind en nu zag hij zijn kans schoon. Door een touw door te snijden zou Gambrill op precies dezelfde wijze de dood vinden als Robert Limbrick. Het woord 'Machine' in de inscriptie had dus gezinspeeld op alle drie de betekenissen van het woord: in intellectuele zin had Gambrills eigen vernuft hem de das om gedaan, in politieke zin was zijn eigen samenzwering hem fataal geworden en in concreto was hij verpletterd onder zijn eigen machine.

Ik had nog een besluit genomen. Ik zou om de leerstoel strijden, of Scuttard nu wel of niet kandidaat stond en ongeacht de vraag of hij de verantwoordelijkheid zou krijgen voor de publicatie van het manuscript. Ik zou de stoel proberen te krijgen, niet omdat ik dacht die wel te kunnen winnen, maar om te laten zien dat ik mijzelf een waardige kandidaat achtte en om voor mijzelf te bewijzen dat ik niet bang was voor een mislukking. Ik kon er nu zonder enig schuldgevoel voor uitkomen dat ik de leerstoel serieus ambieerde, met alle respect, macht en wel degelijk ook alle materiële voordelen die daaraan verbonden waren.

Ik kwam om halftwee bij de herberg en moest op de deur bonzen om de nachtportier te wekken die voor het vuur in de hal had zitten dommelen. Ik gaf hem opdracht mij om zes uur te wekken zodat ik de posttrein kon halen.

Ik sliep die nacht erg weinig. Toen ik de volgende ochtend in mijn eentje zat te ontbijten in de eetkamer, werd er iets voor mij afgeleverd. Het was, zoals ik al verwacht had, een pakje met mijn eigen sleutels, plus een briefje van dr Locard: 'Ik hoop dat deze u nog voor uw vertrek zullen bereiken. Zoudt u zo vriendelijk willen zijn de sleutelbos die u per ongeluk uit mijn huis hebt meegenomen te retourneren wanneer u hedenochtend naar de bibliotheek komt? Ik zal, zoals ik al meldde, aan ons manuscript werken en zie ernaar uit er nogmaals met u van gedachten over te wisselen.'

Ik stuurde de sleutels terug met een verontschuldiging voor mijn dwaze vergissing plus een briefje waarin ik hem en zijn vrouw bedankte voor hun gastvrijheid. Ik schreef dat ik mijzelf helaas het genoegen moest ontzeggen het manuscript nogmaals met hem door te spreken, aangezien ik had besloten de vroegste trein te nemen omdat ik niet te laat op mijn bestemming wilde aankomen, en voegde eraan toe dat het hem zou spijten te moeten vernemen dat ik na lang nadenken tot de conclusie was gekomen dat ik me niets kon herinneren wat de moeite waard was om in een beëdigde verklaring vast te leggen. Ik sloot een cheque bij voor mrs Locards geldinzamelingsactie voor het gezin van de onfortuinlijke Perkins.

Na deze laatste plicht te hebben vervuld, pakte ik mijn spullen in, rekende af en stapte met een enorm gevoel van opluchting in het koetsje dat op me stond te wachten.

Na aankomst bij mijn nicht heb ik mijn tijd besteed aan het schrijven van dit verslag. Ik besef dat ik ver ben afgedwaald van de moord zelf, maar het leek me ondoenlijk de verschillende verhaallijnen te ontwarren. Ik kan hier geen gezellige gast zijn geweest, want mijn gedachten werden geheel beheerst door het kwellende innerlijke conflict waarover ik niets kon onthullen aan de mensen om mij heen: moet ik de autoriteiten van mijn vermoedens op de hoogte stellen? Hoe zou ik ze kunnen bewijzen? Omdat de rechter van instructie mijn theorie over een geheimzinnige halfbroer niet wenste te geloven – een hypothese die niet juist was, maar evenmin geheel bezijden de waarheid – is het niet erg aannemelijk dat er wel geloof zou worden gehecht aan deze nog vreemdere theorie van mij, ook al verklaart die bijna alle raadselachtige anomalieën. Er komt een moment dat je voorbij het concrete bewijsmateriaal moet denken en je verbeeldingskracht moet gebruiken, anders zul je nooit de 'waarheid' vinden.

Aangezien de onfortuinlijke Perkins dood is, is er in mijn ogen niemand meer gebaat bij aantijgingen tegen derden, die niet tot vervolging zouden leiden. Toch wil ik dat er een geschreven weergave van de ware toedracht bestaat – al was het maar om de kinderen van Perkins van de dwalingen van de rechtelijke macht te vertellen en ook te laten weten hoe hun vaders naam was zwartgemaakt. Zijn enige wandaad was dat hij tegen de politie loog – iets wat dom en fout was, maar begrijpelijk gezien het feit dat hij onmiddellijk doorzag hoezeer de bewijslast in zijn richting wees.

Wat betreft de vraag wat ik met dit verslag ga doen, daarover heb ik nog geen besluit genomen. Vanzelfsprekend kan het niet openbaar worden gemaakt zolang degenen die de moord op hun geweten hebben nog in leven zijn. Deze overweging laat mij nog een heleboel tijd om na te denken over de uiteindelijke bestemming ervan.

Edward Courtine
Exeter en Cambridge
januari 1882

DE BETOVERDE PRINSES

(*Noot van de uitgever*: dit is het verhaal dat Courtine in de nacht van woensdag op donderdag las.)

Heel lang geleden in een koninkrijk hier ver vandaan was er eens een jonge prins die niet alleen knap om te zien was, maar ook slim en vrolijk, en daarom werd hij door iedereen die hem kende bemind en bewonderd. Zijn vader en moeder, de koning en koningin van het land, hielden zielsveel van hem, maar omdat hij de jongste van drie broers was, wist hij dat hij niet op de troon zou komen, maar dat hij zijn eigen weg in de wereld moest vinden. Daarom zou hij op zekere dag het koninkrijk moeten verlaten, het avontuur tegemoet, en aan de ene kant keek hij uit naar die dag, maar aan de andere kant vond hij het vreselijk dat hij dan afscheid moest nemen van iedereen van wie hij zoveel hield. Met dit in het achterhoofd luisterde hij altijd naar de verhalen van de reizigers die vanuit andere streken in het land arriveerden. En ondertussen hield hij zich vol ijver onledig met zijn studie en de hobby's die passend waren voor een jonge prins. Hij las met zijn leraren oude boeken, en van oude krijgslieden uit het gevolg van zijn vader leerde hij met zwaard en schild te vechten en zowel te voet als te paard om te gaan met een speer. Maar het allervaakst was hij, in gezelschap van zijn broers en andere jongelingen van het hof, op jacht in de ruige bossen rond het kasteel met zijn hengst, zijn havik en zijn jachthond. Deze drie schitterende dieren had hij van zijn vader gekregen, en zij drieën vormden het bezit waarop hij het allertrotst was.

En toen op een dag hoorde hij een verhaal van een reiziger die de oceanen was overgestoken, de bergen was doorgetrokken en de rivieren had bevaren. Op vele dagreizen afstand van het koninkrijk lag een land met een koning die in een hoog, somber slot woonde dat werd omgeven door een groot, donker woud zonder paden. Het kasteel stond aan de oever van een brede rivier en men ging ernaar toe met een boot, want het woud was veel te gevaarlijk om doorheen te trekken. De koning had maar één kind, een mooie dochter, en als hij stierf zou zij de koningin van het land worden. De prinses had geen man, want ze was betoverd door een heks en alleen degene die het kasteel door het bos wist te bereiken, zou haar hand kunnen krijgen. De koning had het decreet uitgevaardigd dat degene die dat zou lukken, hem na zijn dood zou opvolgen als koning. Het was een rijk en machtig koninkrijk en heel veel prinsen hadden geprobeerd langs de voorgeschreven route bij het kasteel te komen, maar allen waren in het woud omgekomen, want daarin scholen o zo vele gevaren. Van al deze gevaren was het grootste wel het monster dat op reizigers loerde, ze doodde en dan hun lijken opvrat.

Toen hij dit verhaal hoorde, voelde de prins een golf van opwinding en angst, en hij besloot dat hij de hand van de prinses zou winnen. Zijn vader en moeder en zijn twee oudere broers hoorden zijn besluit vol leedwezen aan, maar ze wisten dat het het lot van jongste zoons was om vele gevaren te trotseren en zo hun fortuin te maken, en dus probeerden ze hem niet op andere gedachten te brengen. In plaats daarvan gaven ze hem geschenken die hem konden helpen. De koning gaf hem een zwaard waarmee hij zelf in zijn jeugd had gevochten – een nauwkeurig getemperd wapen, met oude spreuken in het lemmet gegraveerd. Zijn moeder gaf hem een prachtig vervaardigde maliënkolder, die licht was en hem toch zou beschermen tegen elke uitval met een zwaard, op de allervervaarlijkste na. Zijn oudste broer gaf hem een dolk van het fijnste staal met het scherpste lemmet en de scherpste punt ooit door een smid gesmeed, en zijn oudere broer gaf hem een schild dat heel weinig woog en toch ongelooflijk sterk was. Zijn oude voedster huilde het hardst van iedereen en onder het huilen pakte ze manden vol proviand in: grote broden, kazen, gerookt vlees, gedroogde vruchten en flessen wijn. En zo kwam het dat op een mooie ochtend vroeg in de zomer de prins zijn uitrusting aantrok, zijn wapens oppakte, de etensmanden aan zijn zadel gespte en, zwaaiend naar allen die hem liefhadden, wegreed op zijn hengst, met zijn havik op zijn arm en zijn jachthond op een drafje naast hem.

Hij reisde vele dagen en vele nachten en eindelijk kwam hij bij het woud, in het midden waarvan het kasteel met de mooie prinses lag. Toen de machtige bomen zich boven zijn hoofd sloten werd het aardedonker en aangezien er geen paden waren en hij 's nachts niet de sterren kon zien en overdag nauwelijks de zon zag, kostte het hem de grootste moeite zijn route te bepalen. En zo trok hij drie dagen en drie nachten in cirkels rond en raakte al het eten en al het drinken op dat de oude voedster hem had meegegeven. Hoewel hij de hele tijd het geluid van stromend water om zich heen hoorde, kon hij geen beek of bron vinden. En dus had hij aan het eind van de derde dag erge honger, maar vooral vreselijke dorst. Op dat moment ving hij voor het eerst een glimp op van een levend wezen: er kwam een oude vrouw met een grote mand zijn richting op lopen.

'Moedertje,' zei hij. 'Ik heb honger en dorst. Als u iets te eten en te drinken hebt in uw mand, gun me daar dan alstublieft iets van.'

'Ik heb meer dan genoeg te eten en te drinken,' antwoordde ze. 'Maar ik wil je er niks van geven.'

'Laat me het dan van u kopen. Ik heb goud.' En uit zijn zadeltas haalde hij een handvol gouden munten.

'Stop je geld maar weer weg,' zei ze. 'Daar heb ik hier in het woud niets aan.'

'Wat kan ik zeggen of doen opdat u me iets van uw bezittingen geeft?' vroeg hij.

Ze keek hem vreemd aan en na een poosje zei ze: 'Geef me alles wat je bij je hebt: je zwaard, je maliënkolder, je dolk, je schild, je havik, je jachthond en je hengst. En dan geef ik je alles wat er in mijn mand zit.'

'Als ik je alles geef waarmee ik mij kan verdedigen,' antwoordde de prins, 'heb ik geen schijn van kans tegen de vele gevaren van dit woud en zeker niet tegen het monster dat mensen doodt en hun lijken opvreet.'

De oude vrouw glimlachte en zei: 'Je verliest niets als je mij alles geeft wat je hebt, want je paard en je wapens kunnen je niet tegen het monster beschermen.'

Ze sprak met zo veel overtuiging dat de prins haar geloofde. En dus steeg hij van zijn paard en gaf het aan haar, en trok hij zijn maliënkolder uit en gaf die aan haar, en hij gaf haar ook zijn zwaard, zijn dolk, zijn schild, zijn havik en zijn hond.

De oude vrouw reikte hem haar mand aan, en toen hij die opende zag hij dat hij vol eten en drinken zat. Hij at en dronk tot zijn ergste honger en dorst waren gestild en gelest en bewaarde de rest voor de verdere tocht.

Toen zei de oude vrouw: 'Ik heb al vele jonge prinsen in het woud ontmoet, en allemaal hebben ze mij onder bedreiging de proviand afgenomen die ik bij me droeg. Jij bent de eerste die me niet met geweld heeft bejegend, maar je hebt gedwee je hele bezit afgestaan. In ruil daarvoor zal ik je vertellen wat die andere prinsen niet wisten. Ik zal je vertellen hoe je kunt overleven als je het monster tegenkomt – wat zeker zal gebeuren.'

De prins bedankte haar en ze vervolgde: 'Alle andere prinsen vonden hun einde omdat ze op hun wapens en hun eigen kracht vertrouwden. Maar het beest kan alleen worden verslagen met oprechtheid en moed, en daarvan heb jij blijk gegeven in je gedrag tegenover mij. Daarom zal ik je een geheim vertellen waaruit je kunt afleiden hoe je het monster kunt verslaan. Je moet weten dat iedereen die hem in het gezicht kijkt verlamd raakt, en daarom kan iedereen die hem aankijkt de hoop het te overleven wel vergeten.'

'Is het beest dan zo lelijk en angstaanjagend?' riep de prins uit.

'Ik heb je gezegd,' zei de oude vrouw, 'dat alle mensen die hem aankijken verloren zijn. Laat dat genoeg zijn. Daarom moet je je ogen sluiten als je hem van verre ziet aankomen of als je hem kunt ruiken. Als je je ogen dicht hebt, kun je uit de weerzinwekkende stank die hij verspreidt afleiden waar hij is. Hij zal met een afschuwelijk gebrul achter je aan komen, maar je moet je ogen stijf dicht houden en niet proberen weg te lopen. Als je er niet op durft te vertrouwen dat je je ogen te allen tijde dicht zult houden, bind dan een blinddoek voor zodra hij in je buurt komt. Dan moet je je door het monster laten vastgrijpen en je tegen hem aan laten drukken, wat hij zal doen omdat hij je wil wurgen. En op dat moment moet je je angst opzij zetten en de stank weerstaan en moet je hem een kus geven, op zijn naakte huid.'

De prins huiverde en de oude vrouw zei: 'Ik zie je achterdochtig kijken, maar ik zweer je dat je het monster met je kus zult branden en meer pijn zult toebrengen dan met wat voor wapen dan ook.'

De prins bedankte de oude vrouw, zei haar gedag en liep dieper het woud in.

Een paar uur later, rond middernacht, kwam hij plotseling bij een open plek in het woud, en nu hier het licht van maan en sterren ongehinderd omlaag scheen, merkte hij dat hij bijna even goed kon zien als overdag. Hij rook een afschuwelijke stank en op dat moment zag hij dat de grond bezaaid was met uiteengerukte mensenlichamen. Alle prinsen die voor hem het woud hadden betreden lagen hier rondgestrooid: armen, benen, hoofden. En tot zijn afschuw zag hij dat de ledematen en botten half waren afgekloven. Toen ontwaardde hij dat er zich aan de rand van de open plek iets bewoog. Het was een wezen dat met zijn rug naar hem toe stond en, zoals hij zag toen hij naderbij sloop, aan een scheenbeen stond te knauwen. Hij rukte meteen zijn sjaal van zijn hals en bond die strak voor zijn ogen. Terwijl hij daar met bonkend hart bleef staan, bemerkte hij dat de gruwelijke stank – de geur van bloed en rottende lijken en een oeroude gorigheid – steeds sterker werd en wist hij dat het monster dichterbij kwam.

Hij hoorde zijn passen en daarna zijn hortende adem die ondraaglijk stonk, en op dat moment werd hij vastgegrepen door armen die koud en schubbig aanvoelden. Hij voelde hoe de handen zich rond zijn hals sloten, hoe hij tegen de grond werd geduwd met het beest boven op zich, terwijl diens greep steeds knellender werd. Hij herinnerde zich echter de woorden van de oude vrouw en dwong zichzelf zijn gezicht naar voren te stoten – en toen zijn lippen het kille vlees beroerden, gaf hij een kus.

Onmiddellijk liet het monster een gekwelde en gepijnigde kreet horen en liet los. De prins hoorde het beest achteruit schuifelen en de afschuwelijke stank werd minder. Hij trok zijn blinddoek af en zag het monster nog net aan de rand van de open plek, waar het zich mank aan één been de duisternis van het omringende woud in sleepte.

De prins wierp vol afschuw nog een laatste blik op de open plek, haastte zich toen weer het woud in en zette zijn tocht voort. Het was nu bijna ochtend en bij zonsopgang zag hij ergens water schitteren en even later het kasteel, hoog op een rots boven een glinsterende rivier, met beneden de stad.

Hij meldde zich bij de poort en werd onmiddellijk als een held binnengehaald, want hij was de eerste prins die erin was geslaagd door het woud te komen. Hij werd bij de koning gebracht, die hem om de hals vloog en van dankbaarheid snikte nu de betovering van zijn dochter was verbroken. De koning was meer dan opgetogen toen hij zag dat zijn dochters bruidegom – en zijn eigen troonopvolger – zo'n knappe, bevallige jonge prins was, en dan ook nog zo'n dappere.

De prinses werd geroepen en toen zij de zaal binnenkwam, zag de prins dat ze nog jonger en lieftalliger was dan hij had durven dromen. Haar ogen waren verbluffend mooi en op het moment dat hij haar in de ogen keek, verzonk hij totaal in zijn liefde voor haar en kon hij zijn ogen niet meer van haar afhouden. Ze was lief en bescheiden en ze glimlachte op een innemende verlegen manier en hij vond alles aan haar even verrukkelijk. De koning fêteerde hem en liet ondertussen zijn hele hofhouding opdraven en toen verkondigde hij, tot grote vreugde van de prins, dat het huwelijk nog diezelfde avond zou worden voltrokken.

Het nieuws werd verspreid in het kasteel en de stad, en er werd een groot feestmaal aangericht en alle hoge heren en dames kwamen in hun beste kleren toegesneld. De koning, wiens koningin van verdriet was gestorven toen de prinses jaren geleden betoverd was, gaf zijn dochter weg aan de prins en alle dames van het hof weenden, zoals van hen werd verwacht en passend werd geacht. Het feest begon en op het hoogtepunt ervan slopen de prins en de prinses naar de slaapkamer die voor hen was ingericht boven in een van de torens hoog boven de rivier.

De prinses had een kamenierster die, legde ze uit, haar al trouw had gediend vanaf dat ze een baby was, en terwijl de prins in het grote bed lag te wachten met de gordijnen opengeschoven, kleedde de vrouw haar meesteres uit voor het raam waardoor het maanlicht binnenstroomde. Eerst nam de kamenierster haar kettingen en armbanden af, toen trok ze haar schoentjes uit, toen maakte ze haar gouden lokken los, toen gespte ze haar riem los en liet haar lijfje op de grond zakken, en al die tijd staarde de prins met groeiende opwinding naar alle schoonheid die daar werd onthuld. Als laatste trok de kamenierster het hemd over het hoofd van de jonge prinses en toen stond ze in al haar onopgesmukte schoonheid voor haar nieuwe man. Stelt u zich zijn gevoelens voor terwijl hij zijn blik langzaam en vol verlangen over haar lichaam liet glijden, van haar slanke hals via haar volle borsten naar haar gladde buik, tot hij, laag op haar lichaam, het brandmerk van zijn lippen ontwaarde.

Hij sprong uit bed en stond met zijn rug tegen de deur, nog verschrikter dan toen hij geblinddoekt op de open plek had staan wachten tot het monster op hem af zou komen.

De prinses, geschrokken van zijn reactie, legde uit dat zij was betoverd door een boze heks en veroordeeld was om door het woud te zwerven en iedereen te doden en op te vreten die om haar hand zou komen. Door haar te verslaan met een brandende kus, had de prins de betovering verbroken. Ze hield van hem, verzekerde ze hem, omdat hij haar had gered en omdat hij jong en knap en dapper was.

De prins kon van afschuw en schrik geen woord uitbrengen en daarom nam de kamenierster nu het woord en onthulde hem dat zij de oude vrouw was geweest die hij in het woud was tegengekomen. Het was haar taak geweest om alle vrijers in het woud op te vangen die in de buurt van de open plek kwamen en om te kijken of ze haar hulp waardig waren. Allen, met uitzondering van de prins, hadden zich onwaardig getoond, want ze hadden haar onder bedreiging haar eten en drinken afhandig gemaakt. Allen hadden op hun jeugd, hun kracht en hun wapens vertrouwd in hun strijd tegen het monster en allen waren verslagen. Alleen aan hem had ze het geheim toevertrouwd hoe de betovering kon worden verbroken, en hij had voldoende moed bezeten om haar raad op te volgen. Door zichzelf een blinddoek voor te binden had hij weten te voorkomen dat hij verlamd werd door de bevalligheid van de prinses, en dan met name door de schoonheid van haar ogen, toen ze op hem af kwam, naakt en met de stank van lijken om zich heen.

De kamenierster sloot haar verhaal af met te zeggen dat zijn oprechtheid en moed de prinses hadden verlost van haar betovering en dat hij haar nu als zijn bruid moest nemen. De ontzetting van de prins werd er echter niet minder om, en uiteindelijk wist hij uit te brengen dat hij dat niet kon. Iemand die mannen had gedood en opgegeten kon hij niet tot vrouw nemen. Terwijl de prins de deur achter zich openduwde, zei hij dat hij alarm zou slaan om iedereen in het kasteel te vertellen dat hun prinses het monster was geweest dat zo lang door het woud had rondgezworven.

De kamenierster barstte in lachen uit en zei tegen hem dat dat geen enkele zin had, want iedereen in het kasteel wist dat allang. Ze vierden nu juist met z'n allen feest omdat de gruwelijke vloek waaronder het hele koninkrijk zo lang had geleden was opgeheven.

De prins bleef staan en kon niet besluiten wat hij moest doen. En toen vertelde de prinses, die hem de hele tijd vol verlangen was blijven aankijken, dat de kamenierster had gelogen. Zij was niemand anders dan de heks die haar had betoverd en haar had gedwongen haar vrijers te vermoorden. De prins had de betovering nog niet volledig verbroken, maar als hij haar waarlijk tot zijn vrouw zou nemen, terwijl hij wist wat zij gedaan had, zouden ook de laatste restjes van de betovering verdwijnen. Als hij haar afwees, zou de heks haar weer in haar macht krijgen en zou ze opnieuw door het woud moeten dwalen. Bij het uitspreken van die laatste woorden, en nog altijd door niets anders bedekt dan haar lange gouden lokken, begon ze langzaam op de prins af te lopen.

Hij hief een hand op als om haar af te weren. De kamenierster glimlachte en zei dat de prinses de waarheid sprak. 'Ik ben de heks die haar heeft betoverd,' zei ze. 'En de reden dat je kus haar zo veel pijn bezorgde, was dat die haar herinnerde aan de liefde tussen mensen die de prinses heeft moeten ontberen zolang ze door het woud dwaalde en zich voedde met de lichamen van dode mannen. Je moet nu beslissen of je de prinses als je bruid neemt of haar verstoot.'

De prins merkte dat hij nog steeds geen woord kon uitbrengen, maar hij schudde zijn hoofd.

De heks lachte en zei: 'Wil je dan dat ik je de wapens teruggeef die je mij in het woud hebt gegeven?'

'Ja,' schreeuwde de prins.

Onmiddellijk hoorde hij de kamenierster schaterlachen en op dat moment begonnen de vrouwen en de kamer te vervagen. Terwijl het kasteel verdween, voelde hij zich door de lucht vallen totdat hij neerkwam op een bladerbodem, en hij zag dat hij terug was in het woud. In het maanlicht zag hij dat hij zijn maliënkolder aanhad en dat hem zijn zwaard en dolk waren teruggegeven en dat zijn schild naast hem op de grond lag. En toen hij opkeek zag hij zijn havik en zijn jachthond naast zich, terwijl zijn paard op een paar passen van hem vandaan stond met het hoofd in de nek geworpen, nerveus door zijn neusgaten briesend. Op dat moment rook ook de jonge prins de geur die zijn ros angst aanjoeg en besefte hij dat hij terug was op de open plek waar de grond bezaaid was met lichaamsdelen, en op dat moment, terwijl hij in het vage maanlicht naar de rij bomen verderop tuurde, zag hij iets op hem afkomen vanuit het woud.

NAWOORD VAN DE UITGEVER

Ik ben geboren in Hyderabad, waar mijn vader officier was in het Indische leger. Kort na mijn twaalfde verjaardag besloten mijn ouders me terug naar Engeland te sturen en op kostschool te doen, niet alleen omdat het klimaat daar gezonder was en het onderwijs beter werd geacht, maar ook vanwege bepaalde moeilijkheden thuis. Een gevolg van deze omstandigheden was dat mijn ouders niet erg rijk waren, en omdat ik beschikte over enig – naar later bleek gering – muzikaal talent, werd besloten dat ik koorzanger zou worden, ook vanwege het financiële voordeel dat dan mijn les- en kostgeld zouden worden betaald.

De gebruikelijke leeftijd om op de school te komen was zeven of acht jaar, en tegen de tijd dat de jongens twaalf waren, hadden zich banden en vriendschappen ontwikkeld waar ik als late nieuwkomer onvermijdelijk buiten werd gehouden. Met mijn Indische gewoonten en de vroegrijpe neiging tot introspectie, die was versterkt door de moeilijkheden in huiselijke kring, was ik waarschijnlijk een raar klein jongetje. Ik was enig kind geweest – althans nadat een jonger zusje van drie was gestorven aan de gele koorts, hetgeen gebeurde toen ik acht was. Ik had haar aanbeden en dat verlies, in combinatie met andere familieproblemen die ik had doorstaan, hadden mijn melancholieke gesteldheid verrijkt met een vroegwijze ernst, als gevolg waarvan ik het moeilijk vond mee te doen met, en me te bekommeren om, de kinderlijke interesses van mijn medeleerlingen. Toen ik halverwege het derde trimester arriveerde, ontdekte ik dat al hun aandacht in beslag werd genomen door cricket en ik bezat noch de aanleg noch de benodigde belangstelling voor het spel. Misschien kwam het doordat ik schuw, ongelukkig en verlegen was dat ik ernstig begon te stotteren. (Ik kan me in elk geval niet herinneren er eerder last van te hebben gehad en weet niet of het iemand was opgevallen in de tijd dat ik tegen mijn *ayah* honderduit praatte in het Hindoestaans.) Omdat dit een voedingsbron was voor de minachting van de andere jongens, trok ik me steeds verder terug in mijn stilzwijgen en bracht ik zoveel mogelijk tijd in mijn eentje door. Het werd een soort tijdverdrijf om – wanneer er geen vliegen waren om te martelen of katten om achterna te zitten – mij op te jagen en me een woedeaanval te bezorgen, waarbij mijn gestotter dan een hoogst vermakelijk effect had op mijn pogingen me te verdedigen.

Ik was niet alleen onbemind bij de andere jongens, maar had ook de afkeuring gewekt van de bovenmeester, zelfs al deed ik mijn best nooit stout te zijn en me strikt aan de regels te houden. Maar ik leek vaker in de problemen te komen dan de andere jongens en ik vermoed dat dat kwam doordat ik de hele tijd liep te dagdromen, waardoor ik niet in de gaten had dat ik te laat was of dingen vergat. De wereld van mijn verbeelding was veel prettiger en interessanter dan die waarin ik verplicht was te leven en ik geloof dat het de woede van de bovenmeester wekte mij in een fantasiewereld te zien ronddwalen.

De bovenmeester – zoals hij werd genoemd, wat nogal overdreven was aangezien er slechts twee andere voltijdse leraren waren, naast de assistentorganist die muziek onderwees – had soms plotselinge woede-uitbarstingen waarbij hij ons woest en herhaaldelijk sloeg. Dit ging meestal niet gepaard met het ritueel van een Spaans rietje op de uitgestrekte hand of de billen, maar gebeurde met de vlakke hand op ons gezicht. De bestraffing voor een ernstige overtreding bestond er echter in om officieel door hem op het achterwerk te worden geranseld met een rotting. Indertijd waren zijn woedeaanvallen onverklaarbaar en over de redenen ervoor dachten we niet langer na dan over de vraag waarom het de ene dag regende en de dag erna zonnig was. Eenmaal zelf volwassen, doorzag ik zijn verbittering, zijn frustratie om het feit dat zijn ambities en hoop waren vastgelopen op het bovenmeesterschap van een kleine en onbeduidende koorschool in een afgelegen provinciestadje. Ik besefte later ook dat zijn prikkelbaarheid en onvoorspelbare gedrag bij vele gelegenheden het gevolg waren van het feit dat hij zwaar had ingenomen.

We leerden erg weinig, deels omdat we zo hard moesten werken als koorknapen. We hadden elke dag een avonddienst – behalve op zaterdag als er geen gezongen diensten waren. En we moesten elke dag een uur voor het ontbijt repeteren en nogmaals een halfuur voor de avonddienst. Ik had geen aanleg voor muziek en was daarom doodsbenauwd voor de koordirigent, een jongeman die vastbesloten was de reputatie van het koor op te vijzelen en buitengewoon bars met ons omging. Het muzikale niveau in de kathedraal had een neergang gekend door de langdurige gezondheidsproblemen van de bejaarde organist die jarenlang als enige verantwoordelijk was geweest voor de koorzang. (Ook de koorleider was oud en had al lange tijd weinig belangstelling meer getoond voor de zang.) In de hoop het een en ander te verbeteren had de Stichting een jaar of zeven, acht voor mijn komst een assistent-organist benoemd – een man die in onze ogen erg oud was, maar nog geen veertig was in de tijd waarover ik nu schrijf. De benoeming was tijdelijk, maar werd telkens verlengd omdat de organist nog steeds zijn werk niet kon hervatten – dat was tenminste de reden die men ervoor gaf. Hij moest niet alleen tijdens de diensten spelen en ons muziek leren, maar werd ook geacht de verantwoordelijkheid voor het koor over te nemen van de oude man, maar hij was lui en bracht zijn tijd liever door met het rondhangen in de bierhuizen van de stad. Al mishandelde hij ons nooit met slag of anderszins, toch was er iets aan hem, met zijn bizarre, sjokkende manier van lopen, zijn onverzorgde kleding, zijn scheve lachje en zijn sarcastische opmerkingen, dat ons afschrikte en ons zelfs nog meer angst inboezemde dan de koordirigent. Deze laatste uitbreiding van de groep medewerkers van de kathedraal was pas in dienst getreden rond de tijd dat ikzelf op de school was gekomen, toen de kanunniken eindelijk hadden erkend dat de benoeming van de assistent-organist niets had bijgedragen aan het niveau van de koorzang. Als het aan de koordirigent had gelegen, had ik dan ook niet in het koor gezongen. Hij had me meermalen verteld dat ik niet goed genoeg was om koorknaap te worden. Ik gaf hem op dit punt geen ongelijk, maar al had ik een hekel aan alles wat met het koor van doen had, ik vond er wel enige troost in dat ik niet stotterde tijdens het zingen. Dat was niet genoeg om buiten schot te blijven, en de koordirigent vernederde me regelmatig en sloeg me soms tijdens de avonddienst als hij dacht dat ik vals zong, of te zacht in de hoop niet door hem te worden gehoord. Hij deed dit ook wel bij andere jongens, maar ik vond dat hij met name op mij de pik had en mij eruit haalde vanwege mijn geringe muzikaliteit en mijn gestotter. En daarom spijbelde ik soms een avonddienst, ook al wist ik welke straf mij daarvoor wachtte. De koordirigent zou mijn afwezigheid melden bij de bovenmeester en die zou me opsporen en een pak slaag geven. Maar het gaf me tenminste een paar uur uitstel, en de blauwe plekken van de aframmeling bezorgden me een zekere status bij mijn medeleerlingen. Slaag was soms te verkiezen boven het publiekelijk aan de kaak gesteld en uitgelachen worden.

Ik zou hier nog kunnen vermelden dat de afranselingen van de bovenmeester al vrij erg waren, maar dat we allemaal pas echt doodsbenauwd waren om erna op de thee te worden genodigd bij de kanselier, die ons dan wat op wilde vrolijken.

Ons leven was al met al tamelijk beroerd. We waren ondergebracht in een donker oud gebouw – een voormalig poorthuis – in de schaduw van de kathedraal aan de hoge kant van de immuniteit. We sliepen in smalle lage bedden op wieltjes, bijna helemaal boven in het oude bouwwerk. We werden om negen uur ingesloten en meestal de hele nacht aan ons lot overgelaten – wat zeer onaangenaam was, want de grotere jongens hielden zich dan onledig met het kwellen en vernederen van de kleinere – en al was ik een van de oudsten, toch behoorde ik tot degenen die op hun huid werden gezeten. Dit alles speelde zich nog geen veertig jaar geleden af, maar het komt me voor als een compleet ander tijdperk. Geen enkele school zou kinderen tegenwoordig nog de behandeling durven geven die wij toen gewoon waren. De slaapzaal was in de winter volledig onverwarmd en 's winters en 's zomers was het er vergeven van de ratten. We sliepen met z'n achttienen in die ene grote zaal, waarvan we de ramen in de bitterkoude winternachten zo goed dichtstopten als de rammelende kozijnen dat toelieten. Om halfzeven moesten we opstaan en ons aankleden om de vroege dienst bij te wonen, waarna we ons karige ontbijt opaten en ons vervolgens verzamelden in een groot schoollokaal op de begane grond – een ruimte die slechts matig werd verwarmd door een enkel kolenvuur en altijd doortrokken was van de stank van de allergoedkoopste talgkaarsen.

Zaterdag was mijn lievelingsdag – tenminste tot het donker werd, want dan ging mijn lievelingsdag over in de nacht waar ik het meest van gruwde. Zaterdagnacht was de enige nacht van de week dat ik alleen was in het oude poorthuis. Mijn familie had weliswaar ooit verwanten gehad in de stad, maar ik had er nu geen familieleden meer wonen. En daarom bleef ik zaterdag na de repetitie en het ontbijt alleen achter, wanneer de andere jongens naar hun familie gingen tot de ochtenddienst de dag erna, en er was geen enkele volwassene meer die nog enige belangstelling had voor mijn doen en laten, want ook de kok en de dienstmeid hadden hun vrije dag. Of eigenlijk moet ik zeggen: die belangstelling toonde waar ik blij mee was. Ik slenterde die eenzame dag altijd wat rond in de stad en keerde dan terug om het brood met kaas te eten dat de bedienden voor mij hadden klaargezet. En op zaterdagnacht droeg ik, in plaats van heel alleen in de grote zaal te slapen, mijn beddengoed naar het kleine bovenkamertje onder het dak – al was ik daarmee niet gered.

Deze eenzaamheid was er de directe oorzaak van dat ik de vriendschap sloot als gevolg waarvan ik betrokken raakte bij de zaak.

Natuurlijk wil ik niet beweren dat ik de hele tijd ongelukkig was. Er waren momenten dat ik het leven prettig vond – als ik 's zomers met een boek in het gras aan de lage kant van de immuniteit lag of in de herfst kastanjes roosterde op het vuur in het klaslokaal. Een enkele keer nodigde een van de jongere kanunniken, dr Sisterson, ons bij hem thuis uit, waar zijn vriendelijke vrouw en zijn eigen kinderen altijd aardig voor ons waren, en er waren gelegenheden dat ik meedeed met de spelletjes en niemand me nog anders en raar vond. Later – na de tijd waar ik het nu over heb – kreeg ik zelfs een vriend, een rustige, timide jongen die mij aanvankelijk nauwelijks was opgevallen, behalve dat ik me nu en dan had afgevraagd hoe het hem lukte om er niet uitgepikt en belachelijk gemaakt te worden omdat hij geen zin had in ruwe spelletjes, veel kabaal, enzovoorts. (Hij had een broer – veel ouder dan hijzelf – die in de bibliotheek werkte.) Nog een troost was dat ik Latijn en Grieks leuk bleek te vinden, die beide werden gegeven door een oude man die hartstochtelijk van de klassieke literatuur hield en een vriendelijke en onbaatzuchtige belangstelling voor ons aan de dag legde.

Maar toen na mijn terugkeer het herfsttrimester begon – na een vreselijk saaie en eenzame zomer bij een bejaarde oom en tante in een afgelegen dorpje in Cumberland – werd ik steeds ongelukkiger. Urenlang fantaseerde ik erover hoe ik zou kunnen ontsnappen. Mijn ouders zouden allebei kunnen overlijden en omdat het schoolgeld dan niet meer betaald werd, zou ik de wijde wereld in worden gestuurd en zelf de kost moeten verdienen. Of iemand zou me adopteren. En zo niet, dan zou ik op een dag gewoon weglopen. Daartoe had ik alle reden.

Niet alleen werd ik door mijn medeleerlingen geterroriseerd, maar alle koorschooljongens hadden te lijden onder het feit dat er nog een school op de immuniteit was. Wij koorknapen waren beursleerlingen, ontvangers van liefdadigheid, en het feit dat de school was ondergebracht in het oude poorthuis werd aangegrepen om ons uit te schelden. De Courtenay-jongens waren rijk – althans rijker dan de meesten van ons – en zelfverzekerd. Ze paradeerden door de stad in hun karakteristieke kledij – donkere wijde jas, blauwe kniebroek en schoenen met een gesp – en waren alleenheersers over hun grondgebied, de lage kant van de immuniteit, en als een van ons zich daar waagde gaven ze ons een pak rammel. Anderzijds kuierden zij onbekommerd rond over ons grondgebied – de hoge kant van de immuniteit – en dienden wij netjes voor hen uit te wijken of anders onze straf te accepteren in de vorm van schoppen en klappen.

Op een zaterdag tegen het eind van september stak ik de hoge kant van de immuniteit over toen ik voor mij een oude heer zag lopen die ik van gezicht wel kende. Onder zijn linkerarm hield hij een aantal voorwerpen geklemd – een groot object dat eruitzag als een boek en een pakje –, terwijl hij in zijn rechterhand de leren tas hield die hij altijd bij zich had. Hij liet het pakje vallen en liep door zonder dat te hebben gemerkt. Ik raapte het op, holde achter hem aan en gaf het hem terug. Hij was me erg dankbaar en leek sterk te worden aangegrepen door het feit dat ik zo vreselijk stotterde, maar ook door mijn bleekgele huid en enigszins exotische manieren. Hij leek gefascineerd toen hij hoorde dat ik in India was geboren en zei dat hij een passie had voor verre oorden en liet me het boek onder zijn arm zien. Het was een prachtig geïllustreerde verzameling kaarten, die naar hij zei meer dan tweehonderd jaar eerder in Leiden was gedrukt. Hij legde uit dat hij kaarten en atlassen verzamelde en zei dat hij op een dag de gelegenheid hoopte te hebben zijn verzameling aan mij te laten zien. Ik kende hem enkel als de oude man die in het grote oude huis woonde aan het ene eind van de westzijde van de immuniteit.

Ik kwam hem nu en dan weer tegen en in de loop van oktober en november praatte ik misschien vijf of zes keer met hem – altijd bij hem voor de achterdeur. Ik ontmoette hem toevallig op een zaterdag toen de immuniteit er verlaten bij lag en vertelde hem dat ik die dag altijd in mijn eentje doorbracht en toen nodigde hij me uit om de volgende zaterdag bij hem op de thee te komen, waarbij hij me op het hart drukte daar met niemand over te praten, want het zou ons geheim zijn – hij zou het zelfs niet tegen zijn huishoudster zeggen, maar zelf brood en gebakjes kopen. Ik dacht wel te weten wat me te wachten stond, want ik was tweemaal op de thee gevraagd bij dr Sheldrick die nu en dan jongens 's middags bij hem thuis uitnodigde. (De bovenmeester wist ofwel niets af van deze bezoekjes, of ze lieten hem geheel koud – waarschijnlijk het laatste, want hij en de kanselier, beiden trouwe aanhangers van de Low Church, waren bondgenoten in het politieke gekonkel in het kapittel.)

Ik was van nature wantrouwig en al goed getraind in het bewaren van geheimen, want door de moeilijkheden in mijn familie waarvan ik al gerept heb, en die snel hierna de aanleiding zouden vormen voor het uiteengaan van mijn ouders, was ik reeds op jonge leeftijd gewend aan geheimhouding en stond ik instinctief argwanend tegenover de motieven van derden. Mijn betrokkenheid bij de zaak Stonex, zoals het werd genoemd, heeft mij vreselijk aangegrepen – zeker omdat niemand daar ooit iets van geweten heeft. Indertijd zwoer ik mijzelf nimmer te onthullen wat ik door een toevallige samenloop van omstandigheden te weten was gekomen. (In werkelijkheid was er niemand die ik vertrouwde, aan wie ik het zou durven onthullen.) Ik moest mijn geheim in stilte met mij meedragen, evenals de last van de daarmee gepaard gaande schuldgevoelens, zonder ooit mijn hart eens bij iemand te kunnen luchten. Ik zei helemaal niets over wat ik wist en vermeed elk gesprek over de kwestie, tot ik mij een paar jaar geleden liet verleiden tot het schrijven van een brief aan een krant waarin ik enige feitelijke onjuistheden rechtzette die in een absurd artikel over de zaak hadden gestaan. Het was deze brief die me volkomen onvoorzien en onbedoeld weer in de kwestie betrok en die een indirecte verklaring vormt voor het feit dat ik nu dit nawoord schrijf. Afgezien van de beklagenswaardige kinderen van de arme Perkins vermoed ik dat ik het laatste, nog levende slachtoffer in deze zaak ben.

Aldus ging ik op een zaterdag vroeg in december voor de eerste maal het huis binnen – de eerste van slechts twee gelegenheden, want ik ben er nadien nog maar eenmaal binnen geweest. (Na de dood van de oude heer werd het verkocht door zijn zuster die alle activa van de overledene die ze had geërfd – met name natuurlijk de bank, maar ook de verschillende onroerende goederen in en rond de stad – binnen een paar maanden na de gerechtelijke uitspraak over haar erfrecht omzette in baar geld en naar het buitenland vertrok. Het huis werd later het kantoor van de notarissen Gollop en Knaggs – wat het nog steeds is.)

De theevisite bij de oude heer was een groot succes. Hij liet me tegenover hem aan tafel plaatsnemen en praatte met me als tegen een volwassene. Hij gebruikte niet de kleutertaal die de kanselier had gebezigd en bovendien repte hij met geen woord over slaag.

Hij vroeg me wat ik zoal leerde. Ik vertelde hem dat ik van Grieks en Latijn hield omdat ik de leraar klassieke talen aardig vond, en hij bekende dat hij als jongen een hekel had gehad aan die talen en er ook helemaal niets van terecht had gebracht. (Ik zou hier willen opmerken dat ik de lessen van die vriendelijke oude heer zó prettig vond dat ik in die richting verder ben gegaan toen ik naar een particuliere kostschool ging en later naar Cambridge, waar ik klassieke talen ging studeren.) Hij vertelde me dat hij net als ik op de koorschool had gezeten. We ontdekten dat zijn leven daar destijds nauwelijks verschilde van het mijne nu, ondanks het feit dat er zo'n zestig jaar tussen zat. En er bestond nog een andere verbinding tussen ons, want hij vertelde me dat ook hij had gestotterd toen hij zo oud was als ik. We kregen het over de leraren. Mr Stonex vroeg me naar de assistent-organist en toonde zich zeer geïnteresseerd in het weinige dat ik hem kon vertellen.

Het was al bijna tijd om te gaan, toen me te binnen schoot dat hij me, zoals beloofd, zijn atlassen nog niet had laten zien. Hij verspilde nog meer tijd – vond ik – met te vertellen dat hij als schooljongen zeeman of ontdekkingsreiziger had willen worden en dat hij daarom zo van kaarten was gaan houden. Hij vertelde me dat hij zijn dromen over verre reizen had moeten opgeven omdat hij op jonge leeftijd drukkende familieverantwoordelijkheden op zich had moeten nemen vanwege de voortijdige dood van zijn vader. Daarna sprak hij op enigszins duistere wijze over de ironische omstandigheid dat hij een held had willen worden en ervan gedroomd had om als een groot krijger of dapper zeevaarder terug te keren naar zijn geboortestad en daar gefêteerd en gelauwerd te worden, en dat hij in feite ook een soort held was geworden, zij het dan in het geheim. Hij raakte behoorlijk van streek toen hij beschreef hoe hij, in plaats van te worden bedankt en bejubeld, als beloning voor zijn heldhaftigheid werd geminacht en geschuwd. Ik snapte daar toen allemaal niets van natuurlijk, en pas zo'n drie jaar geleden begreep ik waar hij op had gedoeld. (Hoe weinig ik er indertijd ook van begreep, zijn woorden zijn me altijd bijgebleven omdat ik kort hierna ook zelf opgezadeld zat met een afschuwelijk geheim.) De oude heer ging zo op in zijn verhaal dat hij de tijd vergat. Het gebeier van de grote staande klok – die gelukkig voorliep – attendeerde ons op het late tijdstip en toen ik afscheid van hem moest nemen zonder de befaamde atlassen te hebben gezien, beloofde mijn gastheer dat ik nog een keer mocht komen om ze eens goed te bekijken.

En toch, hoe vriendelijk hij ook voor mij was, ik geloofde niet dat hij een erg aardig mens was. In elk geval was hij geen erg goed mens. Want hij had zijn zus slecht behandeld toen deze nog erg jong was en in moeilijke omstandigheden verkeerde. Ik herinner me dat toen ik hoorde dat de hele nalatenschap naar mr Stonex' zus was gegaan, die, zo bleek, onder erbarmelijke omstandigheden in Harrogate woonde, ik net als menigeen in de stad het gevoel had dat er ten slotte toch nog iets goeds was voortgekomen uit de gruwelijk brute moord op de oude heer. Het werd bekend dat de zus een aantal jaren in een piepklein huisje had gewoond en onlangs een beroerte had gehad en bedlegerig was geworden. Er kleefde iets hevig romantisch aan het beeld van het vergeten familielid dat opeens uit ziekte en armoe tot enorme rijkdom werd verheven.

Een aantal jaren na de moord, in februari 1903, verscheen er een artikel over de kwestie in *The Daily Mail*. De journalist onthulde dat de zus van mr Stonex altijd van mening was geweest dat haar broer haar haar deel van de erfenis van hun vader afhandig had gemaakt. Het artikel ging uitgebreid op het verhaal in. Haar vader had haar altijd boven haar oudere broer gesteld en de animositeit tussen broer en zus was aangewakkerd door het feit dat ze qua karakter zo sterk van elkaar verschilden. Hij was voorzichtig, asociaal en verlegen. Zij was flamboyant, extravagant en snel verveeld. Hun vader stief toen het meisje veertien was, en haar broer, die ongeveer zeven jaar ouder was dan zij, was uit wraak zeer onaangenaam tegen haar gaan doen. Op haar zestiende was ze een van de rijkste erfgenames in de wijde omtrek geweest, maar haar broer had haar een bruidsschat geweigerd waardoor de jongelieden uit de vooraanstaande families in de regio hun belangstelling voor haar hadden verloren. Als gevolg van zijn wrede houding jegens haar was zij verleid door een veel oudere man – een toneelspeler uit een theatergezelschap dat de stad aandeed – die haar had meegenomen. Ze probeerde in haar eigen onderhoud te voorzien door zelf het toneel op te gaan, maar na een paar aanvankelijke successen liep haar carrière stuk. Ze was een briljant actrice, gepassioneerd, fascinerend en gedurfd, maar ze had de neiging moedwillig van haar tekst af te wijken en geheel meegesleept door het spel hele stukken te improviseren, waardoor andere spelers niet langer met haar het toneel op wilden en de zakelijk leiders van toneelgezelschappen haar niet meer in dienst wensten te nemen. In de navolgende jaren slaagde haar broer er volgens haar zeggen in haar deel van de erfenis achterover te drukken. Toen ze eenentwintig werd en haar erfdeel poogde op te eisen en daarin faalde, liet haar minnaar haar achter met hun jonge kind. De schrijver van het artikel beweerde dat de verleider zelf nauw verwant was geweest aan een aristocratische Ierse familie en daarom op een goed huwelijk kon rekenen, ondanks zijn ietwat dubieuze broodwinning.

Dit alles gebeurde natuurlijk zo'n dertig, veertig jaar voor de tijd waarover ik het nu heb – de middag dat ik tegenover mr Stonex aan de grote tafel in de woonkeuken zat en hij me vertelde over zijn jongensdromen die hij had moeten opgeven. Een paar jaar later bedacht ik dat hij zich vast schuldig had gevoeld om wat hij zijn zuster had aangedaan en dat hij in mij het kind van zijn zus had gezien, dat hij overigens niet lang daarvoor de deur had gewezen zonder hem een cent te hebben gegeven. Ik leefde met hem mee, want ik weet hoe drukkend en slopend een schuldgevoel kan zijn, want zo er nog iemand in leven is die verantwoordelijkheid draagt voor de onrechtvaardige en wrede dood die in het verslag hiervoor wordt beschreven, dan ben ik dat. Nog weer later besefte ik echter dat ik niets van de gevoelens van de oude man had begrepen.

Na onze theevisite sprak ik hem nog maar tweemaal – en aangezien de eerste keer ongeveer een week daarna was, moet dat hooguit een week of tien dagen voor zijn dood zijn geweest. Ik kwam hem tegen op de immuniteit en hij vroeg me wat ik in de kerstvakantie ging doen, en ik vertelde hem dat ik op school zou moeten blijven, want mijn oom en tante hadden besloten dat ze te oud en broos waren om nogmaals de verantwoordelijkheid voor mij op zich te nemen. Hij zei niets maar keek me bedachtzaam aan. Ik sprak hem niet meer tot op de dag van zijn dood.

Ik ben mijn hele leven geobsedeerd geweest door de zaak Stonex, maar tot een paar maanden geleden had ik niet gedacht er ooit nog iets nieuws over te weten te komen, laat staan openbaar te maken wat ik er zelf van wist. Het artikel in *The Daily Mail* leidde tot een hele reeks voorvallen die uiteindelijk de waarheid aan het licht brachten, al was het artikel zelf niet meer dan een weefsel van leugens rond de zaak. De aanleiding tot de publicatie was de dood van professor Courtine, en de journalist maakte gebruik van het feit dat smaad tegen doden niet bestaat en betichtte hem derhalve van de grofste dingen. Sinds de dag van de moord hadden de meest bizarre verhalen de ronde gedaan en waren er onwaarschijnlijke lasterpraatjes geuit tegen een aantal mensen. Een merkwaardig iets in het artikel was dat de schrijver niet zeker wist of Austin Fickling nog leefde, reden waarom hij hem – op een hoogst lafhartige en oneerlijke wijze – maar helemaal had weggelaten uit zijn speculatieve weergave van de gebeurtenissen op die fatale middag.

Het artikel droeg de kop: DE THURCHESTER-SAMENZWERING ONTMAS-KERD. De auteur begon met de bewering dat er vanaf het allereerste begin geruchten hadden bestaan dat dr Courtine – zoals hij toen bekendstond – op de een of andere manier betrokken was geweest bij de zaak. Tot op dat moment had niemand in alle ernst beweerd dat dr Courtine gelogen had – al meenden velen dat hij bij een aantal kwesties op het verkeerde been was gezet. De journalist betoogde dat de theorie over een mysterieuze broer van het slachtoffer, zoals naar voren gebracht door dr Courtine tijdens zijn verhoor bij het gerechtelijk vooronderzoek, een bewuste verdraaiing van de waarheid was. Zijn groteske stelling luidde dat dr Courtine zelf mr Stonex had doodgeslagen toen hij bij hem op de thee kwam en daarna een paar uur lang het huis ondersteboven had gehaald op zoek naar geld en obligaties. Daarom, beweerde de auteur, had de jonge dokter gelijk gehad toen hij verklaarde dat de oude heer al uren dood was tegen de tijd dat hij het lichaam onder ogen kreeg.

Al wist ik wat een grote onzin dit allemaal was, toch weerstond ik de verleiding om de informatie waar ik over beschikte openbaar te maken. Ik kon het echter niet laten om een brief te schrijven naar de hoofdredacteur van het dagblad, waarin ik zei dat ik indertijd daar op school had gezeten en mr Stonex zelfs vaag had gekend, en hem vervolgens op een omstandigheid wees die de inhoud van het artikel volledig onderuit haalde. Dit was het feit dat Austin Fickling op de middag van de moord samen met dr Courtine in de Nieuwe Proosdij was geweest en dat de twee mannen elkaar tijdens het gerechtelijk vooronderzoek hadden tegengesproken over de vraag wat er in het huis had plaatsgevonden. Dit weerlegde de facto het idee dat dr Courtine betrokken was geweest bij een samenzwering. De brief werd gepubliceerd en er volgde enige correspondentie over het onderwerp. Het was vanwege deze brief dat een paar jaar later miss Napier, de auteur van het boek dat uiteindelijk gepubliceerd zou worden onder de titel *Het mysterie van Thurchester*, mij schreef met een verzoek om assistentie.

De vriendelijkheid van de oude heer hielp mij meer dan hij kon hebben geweten om de volgende weken te doorstaan, waarin alle ellende alleen nog maar erger leek te worden. Ik had nog nooit een Engelse winter meegemaakt en deze was bar, met zware vorst die wekenlang aanhield, en een dikke, verstikkende mist. In onze grote zaal in het oude poorthuis moesten we het ijs in de emmers kapot hakken om ons 's ochtends te kunnen wassen. En 's nachts, onder onze dunne dekens, terwijl de ramen de weinige warmte die er was naar buiten lieten lekken, hoeveel lappen we ook in de kieren propten, hadden we het vaak veel te koud om te kunnen slapen. Ik kreeg wintertenen en werd verkouden en had voortdurend een lopende neus, die ook ruw werd.

Met het naderen van de kerst werd ik steeds ongelukkiger bij het vooruitzicht die geheel alleen door te moeten brengen in het oude gebouw. Wij jongens joegen elkaar vaak schrik aan met verhalen over de spoken die het pand bezochten, en er was inderdaad 's nachts vaak gekraak te horen alsof er iemand over de trap naar het lege zolderkamertje onder het dak sloop. Er bestond een verhaal dat generaties schooljongens aan elkaar hadden doorverteld over een spook – een kanunnik uit de kathedraal van lang, lang geleden – die om mysterieuze redenen 's nachts de trap op glipte naar de zolder. Vaak lag ik midden in de nacht wakker en hoorde ik hem op de trap. Dit alles was al heel angstaanjagend terwijl ik nog door mijn slapende medeleerlingen was omringd. Het vooruitzicht hier in de tien dagen durende kerstvakantie in mijn eentje mee te worden geconfronteerd, was huiveringwekkend. Met name omdat ik vermoedde dat er dan soms werkelijk iemand de trap op zou sluipen. Op kerstdag – die dat jaar op zondag viel – zouden alle koorknapen na de tweede ochtenddienst naar huis gaan en zou ik alleen achterblijven. De bovenmeester en zijn vrouw zouden een oogje op me houden, maar dat gebeurde met tegenzin en weinig regelmaat. Ik vreesde dat dr Sheldrick zou willen dat ik de dag bij hem door zou brengen – al zou het tenminste te koud zijn om foto's te maken.

En daarom was mijn vriendschap met dr Stonex zo belangrijk voor mij. Het feit dat er een volwassene was die me leek te waarderen om wat ik was, zonder iets van me te willen, gaf me reden te geloven dat ik wel degelijk iets voorstelde. En het feit dat het een geheim was, gaf me een gevoel van macht. Ik drukte het 's nachts in bed tegen me aan als een magische talisman. Ik wist iets wat de andere jongens niet wisten. (Ik heb sedertdien altijd goed een geheim kunnen bewaren, wellicht iets te goed. De gewoonte altijd mijn mond te houden zit diepgeworteld.) Ik stond mezelf toe te fantaseren dat de oude man me zou adopteren als zijn kleinzoon, me van school zou halen en me bij hem in zou laten wonen. Op een realistischer niveau hoopte ik dat hij me zou uitnodigen voor het kerstdiner.

Op de donderdag voor kerst kwam ik teruggelopen van de vroege repetitie in gezelschap van een andere koorjongen. Het had de nacht ervoor gesneeuwd, wat ik heel bijzonder vond want ik had nog nooit zoiets gezien. Ik zag de oude heer pas – die onderweg moest zijn geweest naar de bank – toen hij vlak naast me stond, want ik was geheel in gedachten verzonken omdat ik nog zo geschokt was door iets wat de koordirigent die ochtend op de vroege repetitie had gezegd. Mr Stonex noemde mijn naam. De andere jongen liep door, nieuwsgierig naar ons omkijkend, en toevallig passeerde ons precies op dat moment de jonge mr Quitregard die de bibliotheek ging opendoen, zoals hij altijd op dat tijdstip deed op donderdagochtend.

Mr Stonex vroeg me of ik zin had bij hem met kerst te komen eten. En toen zei hij: 'Je hebt nog steeds mijn kaarten niet gezien, wel? Nou, ik hoop in de loop van de middag een prachtige oude atlas te krijgen die ik je zal laten zien als je langskomt.'

'Dat zou ik heel fijn vinden, sir,' zei ik. 'Wanneer?'

'In de loop van de middag,' zei hij. Zijn woorden waren voor tweeërlei uitleg vatbaar en ik wilde zó graag dat hij me zou vragen diezelfde middag nog bij hem langs te komen – zodat ik de late repetitie zou kunnen ontlopen – dat ik mijzelf ervan overtuigde dat hij me gevraagd had hem diezelfde dag nog te bezoeken. Ik wist eigenlijk wel dat hij bedoelde dat de atlas die middag zou komen en dat hij me die op kerstdag zou laten zien, en ik wist ook heel goed dat een bezoek aan hem niet alleen geen goede reden was om de repetitie te missen, maar ook mijn spijbelen feitelijk alleen nog veel erger zou maken. Maar ik was wanhopig en greep me vast aan elke strohalm.

Miss Napier schreef me vier jaar geleden, toen juist de zwarte schaduwen over Europa begonnen te vallen die pas onlangs weer zijn opgetrokken, en zij vroeg me haar te helpen met haar boek. Ik weigerde. Dat was niet uit gebrek aan belangstelling – integendeel, ik noem mijzelf het laatste nog levende slachtoffer, want er gaat geen dag voorbij of ik denk met pijn in het hart aan de arme Perkins. De beroemde sleutelbos uit het huis van mr Stonex waar indertijd zo veel ophef over werd gemaakt, lag al jaren op mijn bureau en daar zag ik hem elke dag. Die sleutels vormden de kern van het raadsel hoe de moordenaar het huis had kunnen verlaten en de deur op slot had gedaan, vandaar dat ze doorslaggevend waren voor de schuld of onschuld van Perkins.

Ik legde hier allemaal niets van uit aan miss Napier, maar zei alleen dat ik vele jaren her het besluit genomen had nooit iets over de zaak los te laten dat niet al publiekelijk bekend was. Maar omdat de oprechte en vriendelijke toon van haar brief me beviel, bood ik aan het manuscript te lezen om haar te behoeden voor feitelijke onjuistheden van het soort waarmee het krantenartikel zich zo belachelijk had gemaakt. Ik maakte haar volkomen duidelijk dat ik geen advies zou geven over welke speculatie in haar manuscript dan ook. De schrijfster bedankte me en accepteerde de voorwaarden. En dus ontving ik een paar maanden later het manuscript van *Het mysterie van Thurchester* en corrigeerde een paar feiten en werd genoemd in de 'Dankbetuiging'. Die verwijzing naar mijn persoon en mijn eerdere brief aan het dagblad leidde er via allerlei omwegen toe dat ik nu de tekst van het voorafgaande verslag heb bezorgd. Want doordat mijn naam in het boek verscheen en ik werd omschreven als een leraar aan de koorschool en de archivaris daarvan, schreef de bibliothecaris van het Colchester College me een brief, ongeveer een jaar geleden nu. (Ik moet even uitleggen dat ik na mijn studie onmiddellijk terugkeerde naar Thurchester, waar ik – het lijkt misschien vreemd – leraar werd aan de school waar ik zo ongelukkig was geweest. Of ik nu het idee had om mijn eigen ellende te compenseren door anderen te helpen, of domweg weer naar die plek werd getrokken door alles wat ik er te verduren had gehad, als een geest die blijft rondspoken op de plaats van zijn ongeluk, ik zou het niet weten. Tegen die tijd, negen jaar na de dood van mr Stonex, waren de meeste mensen die door dr Courtine werden vermeld, er natuurlijk allang niet meer. Maar dit is geen verslag van mijn leven – dat niemand zal interesseren en zelfs mijzelf steeds minder vermag te boeien – en daarom zeg ik er hier niets meer over.)

De theorie die werd geformuleerd in *Het mysterie van Thurchester*, waarover wijd en zijd werd gediscussieerd en die algemeen werd aanvaard, vond ik niet bijster belangwekkend, aangezien ik wist dat hij onjuist was. Ik ontleende veel genoegen aan de verhitte debatten over het boek, zoals die in vele huizen en cafés in de stad plaatsvonden. Ik schudde ernstig het hoofd wanneer men mij aansprak als iemand die uit de eerste hand zou kunnen vertellen wat er die middag in de Nieuwe Proosdij was voorgevallen. Het zou eerlijker zijn geweest als ik duidelijk had gemaakt dat ik vastbesloten was mijn kennis niet prijs te geven. Al onthulde miss Napiers boek geen feiten over de moord die niet al bekend waren, toch was ik gefascineerd door het materiaal dat zij had ontdekt over de vroege jeugd van het slachtoffer en over diens relaties met zijn zus en zijn hoogst opmerkelijke vader, als ook door het latere leven van de betrokkenen.

Miss Napier bevestigde dat mr Stonex na het overlijden van zijn vader een abrupt einde maakte aan de vele verzetjes die de laatste zijn dochter met gulle hand had toegestaan – de kostbare jurken, de kamenierster, de reeks gouvernantes die ze afbekte, en de ponywagen die uitsluitend haar ter beschikking stond. Het moet de koppige, verwende puber zijn voorgekomen of haar broer wraak op haar nam voor de jaren waarin hij door zijn vader was vernederd en geminacht. Het is juist dat hij haar in de twee navolgende jaren zelfs een deel uit hun gezamenlijke erfenis weigerde, en dat hij haar zo aan haar lot overliet dat ze in staat was de toneelspeler te ontmoeten met wie ze wegliep. En miss Napier bevestigde dat toen de zus vijf jaar later meerderjarig werd en haar deel opeiste van wat ze dacht dat een grote erfenis was, hij haar helemaal niets gaf. Ze hadden een vlammende juridische strijd gestreden en het zou goed kunnen dat hij onderhandse middelen gebruikte om haar eis te ontkrachten, al onthulde miss Napier dat hij een goede reden had voor wat hij deed. Toen de vader van haar kind besefte dat ze nooit rijk zou worden, liet hij haar in de steek. Geheel berooid en mislukt bij het toneel, vond ze nu een baan als huishoudster in Harrogate waarmee ze de volgende vijf-entwintig jaar in haar levensonderhoud voorzag. Het was daar en onder die moeilijke omstandigheden dat ze haar zoon opvoedde. Hij groeide op met een bittere haat jegens zijn vader – omdat die zijn moeder en hem in de steek had gelaten – en jegens zijn oom omdat deze zijn moeders erfdeel wei-gerde af te staan. Zijn moeder noemde zich mrs Stonex en deed alsof ze de weduwe was van een telg uit de bekende gelijknamige familie uit het zuid-westen van Engeland. Misschien hoopte ze dat haar zoon uiteindelijk door haar ongetrouwde broer erkend zou worden als erfgenaam. Maar door toe te geven aan haar haat, dwarsboomde ze haar eigen doel door haar zoon op te stoken tegen de broer die hun beiden volgens haar onrecht had aangedaan. Ze herinnerde hem er voortdurend aan dat indien ze beiden in morele en ju-ridische zin hadden gekregen waar ze recht op hadden, zij zich nu niet voor haar levensonderhoud zou hoeven afsloven en hij had kunnen uitzien naar een stralende toekomst. Als gevolg hiervan laakte de jongen, die wild en opstandig bleek te zijn, zijn oom zozeer om zijn gedrag, dat hij op zijn acht-tiende zijn voorgeslacht van moeders kant verloochende en de naam van zijn vader aannam. Hij probeerde zijn vader te vinden en ging naar Ierland waar hij poogde te bewijzen dat hij een afstammeling was van de grote families Ormonde en De Burgh, waaraan zijn vader altijd beweerd had gerelateerd te zijn. Maar zij wezen hem zonder omhaal de deur en ontkenden dat hij en zijn vader in enigerlei legitieme connectie tot hen stonden. Hierna had hij zijn vader opgespoord en ontdekt dat deze een hopeloze alcoholist was die diep in de schulden zat en de last van een ander jong en buitenechtelijk gezin op de schouders torste. Hij keerde zich met geweld tegen hem en gaf hem de schuld van al zijn tegenspoed, inclusief het feit dat hij mank liep – al was dat in werkelijkheid geen gevolg van een verwonding door zijn vaders toe-doen, maar een aangeboren afwijking. Na te zijn afgeslagen aan dit front ontwikkelde hij een hartstochtelijke belangstelling voor de familie van zijn moeder en voor het haar ontfutselde erfdeel. Maar terwijl hij geïmponeerd was geweest door de aristocratische pretenties van zijn vader en zwaar teleur-gesteld raakte toen hij achter de waarheid kwam, koesterde hij voor zijn oom geen andere gevoelens dan wrok en vergeldingsdrang.

Ik was met name geboeid door wat miss Napier te weten was gekomen over de latere levensloop van de zus van het slachtoffer, nadat ze de nalaten-schap had geërfd. Dat hing samen met de kwestie waarover de bibliothecaris me had geschreven toen hij me op de hoogte bracht van het feit dat profes-sor Courtine, die na zijn pensionering was teruggekeerd naar Cambridge als emeritus fellow, een verzegeld verslag had nagelaten in het beheer van het faculteitsbestuur. De veronderstelling was dat dit nieuw licht zou werpen op de zaak Stonex. In een begeleidende brief die hij een paar jaar voor zijn dood had geschreven, had hij vastgelegd dat het verslag tot vijftien jaar na zijn dood dicht moest blijven – welke periode volgens de bibliothecaris thans was verstreken – en dat het pas geopend zou mogen worden als er aan bepaalde voorwaarden was voldaan. En met het oog op deze voorwaarden riep de bibliothecaris nu mijn hulp in. Ik schreef terug om te zeggen dat ik hem alle assistentie zou verlenen waartoe ik bij machte was. En dus sloot hij in zijn volgende brief een kopie bij van de begeleidende brief van dr Courtine. Het zal geen uitleg behoeven dat ik verbijsterd was over het feit dat er zo veel jaar na dato nog een verslag boven water kwam van de hand van iemand die zo nauw betrokken was geweest bij deze gebeurtenissen, en ik hoopte bijzonder dat aan de gestelde voorwaarden kon worden voldaan. Ik had nooit gedacht dat mijn versie van de gebeurtenissen – van een kind van twaalf – nog eens geloofd zou worden. Nu wist ik dat er een getuigenis bestond die mijn verhaal zou bevestigen. En dat van iemand die op die fatale middag in de Nieuwe Proosdij was geweest en reden had gehad om een deel van zijn bevindingen te verzwijgen.

Ik was me indertijd niet bewust geweest van het bestaan van dr Courtine, maar naar ik ten slotte ontdekte bij het lezen van het verslag was hém het incident op die vroege ochtend wel opgevallen waarbij mr Stonex mij uitnodigde om kerstdag bij hem door te brengen. (Die dag zou uiteindelijk de ellendigste kerst van mijn leven worden.) Ik was zo blij met dit voor mij zo onverwachte en heuglijke vooruitzicht dat ik mijn gedachten niet meer helemaal bij de les had en bij het oversteken van de hoge kant van de immuniteit een grotere jongen van Courtenay niet snel genoeg uit de weg ging. Hij treiterde mij met een opmerking over het poorthuis en toen ik antwoord trachtte te geven, stotterde ik vreselijk en jouwde hij me uit, greep het blad papier dat ik in mijn hand hield en liet dat in de modderige sneeuw vallen. Daarna gaf hij me een stomp en zette zijn voet op de partituur en draaide ermee rond, waardoor het papier scheurde en modderig werd.

De hele verdere dag raakte ik meer en meer in paniek als ik dacht aan wat me die middag bij de repetitie boven het hoofd hing.

Miss Napier was erin geslaagd de zuster te vinden en had ontdekt dat ze op dat moment in een enorme villa aan de rand van Genua woonde. Ze had niet gereageerd op miss Napiers verzoek om een gesprek, maar de onvermoeibare schrijfster was erin geslaagd een aantal dienstboden te vinden die voor haar hadden gewerkt. Ze was erachter gekomen dat ze geen vrienden had en dat de enige mensen die ze ontving zich bezighielden met haar financiële aangelegenheden. Voor zover haar bedienden wisten, had ze geen levende familie meer. En ondanks aanhoudend speurwerk, dat in de latere stadia van haar onderzoek nog bemoeilijkt werd door het uitbreken van de oorlog, slaagde miss Napier er niet in om iets over haar zoon te weten te komen, die naar zij aannam de enige erfgenaam was van het enorme fortuin dat de oude dame naar alle waarschijnlijkheid zou nalaten.

Iets minder dan een jaar geleden ontving ik van de bibliothecaris van Colchester College de begeleidende brief die dr Courtine had geschreven. In de brief stond: 'Als er na mijn dood vijftien jaar zijn verstreken mag het zegel op dit verslag worden verbroken – vooropgesteld dat aan onderstaande voorwaarden is voldaan. Als het is geopend en gelezen door de bibliothecaris, de master en de fellows van Colchester College, mogen zij er naar goeddunken over beschikken. De voorwaarden zijn deze, dat de individuen die hieronder vermeld staan officieel dood zijn verklaard en dat als er nog iemand van hen in leven is, het verslag uitsluitend mag worden geopend na overlijden van deze persoon.'

De bibliothecaris zei dat wel vaststond dat een van deze personen nog in leven was, maar vroeg me om hulp betreffende de ander. In feite was dit nu juist het onderwerp geweest waarover ik met miss Napier gecorrespondeerd had, zonder dat wij tot een conclusie waren gekomen. Mijn gesprek in Genua leidde niet tot een oplossing van het vraagstuk, maar het idee dat ik op de terugreis had opgevat, bleek zeer vruchtbaar. Verscheidene maanden later kon ik zodoende aantonen – ook tot tevredenheid van de bibliothecaris en de master van Colchester College – dat ook de andere persoon op de lijst was overleden.

De bibliothecaris stuurde me tevens een kopie van een aantekening die dr Courtine op de buitenzijde van het pakje met zijn verslag had geschreven. Ik vond dit zeer intrigerend, want ik wist precies waarom en wanneer hij die toevoeging had gemaakt. Dat kwam namelijk door mij – door iets wat ik hem had verteld.

Tijdens mijn adolescentie en in de jaren erna probeerde ik zoveel mogelijk te weten te komen over de mensen die betrokken waren bij de zaak. Op een dag, ik studeerde toen in Cambridge, kwam ik over een van hen iets te weten, en een paar dagen later nam ik de trein naar Oxford waar dr Courtine – of professor Courtine zoals hij nu heette – de leerstoel voor middeleeuwse geschiedenis bezette, welke de zijne was geweest sinds drie jaar daarvoor Scuttard, die de post in 1882 had gekregen, op vierenveertigjarige leeftijd dood ter aarde was gestort. Scuttard had het toezicht gehad op de publicatie van het Thurchester-manuscript, maar professor Courtine had in de tussentijd zijn magistrale en meeslepende *Het leven van Alfred de Grote* gepubliceerd. Het was omwille van deze biografie dat hij ten slotte de leerstoel had gekregen, zelfs al vond een aantal van zijn collega's het werk eerder verbeeldingsrijk dan wetenschappelijk verantwoord. Ik bezocht een lezing die hij die middag toevallig bleek te geven. Het ging over de regeerperiode van Ethelred de Onverstandige en hij toverde ons die raadselachtige tijd en de hoofd-rolspelers levendig voor ogen – misschien met meer verbeeldingskracht dan strikt wetenschappelijk geoorloofd was. Na afloop ging ik naar hem toe en zei hem dat ik had genoten. Toen ik vertelde dat ik in Thurchester op school had gezeten, nodigde hij me direct uit voor een kop thee op zijn werkka-mer.

Ik bracht het gesprek op de zaak Stonex, maar hij maakte duidelijk dat hij daar niets over kwijt wilde. En toen noemde ik de naam Austin Fickling, en sprak over hem in de verleden tijd. Toen hij daarnaar informeerde, zei ik dat ik zojuist droevig nieuws over hem had ontvangen en liet hem het stukje zien dat ik uit *De Thurchester Bode* had geknipt. Het was een verslag van de dood van Fickling in Rome, na een lang en smartelijk ziekbed. De journalist kwam vrij uitgebreid terug op de zaak Stonex en vermeldde terloops dat de Ierse toneelspeler, wiens beroepsnaam Valentine Butler was, al noemde hij zichzelf Valentine Ormonde, en die er met de jongere zus van mr Stonex vandoor was gegaan, vele jaren voor de moord was overleden.

Ik kon zien dat professor Courtine geschokt was door hetgeen hij zojuist had gelezen. Ik deed of ik dacht dat de dood van zijn oude vriend hem zo aangreep, maar ik wist wel beter. Het moet hierna zijn geweest dat hij de aantekening op de buitenzijde van de envelop had geschreven waarin hij meldde dat hij het mis had gehad wat betreft de acteur. Want gezien de da-tum van overlijden zoals vermeld in het dagblad, moet professor Courtine hebben beseft dat hij ernaast zat toen hij veronderstelde dat degene die zich tijdens die theevisite had voorgedaan als mr Stonex diens zwager was ge-weest. Die relatie, dacht hij destijds, had geleid tot die ene verspreking in een verder onberispelijke vertoning. Toen hij eenmaal wist dat dit onmogelijk was, moet hij zich hebben afgevraagd wie zich dan wel voor mr Stonex had uitgegeven. Hij had het overigens bij het rechte eind dat de bedrieger een zeer onthullende verspreking had begaan, maar de betekenis ervan ontging hem.

Professor Courtine was zo vriendelijk om me bij mijn vertrek uit te nodi-gen eens bij hem thuis op de thee te komen en zijn vrouw en kinderen te ontmoeten – of om preciezer te zijn, had hij kunnen opmerken, zijn stief-kinderen.

Ik kneep 'm zo, die dag van de moord, omdat de koordirigent tijdens de repetitie die ochtend had gemeld dat het orgel vanaf de dag erna minstens een paar weken buiten gebruik zou zijn, en dat we ter compensatie van het ontbrekende orgelspel bij de grote kerstdienst a capella beurtzangen zouden moeten zingen. En ik zou een van de solisten zijn! Hij had me de muziek gegeven die ik diezelfde middag nog tijdens de repetitie zou moeten zingen

– de muziek die de jongen van Courtenay een paar minuten later had gescheurd en bevuild. De verwenste muziek had me nu nog zwaarder in de
problemen gebracht, want de koordirigent werd altijd woedend als we onze
partituur verloren of stukmaakten, want ze moesten altijd in perfecte staat
weer aan hem worden geretourneerd. Ik geloofde dat hij me voor een solo
had uitgekozen omdat hij me wilde vernederen. Wat zou het hem een hoop
extra plezier geven als ik hem de muziek in deze staat moest laten zien en hij
mij met reden nog harder kon slaan dan gewoonlijk. Ik bracht de rest van de
dag door op school, piekerend over de schande en de vernedering die me te
wachten stonden tijdens de avonddienst.

Natuurlijk was ik niet de enige bij wie paniek uitbrak als gevolg van de
beslissing het orgel vanaf donderdagavond buiten gebruik te stellen. Zoals
het verslag van dr Courtine uitwijst, werden ook de plannen van de samenzweerders in de war geschopt met het uitstel van de inzegeningsplechtigheid
van het gemoderniseerde orgel.

Al bracht het boek van miss Napier verschillende verrassende feiten aan het
licht betreffende de identiteit van de moordenaars en hun motief, en al
kwam ze met een ronduit briljante theorie aanzetten, toch werd ze in de
weg gezeten door de juridische restricties die ze zich moest opleggen omdat
ze niet zeker wist wie er nog in leven was van de personen over wie zij
schreef. Tegen die tijd wist ze natuurlijk al dat Austin Fickling was overleden
en dat de oude dame, nu bijna in de negentig, nog altijd leefde. Ze was echter niet zeker van de man wiens naam ze niet mocht vermelden, maar die ze
omschreef als 'de aartssamenzweerder', en die net als Fickling onmiddellijk
na de moord was verdwenen. En het was deze persoon, beargumenteerde ze,
die Fickling bij het complot had betrokken. Er moest iemand zijn die de
schuld voor de moord in de schoenen kon worden geschoven, en daarom
werd Perkins ertoe verleid, met die in krijt op een lei geschreven boodschap,
zich te mengen in een misdaad waar hij verder geheel buiten stond. Verder
moest er een zeer betrouwbare getuige zijn die tegen hem kon getuigen, en
de schrijfster stelde dat dr Courtine om die reden in de zaak was betrokken
en dat hij een volkomen onschuldig slachtoffer was.

Miss Napier had recentelijk een verwijzing naar de aartssamenzweerder
gevonden waaruit bleek dat deze nog leefde – en nu halverwege de zeventig
was. Ze had van iemand die hem jaren eerder had gekend gehoord dat hij
onlangs in Napels was gezien.

Het was mij onmiddellijk duidelijk wie ze bedoelde met de aartssamenzweerder en ik zag dat ik daarin gelijk had toen ik dr Courtines begeleidende
brief ontving waarin de twee verdachten genoemd werden. Omdat ik graag
het verslag wilde lezen, vatte ik het plan op te achterhalen of dit individu al

dan niet nog in leven was. Het resultaat van mijn inspanningen was dat twee maanden geleden – aansluitend op de dood van de oude dame, zes maanden na mijn frustrerende maar uiteindelijk nuttige bezoek aan haar – de master en fellows van Colchester College, met mijzelf als enige buitenstaander, zich verzamelden in de *combinationroom* van de universiteit, en de bibliothecaris het zegel verbrak en dr Courtines verslag voorlas.

Een van de mysteries die door miss Napier werd besproken was de vraag hoe de moordenaar het huis was binnengekomen, aangezien mr Stonex uitsluitend de deur open zou doen voor mrs Bubbosh en de kelner, en bovendien alleen op het tijdstip dat hij hen verwachtte. Miss Napiers briljante suggestie was dat de moordenaar een minuut of twee voordat Perkins om halfzes zou komen bij het huis arriveerde en dat het slachtoffer de deur opendeed omdat hij de kelner verwachtte – en dat lost het probleem inderdaad op.

Daarnaast kon het raadsel hoe en wanneer de moordenaar het huis had verlaten worden verklaard door miss Napiers verbluffende hypothese dat dit geschiedde in vrouwenkleren en dat dat dus de vrouw zou kunnen zijn geweest die bovenmeester Appleton om ongeveer tien over halfzes tegen was gekomen aan de achterzijde van het huis en die hem op zijn zoektocht naar mij naar de voorzijde had verwezen.

In feite zijn beide suggesties – hoe ingenieus ze de bestaande gegevens ook met elkaar verbinden – onjuist, al komen ze alle twee dicht bij de waarheid. De vrouw die door Appleton werd gezien was wel degelijk echt een vrouw, en mr Stonex deed niet om halfzes de deur open voor zijn moordenaar, want hij was toen al dood. Maar miss Napier had goed geraden hoe men het huis in was gekomen, en had gelijk dat de persoon die door de bovenmeester werd gezien zich wel degelijk had uitgegeven voor iemand van het andere geslacht.

Nadat ik de hele dag over mijn dilemma had lopen piekeren, kwam ik 's middags bij het verlaten van de school plotseling tot een besluit: niet alleen zou ik wegblijven van de repetitie, ik zou me ook drukken voor de avonddienst. Dat had ik nog nooit eerder gedaan en ik kon me de gevolgen van zo'n vergrijp niet voorstellen, maar ze leken me minder reëel dan de zekerheid te zullen worden vernederd als ik wel zou gaan.

Ik praatte mezelf aan dat mr Stonex me daadwerkelijk had uitgenodigd die middag langs te komen om de nieuwe atlas te bekijken en aldus merkte ik opeens, zonder daartoe besloten te hebben, dat ik voor de voordeur van de Nieuwe Proosdij stond.

Het was acht of negen minuten over vier, hetgeen ik zeker weet omdat de school uitliep om kwart voor en ik er de hele tijd aan moest denken dat de andere jongens nu de repetitie kwamen binnenlopen en dat de koordirigent zou controleren wie er ontbraken, en ik berekende precies het moment waarop hij zou beseffen dat ik er niet was. Net toen ik de voordeur van mr Stonex bereikte zag ik de onfortuinlijke Perkins het huis verlaten om de vuile pannen en schotels van de vorige dag naar de herberg aan de overkant te brengen.

Ik kwam naderbij en zag dat er een papiertje op de deur zat geprikt met daarop de woorden: 'Kom binnen', in zulke kleine letters dat je ze alleen van heel dichtbij kon lezen. Ik vermoedde wel dat deze boodschap bedoeld was voor de kelner, maar stond mezelf toe te geloven dat de uitnodiging mij gold, en na vergeefs te hebben aangeklopt probeerde ik daarom of de deur open was – en toen ik merkte dat hij niet op slot zat, ging ik naar binnen.

De woonkeuken was verlaten en zag er precies zo uit als ik mij van de vorige keer kon herinneren – behalve dan dat de tafel niet gedekt was voor de thee maar voor het middageten. Het eten dat Perkins er had neergezet stond koud te worden. Naast de borden en schotels lag een groot, in leder gebonden boek dat ik – hoogst vermetel – opende en dat een oude atlas bleek te zijn met handgekleurde en werkelijk fascinerende platen. Het was onmiskenbaar het boek waar de oude heer het die ochtend over had gehad en ik wist zeker dat hij ergens in huis moest zijn, reden waarom ik besloot te wachten tot hij naar de woonkeuken zou komen voor zijn middageten.

Ik moet zo'n tien tot vijftien minuten in de atlas hebben zitten kijken, toen de hele situatie me een ongemakkelijk gevoel begon te geven. Misschien zou mr Stonex het niet prettig vinden als hij ontdekte dat ik hier zat te wachten. Ik begon het steeds vreemder te vinden dat er niemand de kamer inkwam, dat het eten daar zo onaangeroerd stond en dat het doodstil was in huis. Ik durfde me niet verder het huis in te wagen. Ik keek om me heen en zag op de zijtafel de lei liggen met daarop precies de boodschap die de kelner later beschreef. Ik weet dat Perkins hem correct samenvatte, want ik herinner me nog dat ik dacht dat als mr Stonex het zo druk had, ik niet langer moest blijven wachten en daarom liep ik weer de straat op.

Nu verkeerde ik in een dilemma. Pas als het donkerder was geworden zou ik onopgemerkt in mijn koorschooljongenstenue – een eenvoudige zwarte jas, een peper-en-zout-kleurige kniebroek en een witte stok – kunnen rondzwerven, omdat iedereen wel wist dat ik rond deze tijd op de repetitie zou moeten zijn. Ik kreeg een idee. Heel voorzichtig – want ik mocht vooral niet door een bekende gezien worden – sloop ik langs de kant van de kathedraal van waar af ik door een raam in het kapittelhuis kon kijken, waar de repetitie was. Ik zag de koordirigent bij de piano staan – hij ging nooit zitten, want dat zou het lastiger hebben gemaakt om op een jongen af te snellen en hem een draai om zijn oren te geven. Het feit dat hij piano speelde, betekende dat mr Slattery nog niet was gearriveerd en dat verbaasde me niets, want hij kwam vaak te laat. Een paar minuten later zag ik hem naar binnen snellen – hij maakte als altijd een zowel recalcitrante als slome indruk. De koordirigent keek hem giftig aan, maar met een sluw lachje trok Slattery de kruk onder de piano vandaan en nam plaats achter het klavier. Ik zou moeten opmerken dat mij niets onbetamelijks aan hem opviel. Hij zag er slordig uit – maar zo was hij tenslotte altijd. Zijn papperige gezicht leek verhit – maar dat kon ook van de drank zijn. Hij zag er kortom uit alsof hij de middag onschuldig genoeg had doorgebracht op de gebruikelijke wijze – hangend in de kroeg. De volgende twintig minuten keek ik toe hoe de andere jongens en mannelijke zangers de dingen deden die ik samen met hen had moeten doen, en ik kreeg de merkwaardige gewaarwording dat ik niet langer deel van hen uitmaakte, bijna alsof ik gestorven was. En mijn obsessieve angst over het vernielde blad muziek kwam me plotseling totaal belachelijk voor.

Hoewel ik wel wist hoe bang ik binnen voor de koordirigent zou zijn geweest, zag het er toch gezellig uit. De gaslichten waren omhoog gedraaid, in de hoek brandde fel een kachel, en ik kon vagelijk de muziek horen. Toch besefte ik heel goed dat deze betovering een illusie was en gaf ik de voorkeur aan de kou en het duister buiten.

Kort voor vijven zag ik Appleton aan komen lopen voor de avonddienst, net toen de repetitie afliep, en keek ik toe hoe de koordirigent hem apart nam en hoe het gezicht van de bovenmeester verduisterde, en ik ging ervan uit dat ze het over mij hadden. Mijn gevoel van onthechting verdween op slag, en toen ik Appleton naar de deur zag benen, wist ik zeker dat hij mij ging zoeken. Opeens kwam ik op het idee dat de beste manier om hem te ontlopen was: achter hem aan te gaan.

Ik schaduwde hem meer dan een halfuur door de verduisterende straten. Ik vond het eigenlijk wel een leuk spelletje en toch zag ik met steeds meer angst de afloop tegemoet, want uiteindelijk zou ik te voorschijn moeten komen en een pak slaag moeten incasseren. Om ongeveer tien voor halfzes liep Appleton over St Mary's Street, toen hij de vriendelijke jongeman ontmoette die in de Bibliotheek van Proost en Kapittel werkte. Ik kon hun gesprek niet verstaan, maar later veronderstelde ik dat mr Quitregard in alle onschuld vertelde dat hij mij die ochtend vroeg had zien praten met mr Stonex en dat Appleton om die reden zijn schreden nu haastig richting immuniteit wendde. Het was net halfzes geweest toen ik achter de Nieuwe Proosdij langsliep, zo'n meter of vijfentwintig achter de bovenmeester. We waren vermoedelijk een minuut of twee, drie te laat om dr Courtine en Austin Fickling de achterdeur uit te zien komen.

Ik bevond me juist ter hoogte van de achterdeur toen Appleton zich plotseling omkeerde, waardoor ik me tegen het hek moest drukken om niet te worden gezien. Ik stond doodsangsten uit dat hij op zijn schreden zou terugkeren, in welk geval hij mij zou zien, maar hij had voetstappen achter zich gehoord. Het was een oude vrouw. Hij klampte haar aan en vroeg haar, zoals hij bij het gerechtelijk vooronderzoek verklaarde, of ze mij had gezien.

Ze zei dat ze dacht dat ik me weleens bij de voordeur zou kunnen ophouden. Ik wist natuurlijk niet wat ze met elkaar bespraken, maar tot mijn opluchting sloeg hij snel het steegje naar de voorzijde van het huis in, waar hij niet mij tegenkwam, zoals hij ook vertelde op het gerechtelijk vooronderzoek, maar de kelner, Perkins, die juist op de voordeur klopte. (Ik geloof dat de vrouw Appleton daar bewust heen had gestuurd opdat hij Perkins daar zou zien.)

Wat Appleton zich niet realiseerde – maar wat ik wel had gezien omdat ik een paar meter achter hem liep – was dat de oude vrouw uit het achterhek van de Nieuwe Proosdij was gekomen.

Miss Napier veronderstelde dat de oude vrouw een cruciale rol had gespeeld in het mysterie en bracht een groot deel van de informatie bijeen die noodzakelijk was voor de oplossing, maar enerzijds legde ze verscheidene puzzelstukjes op de verkeerde plek en anderzijds slaagde ze er niet in alle puzzelstukjes te vinden. Ze begreep bijvoorbeeld niet waarom het gezicht van het slachtoffer zo afschuwelijk was toegetakeld. Essentieel genoeg ontbrak in haar verslag de overtuiging van de dokter dat de overledene veel eerder was gestorven dan mogelijk was blijkens al het andere bewijsmateriaal. En de moordenaar kon onmogelijk het huis hebben verlaten om tien over halfzes – toen Appleton en ik de vrouw zagen – als hij tien minuten eerder naar binnen was gegaan, zoals miss Napier veronderstelt: hij zou dan niet genoeg tijd hebben gehad het gezicht van het slachtoffer toe te takelen (zonder zelf onder het bloed te komen zitten) en het huis ondersteboven te halen op zoek naar het testament.

Toen ik besefte dat de vrouw zojuist uit de Nieuwe Proosdij was gekomen, vond ik dat heel merkwaardig, want ik wist dat de oude heer een eenzaam en geregeld bestaan leidde en dat het een uur eerder doodstil in huis was geweest. Ze liep het stuk naar de poort die naar de kruisgang voert en verdween. Ik liep achter haar aan en keek haar na vanonder de poort – verscholen door de invallende duisternis – en zag dat ze over de stenen muur leunde die de kruisgang scheidt van de oude put van Sint-Wulflac en er iets naar toe gooide. Daarna liep ze snel naar de deur van de kathedraal en ging naar binnen. Ik spoedde me naar de plek waar zij had stilgestaan. De put werd omgeven – en wordt dat nog steeds – door een groot, kegelvormig, natuurstenen bekken en het voorwerp was op de rand daarvan terechtgekomen en gleed naar het midden, vanwaar het tientallen meters omlaag zou vallen. Ik klauterde over de muur en nogal roekeloos greep ik ernaar voordat het voorgoed buiten bereik zou glissen. Het was een sleutelbos: twee grote, oude sleutels aan een metalen ring.

Toen ik van de bibliothecaris hoorde dat dr Courtines manuscript verzegeld zou blijven totdat en mits er van de tweede persoon op de lijst was aangetoond dat hij was overleden, peinsde ik langdurig over wat mij te doen stond. En toen bedacht ik dat een hartstochtelijke passie voor muziek naar alle waarschijnlijkheid zou standhouden. Ik haalde een vriend van mij over, een componist van enige faam, mij onder zijn naam een brief te laten schrijven die ik vervolgens naar alle muziekuitgevers en boekhandels met een specialisatie in bladmuziek stuurde. Dit is het fragment uit die brief waar het om gaat:

Ongeveer acht jaar geleden ontmoette ik een heer die blijk gaf van een grote kennis en liefde voor het orgel en voor orgelmuziek. Toen hij mijn naam hoorde, was hij zo vriendelijk me te vertellen dat hij mijn composities kende en bewonderde – die, zoals u wellicht weet, tot nu toe uitsluitend voor pianoforte zijn geschreven – en toen ik mededeelde dat ik van plan was een stuk voor orgel te schrijven, moedigde hij me daartoe aan en vroeg me hem een kopie van het stuk te sturen zodra ik het had voltooid. Het heeft me al die jaren gekost om zover te komen, maar nu heb ik bijna een Fantaisie in A Majeur *voor orgel af. Jammer genoeg ben ik het papiertje kwijtgeraakt waarop ik de naam en het adres van de heer had genoteerd – dat laatste was als ik me goed herinner ergens in Rome of misschien te Napels. Ik ben zo vrij u te schrijven, omdat de heer mij vertelde dat hij omdat hij op het vasteland van Europa woonde zich bladmuziek liet toezenden door uw firma.*
Absurd genoeg weet ik niet eens zeker of ik me zijn naam wel juist herinner. Mij staat bij dat zijn achternaam zoiets was als Butler Ormonde of misschien Ormonde de Burgh. En zijn voornaam was volgens mij Martin of wellicht Valentine.

De achternamen waren natuurlijk die van de families waaraan de minnaar van 'mrs Stonex' verwant beweerde te zijn. Mijn list slaagde warempel, en een van de uitgevers schreef terug met de mededeling:

Wij menen dat u mr Ormonde Martin bedoelt, een heer die jarenlang regelmatig bladmuziek voor orgel bij ons kocht. Tot onze spijt moeten we u mededelen dat hij ongeveer drie jaar geleden is overleden, naar wij ontdekten toen het laatste

pakket muziek dat we hem in Florence toestuurden, werd teruggezonden – met
aanzienlijke vertraging als gevolg van de omstandigheden – door een notaris die
zijn nalatenschap beheert.

Hij leefde dus nog toen miss Napier het onderzoek voor haar boek deed, maar was al een paar jaar dood tegen de tijd dat ik zijn moeder bezocht. Nu ik datum en plaats van zijn overlijden kende, was het niet meer dan een formaliteit het schriftelijke bewijs hiervoor te verkrijgen bij de Britse consul te Florence. Van hem vernam ik overigens dat 'mr Ormonde Martin' in de laatste vijfendertig jaar van zijn bestaan het leven had geleid – het ietwat schandaleuze leven – van een rijke, vadsige man in Italië.

Na de sleutels uit het bekken van de put te hebben gered, ging ik terug naar het klaslokaal, verstopte ze in het vak van mijn lessenaar en wachtte tot ik zou worden geroepen om mijn straf te ondergaan. Die dag bereikte mij geen bericht, want het nieuws van de moord op de oude heer leidde de aandacht van de bovenmeester af van mijn vergrijp, en de dag erna moest hij aanwezig zijn bij het gerechtelijk vooronderzoek. Ik hoopte vurig dat hij mijn misdrijf door deze schokkende gebeurtenissen glad vergeten was. De rest van die donderdag en de dag erna pijnigde ik mijn hersens af met de vraag of ik iemand zou moeten vertellen wat ik wist, maar ik was bang te moeten bekennen dat ik bevriend was geraakt met mr Stonex en bij hem thuis op de thee was geweest en bovendien die middag bij hem thuis was geweest – en dat zonder toestemming. Uiteraard zag ik niet in hoe belangrijk de sleutels waren. En toen liet de bovenmeester me op zaterdagochtend na het ontbijt naar zijn werkkamer komen. Hij was me uiteindelijk toch niet vergeten. Ik weet zeker dat als hij me zou hebben gevraagd waarom ik donderdagmiddag naar de Nieuwe Proosdij was gegaan tijdens de repetitie, ik hem alles zou hebben verteld wat ik wist, zo bang en onthutst was ik. Maar hij was niet nieuwsgierig naar de motieven voor mijn spijbelgedrag en kweet zich kundig van zijn taak – stinkend naar brandewijn en happend naar lucht, terwijl de slagen op mij neerdaalden. Die middag kwam mij de dood van Perkins ter ore, toen ik twee dienstboden daar op geschokte toon over hoorde praten.

Toen ik een paar maanden geleden in Cambridge was en aan de master en fellows van Colchester College de documenten uit Florence overlegde, waarmee het benodigde bewijs was geleverd, merkte ik dat zij uiterst geboeid waren door de zaak – een aantal van hen gaf blijk van wat ik zou willen omschrijven als wetenschappelijke kennis op dit gebied – en ze bleken het hoogst interessant te vinden dat ikzelf nog over enig onbekend bewijsmateriaal beschikte. Uiterst plechtig werden de zegels op het verslag van professor Courtine verbroken, waarna het werd voorgelezen door de biblio-thecaris. Hier ging het grootste deel van de dag aan op, met een onderbre-king voor de lunch. Toen het hele verslag was voorgelezen, vroeg de master me of ik me een paar minuten terug wilde trekken terwijl hij en de fellows zouden bespreken wat hun te doen stond, overeenkomstig de voorwaarden in de brief van professor Courtine. Hij riep me vervolgens weer binnen om te vragen of ik de verantwoordelijkheid op me wilde nemen voor de tekst-bezorging en uitgave van het verslag, en of ik er een inleiding bij wilde schrijven. Ik ging onmiddellijk akkoord.

Toen ik deze taak op mij nam, was ik van plan zoveel mogelijk uitleg te geven over de gebeurtenissen in de cruciale tijdspanne die het verslag van professor Courtine omvat en er aldus een soort wetenschappelijke uitgave met commentaar van te maken. Ik was bijvoorbeeld nieuwsgierig naar het sprookjesboek dat professor Courtine woensdagavond laat in het huis van Fickling aantrof en waaruit hij een verhaal las terwijl hij op diens terugkeer wachtte. Het boek was geleend uit de bibliotheek van Courtenay's en daar vond ik het zo'n vijfenveertig jaar later ook terug. (Er valt over te speculeren waarom het verhaal zo'n indruk maakte op dr Courtine.)

Die vrijdagnacht besefte dr Courtine, zoals hij duidelijk maakt in zijn verslag, hoe de vork in de steel zat en begreep hij ook hoe zijn oude vriend – ik zou moeten zeggen: zijn vroegere vriend – hem gebruikt had. Hij was naar Thurchester gelokt en in de rol gemanoeuvreerd van een boven alle verden-king verheven getuige – al was zijn getuigenis ook onwaar. Het spookver-haal dat Fickling hem op de eerste avond vertelde was enkel bedoeld om hem zover te krijgen dat hij de inscriptie zou gaan lezen, en dan dus de oude heer zou ontmoeten – of eigenlijk de persoon van wie hij zou denken dat het de oude heer was – en op de thee zou worden genodigd. Deze ontmoe-ting was natuurlijk geheel in scène gezet. Degene die de rol van de oude heer op zich had genomen, was bij het achterhek gaan staan toen mr Stonex aan zijn avondmaal zat. Het was de bedoeling, en zo gebeurde het ook, dat dr Courtine zou denken dat de persoon die hem thee serveerde mr Stonex was – al was de oude heer allang dood toen hij en Fickling het huis betraden.

Miss Napier kwam dicht bij de waarheid toen ze opperde dat de moorde-naar het huis had verlaten in de vermomming van de oude vrouw die door Appleton was gezien, maar feitelijk was die persoon wérkelijk een vrouw. En diezelfde vrouw had dr Courtine horen praten toen hij heel vroeg op diezelfde dag door het raam in het huis aan Orchard Street Fickling had zien zitten. Maar ze had natuurlijk niet in haar eentje toegeslagen in de Nieuwe Proosdij, want een vrouw alleen – zelfs in de bloei van haar leven, en dat was deze vrouw niet, al was ze ook gezond en actief voor haar leeftijd en had ze zeker geen beroerte gehad – zou niet sterk genoeg zijn geweest om mr Stonex bij zijn voordeur te overmeesteren, te wurgen en vervolgens zijn lichaam de hele woonkeuken door te slepen.

En ook had miss Napier het bijna bij het rechte eind toen ze veronderstelde dat de moordenaar – in feite de moordenaars – toegang hadden gekregen tot het huis door een paar minuten voordat mr Stonex de kelner verwachtte op de voordeur te kloppen, al was dat in werkelijkheid om vier uur gebeurd en niet om halfzes. Toen ik tien minuten later arriveerde was de oude heer al dood.

Ik stel me zo voor dat hij zijn aanvallers herkend heeft. Een van hen kende hij heel goed, maar hij had deze persoon al zo'n veertig jaar niet meer gezien. Hij had de ander vermoedelijk maar eenmaal van nabij gezien, en dat was acht jaar eerder geweest toen hij een deel van het geld kwam opeisen waarop hij aanspraak dacht te kunnen maken. (Na dat voorval trof mr Stonex al die uitgebreide maatregelen tegen inbraak.)

De moordenaars moeten vervuld zijn geweest van een gevoel van wrekende gerechtigheid, overtuigd als ze waren dat hun gruweldaad legitiem was. Voor uitleg was het nu te laat, al wilde de ironie dat mr Stonex in het geheel niet schuldig was aan de wandaden waar zij hem van betichtten. Miss Napier heeft weken doorgebracht met het doorzoeken van de archieven van de Thurchester and County Bank (die na verkoop was opgegaan in de Somerset and Thurshire Bank) en had ontdekt dat het gerucht dat via Quitregards grootvader was overgeleverd, correct was. Toen mr Stonex op tweeëntwintigjarige leeftijd de bank had geërfd na het overlijden van zijn vader, deed hij een verschrikkelijke ontdekking: de bank was een zeepbel. Al had de bank dan vijfenzeventigduizend pond aan promesses in omloop, het had ook enorme schulden en bezat geen reservefondsen, zodat het op de rand van de afgrond balanceerde. Zijn vader had de bank jaren achtereen geplunderd en het geld verduisterd van honderden mensen die hun spaargeld op de bank hadden staan, of er bezittingen mee hadden gehypothekeerd of er promesses voor hadden geaccepteerd. Hun leven en dat van de hunnen zou door de ineenstorting van de bank worden verwoest. Daar kwam nog bij dat hij weliswaar gegriefd was door de wijze waarop zijn vader hem had behandeld, maar op een vreemde manier had hij ook van hem gehouden en wilde hij absoluut niet dat zijn nagedachtenis beklad zou worden als zijn bedrog aan het licht kwam. En daarom had hij een poging ondernomen het lot van de bank te keren en een ingewikkelde jongleeract uitgevoerd waarbij hij ontvangen geldbedragen en geldelijke verplichtingen in evenwicht hield, zonder zelfs maar zijn bureauchef in te lichten over de problemen. Het draaide allemaal om vertrouwen: zolang alles goed scheen te gaan, zouden de promesses van de bank in omloop blijven. Dit was de langlopende en geheime heldendaad waar hij tegenover mij op had gezinspeeld.

Hij had de waarheid niet aan zijn zus durven vertellen, want hij kon er bij zo'n dartel jong ding niet van op aan dat ze het geheim voor zich zou houden, en als er ook maar enige verdenking was dat de bank in moeilijkheden verkeerde, zou de bank al snel z'n betalingsverplichtingen niet meer na kunnen komen. Hij moest haar daarom een streng regime van soberheid opleggen, waarvoor zij geen enkele reden kon zien. Evenzo durfde hij het niet aan om namens haar te onderhandelen over huwelijksvoorwaarden en omdat hij daar geen uitleg over kon geven, vergaf zij het hem nooit dat hij haar leven had verwoest. Dat ze er met een man vandoor ging, was weliswaar hoogst schandelijk, maar het moet hem ook als een opluchting zijn voorgekomen. En toen hij zijn zus meedeelde, toen ze meerderjarig werd, dat er geen erfenis bestond, vertelde hij haar de waarheid. In werkelijkheid was er dertig jaar hard werken, voortdurende zorgen en schrale soberheid voor nodig geweest (een soberheid die een ingesleten gewoonte was gebleven, ook toen het allang niet meer nodig was), voor hij erin slaagde de bank en de depositeurs te redden.

Zonder hier iets van af te weten sleepten zijn zuster en zijn neef – die hem zojuist had gewurgd met dezelfde sterke handen waar hij een paar uur later gebiologeerd naar had gekeken bij zijn ontmoeting met dr Courtine – het lijk van de oude man de vestibule in. Daarna moeten ze de ene boodschap op de voordeur hebben geprikt en de andere op de lei hebben geschreven om Perkins in de val te lokken en alle verdenking op hem te schuiven. Hij hapte toe en vertrok onder medeneming van het pakje dat – naar hij vrijdagnacht moet hebben beseft, alleen en doodsbenauwd in zijn cel – er gegarandeerd toe zou leiden dat hij binnen een paar maanden zou worden opgeknoopt.

Ik geloof dat op het moment dat ik bij de voordeur kwam en de boodschap las, die ze nog niet weg hadden gehaald, de moordenaars bezig waren de oude heer te ontdoen van zijn bovenkleding. Toen ze mij hoorden aankloppen, moet de moed hun in de schoenen zijn gezonken, want ze waren op het meest kwetsbare en meest incriminerende punt van hun hele onderneming aangekomen. Ze keken vermoedelijk vanuit de vestibule door een kiertje van de deur de woonkeuken in, en toen ze zagen dat het maar een jongen was, besloten ze te wachten tot ik uit mezelf weer zou vertrekken.

Toen ik uiteindelijk wegging, had ik ze bijna vijftien minuten vertraging bezorgd, waardoor ze geen tijd meer hadden het lichaam de lange gang door naar de eetkamer te slepen, zoals ze van plan waren geweest. In plaats daarvan besloten ze het de studeerkamer in te sleuren. (Daarom raakte Fickling zo van slag bij het idee de eetkamer te gaan bekijken toen dr Courtine daartoe de wens uitsprak.) In diezelfde tijd was Fickling met dr Courtine naar het huis komen lopen, maar toen hij het signaal dat alles in gereedheid was niet zag, nam hij hem mee naar zijn eigen huis.

Zodra ik vertrokken was ruimde mrs Slattery, die nu gekleed was in de kleren van haar broer, het middageten op en maakte de borden vuil alsof mr Stonex ze had gebruikt, terwijl ze het eten inpakte om later mee te kunnen nemen. Daarna zette ze de thee, schikte de taarten die ze diezelfde dag in de vroege uurtjes had gebakken – en waarvan de geur dr Courtine naar het huis van de samenzweerders had gevoerd. Terwijl ze hiermee bezig was, trok haar zoon zijn eigen bovenkleren uit zodat daar geen bloed op zou komen en verbrijzelde vervolgens het gezicht van zijn oom.

Ze moeten erg zijn geschrokken van de vertraging die ze door mij hadden opgelopen, want Slattery kon niet al te laat op de koorrepetitie verschijnen, aangezien die gelegenheid en de avonddienst daarna hem van een waterdicht alibi moesten voorzien. Mijn ongewilde tussenkomst had hun ook maar een paar minuten gelaten om het testament te vinden – hetgeen hoogst noodzakelijk was, want anders zou hun misdrijf niet hunzelf maar enkel de koorschool baten – en dus begonnen ze nu de woonkeuken overhoop te halen. Toen ze het testament niet konden vinden, kreeg de vindingrijke actrice de inval over een verdwenen verslag van de moord op Freeth, om zo haar zoektocht te kunnen vervolgen pal onder de neus van dr Courtine. Omdat ze zo veel haast had, maakte ze één vergissinkje: ze vergat de met krijt geschreven boodschap uit te vegen en de lei te verstoppen.

Een minuut of twee na mijn vertrek spoedde Slattery zich de Nieuwe Proosdij uit en ging vermoedelijk nog even langs een kroeg om snel een glas bier naar binnen te slaan, waardoor hij net te laat op de repetitie kwam – zoals ik toevallig zag omdat ik door het raam naar binnen stond te kijken. Pas toen stak zijn moeder de kaars aan in het raam van de eetkamer en gaf daarmee Fickling het teken dat hij met dr Courtine kon komen.

Aan het eind van de hele vertoning was het Ficklings inval (hem ingegeven door de klok die achterliep) dat de oude mr Stonex weleens dezelfde ingenieuze schuilplaats kon gebruiken als hijzelf, die de samenzweerders redde. Daardoor werd het testament toch nog vernietigd en erfde de zus van het slachtoffer de nalatenschap. Dienaangaande bestaat er nog een merkwaardig postscriptum. Een Zwitserse krant berichtte dat de oude dame haar hele familie had overleefd – en vermoedelijk het geld van haar zoon had geërfd dat ze onder elkaar verdeeld hadden – en dus geen erfgenaam meer had, maar bij overlijden intestaat bleek, waardoor haar nalatenschap aan de Zwitserse schatkist was vervallen.

Zaterdagmorgen laat waren alle andere jongens vertrokken. Ik was alleen en in alle opwinding waren Appleton en zijn vrouw mijn bestaan vergeten. Ik had nog te veel pijn van mijn afranseling om 's middags door de stad te kunnen slenteren, zoals ik anders altijd deed. In plaats daarvan bleef ik de hele middag uit het raam staren en dacht na over de gebeurtenissen van de voorafgaande dag. Het nieuws van Perkins' zelfmoord had me geestelijk erg aangegrepen, nog afgezien van mijn lichamelijke pijn. Terwijl ik in het bovenkamertje onder de dekens lag om mijzelf warm te houden, want ik had geen toestemming om helemaal voor mij alleen een vuur aan te leggen, dacht ik aan de ellendige kerstdag die ik morgen in eenzaamheid zou moeten doorbrengen, in plaats van samen met mr Stonex kaarten te bekijken en met hem te eten. Ik had medelijden met de oude heer, maar meer nog met Perkins en diens weduwe en kinderen, en ik stelde mij telkens weer de vraag: als hij nog in leven zou zijn geweest, zou ik dan aan iemand hebben durven vertellen wat ik had gezien en zou ik ze de sleutels hebben durven geven? Maar niet iedereen was me vergeten. Tegen middernacht hoorde ik het bekende gekraak en wist ik dat dr Sheldrick de trap op kwam sluipen om mijn blauwe plekken met zijn smeersel in te wrijven.

Philip Barthram
Thurchester
17 augustus 1919

WOORD VAN DANK

Met dank aan de volgende personen, die dit boek lazen en becommentarieerden in de tijd dat het in mij rijpte: Helen Ash, Jamie Buxton, Jane Dorner, Mary Dove, Roger Elliott, Lorna Gibb, John Hands, Tom Holland, Hunter Steele en Janet Todd.

ALFABETISCHE LIJST VAN NAMEN

De namen van personen uit een vroegere periode dan de late negentiende eeuw zijn gecursiveerd.

Adams	de brigadier
Alfred (de Grote)	koning van Wessex in de negende eeuw
Antrobus	de hoofdinspecteur
Appleton	de bovenmeester van de kathedrale koorschool
Attard	de rechter van instructie
Barthram, Philip	de uitgever en redacteur van het verslag van Courtine
Beorghtnoth	de neef van Alfred, volgens *De Vita Gestibusque Alfredi Regis (Het leven van Alfred de Grote)*
Bubbosh, mrs	de dienstbode van mr Stonex
Bullivant, Giles	de correspondent van de oudheidkundige Ralph Pepperdine
Bulmer	de opzichter van de kerkfabriek
Burgoyne, William	de thesaurier
Burgoyne, Willoughby	de officier van het parlementaire leger en neef van de gelijknamige kanunnik
Carpenter, dokter	de arts
Champniss	de sacristein
Cinnamon	de koorleider
Claggett	de koster
Courtine, Edward	de schrijver van het verslag
Fickling, Austin	leraar aan Courtenay's Academy die samen met Courtine in Cambridge heeft gestudeerd
Freeth, Launcelot	de vice-proost die de proost opvolgt en wordt vermoord

Gambrill, John	de bouwmeester van de kathedraal
Gazzard	de koster
Grimbald	de vermeende auteur van *De Vita Gestibusque Alfredi Regis*
Hollingrake	de bibliothecaris, later thesaurier
Leofranc	de bisschop van Thurchester aan het begin van de twaalfde eeuw
Limbrick, Alice	de moeder van Thomas
Limbrick, Robert	de vader van Thomas en waarnemend bouwmeester van de kathedraal
Limbrick, Thomas	de handwerksgezel van Gambrill
Locard, mrs	de vrouw van de bibliothecaris
Locard, Robert	de bibliothecaris
Napier, miss	de schrijfster van *Het mysterie van Thurchester*
Pepperdine, Ralph	de oudheidkundige die in 1663 in de bibliotheek het document vindt waarnaar Courtine op zoek is
Perkins, Eddy	de kelner van The Angel Inn
Pomerance	de tweede assistent-bibliothecaris
Quitregard	de eerste assistent-bibliothecaris
Sheldrick	de kanselier
Sisterson	de sacristein
Slattery, Martin	assistent-organist en leraar aan de koorschool
Stonex, mrs	de moeder van Slattery
Stonex	de oude bankier die wordt vermoord
Thorrold	de rechtskundig adviseur van Stonex en van de Stichting van de Kathedraal van Thurchester
Wattam	de bureauchef van de bank van Stonex
Wulflac	volgens *De Vita Gestibusque Alfredi Regis* de bisschop van Thurchester die ten tijde van Alfred de marteldood stierf

INHOUD